Les Éditions du Boréal
4447, rue Saint-Denis
Montréal (Québec) H2J 2L2
www.editionsboreal.qc.ca

# La Rose pourpre et le Lys

DU MÊME AUTEUR

*Sous la peau,* Éditions du Seuil, 2001.

Michel Faber

# La Rose pourpre et le Lys

tome II

*roman*

*traduit de l'anglais*
*par Guillemette de Saint-Aubin*

Boréal

Dépôt légal : 2e trimestre 2006
Bibliothèque nationale du Québec

L'édition originale de cet ouvrage est parue chez Canongate en 2002,
sous le titre *The Crimson Petal and the White.*

Couverture : Guglielmo Marconi, 1870
Conception graphique de la couverture : Christine Lajeunesse

Diffusion au Canada : Dimedia

*Catalogage avant publication de Bibliothèque et Archives Canada*

Faber, Michel

La Rose pourpre et le Lys : roman

2e éd.

Traduction de : The Crimson Petal and the White.

ISBN 2-7646-0465-3 (v. 1)

ISBN 2-7646-0466-1 (v. 2)

I. Saint-Aubin, Guillemette de. II. Titre.

PR6056.A23C7414 2006 823'.914 C2006-940508-5

# 17

Le beau, le fringant Henry Rackham, qui jadis semblait destiné à devenir *le* Rackham des Parfumeries Rackham, et qui aujourd'hui n'est plus que le frère de cet homme éminent, est seul dans une rue jonchée de crottes, son pardessus moucheté de pluie fumant légèrement dans le soleil d'après-midi, attendant une prostituée.

Non, ce n'est pas aussi terrible qu'il y paraît: il attend une prostituée *particulière.*

Non, non, vous ne comprenez toujours pas! Il espère parler à la femme qu'il a rencontrée il y a quelques semaines, afin de... afin de donner à leur conversation une conclusion plus adéquate. Ou, ainsi que dirait Mrs. Fox (car c'est une championne du style direct), de se faire pardonner d'avoir été un tel imbécile.

Ayant beaucoup pensé au sujet, il a décidé que son erreur, et de là son péché, ne fut pas d'avoir parlé à cette femme. Non, son péché est advenu après. Tout allait si bien jusqu'à ce qu'il soit distrait par la curiosité de la chair, et ensuite, provoquée par sa lascivité, elle a levé ses jupes et... eh bien, le reste est marqué au fer dans sa mémoire, comme un sombre stigmate triangulaire sur la chair pâle de son esprit. Mais il était aussi coupable qu'elle, et de toute façon la question demeure: et après? C'est une âme en péril, et ce serait une insulte aux enseignements du Christ si seuls les mauvais hommes lui parlaient et si les bons chrétiens l'évitaient.

Voilà pourquoi il se trouve dans Church Lane, St. Giles. Sa provision de nourriture, il l'a déjà donnée aux gosses (des gosses *vraiment* affamés, tâche-t-il de se rassurer) et ses chaussures ont déjà sombré plusieurs fois dans l'ordure. Il a refusé la proposition d'un homme malingre aux allures de furet qui lui offrait de nettoyer ses chaussures, préférant s'agenouiller en pleine rue pour le faire lui-même, tâchant, ce faisant, d'engager avec l'homme-furet une conversation sur Dieu. (Sans succès : l'homme a grogné de stupéfaction et tourné les talons.) Plusieurs individus l'ont interpellé : « Hé, pasteur ! », disparaissant avec un grand rire sous des porches et derrière des fenêtres sombres dès qu'il se retournait. Jusqu'à maintenant, personne n'a tenté de l'attaquer ou de le voler. De telles graines peuvent suffire à faire pousser des vocations.

Henry attend donc au coin de Church Lane et Arthur Street, étouffant de chaleur, dévisageant les passantes en clignant des yeux. Depuis qu'il est là, quatre prostituées – ou des femmes qu'il a prises pour telles – lui ont parlé. Elles lui ont proposé (respectivement) des bottes de cresson, de le guider, un endroit à l'ombre pour se reposer, et « le meilleur câlin de tout Londres ». À quoi il a répondu (respectivement) : « Non merci », « Non merci », « Non merci » et : « Non merci, Dieu vous pardonne ». Il attend la femme avec la robe couleur terre cuite. Une fois qu'il aura racheté son péché avec elle, il pourra commencer à songer aux autres.

Enfin elle arrive, mais elle a l'air si différente que, si son visage en forme de cœur n'était pas encore vivace dans sa mémoire, il l'aurait laissée filer. Il doit quand même se pencher et la regarder de près afin de s'assurer que c'est bien la même personne. Elle est vêtue différemment, voyez-vous, ce qui le déroute, car dans son esprit elle est devenue une créature symbolique, d'apparence figée comme un tableau d'église. Cependant, si l'on excepte le châle rose et la robe bleue élimée, c'est elle, négociant avec précaution les pavés boueux comme la dernière fois. Henry s'éclaircit la gorge.

La femme (oui, c'est bien son joli nez retroussé !) ne le remarque pas, ou du moins fait semblant, jusqu'à ce qu'ils se touchent presque. Mais alors elle tourne la tête vers lui, l'oint de son regard, et lui fait un grand sourire.

« Bonjour, monsieur, dit-elle. Encore des questions ?

– Oui, répond-il sur-le-champ, d'une voix ferme. Si vous voulez bien.

– Pour deux shillings, je veux bien à peu près tout, plaisante-t-elle. Tout ce que *vous* pouvez me faire, du moins. »

La mâchoire d'Henry se contracte. Est-ce qu'elle sous-entend qu'il est moins viril que les autres hommes ? Ou seulement qu'il est moins dépravé ? Et pourquoi son accent cockney est-il si puissant ? La dernière fois elle avait plutôt celui du Nord…

Elle lui tire la manche en manière de gentil reproche, comme si elle était déjà coutumière de sa tendance à rêvasser et décidée à ne pas le laisser faire. « Mais ne le faisons pas dans la rue cette fois-ci, suggère-t-elle. Parlons dans un endroit agréable et tranquille.

– Absolument », répond immédiatement Henry, et c'est à lui d'être surpris. Une expression bizarre passe sur le visage de la fille, moitié protectrice, moitié craintive – mais rien qu'un instant.

« C'est d'accord, alors », dit-elle.

Ils se mettent en route. Elle vérifie fréquemment sa présence à côté d'elle, comme s'il était un chien qui risquait de se perdre. Le prend-elle pour un simple d'esprit ? Il ne devrait pas se soucier de ce qu'elle peut penser. Dieu seul comprendra pourquoi il a accepté son invitation.

« C'est pas luxueux », dit-elle, le guidant en direction d'une maison géorgienne en ruine. La façade, par sa texture et sa couleur, lui fait penser à de la couenne ; le stuc croulant pourrait être des cloques de moisissure. Mais avant qu'il puisse l'examiner trop attentivement, elle lui a fait traverser une cour jonchée de plumes de poulet, passer une porte et pénétrer dans un vestibule faiblement éclairé. Lui, Henry Rackham, aspirant pasteur de cette paroisse, vient de franchir le seuil d'un bordel.

Il y a des tapis turcs, mais ils sont élimés, et le plancher soupire doucement sous leurs pas. Les murs du couloir sont concaves d'un côté et convexes de l'autre ; le papier peint à rayures est boursouflé et plissé comme un vêtement mal adapté, parsemé de gravures encadrées dont le verre est opaque de poussière. Les profondeurs de la maison irradient des relents d'humidité rance, suggérant… suggérant toutes sortes de choses qu'Henry Rackham n'a jamais connues.

« Plein de bon air au premier étage », dit la femme à son côté, qui craint visiblement qu'il ne la quitte. Si seulement elle savait combien il lui est salutaire d'être confronté à cette misère sordide ! Plus d'une fois il a demandé à Mrs. Fox de lui décrire une maison close et, malgré sa franchise, il se l'est toujours imaginée nimbée d'une roseur bachique. Rien – ni le bon sens, ni la lecture consciencieuse de rapports, ni les paroles de Mrs. Ford – n'a pu bannir de son esprit la vision d'une somptueuse grotte de délices sensuels. Dégrisé par l'odeur de la vérité, il pénètre dans la pièce de réception : un salon lugubre, un sombre fatras de meubles épuisés, de vaisselle ornementale jaunie et de bric-à-brac militaire, éclairé par des lampes à huile malgré le soleil qui s'efforce de pénétrer d'épais rideaux de la couleur du bacon.

Un vieillard en ruine est assis dans une chaise roulante, bloquant l'accès à l'escalier, le visage et le corps presque complètement cachés par des écharpes et des couvre-lits tricotés.

« Sept pence pour la chambre », marmonne-t-il, ne s'adressant à personne en particulier. Henry regimbe, mais sa prostituée bat des cils en manière d'excuse, comme si jamais elle ne l'aurait cru assez ignorant pour imaginer qu'elle avait une chambre à elle.

« C'est seulement sept pence, monsieur, murmure-t-elle. Pour un homme comme vous… »

Alors qu'Henry tire les pièces de la poche de son pantalon, la vérité se fait jour : cette femme, pauvre, est pour les pauvres. Elle n'est pas destinée à sa consommation ; il est possible qu'aucun homme de sa classe n'ait jamais mis les pieds dans ce repaire croulant et malodorant. Les vêtements qu'il porte valent plus que n'importe quoi dans cette pièce – meubles, vaisselle, médailles militaires et le reste.

« Je n'ai pas sept pence, voilà un shilling », marmonne-t-il d'un air honteux tout en tendant les pièces. Une serre noueuse se referme sur l'argent, et un bâillon laineux tombe du visage de l'homme, révélant une fraise gonflée à la place du nez, des joues variqueuses et une bouche horriblement édentée.

« N'attendez pas de monnaie, siffle le vieillard, exhalant un pet buccal d'ulcère et d'alcool avant de dégager brusquement le chemin, permettant à Henry et à la prostituée de passer.

– Alors, dit Henry, prenant une grande respiration comme ils commencent à monter les marches. Comment vous appelez-vous ?

– Caroline, monsieur, répond-elle. Et faites attention où vous posez les pieds, monsieur – celles avec les clous sont un peu branlantes. »

Pour deux shillings Henry a droit à vingt minutes. Caroline est assise au bord du lit, après avoir donné à Henry sa promesse solennelle de ne rien faire de mal. Henry demeure debout, stationné à la fenêtre ouverte. Il regarde à peine Caroline tout en lui posant ses questions ; il semble plutôt s'adresser aux toits noircis et aux allées jonchées de débris de Church Lane. De temps à autre, il se tourne pour la regarder une demi-seconde, et elle sourit. Il lui sourit en retour, par politesse. Son sourire, pense-t-elle, est aussi surprenant que charmant. Son lit, pense-t-il, est pareil à une mangeoire tapissée de haillons.

Durant ses vingt minutes, Henry apprend beaucoup de choses au sujet des différents genres de prostituées, et de leurs habitats. Caroline est une « fille des rues » qui loge dans une maison destinée aux putains pour laquelle elle (ou de préférence son client) paie un loyer chaque fois qu'elle y pénètre. Elle l'assure, cependant, que l'apparence minable et lugubre de cet endroit est entièrement due à la nature « pingre » de sa propriétaire, Mrs. Leek, et qu'il y a d'autres pensions dont les propriétaires s'occupent « vraiment bien ». En fait, elle en connaît une dont la propriétaire est la mère de l'une des filles. C'est « un palais, monsieur », non que Caroline y soit jamais allée – pas plus que dans un palais – mais elle imagine que c'est le cas, parce que la même maquerelle avait une maison dans Church Lane, à juste trois portes d'ici, une maison mal tenue aujourd'hui, mais quand Mrs. Castaway était la propriétaire, on aurait pu manger par terre tellement c'était propre. Et depuis la fille est devenue la maîtresse d'un homme très riche, mais même quand elle vivait ici elle était toujours comme une princesse – non que Caroline ait jamais vu une princesse en chair et en os, mais elle a vu des images, et cette fille Sugar n'avait pas l'air moins bien. Donc vous voyez ce qu'on peut faire quand les gens qui s'en occupent se donnent de la peine. Prenez la chambre de Caroline : il n'y a pas à en être fier, elle le sait. « Mais si c'était *vous* qui travailliez ici, avec *lui* en bas et l'endroit qui sent si mauvais le moisi, est-ce que vous auriez envie de frotter les boules du lit et de mettre des petits bouquets dans un vase ? Je ne crois pas. »

Henry s'enquiert des bordels, et apprend qu'eux aussi sont « pas tous pareils ». Il y en a qui sont « des prisons, monsieur, des prisons », où des brutes et des vieilles carnes gardent les pauvres filles « moitié nues et moitié mortes de faim ». D'autres appartiennent « aux gens les plus importants » et les filles « se lèvent que pour les évêques et les rois » (assertion qu'Henry doit méditer un instant). Une chose est claire pour lui : les nettes distinctions opérées par les livres ne signifient pas grand-chose dans le monde réel. Il y a une hiérarchie, certes, mais non des catégories, plutôt des maisons individuelles, même des prostituées individuelles, et la mobilité possible entre une division sociale et la suivante est remarquable.

Au cours des vingt minutes que lui ont procurées ses deux shillings, il en apprend aussi davantage sur Caroline. À sa consternation, elle n'a que mépris pour la vertu qu'elle possédait jadis. La vertu ne paie pas le loyer, ricane-t-elle ; si les gens qui accordent tant de valeur à la chasteté d'une femme avaient été prêts à la loger, la nourrir et l'habiller au lieu de se contenter d'assister à ses pitoyables combats, elle l'aurait peut-être conservée bien plus longtemps.

Et le Ciel ? Que Caroline pense-t-elle du Ciel ? Eh bien, elle ne s'y voit pas monter, mais elle ne se voit pas non plus descendre en Enfer, qui n'est que pour les « méchants ». Sur Dieu et Jésus elle n'a pas d'opinions, mais elle juge le Diable « utile » s'il punit vraiment les gens mauvais, et elle espère que les gens mauvais qu'elle a connus, particulièrement le patron d'un certain atelier de couture, souffrent d'horribles tortures après leur mort, bien qu'elle ait l'impression qu'ils s'en tireront.

« Et est-ce que vous pensez jamais rentrer chez vous ? demande Henry, quand la fatigue d'avoir tant parlé a fait ressortir l'accent du Nord de Caroline.

– Chez moi ? Où c'est ça ? demande-t-elle d'un ton tranchant.

– Dans le Yorkshire, je dirais, répond Henry avec douceur.

– Vous y avez été ?

– J'ai visité. »

Le lit craque tandis qu'elle se lève. Il comprend à son soupir maussade que ses vingt minutes sont passées, selon son estimation.

« Je crois qu'ils ont suffisamment de putains dans le Yorkshire, monsieur », dit-elle d'une voix amère.

Ils se séparent maladroitement, tous deux conscients qu'Henry a franchi une limite, qu'il lui a fait de la peine. Henry est mortifié de la quitter avec cette ombre de souffrance sur le visage : bien qu'il soit venu ici dans l'espoir de lui inculquer la crainte de Dieu, il ne supporte pas d'avoir réveillé son mal du pays. Elle est tellement gaie de nature ; ça se voit. Comme il est méprisable de sa part de lui avoir volé son sourire ! Quant à elle, elle ne sait comment le renvoyer, ce grand sot. L'embrasser serait violer leurs accords, mais lui fermer la porte de sa chambre au nez lui semble terriblement dur. Il a l'air si brave et sincère.

« Venez, monsieur, je vous raccompagne », dit-elle, se radoucissant.

Une minute plus tard, Henry Rackham est dans la ruelle, fixant la fenêtre au premier étage de la maison qu'il vient de quitter, le verre sale à travers lequel il a regardé de ses propres yeux. Un poids a quitté ses épaules, un poids si lourd que d'en être libéré lui fait presque tourner la tête. Jésus-Christ se tient à ses côtés ici dans la ruelle, et Dieu le regarde du haut des Cieux.

Comme il se sent soulagé ! Si les pavés n'étaient pas si sales, il se mettrait à genoux pour rendre grâces au Ciel. Car elle – la femme, Caroline – a touché sa main alors qu'il la quittait, et l'a regardé dans les yeux, et il n'a ressenti aucun désir pour elle – ni pour elle, ni pour aucune des femmes de sa sorte. L'amour qu'il a ressenti pour elle, alors qu'il lui rendait son sourire, était le même amour qu'il ressent pour tout homme, femme ou enfant en péril ; elle était une pauvre chose inconsciente d'être en suspension au-dessus de l'Abîme.

Rien n'est impossible maintenant, entre lui et toutes les Caroline de cette vaste métropole ! Que d'autres hommes cherchent à gagner leurs corps ; lui et Mrs. Fox lutteront pour gagner leurs âmes !

« Pardonnez-moi mon père, car j'ai péché. »

Par ces mots, prononcés avec la précipitation d'une petite fille, Agnes Rackham retrouve le corps qui était assis là treize ans auparavant. Sans s'en rendre compte, elle voûte les épaules pour annuler les quelques centimètres qu'elle a gagnés et positionner ainsi ses yeux au niveau de cette partie de la grille du confessionnal qu'elle regardait toujours étant enfant. La grille est la même en chacun des détails vivement remémorés : son treillage en bois n'est ni plus ni moins ciré, son rideau de chanvre doré ni plus ni moins usé.

« Depuis quand ne vous êtes-vous pas confessée ? »

Le cœur d'Agnes bat contre sa poitrine (qui, dans son esprit, est dépourvu de seins) tandis que ces mots passent à travers la grille ; il cogne non parce qu'elle craint la question ou la réponse qu'elle devra donner, mais plutôt parce qu'elle espère avec la plus grande ferveur que la voix est la même que celle qui la blâmait et l'absolvait toutes ces années auparavant. Est-ce elle ? Est-ce elle ? Huit courts mots ne lui suffisent pas à trancher.

« Treize ans, mon père », murmure-t-elle. Aveu sensationnel !

« Pourquoi avoir attendu si longtemps, mon enfant ? » Son oreille touche presque la paroi, et elle n'est toujours pas sûre de reconnaître la voix.

« J'étais très jeune, mon père, explique-t-elle, ses lèvres effleurant presque le treillis, et mon père… je veux dire, pas *vous*, mon père… et pas mon Père *céleste*… et pas mon…

– Oui, oui », la voix l'interrompt impatiemment, et ces deux mots suffisent à l'assurer que c'est *lui* ! Le père Scanlon lui-même !

« Mon *beau*-père nous a convertis à l'anglicanisme, résume-t-elle d'une voix tout excitée.

– Et votre beau-père est mort maintenant ? suppose le père Scanlon.

– Non, mon père, il est à l'étranger. Mais je suis grande maintenant, et assez âgée pour savoir ce que je veux.

– Très bien, mon enfant. Vous rappelez-vous comment vous confesser ?

– Oh *oui*, mon père », s'exclame Agnes, déçue que le prêtre ne conçoive pas, à son instar, les années qui ont passé dans l'intervalle comme de simples battements de cils. Elle est tentée (pour lui montrer de quoi elle est capable) de se lancer dans le *Confiteor* en latin, car elle l'a appris par cœur jadis, mais elle se mord la langue et se décide pour l'anglais.

« Je confesse à Dieu tout-puissant, à la bienheureuse Marie, toujours Vierge, à saint Michel archange, à saint Jean-Baptiste, aux apôtres, saint Pierre et saint Paul, à tous les saints, et à vous, mon père, que j'ai beaucoup péché par pensées, par paroles, par actions et par omissions ; c'est ma faute, c'est ma faute, c'est ma très grande faute. C'est pourquoi je supplie la bienheureuse Marie toujours Vierge, saint Michel archange, saint Jean-Baptiste, les apôtres saint (ici le père Scanlon tousse et renifle) Pierre et saint Paul, tous les saints, et vous mon père, de prier pour moi le Seigneur notre Dieu. »

Un marmonnement neutre de l'autre côté de l'écran l'invite à se confesser. Agnes est venue préparée à ce moment et sort de son nouveau réticule une feuille de papier sur laquelle elle a hier soir noté tous ses péchés, par ordre d'apparition dans ses journaux des treize dernières années. Elle s'éclaircit délicatement la gorge.

« Voici mes péchés. Le 12 juin 1862, j'ai donné un anneau qui m'avait été donné par une amie. Le 21 juin de la même année j'ai dit à cette amie, quand elle m'a questionnée, que j'avais toujours l'anneau. Le 3 octobre 1869, alors que toutes nos roses avaient la rouille, j'ai volé une rose parfaite dans le jardin d'une voisine et, plus tard ce même jour, je l'ai jetée, de peur qu'on me demande où je l'avais trouvée. Le 25 janvier 1873, j'ai délibérément écrasé un insecte qui ne me voulait aucun mal. Le 14 juin 1875 – la semaine dernière, en fait –, alors que j'avais mal à la tête, j'ai parlé durement à un policier, lui disant qu'il n'était d'aucune utilité et qu'il devrait être révoqué.

– Oui ? lui souffle le prêtre, tout comme il le faisait quand elle était enfant.

– C'est tout mon père, lui assure-t-elle.

– Tous les péchés que vous avez commis en treize ans ?

– Eh bien, oui, mon père. »

Le prêtre soupire et remue sur sa chaise.

« Allons, mon enfant, dit-il. Il doit y en avoir plus.

– S'il y en a, mon père, je ne les connais pas. »

De nouveau le prêtre soupire, plus fort cette fois-ci. « Des indiscrétions ? suggère-t-il. Le péché d'orgueil ?

– J'ai peut-être laissé passer quelques incidents, concède Agnes. Parfois j'avais si sommeil ou je me sentais si mal que je n'ai pas tenu mon journal comme j'aurais dû.

– Très bien alors... marmonne le prêtre. Réparation, réparation... Vous ne pouvez pas faire grand-chose après toutes ces années. Si vous avez toujours l'amie dont vous avez donné l'anneau, dites-le-lui et demandez-lui pardon. Quant à la fleur... (il grogne) oubliez la fleur. Quant à l'insecte, vous pouvez en écraser autant que vous voudrez ; ils sont sous notre domination, ainsi que le dit clairement la Bible. Si vous pouvez retrouver le policier que vous avez insulté, excusez-vous. Maintenant : la pénitence. Pour le mensonge et les mots durs, dites trois *Je vous salue Marie.* Et tâchez d'examiner plus profondément votre âme. Il n'y a pas beaucoup de gens qui vivent pendant treize ans en commettant si peu de péchés.

– Merci, mon père », murmure Agnes en pliant le papier dans sa paume et en se penchant en avant pour recevoir l'absolution.

« *Dominus noster Iesus Christus te absolvat,* marmonne la vieille voix, *et ego auctoritate ipsius te absolvo...* » Les larmes sourdent des yeux fermés d'Agnes et coulent l'une après l'autre sur ses joues. « *... ego te absolvo a peccatis tuis, in nomine Patris, et Filii, et Spiritus Sancti. Amen.* »

Agnes Rackham se glisse hors du confessionnal plus légère que l'air, et se hâte de prendre place sur un banc du fond. Pour sa visite illicite cet après-midi elle porte un voile et une robe simple gris anthracite : une tenue très différente de celles qu'elle affiche durant la Saison, c'est sûr, mais ici à l'église Sainte-Thérèse, Cricklewood, il faut dire qu'elle ne tient pas à être reconnue. Les bancs du fond, très éloignés de la congrégation régulière, loin de l'autel et des candélabres, sont si sombres quand Agnes se faufile entre eux qu'elle manque de trébucher sur un coussin qui n'a pas été replacé dans son casier. Haut au-dessus de sa tête, le plafond a été fraîchement peint en bleu ciel, et tacheté d'étoiles dorées dont l'éclat est illusoire.

Agnes est assise dans le demi-jour, satisfaite, son visage dans l'ombre d'une corniche qui la surplombe. Le service va commencer ; le père Scanlon a émergé du confessionnal et se dirige vers la chaire. Il retire l'étole rouge de ses épaules et la tend à l'un des enfants de chœur en échange d'une autre. Il est à peine changé ! Son trait le plus frappant – la verrue qu'il a au front – est aussi grosse que toujours.

Enchantée, elle regarde les préparatifs de la messe, désirant y participer, sachant qu'elle ne le peut pas. Le fait qu'elle ne connaisse personne dans la congrégation n'est pas la garantie que personne ne la connaît (elle est l'épouse de William Rackham, *le* William Rackham, après tout), et elle ne peut pas se permettre de provoquer les ragots. Il est trop tôt pour révéler au Monde qu'elle est revenue à la Vraie Foi.

« *Introibo ad altare Dei* », annonce le père Scanlon, et le rituel commence. Agnes y assiste dans la pénombre, articulant muettement les mots latins. En esprit elle se projette au centre de l'attention, sous l'éclat des cierges ; quand le prêtre s'incline pour baiser l'autel, elle incline la tête ; elle répète chacun de ses signes de croix sur sa propre poitrine ; sa bouche salive au contact du pain et du vin imaginaires ; ses lèvres humides s'ouvrent pour accueillir Dieu.

« *Dominus vobiscum* », murmure-t-elle, en unisson extatique avec le père Scanlon. « *Et cum spirito tuo.* »

Ensuite, une fois l'église vide, Agnes s'aventure dans la lumière, afin d'être seule avec le bric-à-brac religieux de son enfance. Elle passe lentement devant les places qu'elle et sa mère occupaient, qui, bien que d'autres personnes s'y soient assises aujourd'hui, sont encore identifiables grâce à certaines entailles et taches dans le bois. Tout est exactement comme par le passé, excepté une nouvelle mosaïque dans l'abside, bien trop colorée, représentant le couronnement de la Vierge, avec un nez qui n'est pas le Sien. La plaque de l'Assomption derrière l'autel est heureusement inchangée, avec Notre-Dame qui se dégage des mains rondouillardes et avides des hideux chérubins qui grouillent à Ses pieds.

Agnes se demande combien de temps il lui faudra pour avoir le courage de rejeter publiquement l'anglicanisme et réserver une place ici, dans la lumière près de l'autel. Pas très longtemps, espère-t-elle. Seulement, elle ne sait à qui demander, et combien cela coûterait, et si l'on paie à la semaine ou à l'année. C'est le genre de choses pour lesquelles William serait utile, si elle pouvait se fier à lui.

Mais il y a des priorités : elle doit avant tout faire quelque chose pour abréger le douloureux séjour de sa mère au purgatoire. Quelqu'un d'autre a-t-il plaidé la cause de Violet Unwin depuis sa mort ? Probablement pas. Le jour de ses funérailles en tout cas, auxquelles seuls assistaient les copains anglicans de lord Unwin, il n'y avait pas de catholiques.

Agnes a toujours pensé que sa mère resterait très longtemps au purgatoire, d'abord pour avoir épousé lord Unwin, puis pour l'avoir laissé la dépouiller, ainsi qu'Agnes, de sa religion. De vigoureuses interventions sont nécessaires.

Ouvrant son nouveau sac sous la lumière des candélabres de l'autel, elle en tire, d'entre les poudriers, flacons de sels et tire-boutons, une carte de prière très froissée et ternie, sur une face de laquelle est imprimée une gravure de Jésus, et sur l'autre une prière d'indulgence, garantissant de réduire la condamnation de plusieurs jours, semaines et même mois. Agnes lit les instructions. Dieu lui pardonnera probablement, vu les circonstances, de ne pas avoir reçu la communion ; quant à toutes les autres conditions, elles sont remplies : elle s'est confessée, elle se tient devant un crucifix, et elle connaît par cœur le *Notre Père, Je vous salue Marie* et *Gloire au Père aux intentions du Pape.* Elle les récite, lentement et distinctement, puis elle lit la prière inscrite sur la carte.

« … Ils ont percé mes mains et mes pieds, conclut-elle. Ils ont compté tous mes os. » Fermant les yeux, elle attend de ressentir le chatouillement dans ses paumes et à la plante de ses pieds qui ne manquaient jamais d'accompagner la lecture de cette prière quand, enfant, elle intercédait pour des tantes dont elle se souvenait vaguement et ses personnages historiques préférés.

Pour ajouter une aile supplémentaire à sa prière, elle va allumer un cierge dans la nef. Le plateau et sa centaine de trous ont exactement l'apparence désirée : on dirait que les crachats de cire autour des cavités n'ont pas été grattés depuis la dernière fois qu'elle est venue.

Puis Agnes se rend sous la chaire, ce qu'elle n'a jamais osé faire quand elle était petite, car le sommet sculpté représente un aigle massif portant la Bible sur son dos, les ailes déployées, le bec pointant droit sur elle. Sans crainte, ou presque sans crainte, Agnes fixe le bois terne des yeux de l'oiseau.

Juste alors la cloche de l'église se met à sonner, et Agnes doit fixer les yeux de l'aigle d'autant plus fort, car c'est précisément à ce signal que les créatures magiques s'animent. *Ding, Ding, Ding,* fait la cloche, mais l'oiseau sculpté ne bouge pas, et quand le silence revient, Agnes détourne les yeux.

Elle aimerait rendre visite au Christ crucifié derrière la chaire, pour vérifier son souvenir selon lequel c'était le *médius* de Sa main gauche qui était recollé, mais elle sait que le temps presse, et qu'elle doit rentrer. William pourrait se demander ce qu'elle est devenue.

Tout en remontant l'allée elle refait connaissance avec la suite de tableaux représentant le chemin de croix accrochés en hauteur sur le mur.

Seulement, elle passe dessous dans l'ordre inverse, en commençant par la Déposition pour finir au Jugement devant

Pilate. Ces images lugubres, elles aussi, sont demeurées inchangées pendant treize années, ne perdant rien de leur menace vernie. Enfant, elle avait peur de ces scènes de souffrance sur fond de ciels tourmentés : elle fermait les yeux sur les traces brillantes des verges zébrant la peau d'un gris livide, les fines gouttelettes de sang sombre coulant du front piqué d'épines, et surtout sur le percement de la main droite du Christ. À cette époque, il lui suffisait d'apercevoir, accidentellement, le maillet à mi-course pour que sa main se ferme dans un mouvement convulsif, et elle devait la protéger en l'emmaillotant dans sa jupe.

Aujourd'hui elle voit les tableaux d'un tout autre œil, car depuis elle a souffert bien des tortures elle-même, et sait qu'il y a des choses pires qu'une mort douloureuse. De plus, elle comprend ce qu'elle n'a jamais pu comprendre enfant, à savoir : *pourquoi*, si Jésus avait des pouvoirs magiques, s'est-il laissé assassiner ? Maintenant elle envie le martyr auréolé, car Il était une créature, comme Psycho et les mystiques musulmans dans ses livres sur la spiritualité, qui pouvait être tuée et revenir intacte à la vie. (Dans le cas du Christ, pas *tout à fait* intact, elle doit l'admettre, à cause de ses trous dans les pieds et les mains, mais c'est moins grave pour un homme que pour une femme.)

Elle s'arrête au seuil du narthex et contemple brièvement, avant de sortir, le visage de Jésus au moment où Pilate le condamne. Oui, impossible de s'y méprendre : le calme serein, presque béat, de qui sait : « Je ne peux être détruit. » On lit exactement la même expression sur le visage du chef africain prisonnier du bûcher en flammes (gravure exécutée par un témoin oculaire, c'est du moins ce que lui assure l'auteur des *Miracles et leurs mécanismes*, en ce moment sous son lit). Tant de gens dans l'histoire ont survécu à la mort, et elle, malgré l'étude appliquée qu'elle fait de cette matière, elle est toujours exclue de cette élite ? Pourquoi ? Elle ne demande pas la gloire – elle n'est pas le fils de Dieu, après tout –, personne n'a même besoin de savoir qu'elle y est parvenue, elle saurait demeurer extrêmement discrète !

Mais il ne faut pas qu'elle gâche ce jour merveilleux par des pensées chagrines. Pas alors qu'elle a reçu l'absolution, et prononcé du latin à l'unisson avec le prêtre de son enfance. Elle se hâte de quitter l'église, sans regarder à droite ni à gauche, résistant à la tentation de traîner parmi les étals de marchandises religieuses pour comparer, comme par le passé, une miniature peinte à l'autre, tâchant de décider quel est le plus bel Agneau, la plus belle Vierge, le plus beau Christ, et ainsi de suite. Elle doit retourner à Notting Hill, se reposer un peu.

La nuit est tombée. Un instant, elle se demande comment elle va rentrer ; puis elle se rappelle. Le merveilleux cadeau de William : son coupé à elle. Elle ne peut pas encore croire tout à fait qu'elle le possède, mais il est là, attendant devant l'atelier du maçon face à l'église. Ses chevaux brun foncé tournent placidement leurs têtes garnies d'œillères à son approche, et sur le siège du cocher, parmi les volutes de la fumée de sa pipe, est assis…

« Cheesman ? » dit-elle, mais doucement, presque pour elle-même, car elle est encore peu sûre d'en être la propriétaire.

« Cheesman, dit-elle de nouveau, cette fois-ci assez fort pour qu'il l'entende. À la maison, s'il vous plaît.

– Très bien, Mrs. Rackham » est sa réponse, et quelques instants plus tard elle est douillettement installée à l'intérieur, frottant timidement ses épaules contre le cuir du dossier tandis que les chevaux se mettent en branle. Quel beau coupé ! Il est plus beau que celui de Mrs. Bridgelow, et il coûte cent quatre-vingts livres, d'après William. Une dépense importante, donc, mais qui en vaut la peine – ce qui n'est pas trop tôt, d'ailleurs, car la Saison est déjà très avancée.

Elle a pardonné à William de ne pas l'avoir consultée ; c'est vraiment un coupé parfait, et Cheesman pourrait difficilement être amélioré (il est plus grand et plus beau que le cocher de Mrs. Bridgelow, pour commencer). Et c'était évidemment terriblement important pour William de lui faire la surprise. Et quelle surprise ça a été, quand, il y a une semaine, elle lui a dit qu'elle devait se rendre en ville et lui a demandé s'il savait quand passait le prochain omnibus, et qu'il a répondu : « Pourquoi ne pas prendre le coupé, ma chère ?

– Eh bien, quel coupé ? a-t-elle naturellement demandé.

– Le vôtre et le mien, ma chère », a-t-il répondu, et, la prenant par la main, il l'a menée voir son cadeau d'anniversaire.

Maintenant le miraculeux Cheesman la ramène à la maison – ce cadeau d'anniversaire humain, un homme peu loquace, discret, sur qui elle sait déjà qu'elle peut compter. Dimanche dernier il l'a emmenée à l'église – l'église *anglicane* – à Notting Hill, et dimanche prochain il le fera de nouveau, mais ce soir il l'a emmenée à la messe, et elle sait que ça aussi il le refera. En fait, elle pourrait probablement lui ordonner de l'emmener à la mosquée ou à la synagogue, il toucherait du manche de son fouet le flanc des chevaux et ils seraient partis !

Demain il l'emmènera au Royal Opera House, ou madame Adelina Patti chante *Dinorah.* Tout le monde la verra (Agnes, pas madame Patti) descendre de son coupé tout neuf. *Qui est-ce ?* chuchoteront les gens, tandis qu'une silhouette à la Cendrillon émergera de la voiture rutilante, ses jupes blanches se déversant au-dehors comme de la mousse… Déjà euphorique, encore frissonnante de l'absolution du père Scanlon, et bercée par le roulis de son propre coupé, Agnes s'assoupit, la joue posée contre le coussin de velours à glands que William lui a donné à cette fin, tandis que les chevaux l'emportent vers sa maison.

Le fait que les Rackham possèdent un coupé n'est pas un secret pour Sugar. Elle a aidé William à le choisir, dans un catalogue, et l'a conseillé quant aux éventuels besoins et désirs de sa femme.

Oui, Dieu merci, les choses ont changé, et William vient de nouveau la voir régulièrement. Il ne supporte plus d'être traîné d'un spectacle pompeux à l'autre, dit-il, alors qu'il a tant de travail. Il s'est montré dans tous les endroits où il fallait être, il a supporté des conférences sur les ptérodactyles à la Royal Institution, il a supporté *Hamlet* en italien, et maintenant, pardieu, il en a assez enduré pour l'amour de la société.

Dieu sait qu'il a assisté à la moitié de ces événements seulement parce qu'il craignait qu'Agnes n'ait un « problème », et qu'il lui faille intervenir. Mais elle semble avoir surmonté ce qui la possédait, elle ne s'évanouit plus et n'a plus de crises en public, en fait elle se comporte à la perfection, donc pas question pour lui de la chaperonner à chaque concert, pièce, garden-party, banquet de charité, course de chevaux, jardin de plaisir, exposition florale ou de tableaux à partir de maintenant et jusqu'au mois de septembre. Une demi-douzaine d'ouvriers de la lavanderaie de Mitcham sont morts victimes d'un empoisonnement qui n'avait rien à voir avec les Parfumeries Rackham, mais la police a enquêté et où était-il alors ? Il ronflait tout ce qu'il pouvait au Lyceum, voilà, devant un histrion couronné de carton qui faisait semblant de succomber au poison. Quelle leçon abjecte, s'il en était besoin, sur la nécessité de tracer une ligne de démarcation entre l'illusion et la réalité. À partir de maintenant, il n'accompagnera Agnes que si c'est absolument inévitable.

Oh, et oui bien sûr, Sugar lui a terriblement manqué. Plus qu'il ne peut le dire.

Sugar rayonne de bonheur, rassurée par la ferveur de son étreinte, l'effusion d'intimité renouvelée entre eux. Elle craignait qu'il ne lui échappe, mais non, il a de plus en plus confiance en elle. Ses appréhensions étaient vaines : elle est fermement tissée dans la tapisserie de sa vie.

« Ah, qu'est-ce que j'aurais fait sans toi ! » soupire-t-il, alors qu'ils sont étendus dans les bras l'un de l'autre, chauds et rassasiés. Sugar tire le drap sur sa poitrine, pour le border, et ce faisant elle libère une bouffée de leurs odeurs d'amour, car il n'y a quasiment pas un pouce de son corps qu'il n'a pas reconquis.

L'affaire avec Hopsom s'est bien terminée : Hopsom a été plus ou moins satisfait et la réputation de Rackham demeure intacte – grâce, en grande partie, à l'excellent conseil de Sugar. Le nouveau catalogue Rackham est un grand succès, entièrement purgé des tours de phrase grossiers du vieillard et tellement amélioré par les élégantes suggestions de Sugar que les commandes de la noblesse ont notablement augmenté. Il y a seulement quelques semaines, William disait encore des choses du genre : « Mais ceci ne t'est d'aucun intérêt » ou : « Pardonne-moi : quel sujet de conversation ! ». Maintenant il parle librement de ses projets et de ses doutes et il est clair que l'opinion de Sugar vaut de l'or à ses yeux.

« Tu ne dois pas envier Pears, cher cœur, murmure-t-elle d'une voix rassurante un soir où, pris de mélancolie une fois son désir assouvi, il lui confie combien il se sent petit en comparaison de ce colosse industriel. Ils ont des terres et des fournisseurs que tu n'as pas, et voilà tout. Pourquoi ne pas penser en quoi tu *peux* rivaliser avec eux, comme… eh bien, comme les jolies illustrations de leurs affiches et de leurs étiquettes. Elles sont *très* populaires, tu sais ; je parierais que ces illustrations sont pour moitié dans le succès de Pears.

– Mais Rackham a *aussi* recours aux illustrations, lui rappelle-t-il, essuyant les poils humides de sa poitrine avec une poignée de draps. C'est un type de Glasgow qui les peint et on les fait graver. Et ça nous coûte une fortune, en plus.

– Oui, mais les modes changent si vite, William. Par exemple, la gravure qui vient de paraître dans l'*Illustrated London News.* Avec tout le respect que je dois à votre homme à Glasgow, la coiffure de la fille est déjà démodée. Ses frisettes sont plaquées sur son front, alors qu'elles devraient être libres. Les femmes remarquent ce genre de choses… »

Elle a la main posée sur ses parties génitales, elle sent ses couilles qui bougent dans leur bourse tandis que sa virilité revient lentement à la vie. Il accepte le fait qu'elle ait raison, elle le sent.

« Je t'aiderai avec tes illustrations, William, roucoule-t-elle. La femme Rackham sera aussi moderne que l'est demain. »

Les jours suivants, fidèle à sa parole, William abandonne de plus en plus le tohu-bohu de la Saison à sa femme, et consacre le temps ainsi libéré à Sugar, ou aux affaires des Parfumeries Rackham, ou (de préférence) aux deux à la fois. Trois fois par semaine elle l'a dans son lit, avec une nuit entière où ils dorment côte à côte ! Et le matin il n'est pas pressé de partir ; elle a acheté des provisions de savon à barbe, de rasoirs, de fromage, tout ce dont il peut avoir envie quand il émerge de son nid de sommeil.

Un vendredi, il doit se rendre à Birmingham pour visiter une fabrique de caisses en faillite qui demande un prix trop beau pour être vrai. Tandis que William passe la nuit dans une guest-house de Brummie, Sugar accompagne Agnes au Royal Opera House, voir la *Dinorah* de Meyerbeer.

Toutes deux se retrouvent au foyer – ou aussi près que l'ose Sugar. Il n'y a jamais qu'un seul corps entre les deux femmes dans la foule qui attend le début de la représentation, car Sugar se cache derrière celui-ci puis celle-là, épiant pardessus de raides épaules noires et des manches gigot.

Mrs. Rackham est toute vêtue de blanc cassé et de vert olive et, pour dire la vérité, semble extrêmement pâle. Elle sourit à tous ceux qui pourraient la regarder mais ses yeux sont voilés, sa main serre fort son éventail, et elle marche en vacillant très légèrement.

« Ravie de vous voir », murmure-t-elle à Mrs. Machin et Mrs. Chose, mais il est clair que le cœur n'y est pas et, s'excusant après quelques secondes de conversation, elle bat en retraite dans la foule. À sept heures elle est déjà dans son fauteuil, délaissant ainsi l'opportunité de faire admirer sa toilette à des rangées serrées de spectateurs captifs. Elle se masse les tempes de ses doigts gantés, et attend.

Deux heures plus tard, quand tout est fini, Agnes applaudit faiblement tandis que tous autour d'elle sont saisis par la jubilation. Parmi les cris de « Bis ! » elle se glisse jusqu'à l'allée et se presse vers la sortie. Sugar suit immédiatement, bien qu'elle ait *un peu* peur que les gens de sa rangée en concluent que le spectacle ne lui a pas plu. Au contraire ! C'était majestueux, superbe ! Peut-elle applaudir et crier « Bis ! » tout en trébuchant contre des genoux et en écrasant des pieds dans sa hâte à poursuivre Mrs. Rackham ? Non, ce serait trop absurde ; elle est obligée de faire mauvaise impression.

Dans le hall, un nombre surprenant de spectateurs se sont déjà rejoints. Ce sont les membres de l'élite blasée, les barons et baronnes sommeillant d'ennui, les critiques à monocle s'allumant mutuellement leurs cigares, les jeunes choses frivoles impatientes de voler à d'autres amusements, les douairières séniles que leurs rhumatismes empêchent de rester assises plus longtemps. Un bruyant babil parle fiacres, temps, amis communs ; on entend des voix masculines dénigrer le spectacle, le comparant défavorablement à des *Dinorah* vues dans d'autres pays en d'autres temps ; des voix féminines critiquent la tenue d'Adelina Patti, tandis que des voix efféminées la louent bruyamment. À travers cette presse, Agnes Rackham tente de s'échapper.

« Ah ! Agnes, s'écrie une dame obèse vêtue d'une horrible robe en satin bordeaux. Votre avis, je vous prie ! »

Agnes s'immobilise, et tourne le visage vers l'importune.

« Je n'ai pas d'avis, proteste-t-elle d'une voix basse et peu musicale. J'essayais seulement de respirer un peu…

– Grand Dieu, oui, vous avez effectivement l'air fatigué ! s'exclame Mrs. Unetelle. Êtes-vous sûre que vous mangez assez, ma chère ? »

Tout près derrière Agnes, Sugar voit un frisson descendre le long des boutons au dos de sa robe. Il y a un silence, durant lequel le brouhaha s'affaiblit, sans doute par pure coïncidence plutôt que par curiosité quant à la réponse de Mrs. Rackham.

« Vous êtes grosse, et laide, et je ne vous ai jamais aimée. » Les mots résonnent distinctement, prononcés d'une voix dure et monocorde, qui ne ressemble en rien à celle d'Agnes, issue d'un lieu plus profond que sa gorge piccolo. C'est une voix qui fait dresser les cheveux dans la nuque de Sugar, et paralyse Mrs. Unetelle comme le grognement d'un chien enragé. « Votre mari me dégoûte, poursuit Agnes, avec ses lèvres rouges visqueuses et ses dents de vieillard. L'intérêt que vous me portez est faux et empoisonné. Vous avez des poils sur le menton. Les grosses ne devraient jamais porter du satin. » Sur quoi elle vire sur ses talons et quitte précipitamment le hall, une main gantée de blanc pressée contre son front.

Sugar s'empresse de la suivre, passant près d'une Mrs. Unetelle mortifiée et de son entourage sans voix, qui reculent comme si les règles du jeu étaient maintenant tellement chamboulées qu'ils ne seraient pas surpris d'être attaqués par une totale inconnue.

« Excusez-moi », souffle Sugar, les laissant bouche bée.

Sa hâte est justifiée : Agnes ne s'arrête même pas au vestiaire, mais sort droit dans la rue. Le portier a tout juste le temps de retirer son cou caoutchouteux de la porte avant que

Sugar ne le dépasse à son tour, lui effleurant le nez de son épaule drapée de velours.

« Excusez-moi ! » jettent-ils tous deux simultanément, au vent.

Sugar fouille du regard la bousculade confuse de Bow Street, une surabondance populeuse de colporteurs, de courtisanes, d'étrangers et de braves gens. Pendant un instant elle redoute d'avoir perdu Agnes dans le kaléidoscope, particulièrement du fait que l'incessant passage des voitures masque l'autre côté de la rue. Mais elle n'avait rien à craindre : Mrs. Rackham, sans le manteau vert foncé et le parapluie noir qu'elle n'a pas retirés au vestiaire, est facile à repérer ; ses jupes blanches balaient le sombre trottoir et louvoient entre les piétons. Sugar n'a qu'à suivre la tache la plus claire, qui ne peut être qu'Agnes.

La poursuite dure moins d'une demi-minute ; Mrs. Rackham quitte Bow Street pour une étroite ruelle, du genre de celles qu'utilisent les putains et les voleurs pour faire leurs affaires – ou les messieurs qui ont besoin de pisser. Et certes, à l'instant où Sugar s'engage dans cette sombre ouverture, elle est assaillie par l'odeur d'urine et le bruit de pas furtifs disparaissant au loin.

Les pas ne sont certainement pas ceux d'Agnes : à quelques mètres de l'entrée de la ruelle, Mrs. Rackham gît face contre terre, immobile, dans la boue et le gravier. Ses jupes resplendissent dans le noir comme un tas de neige qui aurait miraculeusement survécu à la venue du printemps.

« *Bon Dieu...* » laisse échapper Sugar, paralysée par la peur et l'indécision. Elle regarde derrière elle et vérifie que du point de vue des passants de Bow Street à cinq mètres de là, elle est dans un autre monde, un univers de ténèbres et d'oubli. Elle et Agnes ont quitté le flot illuminé, qui continue à s'écouler sans elle, les ignorant. Mais Sugar sait aussi que Scotland Yard n'est pas loin, et que s'il y a un quartier de Londres où elle risque de se faire alpaguer par deux sergents de ville qui lui demanderont ce qu'elle sait exactement de cette dame qui gît sans vie à ses pieds, c'est ici.

« Agnes ? » Pas de réaction du corps immobile. Le pied gauche de Mrs. Rackham est tordu à un angle inhabituel et son bras droit est très écarté de son corps, comme si elle était tombée d'une grande hauteur.

« Agnes ? » Sugar s'agenouille près du corps. Elle passe la main sous les cheveux blonds et soyeux et prend une joue dans sa paume, sentant sa chaleur – charnue, lisse et vivante comme sa propre gorge nue. Elle soulève le visage d'Agnes et ses doigts la brûlent.

« Agnes ? » La bouche dans la paume de Sugar s'anime et murmure sans mots contre ses doigts, cherchant, semble-t-il, à sucer son pouce. « Agnes ! réveillez-vous ! »

Mrs. Rackham tressaute comme une chatte hantée par des rêves, et ses membres s'agitent faiblement dans l'obscurité.

« Clara ? geint-elle.

– Non, murmure Sugar, se penchant tout contre son oreille. Vous n'êtes pas encore chez vous. »

Avec l'aide de Sugar, Agnes se met à genoux. Dans l'obscurité, il est impossible de dire si la traînée sombre qui luit sur le nez, le menton et la poitrine de Mrs. Rackham est du sang ou de la boue ou les deux.

« Ne me regardez pas, commande doucement Sugar, saisissant les épaules d'Agnes et la mettant sur pied. Je vais vous aider, mais ne me regardez pas. »

La conscience de son état se fait jour dans le cerveau d'Agnes à mesure qu'elle revient à la vie.

« Dieu du Ciel, je-je suis… *sale* ! » Elle frissonne. « Je suis couverte de s-*saleté* ! » Ses petites mains s'agitent inefficacement sur son corsage et retombent sur les plis de ses jupes souillées. « Ce-ce n'est pas possible qu'on me voie comme ça ! Comment vais-je rentrer ? » Elle tourne son visage en direction de celui de sa sauveuse, mais Sugar se recule.

« Ne me regardez pas, dit-elle de nouveau, serrant fort les épaules d'Agnes. Je vais vous aider. Attendez-moi. » Et elle part en hâte retrouver les lumières de Bow Street.

Immergée de nouveau dans le flot de la circulation humaine, Sugar regarde autour d'elle, examinant chaque passant d'un œil critique : quelqu'un, dans cette cohue tourbillonnante et jacassante, peut-il lui fournir ce qu'elle cherche ? Ces marchands de café là-bas, nimbés de la vapeur de leur étal... ? Non, trop misérables, avec leurs casquettes en toile à sac et leurs blouses tachées... Ces dames qui attendent de traverser en faisant tourner leur ombrelle et bouffer leurs étoles de fourrure pendant que les voitures passent ? Non, elles sortent de l'opéra ; Agnes les connaît peut-être ; et de toute façon elles mourraient plutôt que... Ce soldat, avec sa belle cape noire ? Non, il voudrait appeler les autorités... Cette femme là-bas avec le long châle violet – c'est sûrement une prostituée, et elle ne ferait que des ennuis...

« Oh, miss ! Excusez-moi ! » s'exclame Sugar, se hâtant vers une grosse femme portant un panier de fraises trop mûres. La femme, pauvre et mal fagotée, Irlandaise ou à moitié demeurée d'après ce qu'elle voit, a néanmoins quelque chose pour elle (en plus de son chargement de fruits blets) : elle porte une mante bleu pâle, immense et démodée qui la couvre du cou aux chevilles.

« Ah les bonnes fraises, répond-elle, avec une vilaine grimace.

– Votre manteau, dit Sugar, ouvrant son sac et fouillant à la recherche des pièces les plus brillantes. Vendez-le moi. Je vous en donne dix shillings. »

Alors même que Sugar sort les pièces, six, sept, huit, la femme recule, se léchant nerveusement les lèvres.

« Je suis sérieuse ! proteste Sugar, sortant d'autres shillings et les offrant à la lumière dans ses paumes gantées.

– Je dis pas que vous l'êtes pas, madame, répond la femme avec une demi-révérence, ses yeux injectés de sang roulant d'embarras. Mais voyez, madame, mes vêtements sont pas à vendre. Ah les bonnes…

– Mais qu'est-ce qui ne va pas ? » s'exclame Sugar, exaspérée. À chaque seconde maintenant Agnes pourrait être découverte tremblante dans le noir par un des gredins habitués de la ruelle ; un malfrat à la recherche de colliers et de médaillons en argent pourrait lui trancher la gorge ! « Votre manteau – c'est du mauvais coton et en plus il est vieux – vous pouvez en trouver des centaines de mieux dans Petticoat Lane !

– Oui, oui, madame, allègue la pauvresse, serrant son manteau à sa gorge. Mais ce soir j'ai très froid, et sous ce manteau j'ai qu'une petite robe de rien.

– Pour l'amour de Dieu, siffle Sugar, à moitié folle d'impatience tandis que la tête d'Agnes (dans son imagination) est détachée de son cou par une lame en dents de scie dans un effroyable bouillonnement de sang. Dix *shillings* ! Regardez ! » Elle tend la main, lui mettant sous le nez les pièces neuves et brillantes, presque à le lui toucher.

L'instant suivant, l'échange est fait. La marchande de fraises prend l'argent et Sugar la dépouille de son manteau, révélant des bras nus, une chemise usée jusqu'à la trame, un corsage affaissé et gonflé couvert de nombreuses taches de lait maternel. Une grimace de dégoût est alors ajoutée sur le tard à la transaction. Sans un mot de plus, Sugar s'éloigne, pliant la mante contre sa propre poitrine, discrète et vêtue de velours quant à elle, en direction de la ruelle.

Agnes est exactement là où elle l'a laissée ; elle semble même n'avoir pas bougé un muscle, comme si un coup de baguette magique l'avait pétrifiée. Sans avoir besoin qu'on le lui rappelle,

elle détourne le visage à l'approche de son ange gardien, une haute silhouette masculine avec une pâle lueur mystérieuse scintillant devant son torse. Les rats qui tournaient autour des jupes d'Agnes, reniflant le cuir tendre de ses chaussures, prennent peur et décampent dans l'obscurité.

« Je vous ai apporté quelque chose, dit Sugar. Ne bougez pas, je vais vous envelopper dedans. »

Les épaules d'Agnes frémissent tandis que les plis du manteau s'évasent autour de son corps. Elle pousse un cri qui est un peu plus qu'un souffle, qui pourrait être de plaisir, de douleur ou de peur. Une main tâtonne sa poitrine, ne sachant où saisir le vêtement inconnu… ou non ! – ce n'est pas ça du tout : elle fait le signe de croix.

« … Saint-Esprit… », murmure-t-elle d'une voix tremblante.

« Maintenant, déclare Sugar en prenant Agnes par les coudes, à travers le tissu pâle de la mante, je vais vous dire quoi faire. Vous devez sortir d'ici et tourner à droite. Vous m'écoutez ? »

Agnes acquiesce d'un signe de tête, avec un son remarquablement identique au geignement érotique qu'émet Sugar quand la queue d'un homme se presse à l'entrée.

« Une fois dans la rue, marchez, pas plus d'une centaine de pas, poursuit Sugar, poussant doucement Agnes en direction de la lumière. Tournez de nouveau à droite à la voiture de la marchande de fleurs : c'est là que Cheesman vous attend. Je vous surveillerai pour qu'il ne vous arrive rien. » Se penchant par-dessus l'épaule d'Agnes, elle essuie avec sa manche le mélange de boue et de sang qui macule son visage.

« Soyez bénie, soyez bénie, dit Agnes, avançant à pas chancelants, penchée en arrière, son sens de l'équilibre encore incertain. William dit que vous êtes une é-élucubration, un tour que me joue mon im-m-agination.

– Ne vous occupez pas de ce que dit William. » Comme Agnes tremble entre ses mains ! Comme un petit enfant… Non que Sugar ait beaucoup d'expérience, sinon littéraire, de ce que peut être un enfant tremblant. « N'oubliez pas : tournez à droite à la voiture de la marchande de fleurs.

– Cette belle robe bl-bl-blanche, dit Agnes, reprenant courage et aplomb à mesure qu'elle avance. Je suppose qu'il dira que c'est une élucubration aussi…

– Ne lui dites rien. Ce sera notre secret.

– S-secret ? » Elles ont atteint l'entrée de la ruelle, devant laquelle le monde continue à s'écouler, comme si toutes deux n'étaient que les créatures fictives d'une autre dimension.

« Oui, dit Sugar, trouvant, dans une lueur d'inspiration, les mots nécessaires. Vous devez comprendre cela, Agnes : les anges n'ont pas le droit de faire… ce que j'ai fait pour vous. Je pourrais avoir des ennuis *terribles*.

– A-avec Notre-Dame ?

– Notre… ? » Que diable peut-elle vouloir dire ? Sugar hésite, jusqu'à ce qu'apparaisse dans son esprit la vision des albums de Mrs. Castaway, avec leurs foules terrifiantes de madones. « Oui, Notre-Dame.

– Oh, soyez bénie ! » À cette exclamation d'Agnes un dandy qui passe marque une pause dans son enjambée ; le nez de Mrs. Rackham a réintégré le courant de la Vie.

« Allez, Agnes », commande Sugar en la poussant doucement.

Mrs. Rackham progresse d'une démarche hésitante dans Bow Street, raide comme un piquet. Elle ne regarde ni à droite ni à gauche, bien qu'un brusque tapage se soit fait entendre quelque part dans la rue, attirant la police et des passants gesticulants. Elle accomplit les cent pas requis, et tourne à droite comme indiqué. Ce n'est qu'alors que Sugar quitte son poste d'observation pour la suivre ; lorsqu'elle atteint la voiture de la marchande de fleurs et passe la tête à l'angle de la rue, Mrs. Rackham est déjà en sûreté dans son coupé, Cheesman est en train de monter sur son siège et les chevaux s'ébrouent, impatients de se mettre en marche.

« Dieu merci », murmure Sugar, et elle fait demi-tour, soudain fatiguée. Maintenant il s'agit de se trouver un fiacre.

L'altercation dans Bow Street a pris fin, plus ou moins. La foule dense des badauds se disperse, quittant le lieu de l'incident. Deux policiers portent une civière, sur laquelle est étendue une forme humaine emmaillotée d'un drap blanc. Avec précaution, tout en tâchant d'obstruer la circulation le moins possible, ils chargent leur fardeau flasque dans une charrette couverte et font signe au cocher de partir.

Ce n'est que deux heures plus tard, alors que Sugar est retournée au silence de son appartement de Priory Close et qu'elle est allongée dans son bain, les yeux fixés sur le plafond perdu dans la vapeur, que la pensée lui vient.

*Ce corps était celui de la marchande de fraises.*

Elle grimace, se redresse. Le poids de ses cheveux mouillés est tel qu'il manque de l'entraîner en arrière, ses coudes savonneux glissant sur l'émail lisse de la baignoire.

*Ridicule*, pense-t-elle. *C'était un ivrogne. Un mendiant.*

Elle se rince à l'eau d'un broc, debout dans le bain. Autour de ses genoux la mousse est grise de la suie de la ville.

*Tous les vauriens de Bow Street l'ont vue prendre ces pièces. Une femme à moitié vêtue, la nuit, avec dix shillings sur elle…*

Elle sort de la baignoire, s'enveloppe dans sa serviette préférée, blanche comme neige, ce qu'il y avait de mieux chez Peter Robinson la dernière fois qu'elle y est allée. Si elle se couche maintenant, ses cheveux prendront des faux plis ; elle devrait vraiment les sécher devant le feu en les brossant sans cesse pour qu'ils aient ce volume aérien que William admire tant.

Elle a toute la journée de demain pour dormir ; il ne sera pas encore revenu de Birmingham.

*Chaque jour à Londres il y a des vieux qui meurent de faim sur le pavé. Des ivrognes qui tombent sous les roues des voitures. Ce n'était pas la marchande de fraises. Elle est en train de ronfler dans son lit, avec dix shillings sous son oreiller.*

Sugar s'accroupit nue devant l'âtre, laisse tomber sa chevelure humide sur son visage, et se met à brosser, brosser, brosser. Des ruisselets fins comme des colliers coulent le long de ses bras et de ses épaules, s'évaporant dans la chaleur du feu. Dehors, un vent puissant s'est levé, sifflant et poussant des cris autour de l'immeuble, soufflant des débris inoffensifs contre les portes-fenêtres du bureau. La cheminée tousse, le squelette en bois de la maison, caché sous le plâtre et le papier peint, craque.

Quelque chose la fait enfin sursauter : un coup à la porte d'entrée. Imagination trop fertile ? Non : il se fait entendre de nouveau ! William ? Qui d'autre cela pourrait-il être ? Elle bondit sur ses pieds, moitié paniquée, moitié excitée. Pourquoi est-il rentré si tôt ? Et la fabrique de caisses ? « J'ai fait la moitié du chemin jusqu'à Birmingham et je me suis ravisé », elle anticipe son explication. « À ce prix-là il n'y a rien de bien. » Doux Jésus, où a-t-elle mis sa robe de chambre ?

Prise d'une soudaine impulsion, elle court nue à la porte. Pourquoi pas ? Il sera surpris et ravi de la voir ainsi, sa courtisane hardie et candide, cadeau de chair douce et propre tout juste déballée, sentant bon le parfum Rackham. Il pourra à peine se contenir tandis qu'elle l'attirera en dansant jusqu'à la chambre…

Elle ouvre la porte, déchaînant un grand coup de vent qui mord son corps, le couvrant instantanément de chair de poule. Dehors, sous son porche d'un noir d'encre, il n'y a personne.

# 18

Henry Rackham tire une seconde fois la sonnette, tripotant d'une main la carte de visite qu'il craint de devoir laisser faute d'obtenir la permission de voir Mrs. Fox en personne. Est-il vraiment possible que durant la brève période qui le sépare de leur dernière rencontre elle soit tombée mortellement malade? La plaque de cuivre sur la porte de son père, qui jadis semblait uniquement informative, est devenue soudain évocatrice d'un univers dans lequel maladie et fatalité règnent en maîtresses: JAMES CURLEW, MÉDECIN ET CHIRURGIEN.

La porte est ouverte par la vieille gouvernante du docteur. Henry ôte son chapeau et le presse contre sa poitrine, incapable de parler.

« Entrez, je vous en prie, Mr. Rackham. »

En pénétrant dans le vestibule il aperçoit le docteur Curlew, sur le point de disparaître en haut de l'escalier, et peut difficilement s'empêcher de repousser la domestique qui lui retire son manteau.

« Docteur! » s'écrie-t-il, dégageant d'une secousse ses bras des manches.

Curlew s'arrête sur la dernière marche, se tourne et se met à redescendre, silencieusement, sans saluer son visiteur, mais plutôt comme s'il avait oublié quelque chose.

« Monsieur, demande Henry, comment… comment va Mrs. Fox ? »

Curlew s'arrête bien au-dessus de la tête d'Henry.

« La chose est confirmée : elle souffre de consomption, déclare-t-il d'une voix blanche. Que puis-je dire d'autre ? »

Henry saisit deux balustres de la rampe dans ses grosses mains, et lève les yeux sur les paupières lourdes et rougies du médecin.

« N'y a-t-il rien… ? demande-t-il. J'ai lu quelque chose à propos de… je crois qu'ils appelaient ça des… des cachets pulmonaires ? »

Le médecin rit, plus pour lui-même qu'en réaction à la question d'Henry.

« Des foutaises tout ça, Rackham. De la poudre de perlimpinpin. Je dirais que vos prières seraient plus efficaces.

– Puis-je la voir ? supplie Henry. Je ferai de mon mieux pour ne pas la fatiguer… »

Curlew reprend son ascension, se délivrant cavalièrement de la charge de l'hospitalité sur sa gouvernante. « Oui, oui, absolument, dit-il par-dessus son épaule. Comme elle vous le dira elle-même, elle se sent parfaitement bien. » Et sur ces mots, il disparaît.

La domestique précède Henry le long des couloirs austères et dans les pièces spartiates de la maison du médecin – une maison qui, en contraste frappant avec celle de son frère William, ne porte aucune trace de féminité. Rien ne vient atténuer le sombre utilitarisme avant qu'il n'atteigne les portes-fenêtres qui ouvrent sur le jardin, où il a été permis à la Nature d'agrémenter très légèrement la terre nue. À travers le verre parfaitement transparent, Henry contemple un carré de pelouse stricte, ensoleillé et bordé d'arbustes verts et, en son milieu, la personne la plus importante au monde excepté Jésus-Christ.

Elle est allongée dans un fauteuil à bascule en osier, habillée comme pour sortir, avec un corsage boutonné jusqu'en haut, des bottines plutôt que des pantoufles, et une coiffure élaborée – plus élaborée, en fait, que d'habitude. Un livre se tient droit et ouvert sur ses genoux, qu'elle fixe intensément. Elle est plus belle qu'elle n'a jamais été.

« Mrs. Fox ?

– Henry ! s'écrie-t-elle, ravie, laissant tomber son livre sur l'herbe à côté d'elle. Comme je suis contente de vous voir ! Je devenais folle d'ennui. »

Henry s'avance vers elle, ne comprenant pas comment le docteur Curlew peut avec tant d'assurance proclamer la condamnation à mort d'une femme qui est l'incarnation de la vie. Ils ne savent pas tout, ces médecins ! Ne peut-il y avoir une erreur ? Mais Mrs. Fox, observant la confusion sur son visage, le détrompe sans pitié.

« Je vais mal, Henry, déclare-t-elle, en souriant. C'est pourquoi je reste tranquille, pour une fois ! Ce matin, j'étais même allongée, ce qui est à peu près la limite de ce à quoi je peux me soumettre de bonne grâce. Asseyez-vous, Henry : l'herbe est tout à fait sèche. »

Henry s'exécute, bien qu'elle se soit trompée et que le fond de son pantalon s'imbibe instantanément.

« Eh bien, poursuit-elle, d'une voix étrange, mélange d'enjouement jovial et de fatigue amère. Quelles autres nouvelles ai-je pour vous ? Vous avez peut-être appris que j'avais été… comment dire ?… délicatement expulsée de la Société de Secours. Il a été décidé, par mes consœurs, que j'étais devenue trop faible pour remplir mes devoirs. Voyez-vous, il y a eu un jour où le trajet de la gare de Liverpool à une maison close m'avait épuisée, et j'ai dû me reposer sur les marches du perron pendant que les autres entraient. Je me suis rendue aussi utile que possible, en échangeant des mots avec le videur, mais mes sœurs ont eu le sentiment que je les avais abandonnées. Donc, il y aura une semaine de cela mardi, elles m'ont envoyé une lettre suggérant que je restreigne mes efforts à la correspondance avec les membres du Parlement. Toutes les Secouristes me souhaitent un prompt rétablissement, dans les termes les plus fleuris. En attendant, il est évident qu'elles me souhaitent de mourir d'ennui. »

Ébranlé par la facilité avec laquelle elle laisse ce verbe obscène franchir ses lèvres, Henry peut à peine se résoudre à lui demander plus de détails. « Est-ce que votre père, hasarde-t-il, a parlé avec vous de ce que vous euh… vous avez ?

– Oh Henry, quel timoré vous faites, comme toujours ! lui reproche-t-elle affectueusement. Je souffre de consomption pulmonaire. C'est du moins ce qu'on m'a dit et je n'ai pas de raison d'en douter. » Une lueur de ferveur brille dans ses yeux, la même lueur que lorsqu'elle discute de points de doctrine avec lui au cours de leurs promenades après l'église. « Là où je m'écarte de l'opinion générale, y compris celle de mon savant père, c'est que je sais que je ne suis pas destinée à mourir – du moins pas encore. J'ai, en moi, une sorte de… comment décrire cela ? Une sorte de calendrier de mes jours, déposé là par Dieu, et sur chaque feuille de ce calendrier il est écrit quelles missions et quelles rencontres je dois à Son service. Je ne prétends pas savoir le nombre exact de pages, et je ne désire pas le connaître, mais je sens que le calendrier est encore très épais, et qu'il ne se réduit certainement pas à la mince quantité de pages que tous supposent. Alors je souffre de consomption ? Très bien, je souffre de consomption. Mais j'y survivrai.

– Oh, grande âme ! s'écrie Henry, soudain à genoux, saisissant sa main.

– Ne dites pas de bêtises, rétorque-t-elle, mais elle entrelace ses doigts froids aux siens, avec une douce pression. Dieu veut que je continue à travailler, c'est tout. »

Pendant une minute tous deux restent silencieux. Leurs mains sont jointes, faisant circuler entre eux des sentiments nus et inarticulés ; ce que l'impulsion innocente a lié, les bonnes manières ne peuvent le désunir. L'endroit est baigné de soleil, et un grand papillon noir franchit la haute palissade qui entoure le jardin, voletant au-dessus des arbustes à la recherche d'une fleur. Mrs. Fox détache ses doigts de ceux d'Henry avec suffisamment de douceur pour qu'il soit clair qu'elle ne le repousse pas et pose la main sur sa poitrine.

« Maintenant dites-moi, Henry, articule-t-elle tout en inspirant profondément. Quoi de neuf dans votre vie à vous ?

– Dans ma vie ? » Il cligne des yeux, étourdi par le plaisir enivrant d'avoir touché sa chair. « Je... euh... » Mais alors tout lui revient, et il retrouve la parole. « Il y a beaucoup de neuf, je dois dire. J'ai fait (il rougit, posant les yeux sur l'herbe entre ses genoux) des recherches sur les pauvres et les malheureux, dans l'idée de me préparer, enfin, au... » Il rougit encore, puis sourit. « Eh bien, vous savez à quoi.

– Vous avez lu le Mayhew que je vous ai prêté alors ?

– Oui, mais j'ai fait plus que cela. J'ai... j'ai aussi commencé, ces dernières semaines, à avoir des conversations avec les pauvres et les malheureux eux-mêmes, dans les rues où ils vivent.

– Oh, Henry, vraiment ? » Elle ne saurait être plus fière de lui s'il lui apprenait qu'il avait rencontré la reine et l'avait sauvée de l'assassinat. « Dites-moi, dites-moi, que s'est-il passé ? »

C'est ainsi que, à genoux devant elle, il lui dit tout, presque. Description complète des lieux et de ses rencontres avec les chômeurs, les gosses des rues et la prostituée (il n'omet que son unique faux pas dans la luxure). Emmeline écoute intensément, le visage radieux, le corps agité, car son fauteuil n'est pas confortable, elle bouge comme si ses os frottaient contre l'osier. Tout en parlant, il ne peut s'empêcher de remarquer comme elle a maigri. Est-ce que ce sont ses clavicules qu'il voit sous le tissu de sa robe ? Quelle importance ses ambitions peuvent-elles avoir, si ce sont ses clavicules ? Dans ses visions de lui-même en tant que pasteur Mrs. Fox a toujours été là, le conseillant, l'invitant à confesser ses échecs et ses peines. Son ambition n'est forte que parée de l'armure que constitue l'encouragement d'Emmeline ; dépouillée d'elle, c'est un rêve mou et vulnérable. Il ne faut pas qu'elle meure !

Étrangement, c'est ce moment qu'elle choisit pour refermer la main sur la sienne en disant : « Dieu veuille que nous puissions, à l'avenir, travailler côte à côte dans cette lutte ! »

Henry la regarde dans les yeux. Quelques instants auparavant, il lui disait que les femmes faciles n'avaient pas de pouvoir sur lui ; que dans leur pauvreté sordide, il est capable de les voir comme des âmes et seulement comme des âmes. Tout cela est bien vrai, mais soudain il prend conscience, tandis que sa main le brûle dans celle de Mrs. Fox, que cette femme toute de noblesse et de probité, terrassée par la gifle brutale de la maladie, continue à lui inspirer un désir digne du Diable.

« Dieu le veuille, Mrs. Fox », murmure-t-il d'une voix rauque.

« Church Lane, petite porte du Paradis, merci beaucoup ! »

Ayant déposé une dame bien vêtue dans ce répugnant quartier de la vieille ville, le cocher pousse un grognement sarcastique ; son cheval, qui est du même avis, lâche, en guise d'adieu dédaigneux, un monticule de crottin chaud sur les pavés. Résistant à la tentation de répondre, Sugar serre les lèvres et paie la course, puis se dirige sur la pointe des pieds vers la maison de Mrs. Leek, les jupes relevées. Cette rue est un monceau de saleté ! (Le récent ajout de crottin est le moindre de ses écueils.) Est-ce qu'elle a toujours pué autant, ou a-t-elle vécu trop de temps dans un endroit où on ne sent que l'odeur des buissons de roses et des produits Rackham ?

Elle frappe à la porte de Chez Mrs. Leek, entend le « Entrez » étouffé du colonel, et tourne la poignée, ainsi qu'elle l'a fait si souvent dans son enfance. L'odeur n'est pas meilleure à l'intérieur, et le spectacle de l'effroyable vieillard et du bric-à-brac crasseux qui envahit de plus en plus le salon pas plus réconfortant que celui qu'offre la rue.

« Ah, la concubine ! croasse méchamment le colonel, sans autre forme de salutation. Tu te crois bénie par la chance, hein ? »

Sugar respire profondément tout en retirant ses gants qu'elle fourre dans son réticule. Elle est tombée hier sur Caroline dans Oxford Street et lui a promis, tant elle était pressée de se libérer de cette conversation qui menaçait de s'éterniser, de lui rendre visite ; déjà, elle le regrette. Quelle bizarre coïncidence, que Caroline la repère deux fois la même année, dans une ville de plusieurs millions d'habitants – et juste au moment où elle se hâtait vers la gare de Euston pour guetter l'arrivée du train de Birmingham ! À y repenser, il eût été préférable de passer quelques minutes de plus avec Caroline dans la rue, car William n'était pas dans ce foutu train de toute façon, et maintenant il risque de revenir ce matin et de frapper à la porte de son appartement, alors qu'elle est ici, à perdre son temps dans une maison close qui sent la pisse de vieillard !

« Caroline est-elle libre, colonel Leek ? » demande-t-elle d'un ton égal.

Ravi d'être le détenteur privilégié de l'information, le vieillard se carre dans son fauteuil roulant, et son écharpe glisse de devant sa bouche. Sugar sent qu'il s'apprête à régurgiter un article de sa provision suppurante de désastres.

« La chance ! ricane-t-il. Je vais t'en donner de la chance ! Une femme du Yorkshire, du nom d'Hobbert, a hérité de son père en 1852 : écrasée par l'effondrement d'une arcade trois jours plus tard. Edith Clough, dessinatrice, choisie parmi des milliers de candidats pour accompagner le professeur Eyde dans son expédition au Groenland en 1861 : dévorée par un gros poisson en mer. Et rien qu'en novembre dernier, Lizzie Summer, maîtresse de lord Price : retrouvée dans sa maisonnette de Marylebone le cou…

– Oui, oui, très tragique, colonel. Mais Caroline est-elle libre ?

– Donne-lui deux minutes », grogne le vieillard, qui retombe dans ses écharpes.

Sugar effleure discrètement du bout des doigts l'assise de la chaise la plus proche avant de s'asseoir. Un délicieux silence se fait tandis que le colonel s'affaisse dans la lumière voilée du soleil et que Sugar fixe les mousquets mouchetés de rouille sur le mur, mais après trente secondes il est rompu par le colonel.

« Comment va le magnat du parfum ?

– Vous avez promis de ne parler de lui à personne, fait-elle d'un ton brusque. Cela faisait partie de notre accord.

– J'ai rien dit ici, crache-t-il, roulant les yeux en direction de l'étage, ce dédale de pièces où il ne monte jamais, où les hommes accomplissent des actes athlétiques avec leurs membres et leurs organes pleins de jeunesse, où logent et dorment trois femmes de mœurs légères, et où Mrs. Leek lit des livres à trois pence dans sa tanière. Tu fais peu de cas, putain, de la parole d'un homme. »

Sugar baisse les yeux sur ses doigts. Ces derniers temps, la desquamation est importante et douloureuse. Peut-être demandera-t-elle à Caroline si elle n'a pas de la graisse d'ours.

« Il va très bien, merci, dit-elle. Il ne pourrait pas aller mieux.

– Te file un gros bout de savon de temps à autre, hein ? »

Sugar jette un bref regard dans les yeux enflammés de son

interlocuteur, se demandant si la question contient une insinuation salace. Elle n'aurait jamais cru que les actes libidineux aient le moindre intérêt pour le colonel Leek.

« Il est aussi généreux que possible, dit-elle avec un haussement d'épaules.

– T'inquiète qu'il lâche pas tout au même endroit. »

Le bruit assourdi de la porte de derrière se répercute dans l'air renfermé. Un client satisfait a été rendu à l'air libre.

« Sugar ! » C'est Caroline, qui apparaît au sommet de l'escalier, vêtue de sa seule chemise. De ce point de vue, dans cette lumière, la cicatrice de la blessure qu'elle s'est faite à la fabrique de chapeaux est terriblement livide sur sa poitrine. « Pousse le colonel s'il ne veut pas bouger. Il est sur roulettes, non ? »

Le colonel Leek, plutôt que de subir cette humiliation, dégage de lui-même l'accès à l'escalier.

« ... retrouvée le cou presque tranché en deux par une écharpe en soie », conclut-il tandis que Sugar rejoint son amie à pas lestes.

Ayant offert à Sugar l'unique siège de sa chambre, Caroline hésite à s'asseoir sur le lit. Sugar comprend immédiatement le problème et lui propose de l'aider à changer les draps.

« Il n'y en a pas de propres, dit Caroline, mais on peut pendre un peu celui-là, pour qu'il prenne l'air. »

Ensemble elles retirent le drap du lit et tâchent de suspendre ses parties les plus humides devant la fenêtre ouverte. Dès qu'elles y sont parvenues, le soleil se met à briller deux fois plus.

« J'ai de la veine aujourd'hui, hein ? » dit Caroline avec un grand sourire.

Sugar lui répond d'un sourire gêné. À Priory Close, elle a une solution beaucoup plus simple à ce problème : chaque semaine, quand personne ne regarde, elle porte un grand paquet de ses draps sales dans un petit jardin public dont elle ressort peu après, les mains vides. Puis elle va chez Peter Robinson en acheter des neufs. Eh bien, que faire d'autre sans laveuse ? La vision de Christopher, ses petits bras rouges plongés dans la mousse de savon, surgit brutalement dans son esprit…

« Ça va, Shush ? »

Sugar compose son visage. « Un léger mal de tête, dit-elle. Le soleil est terriblement fort. »

Depuis combien de temps les vitres de Caroline sont-elles si horriblement barbouillées de suie ? Elles n'étaient sûrement pas aussi sales la dernière fois ? Est-ce que la chambre a toujours eu cette odeur ?

« Excuse-moi, Shush. J'ai pas encore fait mes ablutions. »

Caroline transporte son pot en céramique de l'autre côté du lit, plus ou moins hors de vue, par égard pour son invitée. Elle s'accroupit, et accomplit son rituel contraceptif : l'eau qu'on verse, les fioles qu'on débouche. Sugar frissonne en regardant son amie relever sans gêne sa chemise froissée, une main tenant déjà le goupillon avec son vieux chiffon, ses fesses plus rebondies que dans le souvenir de Sugar, potelées et souillées de sperme.

« C'est une vraie plaie, non ? marmonne Caroline, penchée sur sa tâche.

– Mm », fait Sugar, détournant le regard. Elle-même n'a pas accompli ce rituel depuis un certain temps – depuis qu'elle est à Priory Close, en fait. Ce n'est pas pratique, quand William passe la nuit, et même quand il ne reste pas… eh bien, elle prend de longs, longs bains. Submergée dans toute cette eau chaude et propre, ses jambes s'écartant doucement l'une de l'autre sous une couverture blanche de mousse aromatique, sûrement elle est aussi complètement lavée qu'il est possible de l'être ?

« Presque terminé, annonce Caroline.

– Ne te presse pas », répond Sugar, se demandant si William n'est pas en train de frapper à la porte de leur nid d'amour à cet instant précis. Elle regarde le drap se gonfler placidement dans la brise tiède, où déjà apparaît ce qui ressemble à des traînées de bave d'escargot séchée. Dieu, ces draps sont dégoûtants ! Sugar éprouve un remords cuisant à l'idée de jeter des draps à peine utilisés dans son jardin toutes les semaines, alors que Caroline doit peiner et dormir dans ces vieilles guenilles ! *Je t'ai apporté des draps presque neufs, Caddie – il faut juste les laver...* Non, c'est hors de question.

Caroline se dirige vers la fenêtre, portant le lourd pot. Elle disparaît à partir de la taille sous le drap gonflé, tel un fantôme.

« Attention à vos têtes », murmure-t-elle d'un ton malicieux, et elle se débarrasse illégalement des eaux sales.

« Il faut que je te dise, annonce-t-elle quelques minutes plus tard, alors qu'installée sur le matelas, à moitié habillée, elle se peigne les cheveux. Que je te parle de mon nouvel habitué – ça fait déjà quatre fois que je le vois. Il te plairait, Shush. Il parle drôlement bien. »

Et elle se met à raconter ses entrevues avec l'homme sombre et sérieux qu'elle a surnommé « le Pasteur ». C'est une histoire rabâchée, rien de nouveau dans le monde de la prostitution. Sugar a du mal à déguiser son impatience ; elle est persuadée de connaître la fin d'avance.

« Et après il t'emmène au lit, c'est ça ? suggère-t-elle, pour accélérer les choses.

– Non ! s'écrie Caroline. C'est là que c'est bizarre ! » Elle agite ses pieds nus, réprimant une espièglerie. Ils sont bien sales, pense Sugar. Comment peut-on espérer s'échapper de St. Giles avec des pieds aussi sales que ça ?

« Peut-être qu'il est plus bizarre que tu ne penses, soupire-t-elle.

– Nan, c'est pas un détraqué, ça se voit ! répond en riant Caroline. Je lui ai dit, rien que la semaine dernière, que ça ne serait pas si terrible s'il m'emmenait au lit – juste une fois – pour voir si ça lui plaisait, ou au moins pourquoi les autres en font toute une histoire. » Elle ferme à demi les yeux, s'efforçant de se rappeler précisément la réponse du Pasteur. « Il était là, à la fenêtre, comme toujours, sans me regarder, et il m'a dit… comment c'était ?… il m'a dit que si tous les hommes comme lui cédaient à la tentation, il y aurait toujours des pauvres veuves déchues comme moi, toujours des enfants affamés comme était mon garçon, toujours de mauvais propriétaires et des meurtriers, parce que le Seigneur Dieu n'était pas assez aimé par ceux qui devraient avoir plus de jugement.

– Et toi, qu'est-ce que tu as dit alors ? » demande Sugar, tandis que son attention flâne sur les innombrables infections dues à la pauvreté qui parsèment la chambre de Caroline : les plinthes trop pourries pour être peintes, les murs trop déformés pour être recouverts de papier, les lames du parquet trop vermoulues pour être cirées – rien ici qui puisse être amélioré par autre chose que le feu et un nouveau départ.

« J'ai dit que je ne voyais pas comment des hommes comme lui pouvaient empêcher des femmes comme moi de devenir de pauvres veuves déchues, ou les enfants de mourir de faim, sauf en les épousant et en les entretenant.

– Alors il t'a proposé de t'épouser et de t'entretenir ?

– Presque ! s'exclame Caroline en riant. La deuxième fois que je l'ai vu il m'a proposé de me trouver un travail honnête. Je lui ai demandé si ça serait du travail en usine et il a dit oui, et je lui ai dit que le travail en usine ne m'intéressait pas. J'ai cru qu'il n'en parlerait plus, mais la semaine dernière il a remis ça. Il a dit qu'il s'était renseigné et qu'il pourrait me trouver un travail qui soit pas en usine, mais dans une espèce de magasin. Si je voulais, il pouvait m'arranger ça d'un seul mot à la bonne personne, et si je ne le croyais pas, que le nom de la société était les Parfumeries Rackham, dont j'avais dû entendre parler. »

Sugar sursaute comme une chatte effrayée ; mais heureusement Caroline est à la fenêtre, caressant le drap d'un geste machinal. « Et qu'est-ce que tu as répondu alors ?

– J'ai dit que n'importe quel travail qu'il pourrait me trouver m'épuiserait, m'épuiserait à mort, pour moins d'un shilling par jour. J'ai dit que pour une femme pauvre, tout travail "honnête" est tellement proche de la mort lente que ça ne fait pas de différence. » Brusquement elle rit, et fait bouffer ses cheveux fraîchement peignés de quelques mouvements rapides de ses deux mains. « Ah, Sugar, dit-elle en étendant les bras pour désigner la chambre et tout ce qu'elle représente. Cite-moi un autre travail qui subvient à nos besoins sans presque demander aucun effort, avec assez de repos et de sommeil par-dessus le marché ? »

*Et de beaux vêtements et des bijoux*, pense Sugar. *Et des livres reliés en cuir et des gravures dans des cadres en argent et des voyages en fiacre sur un simple signe de la main et des soirées à l'opéra et une baignoire Ardent et un endroit à moi.* Elle regarde Caroline et se demande : *Qu'est-ce que je fais ici ? Pourquoi y suis-je la bienvenue ? Pourquoi tu me souris comme ça ?*

« Je dois y aller, dit-elle. Tu veux de l'argent ? » Eh bien non, elle ne dit pas cela – pas la partie qui concerne l'argent. Elle dit seulement : « Je dois y aller.

– Oh ! Quel dommage ! »

*Oui, dommage. Dommage. Dommage. « Tu veux de l'argent ? » Dis-le : « Tu veux de l'argent ? »*

« J'ai – j'ai laissé un désordre terrible chez moi. Je suis venue directement ici, tu comprends. »

*Dis-le, espèce de lâche. « Tu veux de l'argent ? » Cinq mots simples. Dans ton sac tu as beaucoup plus que Caddie ne gagnera en un mois. Alors dis-le, espèce de lâche… salope… putain !*

Mais Caroline sourit, serre son amie dans ses bras, et Sugar s'en va sans lui avoir donné autre chose qu'un baiser.

Dans le fiacre qui la ramène à Priory Close (« et il y aura un shilling de plus pour vous si vous faites vite ») Sugar mijote dans son iniquité. Les semelles de ses chaussures puent ; elle a hâte de les essuyer au riche gazon du jardin où chaque semaine elle abandonne ses draps. Le paquet a disparu quand elle revient – cela ne signifie-t-il pas que de pauvres gens le trouvent ? Ou si c'est un gardien qui le trouve, ces draps seront sûrement remis à des pauvres ? Bon Dieu, avec toutes les personnes charitables qui infestent Londres, il y en a sûrement pour s'occuper de ce genre de choses ? *Lâche. Putain.*

Quand Sugar était pauvre, elle imaginait toujours que si elle devenait riche, elle aiderait toutes les pauvres femmes de sa profession, ou du moins toutes celles qu'elle connaissait personnellement. Rêvassant dans sa chambre chez Mrs. Castaway, les coudes posés sur les pages de son roman, elle se voyait rendant visite à l'une de ses vieilles amies, chargée d'épaisses couvertures ou de tourtes à la viande. Comme il serait facile de faire de telles choses sans puer la charité ! Elle brandirait ses cadeaux non comme une pimbêche de bienfaitrice distribue la bonté à ses inférieures, mais plutôt avec une jubilation robuste, comme un garnement montre à son camarade un gain audacieusement mal acquis.

Mais maintenant qu'elle a les moyens de réaliser ces fantasmes, la puanteur de la charité est aussi réelle que le crottin sur ses chaussures.

De retour chez elle, Sugar se prépare à la venue de William. Puis, comme l'après-midi se traîne et qu'il n'apparaît pas, elle flâne jusqu'au bureau et, prise de remords, tire son roman de sa cachette. Avec un profond soupir, elle pose le fardeau en lambeaux sur la table et s'assied.

L'orientation de la lumière est telle que le verre des portes-fenêtres est presque un miroir. Parmi la verdure du jardin oscille son visage, perché sur un corps sans substance qui s'élève du sol telle une fumée. Les feuilles sombres des buissons de roses impriment un dessin sur la peau de ce visage ; ses cheveux, immobiles en réalité, battent et oscillent à chaque coup de vent ; des azalées fantômes frissonnent dans sa poitrine.

*La Chute et l'Ascension de Sugar.* Tel est le titre de son histoire, familier comme une cicatrice.

Elle se rappelle sa visite aux champs de lavande de Mitcham. Comme les humbles ouvrières de Rackham la lorgnaient. À leurs yeux c'était une dame qui venait rendre visite aux pauvres travailleuses ; il n'y avait aucun signe de reconnaissance, seulement ce mélange particulier de ressentiment félin et de respect canin. Chacune de ces ouvrières, tandis qu'elles se reculaient timidement pour ne pas gêner la progression de ses jupes, était convaincue qu'elle ne pouvait pas savoir ce que c'est que trembler de froid sous une couverture trop légère pour la saison, ou d'avoir les tibias en sang à cause des piqûres de puces, ou les cheveux infestés de poux.

« Mais je connais tout ça ! » proteste Sugar, et certes les pages posées devant elle sur la table aux poignées d'ivoire furent conçues dans la pauvreté, et en sont pleines. Son enfance ne fut-elle pas en tous points aussi désespérée que celle de quiconque peine pour les Parfumeries Rackham ? D'accord, son sort est meilleur que le leur aujourd'hui, mais cela ne change rien : le leur aussi pourrait s'améliorer, si seulement elles étaient assez intelligentes… Cependant, ce jour-là dans les champs de lavande, avec quel désespoir, avec quelle jalousie elles regardaient la belle dame qui marchait à côté du patron !

« Mais je suis leur voix ! » proteste-t-elle de nouveau, et elle entend, dans l'acoustique intime de son bureau silencieux, une variation subtile dans la façon dont ses voyelles sonnent aujourd'hui, comparées à leurs intonations avant la Saison. Ou furent-elles toujours aussi suaves que cela ? *Raconte-nous une histoire, Shush, avec ta voix chic*, c'est ce que lui demandaient les filles de Church Lane, moitié taquines, moitié admiratives. *Quel genre d'histoire ?* demandait-elle, et elles répondaient toujours : *Quelque chose avec de la vengeance. Et des vilains mots. Les vilains mots sont marrants quand c'est toi qui les dis, Sugar.* Mais combien de ces filles pouvaient lire un livre ? Et si elle disait aux ouvrières agricoles qu'elle avait vécu dans un taudis londonien, combien d'entre elles la croiraient, plutôt que cracher par terre ?

Non, comme tout aspirant champion des pauvres dans l'histoire de l'humanité, Sugar doit se confronter à une humiliante vérité : les exploités désirent peut-être être entendus, mais si une voix issue d'une sphère plus privilégiée parle pour eux, son accent attirera de leur part huées et quolibets.

Sugar se mord les lèvres. Ses origines misérables doivent bien compter pour *quelque chose* ? Elle se rappelle que si William l'expulsait de ce nid luxueux, elle serait sans toit ni revenus, dans une position pire encore que celle des ouvrières agricoles. Et pourtant… Et pourtant elle ne peut chasser de son esprit les hommes et les femmes ridés, en haillons, qui s'inclinaient devant elle en lui faisant place ; les murmures gênés : *« Qui que c'est ? Qui que c'est ? »* Sugar fixe le reflet dans les portes-fenêtres, la tête et les épaules agrémentées de feuilles et de fleurs qui s'agitent dans le vent. *Qui suis-je ?*

*Mon nom est Sugar.* C'est ce que dit le manuscrit, peu après la tirade d'introduction contre les hommes. Elle connaît chaque ligne par cœur, les ayant réécrites et relues un nombre incalculable de fois.

*Mon nom est Sugar – ou si ce ne l'est pas, je n'en connais pas d'autre. Je suis ce que vous appelleriez une Femme Déchue...*

Plutôt que de voir la phrase pompeuse *Vil homme, éternel Adam, je t'accuse!* qui l'attend à la fin du paragraphe, elle tourne la page, et la suivante. Découragée, elle survole les feuillets couverts d'une écriture dense. Elle s'était attendue à se retrouver ici, parce que cette homonyme partage son visage et son corps, jusqu'aux taches de rousseur sur ses seins. Mais dans le manuscrit jauni elle ne voit que des mots et des signes de ponctuation; des hiéroglyphes qui, bien qu'elle se rappelle avoir regardé sa main les tracer – et jusqu'à l'encre séchant sur certaines lettres qui avaient bavé –, ont perdu leur sens. Ces meurtres mélodramatiques: qu'accomplissent-ils? En quoi la fin macabre de tous ces hommes de paille peut-elle aider une femme de chair et de sang?

Elle pourrait laisser tomber l'intrigue, peut-être, et lui en substituer une moins effrayante. Elle pourrait chercher la voie médiane entre cette effusion de bile et les fictions polies, expurgées de James Anthony Froude, Felicia Skene, Wilkie Collins et d'autres qui ont timidement suggéré que les prostituées, si elles sont assez méritantes, devraient échapper aux flammes de l'Enfer. Le siècle suivant n'est éloigné que d'une génération: l'époque est certainement disposée à recevoir un message plus puissant que celui-là, non? Regardez ce tas de papiers – l'œuvre de sa vie –, il doit y avoir des centaines de choses dignes d'être sauvées!

Mais tandis qu'elle écrème la pile, elle en doute. Manifeste à chaque ligne, teintant chaque remarque d'aigreur, gâtant chaque conviction, elle trouve le préjudice et l'ignorance, et parfois pire : une haine aveugle pour tout ce qui est beau et pur.

*J'ai vu les belles dames sortir fièrement de l'Opéra.* (C'est ce qu'écrivait la Sugar d'il y a trois ans, une enfant de seize ans, cloîtrée dans sa chambre chez Mrs. Castaway, aux heures grises du matin après que les clients furent rentrés chez eux et que tout le monde fut endormi.) *Comme elles étaient fausses. Tout en elles était faux. Faux était leur ravissement après le spectacle ; fausses étaient les salutations qu'elles échangeaient ; faux leurs accents et leurs voix.*

*Combien vainement elles prétendaient n'être pas des Femmes, mais une autre forme supérieure d'Êtres. Leurs robes de bal étaient conçues pour donner l'impression qu'elles ne marchaient pas sur deux jambes de chair, mais qu'elles glissaient sur un nuage. « Oh, non, semblaient-elles dire, je n'ai pas de jambes avec un trou entre, je flotte dans l'air. Pas plus que je n'ai des seins, seulement une courbe délicate pour donner forme à mon corsage. Si vous voulez des choses aussi grossières que des seins, allez voir les pis des nourrices. Quant aux jambes, et au trou entre elles, si vous voulez cela, il faudra aller voir une putain. Nous sommes des êtres parfaits, des esprits rares, et nous n'avons affaire qu'aux choses les plus nobles et les plus belles qui soient. Savoir, l'exploitation des pauvres couturières, la torture de nos domestiques, le mépris pour celles qui nettoient nos pots de chambre de notre merde virginale, et une suite infinie d'occupations stupides, vides et insignifiantes qui n'ont pas*

Ici la page prend fin, et Sugar n'a pas le cœur de la tourner pour en lire plus. Elle préfère fermer le manuscrit et poser son coude dessus, le menton dans sa paume. La soirée où elle a entendu le *Requiem* du signor Verdi est encore fraîche dans son esprit. Nul doute qu'il y avait des dames dans l'auditoire pour qui ce n'était rien d'autre qu'une occasion de montrer leur toilette et de bavarder après la représentation, mais il y en avait d'autres qui étaient sorties de la salle en transe, tout à fait inconscientes de leur enveloppe charnelle. Sugar le sait : elle l'a vu sur leurs visages ! Elles se tenaient respectueusement, comme si elles continuaient à écouter la musique ; et, quand il leur fallait marcher, elles le faisaient telles des dormeuses sur le rythme de l'adagio qui résonnait encore dans leurs têtes. Sugar avait croisé le regard de l'une d'elles, et toutes deux avaient souri – oh, un sourire si franc, si ouvert – à voir l'amour de la musique réfléchi dans les yeux l'une de l'autre.

Il y a des années de cela, si on lui avait tendu le marteau de l'iconoclaste, c'est avec bonheur qu'elle aurait réduit les opéras en poussière ; elle aurait envoyé toutes les belles dames fuyant les flammes de leur foyer droit dans les bras de la pauvreté. Maintenant elle se demande… cette vision fielleuse de dames pomponnées contraintes à l'usine et l'atelier, sales et hagardes, aux côtés de leurs frustes sœurs – quelle sorte de justice cela sert-il ? Pourquoi les usines ne seraient-elles pas réduites en poussière, les ateliers consumés par les flammes, plutôt que les opéras et les belles maisons ? Pourquoi les gens qui vivent sur un plan supérieur devraient-ils être tirés vers le bas, plutôt que le contraire ? Est-ce vraiment une affectation impardonnable que d'oublier son corps, sa chair, ainsi que peut le faire une dame, et de n'exister que pour la pensée et le sentiment ? Est-ce qu'une femme comme Agnes est vraiment à blâmer parce qu'elle est incapable d'imaginer qu'il existe une chose telle qu'un goupillon entouré d'un chiffon destiné à retirer le sperme d'un inconnu de son… minou ? (Le mot « con », même dans l'intimité de son esprit, lui paraît trop cru pour être employé.)

Une fois de plus, elle ouvre son précieux manuscrit, au hasard, espérant contre tout espoir y trouver quelque chose dont elle puisse être fière.

*« Je vais te dire ce que je vais faire, dis-je à l'homme tandis qu'il se débattait faiblement dans ses liens. Cette bite dont tu es si fier, je vais la faire grossir et durcir de la façon que tu préfères. Puis, quand elle sera pleinement épanouie, je prendrai ce fil d'acier effilé et je l'attacherai autour. Parce que je vais te faire un petit cadeau, eh oui ! »*

Elle gémit et referme les pages. Personne ne voudra jamais lire ça, et personne ne le lira.

Sentant une vague d'apitoiement se lever en elle, elle la laisse se briser, et enfouit son visage dans ses mains. C'est déjà l'après-midi. William n'est pas venu, il y a des petits oiseaux bleus qui pépient dans son jardin, d'innocentes et belles créatures qui font honte à toute la laideur empoisonnée de sa méprisable histoire... Bon Dieu, elle doit être sur le point d'avoir ses règles, pour penser ainsi. Quand des mésanges bleues prennent des airs d'agent pour infliger un châtiment mérité, il est temps de préparer les serviettes...

Le bruit de la sonnette la fait sursauter si violemment que ses coudes tressautent et envoient promener son roman. Ses pages se répandent dans le bureau, et elle bondit dessus pour les rassembler, allant et venant à quatre pattes. Elle a à peine le temps de jeter le manuscrit dans son armoire et de refermer la porte d'un coup de pied avant que William n'ouvre et ne pénètre dans l'appartement – car, bien sûr, il a la clef.

« William ! s'écrie-t-elle, prise d'un soulagement non feint. C'est moi ! Je veux dire, je suis ici ! »

La première étreinte, dans l'entrée, près du portemanteau, lui apprend que son Ulysse n'est pas d'humeur lascive. Oh, il est très content de la voir et d'être accueilli en héros, mais il y a aussi une réticence dans sa façon de se tenir tandis qu'il presse son corps contre le sien, une façon subtile d'éviter la réunion du mont Veneris et du mont Pubis. Instantanément, Sugar adoucit sa posture, relâche son étreinte et caresse sa joue garnie de favoris.

« Comme tu as l'air fatigué ! observe-t-elle avec une commisération si profuse qu'elle pourrait s'appliquer à une blessure terrible causée par de multiples coups de lance ou au moins à une très vilaine griffure de chat. As-tu dormi depuis que je t'ai vu ?

– Pas beaucoup, admet William. Les rues autour de mon auberge étaient remplies d'alcooliques qui chantaient à pleins poumons, toute la nuit. Et la nuit dernière, je m'inquiétais pour Agnes. »

Sugar sourit et penche la tête de côté en signe de sympathie, se demandant si elle devrait mordre à cette rare mention de Mrs. Rackham – ou si c'est William qui la mordrait si elle le faisait. Tandis qu'elle s'interroge, elle l'accompagne jusqu'à… quelle pièce ? Le salon, pour l'instant. Oui, elle s'est décidée : Agnes et la chambre peuvent attendre que son humeur hérissée ait été lissée comme il faut.

« Tiens, dit-elle en l'installant sur l'ottomane et en lui versant un cognac. Voilà de quoi rincer le goût de Birmingham que tu as dans la bouche. »

Il se laisse tomber avec gratitude, déboutonne son gilet protubérant et tire sur sa cravate. Il n'avait pas pris conscience, jusqu'à ce que ces attentions lui soient prodiguées, que c'est précisément ce qu'il attendait depuis son retour chez lui le jour précédent. La froide efficacité de ses domestiques, l'indifférence de sa femme distraite : ce fut là un bien pauvre accueil, qui l'a laissé sur sa faim.

« Je suis heureux que *quelqu'un* soit content de me voir, dit-il en renversant la tête et en léchant le cognac sur ses lèvres.

– Toujours, William, dit-elle, posant la paume sur son

front transpirant. Mais dis-moi, as-tu acheté la fabrique de caisses ? »

Il soupire en secouant la tête.

Assise à côté de lui sur l'ottomane, Sugar est visitée juste à temps par la Muse. « Laisse-moi deviner (elle prend la grosse voix flagorneuse d'un industriel du Nord) : "Un bon ingénieur et un grand coup de mortier vous arrangeront ça en cinq sec, Mr. Rackham." »

William hésite un instant, puis hurle de rire. « C'est exactement ça. » Son accent de Birmingham était plus proche de celui du Yorkshire, mais sinon elle est diablement précise. Quelle superbe petite machine que son cerveau ! Les muscles de son dos et de son cou se relâchent, tandis qu'il s'aperçoit qu'il n'a pas besoin d'expliquer sa décision quant à la fabrique : elle comprend – comme toujours, elle comprend.

« Eh bien, la Saison touche à sa fin, Dieu merci, marmonne-t-il en terminant son verre. La canicule est arrivée. Plus de dîners, plus de théâtre, et plus qu'une horrible soirée musicale...

– Je croyais que tu t'étais déjà excusé de tout...

– Eh bien, oui, presque tout.

– ... parce que tu croyais qu'Agnes allait mieux. »

Il fixe le fond de son verre en fronçant les sourcils.

« Elle a été plutôt bien, je dois dire, soupire-t-il, du moins en public. Mieux qu'à la dernière Saison, en tout cas. Même si elle aurait difficilement pu ne pas aller mieux... » Conscient de la pauvreté d'un tel compliment, il s'efforce d'adopter un ton plus gai. « Elle est très nerveuse, mais je suis sûr qu'elle n'est pas pire que les autres. » Il fait la grimace – il n'avait pas voulu paraître si peu galant.

« Mais pas aussi bien que tu l'espérais ? » suggère Sugar.

Il hoche la tête de manière équivoque, en mari loyal mis à rude épreuve. « Au moins elle ne raconte plus qu'elle est surveillée par un ange gardien... Bien que chaque fois que nous sortons, elle n'arrête pas de regarder derrière elle... » Il s'enfonce plus profondément dans l'ottomane, s'appuyant de l'épaule contre la cuisse de Sugar. « Mais j'ai cessé de la contredire; ça ne fait que la remonter contre moi. Qu'elle se fasse chaperonner par des fantômes, si ça peut l'aider à se tenir bien...

– Et elle se tient bien ? »

Il demeure silencieux pendant une minute, tandis qu'elle lui caresse la tête, et que les charbons grésillent en se calant dans l'âtre.

« Parfois, dit-il, je me demande si Agnes m'est fidèle. La façon dont elle ne cesse de scruter la foule, en espérant, je le jurerais, apercevoir quelqu'un... Est-ce que je n'aurais pas à lutter contre un rival par-dessus le marché ? »

Sugar sourit, le cœur lourd, se sentant attirée vers le bas par le poids sirupeux du mensonge, comme une femme qui se débat dans des flots de plus en plus profonds tandis que ses jupes et ses jupons se gorgent d'eau à toute allure.

« Est-ce qu'elle ne cherche pas plutôt son ange gardien ? suggère-t-elle d'un air coquin.

– Hmm. » William s'appuie paresseusement contre sa caresse, peu convaincu. « J'étais à une soirée musicale la semaine dernière, et au milieu d'une chanson de Rossini, Agnes s'est évanouie dans son fauteuil. Rien qu'un instant, puis elle s'est réveillée et elle a murmuré : "Oui, merci, relevez-moi – vos bras sont si forts !" "Quels bras, ma chère ?" je lui ai demandé. "Chut, mon cher, la dame n'a pas fini de chanter", m'a-t-elle répondu. »

Sugar a envie de rire, se demande si ce n'est pas dangereux. Elle rit. Il n'y a pas de conséquences. La confiance de William en elle est, à l'évidence, plus grande que jamais.

« Mais comment Agnes pourrait-elle t'être infidèle ? murmure-t-elle. Elle ne va nulle part sans que tu le saches et sans ta permission, n'est-ce pas ? »

William émet un grognement dubitatif. « J'ai fait jurer à Cheesman de me dire partout où elle va, dit-il. Et, par Dieu, il n'y manque pas. » Ses yeux rapetissent tandis qu'il passe en revue la liste mentale des excursions d'Agnes, puis clignent de déplaisir alors qu'il arrive à une destination cerclée de rouge. J'ai d'abord pensé que ses visites illicites à la chapelle catholique de Cricklewood étaient… *des rendez-vous.* Mais Cheesman dit qu'elle entre et sort seule. Qu'est-ce qu'elle peut bien faire pendant le service ?

– Je ne sais pas ; je ne suis jamais allée dans une église », dit Sugar. Cet aveu est cru et risqué, comme un plongeon dans les eaux dangereuses de l'authentique intimité, une intimité plus profonde que la nudité.

« Jamais été… ? hoquette William. Tu plaisantes. »

Elle sourit tristement, dégage le visage de William d'une boucle de ses propres cheveux.

« Eh bien, j'ai eu une enfance assez peu orthodoxe, tu sais, William.

– Mais… Bon Dieu, je me rappelle qu'on a parlé du livre de Bodley et Ashwell – tu avais l'air de t'y connaître en matière de religion… »

Sugar ferme fort les yeux, et à l'intérieur de son crâne elle voit une terrifiante fosse à serpents de Madeleine et de Marie, de plus en plus sombre et chaotique.

« La tutelle de ma mère, sans doute. Pour m'endormir, pendant des années et des années, elle m'a raconté des histoires de la Bible. Et aussi, soupire-t-elle, j'ai lu un nombre fou de livres, non ? »

William lève la main pour caresser sa taille et sa poitrine, de doigts mous et ensommeillés. Quand la main s'affaiblit et vient se poser sur sa propre poitrine, elle se demande s'il s'est endormi sur ses genoux. Mais non : après une minute de silence, sa voix profonde résonne contre ses cuisses.

« Elle est inconsistante, dit-il, voilà le problème. Normale un jour ; folle comme tout le lendemain. On ne peut pas compter sur elle. »

Sugar se demande quoi faire de cela, puis trouve le courage de demander :

« Que ferais-tu si sa folie était… consistante ? »

Il durcit la mâchoire, honteux, la relâche. « Ah, elle n'a pas fini de grandir, je pense ; elle ira mieux quand elle aura mûri. Elle était terriblement jeune quand je l'ai épousée – trop jeune, peut-être. Elle jouait encore à la poupée… et au fond ses crises sont plutôt enfantines. Je me rappelle qu'en avril il y avait un spectacle de marionnettes à Muswell Hill. Mr. Punch était en train de battre sa femme comme plâtre, comme d'habitude. Agnes a commencé à s'agiter, elle m'a pris le bras et m'a supplié de sauver Mrs. Punch en l'emportant. "Vite, William ! elle m'a dit. Vous êtes riche et important maintenant : personne n'oserait vous arrêter." Je lui ai souri, mais elle était parfaitement sérieuse ! Encore une enfant, tu vois ?

– Et… est-ce que c'est ce qu'il y a de pire ? demande Sugar, se rappelant Agnes vautrée dans la ruelle, ses membres flasques absorbant la boue. Il n'y a rien d'autre dont elle souffre ?

– Oh, le docteur Curlew trouve qu'elle est bien trop maigre, et qu'il faudrait l'envoyer dans un sanatorium pour la remplumer en lui faisant avaler du bœuf et du babeurre. "J'ai vu des femmes mieux nourries dans les hospices", dit-il.

– Et toi, qu'est-ce que tu penses ? » Quelle sensation grisante que de le sonder, non sur des questions de travail, mais sur sa vie privée. Et il s'ouvre ! À chaque mot il est plus ouvert !

« Je ne peux pas nier, dit William, qu'à la maison Agnes semble vivre de laitue et d'abricots. Chez les autres, elle mange tout ce qu'on met dans son assiette, comme une bonne petite fille. » Il hausse les épaules, signifiant : enfantine, encore une fois.

« Eh bien, conclut Sugar, ce médecin va devoir se rendre à l'évidence que les formes ne sont plus la mode. Agnes n'est pas la seule Londonienne mince. »

C'est ainsi qu'elle invite William à quitter le sujet, mais il n'est pas prêt.

« Bien sûr, bien sûr, dit-il, mais il y a autre chose qui m'inquiète. Agnes n'a plus ses règles. »

Un frisson glacé court le long de la colonne vertébrale de Sugar, et elle a du mal à ne pas se raidir. La pensée que William – que *n'importe quel* homme – puisse avoir une telle connaissance du corps d'Agnes est pour elle un choc inattendu.

« Comment sais-tu cela ? »

De nouveau il hausse les épaules contre sa cuisse.

« Le docteur Curlew me l'a dit. »

Un nouveau silence se fait, et Sugar, pour l'occuper, se visualise poignardant ce docteur Curlew dans un cul-de-sac obscur. C'est une silhouette floue, car elle ne l'a jamais vu, mais son sang est aussi rouge que celui de tous les hommes qui figurent dans *La Chute et l'Ascension de Sugar.*

Soudain William pouffe. « Jamais été à l'église... ! s'étonne-t-il, à moitié endormi. Et moi qui croyais tout savoir de toi. »

Elle détourne le visage, abasourdie de sentir des larmes tièdes rouler sur ses joues. Alors que la complète ignorance de William, qui ne sait rien de ce qu'elle est, devrait provoquer des hurlements de rire, elle éprouve de la tristesse et de la pitié – pitié pour lui, pitié pour elle, pitié pour tous les deux pelotonnés là. Oh ! Quel monstre il caresse... ! Quel terrifiant ichor coule dans ses veines ; quelles entrailles irrémédiablement viciées elle a, empoisonnées par des souvenirs putrides et l'amertume du besoin ! Si seulement elle pouvait se poignarder le cœur pour en faire sortir la saleté, qu'elle disparaisse avec un sifflement dans une fissure du plancher, la laissant propre et légère. Quel benêt inoffensif que ce William, avec ses joues rouges ; avec toute son arrogance masculine, ses instincts de coureur, sa couardise de chien, c'est un innocent comparé à elle. Les privilèges lui ont conservé sa douceur intérieure ; une enfance douillette l'a protégé des asticots fouisseurs de la haine ; elle l'imagine, enfant, agenouillé à côté de son lit, priant : « Dieu bénisse Maman, et Papa », sous l'œil attentif de sa bonne nurse.

Oh Dieu, si seulement il savait ce qu'il y a en elle… !

« J'ai encore quelques surprises pour toi », dit-elle de son ton le plus séducteur, en se tamponnant les joues avec sa manche.

William lève la tête, soudain réveillé, ses yeux injectés grands ouverts. « Dis-moi un secret, demande-t-il avec un enthousiasme enfantin.

– Un secret ?

– Oui, un *terrible* secret. »

Elle rit, de nouvelles larmes sourdant de ses yeux, qu'elle cache dans le creux de son coude.

« Je n'ai pas de terrible secret, proteste-t-elle, vraiment pas. Quand j'ai dit que j'avais encore quelques surprises pour toi, je voulais dire…

– Je sais ce que tu voulais dire, grogne-t-il affectueusement, passant le bras sous ses jupes. Mais dis-moi quelque chose que je ne sais pas de toi – n'importe quoi. Une chose que personne d'autre au monde ne sait. »

Sugar est torturée par le désir de tout lui dire, d'exposer ses cicatrices les plus anciennes et les plus profondes, en commençant par le petit jeu de Mrs. Castaway, quand Sugar était toute petite, qui consistait à s'approcher sans bruit du petit lit et, d'un grand geste, arracher les draps du corps à moitié gelé de l'enfant. « Voilà ce que *Dieu* fait, disait sa mère, du même chuchotement grossièrement amplifié qu'elle adoptait pour raconter des histoires. Il adore faire ça. » « J'ai froid, Maman ! » criait Sugar. Et Mrs. Castaway se tenait dans la lumière de la lune, les draps pressés contre sa poitrine, une main en cornet à son oreille. « Je me demande, disait-elle, si Dieu a entendu ça. Il a du mal à entendre la voix des femmes, tu sais… »

William pousse le nez contre son ventre, lui murmurant des encouragements, attendant de recevoir son secret.

« Je… je… Je peux faire jaillir de l'eau de mon sexe. »

Il lève les yeux, surpris. « Quoi ? »

Elle pouffe, se mordant la lèvre pour réprimer l'hystérie. « Je vais te montrer. C'est un talent particulier que j'ai. Un talent inutile… » Tandis qu'il la considère bouche bée, elle bondit sur ses pieds, va chercher un verre d'eau tiède dans la salle de bains, et s'allonge par terre devant lui. Sans fioritures érotiques elle relève ses jupes, retire ses pantalons et jette les jambes au-dessus de sa tête, ses genoux touchant presque ses oreilles. Son con s'ouvre largement comme le bec d'un oisillon, et d'une main peu assurée elle y verse un demi-verre d'eau.

« Grand Dieu ! » s'exclame William tandis qu'elle repose les pieds sur le tapis et, se déplaçant en crabe, projette un fin jet d'eau dans l'air. Il vient s'écraser contre l'ottomane à quelques centimètres de son pantalon.

« Le prochain est pour toi, le menace Sugar d'une voix sifflante, ajustant son tir, mais elle attend qu'il ait plongé de côté pour lâcher le jet suivant.

– Ce n'est pas possible ! s'exclame Rackham en riant.

– Ne bouge pas, Scaramouche ! » s'écrie-t-elle, et elle lâche le dernier trait, le plus haut de tous. Alors Rackham fonce sur elle, lui immobilisant les mains, un genou appuyant légèrement sur son ventre haletant.

« Tout est sorti maintenant ? demande-t-il avant de l'embrasser sur la bouche.

– Oui, dit-elle. Tu n'as plus rien à craindre. » Sur quoi ils réajustent leurs corps, pour qu'il puisse s'installer entre ses cuisses.

« Et toi, dit Sugar, en l'aidant à se déshabiller. Tu as un secret pour moi ? »

Il a un sourire d'excuse tandis que sa virilité est dégagée de ses langes.

« Qu'est-ce qui pourrait rivaliser avec le tien ? » dit-il, mettant fin à la conversation.

Loin de là, dans une chambre sordide dans une maison humide et crasseuse, une prostituée, surprise par un visiteur inattendu, tend la main pour recevoir trois shillings.

« Encore des questions, monsieur ? » dit-elle avec un clin d'œil, mais sa voix chancelle très légèrement : elle voit au visage contorsionné de l'homme qu'il est venu pour quelque chose d'autre cette fois-ci.

Il avance, rigide comme un infirme, jusqu'à son lit sur le bord duquel il s'assied lourdement. Un carré de lumière provenant de la fenêtre est posé juste à côté de lui, le laissant dans l'ombre.

« La femme que j'aime, annonce-t-il, d'une voix basse, enrouée par l'émotion, est en train de mourir. »

Caroline hoche lentement la tête, se léchant les lèvres, ne sachant comment réagir autrement ; depuis la mort de son enfant, la disparition des autres êtres humains signifie moins pour elle qu'elle ne devrait.

« Quel malheur, dit-elle, serrant les pièces dans sa main, pour les empêcher de sonner, par respect. Quel terrible malheur.

– Écoutez-moi.

– J'ai-j'ai entendu, monsieur. La femme que vous aimez…

– Non, dit-il d'une voix rauque, fixant le sol, écoutez-moi. »

Et, comme sa tête s'incline sur sa poitrine, ses épaules se mettent à trembler. Il joint les mains, comme pour prier, et les presse jusqu'à ce que la chair vire au pourpre et au blanc. De sa gorge étranglée sortent des mots trop faibles, et trop déformés par les sanglots, pour être compréhensibles.

Maladroitement, Caroline se rapproche et, tandis que ses pleurs deviennent plus convulsifs, s'assied à côté de lui sur le lit. Le vieux matelas s'enfonce, et leurs hanches se touchent, mais il ne paraît pas le remarquer. Elle se penche en avant, imitant inconsciemment sa posture, et écoute de toutes ses oreilles.

« Que Dieu aille au diable, sanglote Henry, énonçant l'obscénité avec plus de clarté et de véhémence chaque fois qu'il la répète. Que Dieu aille au diable ! »

Sachant qu'elle l'a entendu maintenant, il perd le peu de contrôle qui lui restait. Quelques secondes plus tard il braille comme un âne attendant l'équarrissage, le corps frissonnant, les mains toujours jointes avec une telle force qu'on dirait que les os vont se briser.

« Que Dieuuu aaa-ille au diaaable ! » Henry continue à rugir tandis que, dans son dos, timidement, craintivement (car qui sait à quel acte de violence un homme désespéré peut se livrer ?), Caroline pose un bras consolateur.

# 19

« Réveillez-vous, siffle une voix cassante. Rappelez-vous où vous êtes. »

Sugar s'éveille en sursaut, s'étant assoupie sur son siège. Clignant des yeux dans la lumière multicolore qui traverse les vitraux, elle se redresse, lisse ses jupes inélégantes et ajuste son horrible châle. La vieille femme assise à côté d'elle, une fois rempli son pieux devoir, dirige de nouveau son regard myope vers la chaire, où le pasteur, au loin, continue à apostropher son auditoire.

Sugar jette un coup d'œil aux autres occupants des sièges gratuits du fond de l'église, craignant qu'eux aussi aient remarqué qu'elle s'était endormie, mais ils ne semblent pas s'intéresser à elle. Il y a un idiot, qui louche à la mesure de ses efforts pour se gratter le nez avec ses dents du bas. À ses côtés, plus près des portes ensoleillées, est assise une mère au visage en spatule avec un bébé dans chaque bras, qu'elle fait sauter doucement et lentement pour s'assurer que leur somme n'est pas interrompu.

En vérité la plus grande partie de la congrégation est endormie, les uns la tête renversée et la bouche ouverte, les autres le menton dans leur col raide, d'autres encore appuyés sur l'épaule de leurs voisins. Il est presque impossible de résister au sommeil, avec la chaleur qu'il fait, la lumière colorée, et la voix monocorde du pasteur: une conspiration de soporifiques.

En frottant discrètement son cou endolori Sugar se rappelle quelle bonne idée elle a eue de venir ici. William est de nouveau en voyage (juste pour la journée, cette fois-ci, à Yarmouth), donc quelle meilleure façon de passer son dimanche matin que d'accompagner la maison Rackham à l'église?

Non qu'il y ait beaucoup de Rackham présents. Leur contingent a fondu depuis les premiers temps du mariage, quand William et Agnes arrivaient avec Rackham Senior et tous les domestiques, et les dames gloussantes de la congrégation laissaient entendre à Agnes qui n'y comprenait rien qu'elle serait bientôt accompagnée d'une charmante petite famille.

Yarmouth ou pas Yarmouth, William assiste rarement au service. Pourquoi écouterait-il un moulin à paroles dégoiser du haut d'une chaire à propos d'impondérables? Dans le monde des affaires, on ne parle de rien qui ne puisse devenir réel et viable. Si la religion pouvait prétendre de même! Donc, généralement, c'est Agnes qui vient à sa place, avec les domestiques dont la maison peut se passer. Mais Agnes n'est pas là ce matin, seulement sa femme de chambre à la mine revêche. (Clara est parfaitement éveillée, non que sa piété soit supérieure à celle des autres mais parce qu'elle est furieuse que Letty, qui soi-disant assiste au service du soir, ait de fait ses dimanches libres. Elle est également envieuse de Cheesman, qui est libre de rester à l'extérieur, à fumer des cigarettes et déchiffrer les pierres tombales. Et pourquoi personne ne pique Janey, cette stupide fille de cuisine, de la pointe de son ombrelle, pour faire cesser son ronflement?)

Sugar gigote sur le «banc des pauvres», bien des rangées derrière une petite fille à peine visible qui pourrait être ou ne pas être la fille de William Rackham. Qui qu'elle soit, elle ne bouge pas un muscle de tout le service, presque entièrement cachée par un manteau brun raide et un chapeau trop grand. Sugar tâche de se convaincre qu'il doit y avoir quelque chose à apprendre des quelques centimètres de cheveux blonds qui apparaissent, mais ses yeux ne cessent de se fermer. Elle a hâte d'entendre la prochaine fournée de cantiques car, bien qu'ils exigent d'elle de chanter des paroles inconnues sur des airs qu'elle ignore, au moins ils la tiennent éveillée. Impitoyable, le sermon se poursuit, musique monotone qui n'atteint jamais le crescendo.

À l'extrême gauche du premier rang, un homme de belle allure, mais à l'air courroucé, donne lui aussi des signes d'impatience. Ses yeux sont bouffis et sa mise négligée, en contraste avec les occupants habituels du premier rang de la congrégation payante. De temps à autre, lorsqu'il est en désaccord avec le pasteur, il pousse un soupir si profond qu'il est visible depuis le fond de l'église, et pas loin d'être audible, aussi.

Le pasteur est en train de vilipender un certain sir Henry Thompson pour une hérésie dont la nature précise échappe à Sugar, qui a dormi pendant la partie cruciale du sermon, mais elle suppose que Thompson embrasse une foi d'un genre des plus vils et dépravés et, ce qui est pire, est en passe de gagner un large public à sa cause. Le pasteur suggère d'un ton accusateur qu'il pourrait même se cacher, parmi l'assistance, des âmes déjà égarées par sir Henry Thompson. *Oh mon Dieu*, implore Sugar, *je T'en prie, fais qu'il arrête de parler.* Mais lorsque sa prière est finalement exaucée, tout espoir d'une trêve avec Dieu est perdu.

Les derniers cantiques entonnés, la congrégation se disperse lentement, beaucoup restant à leur place pour consulter leur calendrier paroissial. L'homme aux airs dissolus du premier rang n'est pas de ceux-là ; il sort en trombe, heurtant accidentellement plusieurs personnes tandis qu'il remonte maladroitement l'allée. Cet homme, réalise Sugar comme il passe près d'elle, doit être le frère aîné de William, « l'ennuyeux, l'indécis », qui « se conduit étrangement ces derniers temps ».

Après Henry, une procession ordonnée des personnages les plus élégants et les plus saints emplit l'allée, les hommes cuisant stoïquement dans leurs vestes sombres, les dames vêtues à la dernière mode, ne se refusant que l'éclat de bijoux voyants. Dans leur sillage apparaît l'enfant qui pourrait ou non être la fille de William, à moitié enfouie dans les jupes de son digne chaperon. Elle a les yeux bleu porcelaine d'Agnes, le menton fuyant de William, et l'expression implorante et défaite d'un animal en cage – la même exactement qu'affichait William quand elle l'avait rencontré dans la lueur enfumée du Fireside. Une expression est-elle preuve de paternité ? Peu concluant : cette enfant pourrait être celle de n'importe qui. Mais pendant une fraction de seconde, le regard de la petite fille croise celui de Sugar, et quelque chose se transmet. Pour la première fois aujourd'hui dans la maison de Dieu, une étincelle d'âme a brillé dans l'air stagnant.

*C'est bien toi, n'est-ce pas, Sophie ?* pense-t-elle, mais l'enfant a déjà disparu.

Dès qu'elle peut le faire sans danger, Sugar quitte son banc et suit les paroissiens sur le parvis ensoleillé. La petite fille est poussée – bousculée presque – en direction de la voiture des Rackham. Cheesman, qui traînait à côté d'une colonne en marbre à laquelle deux anges grandeur nature sont collés lascivement, jette sa cigarette et l'écrase sous son pied.

Après la disparition de Sophie, Sugar cherche l'unique Rackham restant : Henry – et découvre qu'elle n'est pas la seule femme à le poursuivre. Une invalide au visage blafard que Sugar avait vue, avant le service, soutenue par une domestique jusqu'à son banc, reçoit maintenant la même aide pour quitter l'église. Lourdement appuyée sur une canne, elle fait signe à Henry et l'appelle par son prénom, évidemment décidée à le rattraper.

Ce qui a pour effet d'électriser le frère de William. Il se met d'un coup au garde-à-vous, enlève son chapeau pour aplatir sur son crâne ses cheveux sales, replace le chapeau avec soin, redresse sa cravate. Même à travers la grossière mousseline de son voile, Sugar voit qu'il a accompli un miracle avec son visage, en bannissant colère et amer mécontentement pour les remplacer par un masque de sang-froid pitoyable.

L'invalide, toujours escortée par sa domestique, ne se déplace pas comme une boiteuse (l'enjambée à trois pas caractéristique), mais s'appuie sur sa canne comme si c'était une rampe au bord d'un précipice vertigineux. Elle est aussi pâle et mince qu'une branche dénudée, et la main gauche qui s'accroche au bras de la domestique ressemble beaucoup à une brindille ; la droite, serrée sur la poignée de sa canne, ressemble plus à une racine noueuse. Dans la chaleur torride qui confère à chacun autour d'elle un visage rose ou (dans le cas de certaines des dames les plus habillées) rouge, le sien est blanc, avec deux taches sur les joues dont le pourpre marbré s'enflamme et pâlit à chaque pas.

*Pauvre âme condamnée*, pense Sugar, car elle sait reconnaître les signes de la consomption. Mais à peine cette gouttelette de compassion a-t-elle coulé dans ses veines qu'elle est suivie d'une bouffée de culpabilité : *Pourquoi tu ne retournes pas chez Mrs. Castaway voir Katy, espèce de lâche ? Elle doit être dans un pire état que cette inconnue – si elle n'est pas déjà morte.*

« Ah ! Henry ! Espériez-vous m'échapper ? »

La phtisique est parvenue à se débarrasser de la domestique et marche seule, luttant pour avoir l'air d'y parvenir sans difficulté. La vision de ses épaules voûtées et de ses doigts crispés provoque chez Henry un choc qui le tire de son immobilité et il se précipite à son côté, manquant de heurter Sugar à la poitrine en passant devant elle.

« Mrs. Fox, permettez-moi », dit-il, tendant les bras comme de lourds instruments qu'il n'est pas habitué à manier. Mrs. Fox décline l'offre en secouant poliment la tête.

« Non, Henry, le rassure-t-elle, s'arrêtant pour se reposer. Cette canne me suffit parfaitement, une fois que je ne risque plus d'être bousculée. »

Henry jette par-dessus l'épaule de Mrs. Fox un regard de courroux indigné à toutes les mauvaises, les méprisables personnes qui pourraient la bousculer, y compris (la plus proche de toutes) Sugar. Ses bras, empêchés de saisir ceux de Mrs. Fox, pendent, inutiles, le long de ses flancs.

« Vous ne devriez pas prendre un tel risque, proteste-t-il.

– Risques ! Pfff ! répond Mrs. Fox d'un ton railleur. Demandez à une malheureuse prostituée... sous les arcades de l'Adelphi... ce que c'est que le risque...

– Je préférerais m'en abstenir, dit Henry. Et je préférerais que vous soyez en train de vous reposer chez vous. »

Mais Mrs. Fox, maintenant qu'elle a cessé de bouger, retrouve son souffle par le seul effet de sa volonté, l'aspirant, dirait-on, du sol à travers sa canne. « J'irai à l'église, déclare-t-elle, tant que j'en serai capable. Après tout, l'église a un grand avantage sur la Société de Secours ; elle ne m'enverra pas de lettre me demandant de ne plus venir.

– Oui, mais vous devez vous reposer, a dit votre père.

– Me reposer ? Mon père veut que je parte en voyage !

– En voyage ? » Le visage d'Henry est déformé par l'espoir, la crainte et l'incompréhension. « Où ?

– Folkestone, dit-elle avec une moue de dédain. D'après ce qu'on dit, un Éden pour les invalides – ou est-ce un shéol ?

– Mrs. Fox, je vous en prie ! » Henry jette autour de lui un regard gêné, craignant que le pasteur ne soit dans les parages.

Il n'y a qu'une femme voilée vêtue pauvrement, qui se tourne avec lenteur et hésitation comme si elle ne savait où aller.

« Venez, Henry, marchons ensemble », dit Mrs. Fox.

Henry est atterré. « Pas jusqu'à… ?

– Si jusqu'à… la voiture de mon père, le taquine-t-elle. Venez, Henry. Il y a des gens qui font dix kilomètres chaque matin pour aller travailler. »

Henry, provoqué au-delà de ce qu'il peut supporter, commence à s'exclamer : « Pas s'ils… », mais parvient à se retenir de mentionner la maladie fatale. « Pas le dimanche », dit-il à la place, l'air misérable.

Ils reprennent leur marche, empruntent le chemin habituel, l'avenue ombragée d'arbres, s'éloignant de la congrégation sous le soleil, suivis par la femme voilée pauvrement vêtue. La distance imposée par la discrétion ainsi que le souffle court de Mrs. Fox font que Sugar perd une partie de ce qui est dit ; les mots lui parviennent en murmures dans le vent, tels des akènes de pissenlit voletant dans le ciel. Mais les omoplates de Mrs. Fox, peinant sous le tissu de sa robe, parlent haut et clair.

« À quoi bon, halète-t-elle, rester allongée immobile et seule dans mon lit quand je pourrais être ici dans la tiédeur de l'air, en bonne compagnie… (quelques mots se perdent)… la chance de chanter les louanges du Seigneur… (quelques autres encore). »

Le mot « tiédeur » fait frissonner Sugar de pitié, car chaque fois qu'elle bat des paupières derrière son voile des gouttes de sueur tombent de ses cils. La chaleur est accablante, et Sugar regrette de s'être privée – en élaborant sa panoplie de pauvre – du luxe d'une ombrelle. Quel sang glacé doit couler dans les veines de ce corps émacié !

« … cette belle journée… à l'intérieur j'aurais terriblement froid… »

Henry lève les yeux sur le ciel implacable, avec le désir que le soleil soit aussi doux qu'elle le croit.

« … quelque chose d'intrinsèquement morbide à être au lit, sous des draps blancs, vous ne pensez pas ? poursuit Mrs. Fox.

– Parlons d'autre chose », demande Henry. Le cimetière est sur leur gauche, avec ses pierres tombales qui tremblent dans la chaleur à travers le feuillage.

« Eh bien, alors… halète Mrs. Fox. Qu'avez-vous pensé du sermon ? »

Henry regarde par-dessus son épaule pour s'assurer que le pasteur ne les suit pas, mais il ne voit que la femme pauvrement habillée et, plus loin derrière elle, la femme de chambre du docteur Curlew.

« J'ai trouvé qu'en grande partie il était… excellent, marmonne-t-il. Mais j'aurais pu me passer des attaques contre sir Henry Thompson.

– Juste, Henry, très juste, hoquette Mrs. Fox. Thompson s'attaque bravement à… (plusieurs mots manquants)… temps de reconnaître… la notion même d'inhumation… appartient à un monde plus petit… que n'est devenu le nôtre… » Elle s'arrête un instant, vacille sur sa canne, et tend un bras en direction du cimetière. « Un modeste cimetière suburbain comme celui-ci… ne donne pas l'idée de ce qui arrivera… quand la population croîtra… Avez-vous lu… excellent livre… *Quelle horreur se prépare sous nos pieds* ? »

S'il y a une réponse à cette question, Sugar ne l'entend pas.

« Vous devriez, Henry… vous devriez. Cela vous ouvrira les yeux. Il ne pourrait pas y avoir de plaidoyer plus… en faveur de la crémation. L'auteur décrit… de vieux cimetières londoniens… avant qu'ils n'aient tous été fermés… vapeurs pestilentielles… visibles à l'œil nu… »

Elle fait mal à entendre, et Henry Rackham jette par-dessus son épaule des regards nerveux de plus en plus fréquents, non à Sugar mais à la domestique, dont il est clair qu'il souhaite qu'elle vienne prendre les choses en main.

« Dieu nous a faits… siffle Mrs. Fox, avec une poignée de poussière… et je vois mal… pourquoi certains Le croient capable… de nous ressusciter… d'une urne… de cendres.

– Mrs. Fox, je vous en prie, ne parlez plus.

– Et dans quel état… j'aimerais savoir… les champions de l'inhumation… pensent que nous sommes… après six mois… en terre ? »

Heureusement, la domestique choisit ce moment pour dépasser Sugar et saisir fermement le bras de l'invalide.

« Je vous demande pardon, Mr. Rackham », dit-elle, tandis que Mrs. Fox s'effondre contre elle. Il hoche la tête avec un pauvre sourire, un sourire d'impuissance, un sourire qui reconnaît qu'il est moins habilité qu'une vieille gouvernante à la prendre dans ses bras.

« Bien sûr, bien sûr », dit-il et il regarde les deux femmes chétives – qu'il pourrait, si nécessaire, soulever du sol chacune dans une main – s'éloigner à tout petits pas. Immobile comme une colonne, Henry Rackham attend qu'elles soient installées dans la sombre voiture du médecin, puis se retourne pour faire face à l'église. Sugar se met en branle et passe devant lui, une expression de honte derrière son voile, car il doit certainement savoir qu'elle épiait sa douleur.

« Bonjour, dit-elle.

– 'Jour », répond-il d'une voix rauque, son bras s'élevant en saccades de quelques centimètres en direction de son chapeau, avant de retomber grossièrement en direction du sol.

« C'est une épine à mon pied ! gémit William, mimant le désespoir, dans le lit de Sugar ce soir-là. Pourquoi a-t-il fallu qu'il me choisisse moi comme victime de ses rapports intimes ?

– Peut-être qu'il n'a personne d'autre », suggère Sugar. Puis, risquant elle-même un brin d'intimité: « Et après tout tu es son frère. »

Ils sont allongés, la couverture rejetée sur le côté, leurs corps suant exposés à l'air fraîchissant. Malgré le souci que lui cause Henry, William est d'assez bonne humeur, satisfait comme un lion devant une proie encore fumante, entouré de ses lionnes. Son voyage à Yarmouth a été un succès retentissant: lui et un importateur du nom de Grover Pankey se sont fameusement entendus, ont fumé des cigares devant la mer, et conclu un accord pour fournir les Parfumeries Rackham en pots d'ivoire très bon marché pour les baumes les plus chers.

Au cours de l'acte (l'acte d'amour avec Sugar, pas le marché avec Pankey) William était encore plein de sa réussite, ce qui lui a conféré une grâce à laquelle elle ne se serait jamais attendue. Il a caressé ses seins avec une tendresse rare, et embrassé son nombril de la manière la plus délicate, encore et encore, ce qui a ouvert en elle quelque chose, un coquillage dur et caché jusqu'alors fermé à lui. Ce n'est pas le pire homme au monde, pense-t-elle; il pourrait même être parmi les moins vicieux – et il s'est mis à aimer sincèrement son corps, qu'il traite comme une chose vivante, au lieu (comme aux débuts) d'un vide dans lequel il jetait furieusement sa semence.

« Je suis son frère, soupire William, et j'ai de la peine à le voir malheureux. Mais comment puis-je l'aider? Tout ce que je le presse de faire, il le rejette comme impossible; tout ce qu'il fait à la place me contrarie. Je reviens de Yarmouth d'excellente humeur et ravi d'avoir échappé à un sermon assommant du docteur Crane, et quelques minutes plus tard voilà Henry dans mon salon qui me le récite en entier! »

Pour donner à Sugar une idée de ce qu'il lui a fallu endurer, William résume la tirade du pasteur contre la crémation.

« Et qu'en pense Henry? demande Sugar, une fois abrégé en deux minutes le supplice d'une heure.

– Ha ! paralysé par l'indécision, comme toujours, s'écrie William. Sa tête, dit-il, va pour la crémation, mais son cœur pour l'inhumation. »

Sugar réprime l'impulsion de partager avec William l'image qui surgit dans son esprit d'un cadavre découpé par deux officiants solennels, dont l'un emporte la tête en direction d'une chaudière et l'autre le cœur sur une pelle.

« Et toi ? lui souffle-t-elle.

– Je lui ai dit que j'étais en faveur de l'inhumation, mais pas pour des raisons religieuses. Les gens pieux réalisent de telles contorsions pour compliquer les choses simples ! J'ai vaguement envie d'écrire un essai sur le sujet… » La serrant contre lui alors que la sueur de leurs corps s'évapore, il explique que la supériorité de l'inhumation n'a rien à voir avec la religion, mais avec des réalités sociales et économiques. Les amis et la famille ont besoin de sentir que le mort les quitte dans le corps qu'il avait la dernière fois qu'ils l'ont vu en vie ; sa détérioration doit être lente, comme celle de leurs souvenirs de lui. Réduire quelqu'un en cendres quand, chez ses proches, il a encore la place qu'il tenait vivant, est chose perverse. Et de plus, que vont devenir tous les fossoyeurs ? Les partisans de la crémation y ont-ils pensé ? L'inhumation génère plus d'activités et d'emplois que n'imaginent la plupart des gens. Même les Parfumeries Rackham souffriraient si elle était abolie, car il n'y aurait plus de clientèle pour les sachets odorants que l'on glisse dans les cercueils, ni pour les cosmétiques que Rackham vend aux pompes funèbres.

« Et qu'est-ce qu'Agnes dit de tout ça ? demande Sugar d'un ton léger, espérant découvrir, sans avoir besoin de poser la question, pourquoi Mrs. Rackham n'était pas à l'église ce matin.

– Elle a tout raté, Dieu merci. Elle est à la mer.

– La mer ?

– Oui, Folkestone. »

Sugar se dresse sur un coude, et tire doucement la couverture sur la poitrine de William, tâchant de décider jusqu'où elle peut pousser son enquête.

« Qu'est-ce qu'elle fait là-bas ?

– Elle se bourre de gâteaux et de crèmes glacées, j'espère. » Il ferme les yeux et pousse un profond soupir. « Elle évite les problèmes.

– Pourquoi ? Quels problèmes a-t-elle eus ? »

Mais William n'est pas d'humeur à raconter à Sugar le bal de lady Harrington, et le spectacle de sa femme emportée par deux jeunes officiers de marine rougissants, laissant derrière elle sur le parquet ciré une longue traînée luisante de vomi jaune – sans parler d'une hôtesse gravement scandalisée. Il aurait pu le relater à Sugar si l'incident n'avait été qu'un simple malaise, mais Agnes, au cours des minutes précédant son évanouissement, a dit à lady Harrington des choses monstrueuses, ignorant les mises en garde qu'il lui murmurait. Même dans la voiture qui les ramenait, alors qu'elle parlait d'une voix pâteuse en se balançant sur le siège face à lui, les yeux lançant des éclairs dans l'obscurité, elle n'avait témoigné aucun repentir.

« Lady Harrington ne vous pardonnera jamais cela, vous savez », avait-il dit, écartelé entre le désir de la gifler si fort que sa tête fasse un tour de trois cent soixante degrés et l'envie de la prendre dans ses bras pour dégager son visage de ses cheveux mouillés.

« Ah, on n'a pas besoin d'elle, avait dit Agnes d'un ton méprisant. Elle a l'air d'un canard. »

Cela l'avait fait rire, malgré sa mortification ; et, dans un sens, elle avait raison, et pas seulement quant à l'apparence de lady Harrington. Depuis l'ascension de William à l'altitude qu'il occupe actuellement, les aristocrates de moindre importance – ceux dont la fortune est ravagée par le jeu et la boisson, et dont les propriétés tombent secrètement en ruine – se battent pour lui faire la cour.

« Ce n'est pas une raison, l'avait-il grondée, pour insulter son hôtesse.

– Tesse, tesse, tesse, tesse, hoquetait Agnes d'un ton las et sinistre, tandis que la voiture poursuivait son chemin dans l'obscurité. Ancien Tessetament. »

« William ? »

La voix est celle de Sugar, et elle est allongée nue dans le lit à côté de lui, le renvoyant au présent.

« Hmm ? répond-il en clignant des yeux. Ah… oui. Agnes. Elle n'a pas d'ennuis particuliers, en réalité. La fragilité féminine. » Il saisit sa chemise et, se glissant hors du lit, commence à s'habiller. « Je mets beaucoup d'espoir dans son séjour à Folkestone, en fait. L'air de la mer est connu pour guérir toutes sortes de maux tenaces. Et si sa maladie persiste, je suivrai peut-être le conseil de lady Bridgelow – une amie – de l'envoyer à l'étranger.

– À l'étranger ? » Les yeux noisette de Sugar sont écarquillés. « Mais où ? »

Il s'interrompt un instant, son caleçon à moitié remonté, sa queue encore humide, son scrotum gonflé se balançant dans la chaleur.

« J'y penserai, la réprimande-t-il doucement, le temps venu et s'il vient. »

Avant même que le train ne ralentisse en préparation de son arrivée à la gare de Folkestone, l'odeur vive de la mer pénètre par les vitres du wagon, et les cris des mouettes sont audibles par-dessus le bruyant staccato des roues.

« Ah, madame, sentez-moi ça, s'écrie la domestique avec enthousiasme, relevant le store et inspirant profondément à la vitre ouverte. Voilà un tonique, pas de doute. »

Mrs. Fox referme son livre sur ses genoux et sourit.

« L'odeur est très agréable, Laura, je vous l'accorde. Mais celle du rôti de porc aussi, et il n'a jamais guéri personne de quoi que ce soit. »

Et cependant Mrs. Fox ne peut nier que l'air de la mer est revigorant. La brise salée ouvre de minuscules passages jusqu'alors scellés entre son nez et sa tête, et l'effet est si exaltant qu'elle est incapable de poursuivre sa lecture. Avant de glisser le livre dans le panier à côté d'elle, elle en évalue de nouveau le titre : *L'Efficacité de la prière*, par Philip Bodley et Edward Ashwell. Quel livre ennuyeux ! – qui passe complètement à côté du fait que la prière n'est pas un tour de magie par lequel on espère parvenir à ses fins sans effort, mais une manière de rendre grâce, après s'être entièrement voué à une tâche utile, de la présence de Dieu à nos côtés. Cela ressemble bien aux hommes – enfin la plupart des hommes –, ce cynisme tatillon, ce tour de passe-passe ; comme il est typique des hommes d'empiler les statistiques avec une exultation mauvaise tandis que derrière leurs fenêtres un million d'êtres humains leur font des gestes de détresse désespérés.

Dans une secousse, la rapidité du souffle de la vapeur décroît, et le bruit des freins annonce l'arrivée du train en gare. Des couleurs aux contours indistincts passent devant les vitres. On entend un coup de sifflet.

« Folke-stooooone ! »

Emmeline attend dans son compartiment tandis que les autres passagers se pressent dans l'étroit couloir. Quelque tristesse qu'elle éprouve à l'admettre, son état de santé est maintenant tel qu'elle n'oserait pas insérer son faible corps dans une pareille cohue de carcasses plus solides. Avec mélancolie elle se rappelle comment, un jour, aux côtés de ses compagnes Secouristes, elle s'était frayé un chemin parmi la foule des badauds assemblés, criant et tapant du pied, autour d'une rixe, et, découvrant que les pugilistes étaient mari et femme, les avait séparés à mains nues – enfin, gantées. Comme ces deux-là, haletants et sanglants, avaient paru surpris – comme ils s'étaient regardés d'étrange façon !

Le wagon tremble sous le pas lourd des porteurs qui déchargent du toit sacs et valises ; les jets de vapeur furieux lancés par les locomotives se mêlent au chaos des voix. Dans la foule, de gros cochers font la course pour arriver les premiers aux passagers qui semblent les plus riches, tandis que les porteurs clopinent et titubent, d'énormes valises à la main et des ombrelles de plage sous les bras. Il y a des enfants partout : des garçons coiffés de casquettes de feutre, vêtus de manteaux de même étoffe, des filles en répliques miniatures de la mode adulte de la décennie précédente. Dans les jupes de leurs mères et de leurs gouvernantes ils gesticulent et dansent, encombrés de paniers, de seaux et de pelles. Emmeline voit une gamine excitée croiser la route d'un marin et bouler au sol. Pourtant, au lieu de hurler, l'enfant se remet sur pied : sa joie est trop robuste pour se laisser dégonfler par une petite mésaventure. Ah, quelle bénédiction de pouvoir tomber et se relever ! Taraudée par l'envie, Emmeline regarde de tous ses yeux.

Une fois que la marée humaine s'est écoulée par les grands portails vers le boulevard scintillant au-delà, Laura prend la valise et l'ombrelle de Mrs. Fox et descend sur le quai. À sa suite, Emmeline ne s'appuie que légèrement sur sa canne, car elle s'est reposée tout le trajet depuis Londres ; en fait elle se sent très bien, et ce ne sont que les regards pleins de pitié des contrôleurs qui lui rappellent à quel point sa maladie est visible aux yeux de tous.

Son père a réservé une suite dans l'hôtel le plus proche de la plage, et a envoyé des médicaments à l'avance, afin qu'ils l'attendent à son chevet. Quant au régime d'Emmeline, Laura a reçu instruction de manger aussi souvent que l'envie lui en prendra – plus souvent, même – afin que Mrs. Fox soit tentée de l'accompagner dans son repas, qu'il soit acheté à une voiture sur la plage ou mis sur la note de son hôtel. L'objectif principal, toutefois, est que Mrs. Fox se repose autant qu'elle le supportera, allongée dans un endroit tranquille près de la mer. En aucun cas elle ne doit s'approcher de la zone de baignade et encore moins se joindre à ces âmes aventureuses qui vont jusqu'à patauger dans l'eau. Si elle s'ennuie de manière *intolérable*, elle peut, avec la bénédiction du docteur Curlew, *regarder* ces femmes hardies sortir de leurs cabines dans leur tenue de bain et se diriger vers l'eau. Mais elle doit rester parmi la majorité sèche, dans ces parages sûrs où les enfants font leurs châteaux hors de portée de la marée.

La majorité sèche croît à chaque minute, proliférant sous le soleil brûlant. Tandis que Laura et Mrs. Fox marchent le long du boulevard pavé menant à la plage, elles sont dépassées par des dizaines d'hommes et de femmes vêtus comme pour aller aux courses. Certains portent des chaises pliantes sous le bras, d'autres des livres et même des écritoires. On dirait qu'il y a un colporteur pour dix vacanciers innocents. De solides chevaux tirent des cabines de bain en direction de la zone de baignade réservée aux dames et, à leur suite, un quatuor de cuivres joue des cantiques au rythme des secousses d'une sébile.

« Voilà un endroit agréable », dit Laura lorsqu'elles ont à moitié descendu les grandes marches de pierre qui finissent par s'ensevelir dans le sable, mais Mrs. Fox ne lève pas les yeux, trop préoccupée qu'elle est par son équilibre et la position de sa canne. Marcher dans le sable – ce qui n'est pas chose facile même pour une personne en bonne santé – est au-delà de ses capacités, et elle doit se résoudre à accepter le bras de Laura. L'air de la mer qu'elle aspire à pleins poumons commence à lui tourner la tête et elle perçoit ceux qui s'amusent et ceux qui gagnent leur vie autour d'elle comme des créatures de rêve, qui pourraient disparaître dans un battement de cils, la laissant seule sur une plage déserte.

Au cours des derniers mètres qui la séparent de l'endroit choisi par Laura elle manque d'être bousculée par plusieurs colporteurs lourdement chargés. L'un d'eux vend des ombrelles ; un autre des petits bateaux ; un troisième des oiseaux mécaniques en bois dont il prétend bruyamment qu'ils sont capables de voler ; et un quatrième, des tranches de pudding aux prunes enveloppées dans du papier de chiffon qu'il protège en agitant une main frénétique afin de décourager les mouettes audacieuses qui décrivent des cercles au-dessus de sa tête.

« Voilà l'endroit, madame », annonce Laura, alors qu'elles atteignent l'ombre d'un monticule herbu. Avec soulagement, Mrs. Fox s'assied, s'adossant à la déclivité. L'horizon vacille, limite peu fiable entre un vaste ciel bleu et un océan vert d'eau.

« Laissez-moi... une minute, halète-t-elle avec un sourire exagéré qui promet la bonne conduite.

– Bien sûr, madame, dit Laura. Je vais nous chercher quelque chose à manger », et avant que Mrs. Fox ait pu protester, elle se hâte de rejoindre le tohu-bohu.

Plus tard dans l'après-midi, alors qu'une grosse tranche de gâteau aux prunes gît, à moitié enfouie dans le sable, derrière ses jupes, et que Laura a été persuadée d'aller voir « Psycho, l'Incroyable Homme Mécanique (Sensation de la Saison londonienne !) » au Folkestone Pavilion non loin de là, Mrs. Fox fixe le ciel azuréen. Les cris des enfants se sont depuis longtemps mêlés indistinctement aux cris des mouettes, et le tout a été avalé par le bruit, majestueux et apaisant, des vagues.

Elle ne voulait pas venir, non, elle ne voulait pas venir, mais maintenant qu'elle est ici elle est contente, car il est tellement plus facile de *penser* ici. Les labyrinthes tortueux que ses pensées ont empruntés dernièrement sont restés derrière dans la métropole polluée. Ici, devant la grande mer éternelle, elle peut, enfin, penser droit.

Une mouette s'approche avec précaution, attirée par le bout de gâteau, mais peu confiante en la race humaine. Emmeline saisit la tranche poisseuse et grumeleuse et la lance doucement dans sa direction.

« Que faire avec mon ami Henry, madame Mouette ? murmure-t-elle à l'oiseau qui commence à becqueter le pudding. Ou est-ce monsieur, ou mademoiselle Mouette ? Je suppose que ces distinctions sont de peu d'importance dans votre société, n'est-ce pas ? »

Elle ferme les yeux et se concentre pour ne pas tousser. Au fond de son panier, sous le livre de Bodley et Ashwell, se trouve un mouchoir froissé gluant de sang – des fragments de ses poumons, lui dirait son père, bien qu'elle ait toujours imaginé que les poumons étaient des soufflets aériens, de pâles ballons translucides. Peu importe : le sang, lui, est réel, et elle ne peut se permettre d'en perdre plus.

Chatouillement par chatouillement, la tentation de tousser disparaît. Mais une tentation plus grande n'est pas si aisément repoussée : ses pensées d'Henry. Comme elle aimerait qu'il soit à ses côtés ! Comme c'eût été idyllique, si elle avait pu faire passer le voyage en train en conversant avec lui, plutôt que de bavarder avec Laura ! Et comme ce serait mieux si, chaque fois qu'elle sent ses genoux fléchir, c'était *lui*, plutôt que la vieille domestique de son père, qui se précipitait pour l'étreindre ! Ses doigts puissants trouveraient parfaitement leur place dans les interstices entre ses côtes. Il la porterait dans ses bras si nécessaire. Il pourrait l'allonger doucement sur un lit comme si elle était sa chatte.

*Je le désire.*

Voilà, c'est dit, même si ce n'est pas à voix haute. Inutile de le dire à voix haute : Dieu l'entend. Et son désir charnel, s'il n'est pas condamné par Dieu, n'est (ainsi que saint Paul le signifie clairement dans son épître aux Corinthiens) rien dont on puisse s'enorgueillir. D'autre part, le fait qu'elle et Henry ne soient pas sur le point de commettre un acte indécent ne signifie pas qu'il ne faille pas s'inquiéter pour autant. Qui peut dire si Matthieu 5:28 ne s'applique pas autant à ceux qui sont veufs qu'à ceux qui sont mariés, et aux femmes qu'aux hommes ? En Galilée à cette époque, les tâches domestiques et les enfants ne devaient pas laisser aux femmes le loisir d'aller écouter les prophètes itinérants ; ne se pourrait-il donc pas, que, de là où Il se trouvait sur la montagne, Jésus n'ait vu que des hommes ?

« Quiconque regarde une femme avec désir… » Si Jésus avait vu des femmes dans la foule, Il aurait sûrement ajouté : « ou un homme ». Ce qui a de sérieuses conséquences pour Emmeline, car s'il est possible de commettre l'adultère dans son cœur, pourquoi pas la fornication aussi ? Les mauvais chrétiens ont tendance à interpréter les Écritures pour excuser leurs fautes ; les bons chrétiens devraient faire le contraire et lire sans crainte entre les lignes pour y apercevoir le froncement de sourcils d'un Tout-Puissant aimant mais déçu. Elle est une fornicatrice, donc, dans son cœur.

Car, oui, elle désire Henry, et pas seulement comme deux mains puissantes pour la rattraper quand elle s'évanouit. Elle a soif du poids de son corps sur le sien, de la pression de sa poitrine contre ses seins ; elle languit de le voir délivré de sa noire carapace de vêtements, et de découvrir la forme secrète de ses hanches, d'abord sous ses paumes, puis serrées entre ses cuisses. Voilà, c'est dit. Les mots, informulés, resplendissent comme un écrit miraculeux sur les murs de son cœur – ce petit temple à l'intérieur duquel Dieu ne cesse de regarder. Son âme elle-même devrait être un miroir dans lequel Dieu puisse Se voir réfléchi, mais maintenant… maintenant Il pourrait aussi bien y voir le visage d'Henry Rackham à la place du Sien. Ce visage adorable…

Emmeline ouvre les yeux et se redresse, avant d'ajouter l'idolâtrie à ses péchés. La mouette bossue lui jette un coup d'œil, se demandant si elle a des vues sur sa succulente pitance. Rassurée, elle reprend son festin.

Il n'y a qu'un sûr moyen de résoudre le problème, pense Emmeline, et c'est d'épouser Henry. La fornication, imaginée ou pas, n'existe pas entre mari et femme. Et cependant, épouser Henry serait faire un mauvais usage, un usage égoïste de son ami le plus cher, car Henry ne désire pas se marier : il l'a dit bien des fois. Comment signifier plus clairement qu'il ne désire d'elle que son amitié ?

« La chair est égoïste, lui a-t-il déclaré un jour, au cours de l'une de leurs conversations d'après sermon, alors que l'esprit est généreux. Je frémis en pensant combien il est facile de passer une vie entière à satisfaire des appétits animaux.

– Oh, je suis sûre que Dieu ne vous en voudra pas de passer juste *quelques* minutes de plus à marcher avec moi sous le soleil, avait-elle répondu, d'un ton enjoué, car il était d'humeur sombre ce jour-là, et elle avait voulu le dérider.

– Comme je méprise ma paresse, s'était-il lamenté, sourd à ses charmes. Il me reste si peu de temps !

– Oh, sincèrement, Henry, avait-elle répondu. Quelle chose étrange à dire pour un homme de trente ans. Vous avez quasiment l'éternité pour réaliser vos ambitions !

– L'éternité, avait-il répété d'un ton lugubre. Quel grand mot ! Je suppose que nous ne sommes pas dans les rangs des partisans de la réincarnation, qui croient disposer d'autant de vies qu'il leur semble bon.

– Une vie suffit, lui avait-elle assuré. Et même, pour certaines des malheureuses créatures que je rencontre au cours de mes tournées, une vie est intolérablement longue… »

Mais une fois Henry parti sur son sujet, il répugnait à s'arrêter ; les maux de la procrastination lui inspiraient une rhétorique digne des meilleurs sermons, et auguraient extrêmement bien de son avenir en tant qu'homme d'Église.

« Oui, le temps n'est pas perçu, avait-il concédé, de la même manière par tout le monde. Mais la pendule de Dieu est d'une précision effrayante. Quand nous sommes enfants, chaque minute de notre vie déborde de succès ; nous naissons, apprenons à marcher, et parler, et des milliers d'autres choses, en quelques courtes années. Mais nous ne voyons pas que les défis de la maturité sont d'un tout autre ordre. Mis au défi de bâtir une nouvelle église, nous pouvons peut-être réagir exactement comme lorsque nous avons construit notre premier château de sable, mais dix ans plus tard il est possible que la première pierre n'ait pas été posée. (Comme il est étrange, songe Emmeline, qu'elle se rappelle ces mots alors qu'elle est assise sur une plage à regarder des petits garçons construire des châteaux de sable !) Et ainsi en est-il, avait conclu Henry, de *tous* nos vastes espoirs, toutes nos ambitions de réussir ce que ce pauvre monde nous exhorte à grands cris : les décennies passent, tandis que nous mettons notre confiance dans l'éternité !

– Oui mais pour l'amour de Dieu, Henry, s'était-elle attachée à lui rappeler, un seul chrétien ne peut pas tout faire. Nous ne pouvons que faire de notre mieux.

– Précisément ! s'était-il écrié. Et je vois quel est *votre* mieux, et quel est le mien, et j'ai honte ! »

Sous le soleil de Folkestone, Emmeline sourit au souvenir de son visage sérieux cet après-midi-là ; son cher visage, déformé par la passion de l'idéalisme. Comme elle aimerait embrasser ce visage, effacer de son front sous sa caresse les rides qu'y creuse la gravité, l'attirer dans l'ici et maintenant d'une étreinte aussi puissante que ses faibles bras le lui permettent…

Mais pour revenir au sujet présent : le mariage.

Si Henry et elle se mariaient effectivement, pourquoi leur amitié changerait-elle ? Ne pourrait-elle demeurer tout comme elle est aujourd'hui, excepté qu'ils vivraient dans la même maison ? (Ce devrait être sa maison à elle, pas celle d'Henry : ils n'y tiendraient pas à deux !) Il pourrait prendre la chambre voisine de la sienne, s'il voulait bien la débarrasser du fouillis qui l'encombre. (Quand donc Mrs. Lavers se décidera-t-elle à venir chercher ces sacs de vêtements ? Et ces hommes de la Société Biblique Africaine reviendront-ils jamais ?) Dans son état actuel, ce serait bien pratique d'avoir un homme dans la maison – et surtout merveilleux, si cet homme était Henry. Il pourrait monter le charbon, pour commencer, et l'aider à faire sa correspondance. Et, si elle était épuisée à l'heure du coucher, il pourrait la porter dans ses bras et, avec la plus grande douceur, l'allonger…

La persistance de ses désirs ignobles lui arrache un sourire piteux. Sa maladie, quelle qu'elle soit, a échoué à la rapprocher de Dieu, malgré toutes ces jolies gravures qu'elle n'arrête pas de voir de femmes phtisiques allongées dans des lits auréolés avec des anges qui volettent au-dessus de leurs têtes. Peut-être qu'elle ne souffre pas de phtisie, mais d'une sorte d'affliction hystérique ? Pour dire les choses crûment : est-elle sur le chemin de l'asile ? Au lieu de flotter vers les portes éthérées du Ciel, elle semble devenir de plus en plus grossière, comme un animal : elle crache du sang, elle a des boutons dans le cou et sur les épaules, elle sue abondamment de tous les pores et, chaque fois qu'elle s'éveille d'une songerie touchant Henry Rackham, elle a grand besoin de se laver entre les jambes…

Dégoûtant ! Et pourtant elle n'a jamais été très bonne pour éprouver de la honte. Chaque fois qu'elle a le choix entre se flageller et s'amender, elle opte pour la voie la plus constructive. Donc… Que se passerait-il si Henry et elle devenaient mari et femme ? Serait-ce une chose si terrible ? Si Henry craint que son ministère ne souffre de la paternité, eh bien alors, elle est stérile, ainsi que son mariage avec Bertie l'a prouvé.

Mais comment en vient-on à suggérer le mariage ? Quelle est exactement la procédure pour franchir la frontière entre une courtoisie distanciée et le partage d'un lit douillet jusqu'à ce que la mort nous sépare ? Le pauvre vieux Bertie avait mis un genou en terre, mais il la poursuivait depuis qu'elle était écolière. Si le mariage est à mille lieues des pensées d'Henry, ce n'est pas lui qui va le lui proposer, n'est-ce pas ? Et ce n'est pas *elle* qui peut s'en charger, n'est-ce pas ? Non parce que ce serait aller contre les conventions (elle est tellement fatiguée des conventions !), mais parce que cela pourrait offenser Henry, et la faire baisser dans son estime. Perdre son respect serait un coup plus cruel qu'elle ne pourrait le supporter, du moins dans l'état de fragilité où elle se trouve.

« Alors il faut que j'attende, dit-elle à haute voix. Jusqu'à ce que j'aille mieux. »

Au son de sa voix, la mouette s'enfuit, abandonnant les dernières miettes, et Emmeline laisse retomber sa tête contre la butte herbue, déplaçant ainsi son bonnet, dont les épingles viennent piquer son cuir chevelu. Tout d'un coup sa peau frémit d'irritation, et elle arrache le bonnet de sa tête. Puis elle se réinstalle, et le soulagement de sentir son crâne nu et moite épouser étroitement le creux tiède la fait chantonner.

La décision qu'elle a prise au sujet d'Henry se répand dans son corps tels les effets d'un médicament ou d'un bon repas, d'autant plus satisfaisants que ni médicaments ni nourriture n'ont eu sur elle beaucoup d'effet ces derniers temps. Quel magnifique reconstituant qu'une ferme résolution ! La fatigue quitte déjà ses membres pour s'écouler dans le sable sous elle.

La mouette, qui a reconnu sa méprise, revient becqueter le gâteau sablé. Elle lève la tête tout en faisant descendre une miette dans son gosier à force de secousses, comme si elle approuvait sa décision par cette série de hochements. Oui, elle doit attendre d'aller mieux, et alors… et alors prendre sa vie en main, en l'offrant à Henry Rackham.

« Et est-ce qu'il dira oui, madame Mouette ? » demande-t-elle, mais la mouette étend ses ailes et, bondissant d'un monticule de sable, s'envole vers la mer.

Dans un autre coin de la plage de Folkestone, adossée à un autre rocher, Agnes Rackham glapit de peur tandis qu'un oiseau en bois s'écrase à ses pieds dans un fracas assourdi. Elle relève les jambes, écrasant dans son giron le magazine féminin qu'elle était en train de lire, et rassemble ses jupes autour d'elle.

Clara qui, à la différence de sa maîtresse, n'était pas plongée dans l'étude de « La Saison : qui a brillé le plus, quand et où », avait vu venir le projectile dont la chute ne lui arrache qu'un battement de cils. Calmement, sans faire d'histoires, comme pour mieux souligner la débilité nerveuse de sa maîtresse, elle tend la main et saisit l'oiseau par l'une de ses ailes de contreplaqué et de papier.

« Ce n'est qu'un jouet, madame, dit-elle doucement.

– Un jouet ? répète Agnes, surprise, tout en se dépliant.

– Oui, madame », affirme Clara, en soulevant l'oiseau dont les ailes cliquetantes ont fini par s'immobiliser, pour le soumettre à l'inspection d'Agnes. C'est une frêle construction négligemment peinturlurée, animée par un petit moteur en métal et une clef en cuivre. « On est passées en venant devant la charrette de l'homme qui les vend. »

Agnes se tourne pour regarder dans la direction indiquée par Clara, mais ne voit qu'un petit garçon de six ou sept ans, vêtu d'un costume marin en coton bleu et coiffé d'un canotier de paille, qui apparaît en cabriolant au détour de la falaise. Il s'arrête avec une glissade devant la dame et la domestique qui tient son jouet dans ses mains.

« S'il vous plaît miss, dit-il d'une voix flûtée. C'est mon oiseau.

– Eh bien alors, le réprimande Clara, tu devrais faire attention à là où tu le lances.

– Excusez-moi, miss, répond le petit garçon, il ne vole pas droit », et il gratte nerveusement son mollet gauche de sa chaussure droite fermement lacée. Comme la domestique lui lance des regards furieux, il préfère regarder la dame avec les grands yeux bleus qui sourit.

« Ah, pauvre garçon, dit Agnes. N'aie pas peur : elle ne va pas te mordre. » Et elle fait signe à Clara de lui donner son jouet.

Agnes aime bien les enfants, en fait, tant que ce ne sont pas des bébés, et tant qu'ils sont à d'autres, et tant qu'ils sont administrés par petites doses. Les petits garçons en particulier peuvent être charmants.

« Est-ce qu'il vole *vraiment*? demande-t-elle à celui-ci.

– Eh bien... » Le garçon fronce les sourcils, hésitant à ternir la réputation de l'oiseau. « L'homme qui les vend en a fait voler *un* très bien, et il a dit qu'ils étaient tous pareils, mais j'en ai un, et mon frère en a un aussi, et aucun des deux ne vole beaucoup. On les lance aussi haut qu'on peut, mais généralement ils tombent tout de suite. Je peux m'en aller, madame ? Ma maman m'a dit de revenir au plus vite.

– Très bien, jeune homme, sourit Agnes. Tu as dit la vérité. Voilà ton jouet. »

Un enfant rendu heureux : comme c'est simple ! Elle le laisse aller avec un geste bienveillant de la main, et à peine a-t-il disparu qu'elle se tourne vers Clara pour dire :

« Allez m'acheter un de ces oiseaux. Et une sucrerie pour vous, si vous en avez envie.

– Oui madame, merci madame », dit la domestique, et elle s'empresse de s'exécuter, soulevant du sable à chaque mouvement de sa jupe bleu marine.

Agnes attend que Clara soit hors de vue, puis tend la main pour saisir le livre qu'elle a laissé sur la couverture, curieuse de ce qu'une domestique peut lire. Ah, c'est un roman : *Jane Eyre.* Agnes l'a lu elle aussi – elle l'a commandé chez Mudie, malgré les injonctions du docteur Curlew. Voir ce volume écorné en possession de Clara fait frissonner Agnes, car c'est une très mauvaise chose qu'une femme de chambre savoure cette horrible histoire d'une femme rendue folle par la maladie et enfermée dans une tour par son mari tandis qu'il tente d'épouser une autre femme. Avec un mouvement convulsif des lèvres elle replace le livre sur la couverture.

Alors qu'elle se redresse, la douleur revient dans sa tête, battant derrière son œil gauche. Comme il est étrange que cette vilaine sensation ait le front de persister, quand tant de pilules de Mrs. Gooch ont été envoyées pour la terrasser ! Pendant tout le voyage en train elle en a avalé, tandis que Clara sommeillait. Maintenant elle fouille dans son réticule, tentée de prendre une gorgée de laudanum à cette petite bouteille qui prétend contenir de l'eau de lavande. Mais non, elle doit le garder pour l'utiliser en dernier recours.

*Pensez doucement, légères pensées,* s'exhorte-t-elle. La profonde cogitation, a-t-elle découvert, avive la douleur. Si elle peut chasser les soucis de sa tête et n'y garder que les bons souvenirs et une notion de ce que les mystiques hindous appellent « nirvana », elle pourra peut-être encore échapper à l'horreur.

Il y a tant de raisons d'être reconnaissante à la vie… Une

Saison extrêmement réussie… Une voiture et un cocher à elle… Un ange gardien qui est prêt à braver l'interdit divin pour venir à son secours… La fin, pour terminer, de ses terribles saignements… Un retour longuement retardé dans le giron de la Vraie Religion de son enfance…

Tandis que la douleur croît, Agnes tâche de se représenter à la messe, assise dans le silence et la lueur des cierges de la vieille église, écoutant le cher père Scanlon. C'est difficile, avec les enfants qui rient, le rugissement des vagues, et les cris grossiers des marchands ambulants, mais elle y parvient, ne serait-ce qu'un instant, en transformant le baratin de l'ânier en psalmodie latine. Puis un orgue de Barbarie se fait entendre et le charme est rompu.

Pauvre William égaré… Si sa santé lui tient tant à cœur, il lui aurait fait plus de bien, au lieu de l'envoyer cuire comme un biscuit sur la plage, en l'enfermant une semaine dans une église – son église à elle, c'est-à-dire. Comme elle est heureuse chaque fois qu'elle se trouve nichée dans ce douillet sanctuaire ! Et quelle horreur que ces dimanches où, afin d'éviter les cancans, elle doit endurer le sermon de cet insupportable docteur Crane, assise parmi les anglicans… Il n'arrête pas de se répandre en invectives contre des gens dont elle n'a jamais entendu parler, sa voix est si peu mélodieuse, et il chante complètement faux – sincèrement, n'importe quel serin peut devenir homme d'Église de nos jours ! Il est grand temps qu'elle déclare publiquement son retour à la Vraie Foi. Elle est bien assez riche pour ne pas en pâtir, non ? Qui oserait poser la main sur elle et s'y opposer ? Surtout maintenant qu'elle a un ange gardien qui veille sur elle…

Elle scrute la grève ensoleillée, s'abritant les yeux d'une main, espérant contre tout espoir apercevoir parmi les enfants, les ânes et les rangées de cabines de bain l'apparition de sa Sainte Sœur se dirigeant vers elle. Mais non. Elle a été stupide de désirer cela. C'est une chose pour sa Sainte Sœur que de s'éclipser du couvent pour aller la retrouver dans les labyrinthes de Londres, dans lesquels même Dieu a certainement du mal à y voir clair, et une tout autre que de rendre visite à Agnes sur la plage de Folkestone, où il est impossible d'échapper à la surveillance céleste…

Ah, pourquoi n'a-t-elle pas apporté son journal ? Elle l'a laissé à la maison, par crainte de le mouiller ou autre bêtise de ce genre… Si elle l'avait ici avec elle, elle pourrait feuilleter les pages afin d'être réconfortée par les traces des doigts de sa Sainte Sœur. Car, chaque nuit, tandis qu'Agnes dort, sa Sainte Sœur lit son journal, à la lumière de son aura surnaturelle, et laisse de légères traces de doigts sur les pages. (Non que les doigts de sa Sainte Sœur soient sales, évidemment : c'est son pouvoir intérieur qui en est la cause.) (Et non, elle ne l'*imagine* pas – car parfois elle s'endort avec son journal fermé, et le trouve ouvert à son réveil, ou l'inverse.)

Combien de temps William a-t-il décidé de la tenir ici, d'ailleurs ? Elle ne le sait même pas ! Le directeur de l'hôtel le sait, mais elle, la personne concernée, est laissée dans l'ignorance ! Elle n'est pas du genre « forte tête », mais ceci est un abus flagrant du pouvoir des hommes. Doit-elle rester assise sur la plage pendant des semaines, tandis que son teint noircit et que ses réserves de médicaments s'épuisent ?

Mais non : pensez doucement, légères pensées. Comme ce serait bien d'écrire une lettre à sa Sainte Sœur, et de la poster, et de recevoir une réponse. Est-ce trop demander à sa Sainte Sœur de lui révéler l'adresse secrète du Couvent de la Santé ? Oui, elle sait que c'est trop demander. Si elle est sage, elle finira par l'apprendre. Tout ira bien.

Sur la langue d'Agnes, une soudaine amertume. Elle se lèche les lèvres, regarde ses mains, qui tiennent la petite bouteille de laudanum. Hâtivement, au cas où Clara approcherait, elle la remet dans son réticule. Quelles vilaines mains elle a, qui vont chercher le précieux liquide pendant qu'elle est occupée à penser, pour le lui donner à boire si effrontément! Combien en a-t-elle avalé? Ce serait vraiment affreux si à son retour Clara la trouvait étendue inconsciente sur le sable.

Grognant sous l'effort, elle se lève et essaie de secouer le sable de ses jupes. Comme les grains sont durs contre ses paumes – presque aussi coupants que du verre – une matière qu'on fabrique avec le sable, n'est-ce pas, ou est-ce que William se moquait d'elle quand il lui a dit cela? Elle examine la chair douce et pâle de ses mains, s'attendant presque à y voir un entrelacs de coupures sanglantes, mais non, soit William mentait, soit elle est faite d'une étoffe plus robuste qu'elle ne pensait.

Une promenade, a-t-elle décidé, lui aérera la tête, et la tiendra éveillée. Rester tout ce temps assise sous le soleil l'a endormie et elle a beaucoup trop chaud sous les parties les plus serrées de sa robe. Elle présume qu'au bord de l'eau (si la recette des océans n'a pas changé depuis la dernière fois) l'air sera chargé d'embruns, comme un brouillard frais et salé: c'est exactement ce dont elle a besoin.

Agnes se dirige vers l'eau, qu'elle longe sur le sable humide et sombre. Avec grâce, comme si elle dansait, elle évite d'un pas de côté chacune des vagues de mousse argentée qui se brisent, s'accoutumant au rythme. Mais la mer est une danseuse maladroite: elle commence à se tromper de rythme, et bien trop vite la marée monte. Un tourbillon d'eau submerge les bottines d'Agnes, filtrant à travers le cuir fin, gouttant par les œillets, tirant le bas de ses jupes. Pas grand dommage… Il y a deux valises de robes et de chaussures qui l'attendent à l'hôtel. Et l'eau froide n'est pas un choc désagréable, qui s'élève instantanément jusqu'à son cerveau, la picote et la réveille – non qu'elle soit endormie, vous comprenez, car comment peut-on dormir tout en dansant au bord des vagues?

Toutefois, juste au cas où elle trébucherait sur une pierre dissimulée sous le sable et se noierait avant d'avoir eu le temps de comprendre qu'elle était tombée (car qui sait avec quelle rapidité de telles choses surviennent ?), Agnes s'éloigne du bord pour retourner à… retourner à… retourner à l'endroit d'où elle vient. Ses jupes gorgées d'eau sont lourdes, trop lourdes pour qu'elle s'aventure loin. La chose intelligente à faire serait de s'arrêter là, étendre ses jupes sur le sable, et repartir une fois qu'elles seront sèches.

Un instant elle ferme les yeux, et dans cet instant le monde se renverse, la terre et le ciel échangeant leurs positions. Le sol – au-dessus d'elle maintenant – fouette d'invisibles vrilles autour d'elle, la presse fortement contre lui, la tient bien arrimée contre son grand ventre tiède afin qu'elle ne chute pas dans le néant. Elle est suspendue à la terre ferme sens dessus dessous comme une mite à un plafond, fixant sous elle un grand vide informe de bleu brillant. Elle contemple, l'œil rond, à moitié aveuglée, le visage de l'abîme. Si le sol relâchait ses liens, elle tomberait éternellement, telle une poupée de chiffon dans un puits sans fond.

Étourdie, effrayée, Agnes tourne la tête de côté et presse la joue contre le sol humide, enfouissant sa pommette dans le sable, fermant un œil à la lumière. Lentement, miséricordieusement, l'univers se remet à tourner, se redressant, en sens contraire des aiguilles d'une montre. Et, au loin, une vision avance vers elle, la vision d'une religieuse en robe noire, coiffe et voile blancs. À chacun de ses pas, le paysage devient plus vert autour d'elle, et le scintillement vitreux se dissout en un pastel de verdure. La mousse se répand sur le sable comme s'il rougissait de vert et, feuille après feuille, une forêt se matérialise subtilement pour couvrir le ciel. Les cris des mouettes et des enfants s'atténuent, et se métamorphosent en trilles et pépiements de grives ; le bruit immense de l'océan est dompté jusqu'à se réduire aux légers gargouillements d'un ruisselet. Lorsque sa Sainte Sœur est assez proche pour qu'elle la reconnaisse sans hésitation, la plage de Folkestone a entièrement disparu, et à sa place se tient le paysage beaucoup plus familier de ses rêves : les environs tranquilles du Couvent de la Santé.

« Oh, Agnes, déclare sa Sainte Sœur d'un ton affectueux et exaspéré. Te revoilà ? Que va-t-il advenir de toi ? » Et elle recule pour laisser approcher un couple de silhouettes sombres.

Agnes tente de parler, mais sa langue est un gros bout de viande innervé dans sa bouche. Elle ne peut que gémir en sentant des mains puissantes sous ses aisselles et ses genoux, les mains des deux vieillards vigoureux qui s'occupent du transport pour les nonnes du Couvent de la Santé. Ils la soulèvent, aussi aisément que si elle était un petit bébé, et la posent doucement sur une civière.

La réaction d'Agnes ? Une réaction regrettable. Elle se convulse, ouvre la bouche tout grand, et lâche un jet de vomi jaune brûlant sur ses sauveurs.

Clara Tillotson, voyant son nom consigné dans le calepin du policier, se met à verser des larmes d'indignation et de peur.

« C'est *elle* qui m'a dit de la laisser, plaide-t-elle. Elle voulait que j'aille lui acheter ça. » Et elle produit, à l'intention du policier, un jouet en fil de fer et contreplaqué avec une clef en cuivre dans le dos.

Mrs. Rackham vient d'être déposée sur une civière par deux hommes empruntés à la société de location des cabines de bain. Un médecin a déjà posé sa paume sur son front moite et mesuré la température à l'intérieur de sa bouche. Diagnostiquant une migraine et une possible phtisie, il a jugé qu'il n'était pas urgent de la transporter à l'hôpital, mais qu'elle devait se reposer dans sa chambre d'hôtel à l'abri du soleil.

« Plus proche parent ? s'enquiert le policier auprès de Clara tandis que les hommes emportent une Agnes inconsciente.

– William Rackham, renifle la domestique.

– *Le* William Rackham ?

– Je ne sais pas, moi, pleurniche Clara, fixant d'un regard angoissé la tache sombre de vomi laissée dans le sable, terrorisée par ce que cette tache pourrait signifier pour l'avenir de son emploi.

– Les Parfums Rackham ? "Une bouteille dure un an" ?

– Je suppose. » Clara ne sait rien des produits de son maître ; sa maîtresse les méprise.

« Vous êtes en communication avec lui, miss ? »

Clara se mouche. Qu'est-ce qu'il peut bien vouloir dire ? Croit-il qu'elle peut voler dans les airs, atteindre Notting Hill en un clin d'œil, pour annoncer la nouvelle à la fenêtre de William au premier étage ? Quoi qu'il en soit, elle fait oui de la tête.

« Bien, répond le policier, fermant son calepin. Dans ce cas je vous laisse faire. »

Le ciel s'est couvert, chargé de la menace de pluie. Des enfants sont arrachés à leurs châteaux de sable par leurs parents ; des dandys se mettent à couvert ; des néréides bizarrement costumées émergent de l'eau et disparaissent dans leurs cabines ; les marchands ambulants vont et viennent de plus en plus vite, s'enrouant à force de crier à la multitude qui bat en retraite que tout est presque pour rien.

Voilà longtemps que Mrs. Fox a regagné son hôtel, se plaignant que tout ce repos la fatigue à mourir. Elle ignore même que Mrs. Rackham est à Folkestone et, loin d'avoir été la Samaritaine qui a trouvé Agnes étendue sans connaissance au bord de l'eau, elle est vouée à retourner à Londres sans l'avoir aperçue une seule fois.

Et Sugar ? Était-ce Sugar qu'Agnes a vue se diriger vers elle dans le monde sens dessus dessous ? Non, Sugar est chez elle à Priory Close, se forçant à ingurgiter *L'Art de la parfumerie*, de G. W. Septimus Piesse. Le volume d'eau le plus important dans ses parages immédiats est sa baignoire pleine. Il n'y a pas la moindre place dans son pauvre cerveau pour Mrs. Rackham, bourré qu'il est de faits touchants la lavande et les huiles essentielles. Lui sera-t-il jamais de quelque utilité de savoir que l'huile d'ananas n'est autre chose que du butyrate éthylénique ? Y a-t-il quelque nécessité à mémoriser la recette de la crème de beauté à la rose (une livre d'huile d'amande, une livre d'eau de rose, une demi-drachme d'essence de rose, et une once de sperme et de cire blanche) ? Elle se demande quel genre d'homme peut écrire le mot « sperme » en ne pensant qu'aux baleines.

« Bon Dieu, marmonne-t-elle tandis qu'elle se surprend à perdre conscience et que le livre se referme en tombant entre ses cuisses. Réveille-toi ! »

# 20

« Alors, comment était-ce à la mer ? s'enquiert lady Bridgelow tout en reposant sans bruit sa tasse de thé sur sa soucoupe. Je n'y suis pas allée cette année : il n'y a pas une station balnéaire qui ne soit pas envahie par la canaille. Ah, *merci*, Rose. »

Rose, la nouvelle femme de chambre, verse du thé directement dans la tasse de Mrs. Bridgelow. La main tient la lourde théière sans trembler, la peau rouge de son poignet qui ressort sur la blancheur de sa manchette sent le phénol, ce qui suscite l'approbation de lady Bridgelow.

C'est un après-midi ensoleillé et froid du début de septembre, plusieurs semaines après que William a ramené de Folkestone une épouse qui était plus maigre et dix fois plus étrange que lorsqu'il l'y avait envoyée et qui, à ce moment même, se cache au premier étage, résolument « pas chez elle » pour les visiteurs.

Pour être juste, en fait, Agnes Rackham n'est pas la seule à être étrange dernièrement : le temps, qui s'est adouci exceptionnellement tôt cette année, a été tout aussi exceptionnellement froid depuis la fin du mois d'août, comme pour se reprendre d'une générosité imméritée. Presque chaque jour, un matin radieux vire au gris vers midi et une brise coupante suggère ce que les éléments ont peut-être à l'esprit.

Les feuilles se ramassent par charretées entières, la nuit tombe plus tôt, et partout en Angleterre les paysagistes quittent, dégoûtés, la campagne assombrie. Les relations d'affaires de William qui possèdent des vergers ont été obligées de cueillir en hâte, car les fruits tiennent à peine aux branches et roulent presque dans les mains des cueilleurs, alors qu'il suffit de les laisser une heure à terre pour les retrouver tavelés et pourrissant. Dieu merci la lavande a déjà été cueillie. Sugar a été déçue de ne pas pouvoir assister à la récolte, mais un homme ne peut pas tout faire quand il doit jongler avec la Saison et une femme volatile. Quand on brûlera les plantes de cinq ans à la fin octobre, il l'emmènera voir ça, elle a sa parole.

Chez les Rackham à Notting Hill, les domestiques qui servent directement ou indirectement leurs maîtres se préparent à un automne qui pourrait bien, s'il en décide ainsi, traiter durement l'Angleterre : les rideaux épais ont été tirés de la naphtaline ; le garde-manger est bourré à craquer de conserves de homards, sardines, saumons, tortues et autres ; les fruits et les légumes ont été mis à l'abri dans la cave ; les cheminées ont été ramonées ; Janey a attrapé une maladie inopportune en nettoyant les fours ; Cheesman a inspecté le toit et les portières de la voiture à la recherche de fissures possibles ; et Letty et Rose ont défait les décorations d'été des cheminées pour leur substituer des bûches. Quant à Shears, qui marmonne et s'agite de l'aube à la brune, il vaut mieux l'éviter.

Lady Bridgelow, elle aussi, a accepté la fuite de l'été, et a adapté sa tenue en conséquence. Paraissant un peu plus – mais pas *beaucoup* plus – que ses vingt-neuf ans, elle est bien couverte dans sa robe de serge, afin de s'assurer que sa santé demeure (selon ses propres termes) « ininterrompue ». Quant à William, en plus de ses vêtements, la graisse qu'il a accumulée durant la Saison alourdit sa silhouette. Sa barbe, maintenant épaisse et taillée en carré, cache sa cravate et il porte un gilet de laine, un épais pantalon de tweed et une veste en tweed qu'il a tenté de déboutonner discrètement mais avec laquelle il ne peut continuer de se battre devant son hôtesse.

« Je ne sais pas pour les autres stations balnéaires, dit-il en réponse à la remarque de lady Bridgelow, mais Folkestone est devenu un cirque, à ce que j'ai vu. C'est la faute au chemin de fer, bien sûr.

– Ah, eh bien, ce sont les temps modernes, déclare philosophiquement lady Bridgelow, brisant en deux un biscuit saupoudré de sucre. Ceux qui ont leur propre voiture devront simplement chercher un paradis que la plèbe n'a pas encore découvert. » Sur quoi elle consomme la friandise avec autant de rapidité que d'habileté, afin de ne pas laisser passer son tour de parole. « Je n'ai jamais compris ce que la mer pouvait avoir d'attirant, de toute façon – sauf pour les convalescents.

– Oui, absolument, dit William en tendant sa tasse vide à Rose.

– Comment *va* votre femme ? demande lady Bridgelow d'un ton de commisération par-dessus le bord de sa tasse pleine.

– Oh, je suis sûr que ce n'est rien de sérieux, soupire-t-il. Elle a attrapé froid, je suppose.

– Elle nous manque beaucoup à l'église », l'assure lady Bridgelow.

William sourit, peiné. Il est de notoriété publique maintenant qu'Agnes assiste à la messe catholique tous les dimanches, et pourtant il n'a pas le cœur de le lui interdire. Quelque déplorable que soit son apostasie, et gênant pour lui de sentir la désapprobation de ses voisins, il veut qu'Agnes soit heureuse, et elle n'est jamais plus heureuse que quand elle a loisir d'aller à Cricklewood jouer les petites papistes.

Comme il avait espéré qu'elle reviendrait de la mer remplumée et assagie ! Mais elle n'est restée que huit jours de la quinzaine qu'il avait payée et, au lieu de prendre tranquillement le train de Londres avec Clara, elle lui a envoyé une carte postale pour se plaindre que l'hôtel avait des Américains parmi ses clients, que l'eau était pleine d'organismes, et qu'il devait venir la chercher immédiatement. *Au nom de tout ce qui est sacré, je vous en prie, s'il vous plaît !* avait-elle signé la carte postale, qui représentait gaiement un âne avec un coquillage conique sur la tête, sous-titré *Licorne, Folkestone.* Mortifié à l'idée que le facteur puisse lire une autre missive semblable, William s'était rendu en toute hâte à Folkestone, pour y trouver une Agnes parfaitement calme et apparemment satisfaite qui l'avait traité en invité inattendu qu'elle était trop polie pour renvoyer.

« Comment va-t-elle ? » avait-il discrètement demandé à Clara, tandis que lui et la domestique regardaient les porteurs ahanants descendre les absurdes valises d'Agnes.

« Je n'ai pas à me plaindre, monsieur », avait répondu Clara, avec la tête de qui vient de passer une semaine au pilori, incessamment bombardé de fruits pourris.

De retour à la maison, Agnes n'avait pas perdu de temps à démontrer que la magie salubre de la mer avait totalement échoué sur elle, du moins dans le sens qu'escomptait le docteur Curlew. À peine les souvenirs de Folkestone étaient-ils déballés qu'Agnes concoctait un nouveau caprice – rituel stupide qui, malheureusement, est déjà devenu une habitude bien ancrée. Chaque matin, avant le petit déjeuner, elle tente de lancer un jouet volant depuis la fenêtre de sa chambre. Que l'automate cliquetant tombe comme une pierre, et que son bec ait disparu et que son aile gauche soit fêlée, rien de cela n'a découragé Agnes. Chaque matin, après le petit déjeuner, Shears trouve la chose enterrée jusqu'au cou dans sa terre fraîchement retournée, ou prise dans un buisson, et il la rapporte à la maison sans un mot. (Il fait bien de garder le silence ! – ses protestations ne lui ont rien valu de bon au cours de la Saison, quand Mrs. Rackham a dénudé ses buissons de roses pour faire un « tapis rouge » de pétales pour les invités d'un de ses dîners.)

« Pauvre femme, glousse lady Bridgelow, je la plains tant. Nous qui bénéficions d'une santé ininterrompue devrions avoir plus de reconnaissance pour notre bonne fortune. Certainement mon mari m'a toujours poussée à éprouver de la gratitude, quand il était en vie. » Sur quoi ses yeux se voilent, et elle laisse sa tête retomber contre l'appuie-tête, comme si elle contemplait le fantôme de son mari. « Aahh… pauvre Albert, soupire-t-elle, laissant Rose lui servir une tranche de pain d'épice. Comme je me sens seule parfois sans lui… particulièrement quand je sais que j'ai encore *tant* à vivre… »

Alors, avec un brusque mouvement, elle se redresse de nouveau, l'œil clair et le menton ferme. « Mais je ne dois pas me plaindre, n'est-ce pas ? J'ai mon fils, après tout, en qui Albert vit tant. Quelle ressemblance extraordinaire, en plus ! Vous savez, je me demande… si le pauvre homme était toujours de ce monde… et si je lui donnais un second fils demain, si le garçon ressemblerait de manière aussi étonnante au père ? Vous savez, je pense que *oui*!… Mais vous devez excuser mon bavardage. Je ne peux plaider que le fait que *vous-même* ferez preuve de la même faiblesse quand vous aurez un fils à vous. » Elle se tapote les genoux comme s'ils étaient des chiens à réveiller. « Eh bien maintenant, je vous ai gardé bien trop longtemps éloigné de vos affaires. Je vous prie de me pardonner.

– Non, non, dit William, tandis qu'elle se lève. C'était un plaisir, un plaisir. »

Il parle sincèrement : elle est toujours la bienvenue dans son salon, et il est désolé d'avoir à la raccompagner. Elle n'est en rien semblable aux autres personnes titrées qu'il a rencontrées : si glorieuses que soient ses alliances, il y a quelque chose de malicieux chez elle ; il croit même le déceler dans la façon dont elle descend ses escaliers et parvient, avant que le cocher ait quitté son perchoir, à sauter sans aide dans sa voiture. Elle fait un nouveau signe de main, en rassemblant ses jupes autour d'elle, et la voilà partie.

Ce qu'elle a de plus agréable, décide William, tandis qu'il regarde sa voiture s'éloigner dans l'allée, c'est la manière ouverte dont elle le fréquente, même sous les yeux de son élégante coterie. Elle n'a jamais retenu contre lui le fait qu'il ait ce qu'elle qualifie délicatement de « responsabilité » ; en réalité elle dit souvent que l'avenir appartient à l'industrie. Il aimerait seulement qu'elle ne se préoccupe pas tant pour Agnes – surtout que, à son grand regret, cette générosité de cœur n'est pas réciproque.

« Ma confiance en elle ne s'étend pas plus loin que là où elle atterrirait si je la jetais », a déclaré Agnes récemment, durant l'un de ses transports de plus en plus fréquents. (Une grave insulte que celle-là, étant donné la faiblesse des bras d'Agnes.) Qu'elle ait nié s'être exprimée ainsi ensuite, une fois la crise passée, ne change rien à la chose.

Mais Agnes se rétablira, il en est sûr – presque sûr. Après tout, mis à part l'incident de « l'oiseau en bois » ce matin, rien de malheureux n'est arrivé aujourd'hui, n'est-ce pas ? Et il est presque midi…

William est debout dans le hall, songeur maintenant que sa visiteuse est partie et que la maison est de nouveau silencieuse. Chaque fois qu'elle vient, lady Bridgelow apporte avec elle un bourdonnement de normalité réconfortante qui s'évanouit, hélas, dès qu'elle passe le pas de la porte, pour laisser l'air de nouveau volatil d'incertitude. Oui, l'endroit est sans bruit, mais que signifie cette absence de bruit ? Agnes est-elle occupée à coudre dans sa chambre ou à couver un nouvel accès ? Est-elle en train de somnoler du sommeil de l'innocent ou vautrée dans une pâmoison délirante ? William tend l'oreille, mal à l'aise, retenant son souffle au pied de l'escalier.

Quelques secondes plus tard, ses questions trouvent une réponse inattendue : de tout près, aussi joliment qu'on pourrait le désirer, provient le son de doigts agiles caressant les touches d'un piano. Agnes Rackham est musicale aujourd'hui ! La maison s'illumine dans l'instant, devenant un foyer pour tous ceux qui s'y trouvent. William desserre les poings, et sourit.

Curlew peut prononcer le mot « asile » autant de fois qu'il lui plaira : William Rackham n'accepte pas si aisément la défaite ! Et puis, il existe une chose qui s'appelle la compassion maritale. William a conscience qu'à partir du mois d'octobre, chacun des produits Rackham portera son image (une belle idée de Sugar) et, à cet effet, il a choisi une photographie qui le montre sous une lumière de bonté et même de bonté paternelle. Que penseraient les dames qui achètent les produits de toilette Rackham si elles apprenaient que l'homme à l'origine de leurs petits plaisirs odorants et qui cherche à introduire son visage bienveillant dans tous les foyers du pays a condamné sa propre femme à la maison de fous ? Non, Agnes mérite une autre chance – en fait, une centaine, un millier d'autres chances ! Elle est sa femme, bon Dieu, qu'il doit aimer et chérir, dans la joie et dans l'adversité.

« Appelez Cheesman, dit-il à Letty, durant ces précieuses minutes au cours desquelles la mélodie est encore charmante, avant que ses arpèges obsessifs ne commencent à grincer. Je sors. »

Henry Rackham, quelques secondes seulement après que son paroxysme eut passé, et avant que l'amer reflux du remords lui ait rendu tous ses esprits, sursaute de surprise en entendant frapper à sa porte. *Qui diable... ?* Personne ne vient le voir, personne ! Ce doit être une erreur.

Hâtivement, il se nettoie et fait de son mieux pour paraître décent, bien que dans sa hâte il ne trouve pas ses pantoufles et, harcelé par les coups persistants, il doive aller ouvrir en chaussettes.

Sur le trottoir devant son seuil, quand il ouvre, se trouve une vision déconcertante de beauté féminine : deux jeunes femmes au frais visage, des jumelles peut-être, à peine sorties de l'enfance, pareillement vêtues de gris sur lequel ressort le rose de leurs bonnets et de leurs paletots. Elles se tiennent derrière une voiture à capote qui ressemble à une voiture des quatre saisons ou à une poussette géante, mais sans légumes ni bébés.

« S'il vous plaît monsieur, dit l'une d'elles. Nous représentons les femmes et les enfants de Skye qui sont en train de mourir de froid et de faim. »

Henry les fixe, bouche bée, interdit, tandis qu'une brise glacée pénètre dans sa maison et lui fait prendre conscience, trop tard, du répugnant excès de sueur qui couvre son front.

« L'île de Skye, explique l'autre fille, d'une voix aux intonations mélodieuses toute pareille à celle de sa sœur. En Écosse. De nombreuses familles ont été obligées de quitter leurs terres, monsieur, et sont en danger de périr l'hiver prochain, qui menace d'être rigoureux. Avez-vous des vêtements dont vous n'avez pas besoin ? »

Henry cligne des yeux comme un idiot, déjà rougissant de savoir que, quoi qu'il dise, il est voué à le dire en bégayant.

« J-j'ai donné tous mes vê-vêtements inutiles à... euh... une dame qui est active dans plu-plusieurs institutions cha-

charitables. » Les filles le considèrent avec une légère incrédulité, comme si elles étaient habituées à être éconduites avec des inventions de ce genre mais trop bien élevées pour les contester. « Mrs. Emmeline Fox, ajoute-t-il d'un air malheureux, au cas où ce nom expliquerait tout.

– L'hiver dernier, dit la première, les gens de l'île ont été réduits à manger du varech.

– Des algues, monsieur », glose la seconde, en voyant son air déconcerté.

La première gonfle sa jolie poitrine d'un profond soupir, et ouvre la bouche pour reprendre la parole, mais c'est plus qu'Henry n'en peut supporter.

« Acceptez-vous de l'argent ? » demande-t-il d'une voix rauque, tandis que sa chatte s'aventure sur la scène, donnant de la tête contre ses chevilles, attirant l'attention sur ses pieds déchaussés.

Les jumelles se regardent comme si pareille proposition ne leur avait jamais été faite et qu'elles ne savaient comment réagir.

« Nous ne voudrions pas vous forcer, monsieur… dit l'une, dirigeant son regard vers le trottoir, mais Henry prend ses paroles pour un consentement, et fouille dans les poches de son pantalon.

– Tenez, dit-il en tendant une paume pleine de pièces, ainsi que des restes pulvérisés de coupures de journaux et de timbres oubliés. Est-ce que deux shillings suffisent, vous pensez ? » Il fait la grimace au souvenir de ce que cette somme peut également acheter. « Non, prenez-en trois. » Il extirpe les pièces brillantes du fouillis de farthings, pennies et autres débris.

« Merci, monsieur, déclarent les filles à l'unisson, et la plus proche tend sa main gantée. Nous ne vous dérangerons plus, monsieur.

– Vous ne m'avez pas du tout dérangé », dit-il, et, à son grand soulagement, elles s'éloignent dans le bruit de leur voiture, leurs tournures tressautant de concert.

Henry ferme la porte et retourne à la chaleur de son salon, la seule pièce confortable de la maison. Par terre à côté de l'âtre il y a un mouchoir, roulé en boule. Il sait sans le déplier – car il l'a jeté là il y a seulement quelques minutes – qu'il est poisseux de sa propre semence.

Lourdement, il se rassied dans son fauteuil, les mains et les pieds froids, la tête fiévreuse, le bas-ventre fourmillant ; en fait tout son corps est une encombrante dissonance de chair, enserrant, en une étreinte importune, une âme suintante de pollution. Pour couronner sa honte, Minette entre à pas de velours et se dirige droit vers le mouchoir souillé qu'elle renifle avec curiosité.

« Ouste, la gronde-t-il, agitant dans sa direction un pied chaussé de laine. C'est sale. »

Il retire le mouchoir de sous son nez, et l'écrase de nouveau dans son poing. Le laver exigerait de lui un effort qu'il consent quand sa chemise de nuit est souillée (une des raisons pour lesquelles il refuse d'employer une laveuse), mais ce pauvre carré de tissu ne vaut certainement pas l'humiliation qu'il lui coûterait de remplir son tub pour frotter les mollards de sa semence tenace. Que font les autres masturbateurs ? Ils se contentent de confier leurs affaires sales à des servantes, qui doivent sûrement mépriser leurs maîtres à jamais ? Ou l'incontinence est-elle chose rare dans la vie des hommes plus volontaires ? Terriblement honteux de gâcher du bon coton quand il y a tant de pauvres qui grelottent parce qu'ils n'ont pas de quoi repriser leurs vêtements (à Londres, au diable l'île de Skye !), Henry jette le mouchoir au feu. Il atterrit droit au centre des charbons ardents, il grésille et noircit, puis se déploie en flammes vives.

Mrs. Fox est mourante, et il ne peut pas l'aider. Cette pensée revient constamment le tourmenter, dans ses heures de désespoir le plus sombre, dans les moments où il a la tête vide et le cœur léger, dans son sommeil et la journée. Mrs. Fox est en train de mourir, et il ne peut pas la guérir, ne peut pas l'amuser, ne peut pas la soulager. Toute la journée elle est allongée sur une chaise longue dans le jardin de son père ou, quand il fait trop mauvais, sur la même chaise longue juste derrière les fenêtres du salon lugubre, fixant les marques à peine perceptibles qu'elle a laissées sur la pelouse. Elle ne souffre pas à proprement parler, elle s'ennuie seulement à périr, entre deux quintes de toux abominables. Veut-elle du bouillon ? s'enquiert-il. Non, elle ne veut *pas* de bouillon ; lui non plus, n'en voudrait pas, s'il y avait goûté. Ce qu'elle voudrait c'est aller se promener, se promener sous le soleil ; mais le soleil est fugitif, et même quand il perce les nuages et resplendit glorieusement pendant un moment, Mrs. Fox le supplie d'être patient pendant qu'elle reprend son souffle, et l'occasion passe. Une fois – une fois seulement – il a timidement suggéré une chaise roulante, et elle l'a refusée, d'un ton cassant comme il ne lui en avait jamais entendu. S'il ne craignait pas tant de la blesser, il aurait pu l'accuser du péché d'orgueil.

Et pourtant elle le regarde d'une manière si implorante, avec ses yeux agrandis dans son visage d'une blancheur de porcelaine, sa bouche sèche et gonflée. Parfois elle s'interrompt au milieu d'une phrase, et le regarde pendant une minute tout entière, se contenant de respirer, son pouls visible sur son cou et les veines bleuâtres de ses tempes. *Le pouvoir de vaincre la mort est entre vos mains*, semble-t-elle lui dire, *alors pourquoi la laissez-vous me prendre ?*

« Vou-vous allez bien, Mrs. Fox ? lui demande-t-il alors, ou une balourdise de ce genre.

– Non, bien sûr que je ne vais pas bien, Henry », soupire-t-elle, le libérant de son terrible regard d'un battement de ses paupières fines comme du papier.

Les rares jours où elle est plus forte, elle utilise cette force pour le rejeter loin d'elle. Hier était un tel jour et Mrs. Fox était rouge et agitée, les yeux injectés de sang, son humeur changeante. Pendant une heure il a semblé qu'elle dormait : ses lèvres formaient des mots silencieux, sa poitrine bougeait à peine. Puis elle a refait surface avec un sursaut, s'est dressée sur les coudes et s'en est prise à lui :

« Oh Henry, cher ami, vous n'êtes pas encore parti ? À quoi cela rime-t-il de rester là tout l'après-midi… à regarder les poteaux de la palissade de mon père… Vous les avez comptés assez souvent, je suis sûre. » Son ton était étrange et perturbant, difficile à interpréter, oscillant sur le fil du rasoir entre la taquinerie amicale et l'angoisse absolue.

« Je… je peux rester un peu plus longtemps, répondit-il, le regard fixé droit devant lui.

– Vous devez vous occuper de votre vie, Henry, l'avait-elle pressé, au lieu de la gaspiller au chevet d'une femme somnolente. Je n'ai pas oublié à quel point vous craigniez l'oisiveté ! Et je me remettrai un jour – mais pas demain ni la semaine prochaine. Mais je me remettrai – vous me croyez, n'est-ce pas, Henry ?

– Si Dieu le veut… avait-il murmuré.

– Mais dites-moi, Henry, avait-elle poursuivi avec ardeur. Votre vocation… Où en êtes-vous de votre vocation ? »

C'est alors qu'il avait regretté de n'être pas parti, avant cet instant.

« Je-j'ai des doutes, avait-il répondu, craignant superstitieusement qu'elle puisse entendre, aussi clairement que lui, l'écho des mots *Que Dieu aille au diable !* tonnant à l'intérieur de son crâne. Je ne crois pas que je sois fait pour être pasteur, après tout.

– Quelle sottise, Henry, s'était-elle écriée, saisissant son bras pour l'obliger à la regarder en face. Vous feriez le meilleur… le plus doux, le plus sincère, le plus authentique, le plus b-beau… » Elle avait pouffé timidement, expulsant de son nez un brillant tortillon de mucus saignant.

Choqué, il avait de nouveau fixé le regard sur la palissade, et tâché de se confesser. « J'ai – j'ai… Ma foi a été…

– Non, Henry, avait-elle dit, avec un sanglot dans sa voix que la détresse rendait sifflante. Non ! Je ne veux pas entendre cela ! Dieu est plus grand… que la maladie d'une malheureuse femme. Promettez-moi, Henry… promettez-moi… promettez-moi que vous n'abandonnerez pas… votre mission. »

À quoi, lâche qu'il était, crapule invertébrée qu'il était, déserteur et déserté de Dieu qu'il était, il donna la seule réponse qu'il pouvait donner : la réponse qu'elle voulait entendre.

« Ah, ma douce, j'aimerais que nous vivions ensemble dans la même maison. »

Le cœur de Sugar bondit tandis que les mots vibrent dans son sternum et que William niche sa joue contre sa poitrine. Elle n'avait pas pensé qu'une telle phrase pourrait jamais lui faire tourner la tête de joie, surtout de la part d'un type corpulent dont les favoris la chatouillent désagréablement, et pourtant son cœur bat si fort, directement contre son oreille, que c'en est gênant.

« Cet appartement est très élégant et confortable, dit-elle, mourant d'envie qu'il la contredise. Et discret. »

Il soupire, faisant courir son index le long des dessins tigrés qui ornent la peau sèche de sa cuisse. « Je sais, je sais… » Tendrement, ses mains viennent se reposer dans le delta luxuriant entre ses cuisses. (Il fait beaucoup ce genre de choses dernièrement : la caresser et la peloter alors même que son appétit est rassasié. Un jour proche, si elle en trouve le courage, elle prendra sa main et lui donnera une leçon.) « Et pourtant, se lamente-t-il, j'ai si souvent des problèmes dont j'aimerais discuter avec toi et, malgré tous mes efforts pour me frayer un chemin parmi mes responsabilités, je n'arrive pas à sortir de chez moi. »

Elle caresse ses cheveux, faisant pénétrer l'huile de Macassar dans la peau craquelée de ses paumes. « Tout est réglé maintenant, pourtant, non ? dit-elle. La forme du "R" sur les nouveaux savons, le brûlage des plantes de cinq ans – je me débrouillerai pour amener le colonel –, le problème des lilas de Lemercier, celui des vieux copains séniles de ton père qui étaient encore dans le bureau de Londres… »

Tout ce temps, elle pense : *Dis-moi combien tu m'aimes, dis-le-moi.*

« Oui, oui, dit-il, mais ce n'est pas tout ce qui m'empêche d'être près de toi. » Avec un gémissement irrité il soulève la tête de sa poitrine et se frotte le visage des deux mains. « Ah, c'est une chose curieuse, mais je trouve que la gestion d'un empire commercial, avec toutes ses intrigues, est foutrement moins compliquée que celle d'une famille. »

Sugar tire le drap sur son nombril.

« Agnes va mal, alors ?

– Je ne pensais même pas à Agnes, murmure-t-il d'un ton las, comme si sa famille était une multitude impossible, chacun exigeant constamment une attention sans faille.

– Le… l'enfant ? » *Allez, lâche le morceau*, pense-t-elle. *Dis le nom de ta propre fille, pourquoi n'y arrives-tu pas ?*

« Oui, il *y a* un problème avec l'enfant, déclare William. Un foutu problème bien embêtant. Beatrice, sa nurse, m'a fait savoir que ma fille a, à son *humble* avis, atteint l'âge où une nurse n'est plus suffisante. » Il imprime à son visage les traits de la flagornerie féminine et geint : « "Je n'ai pas les connaissances, Mr. Rackham. Miss Sophie a besoin d'une gouvernante, Mr. Rackham." Évidemment, que Beatrice s'agite pour obtenir que je la congédie n'est en rien lié au fait que Mrs. Barrett vienne d'avoir un enfant, et qu'elle ait besoin d'une nurse, et qu'elle raconte partout que l'argent n'est pas un problème, n'est-ce pas ?

– Et… quel âge a Sophie ? demande Sugar, laissant les draps glisser et dévoiler ses seins luisants, pour détourner de l'esprit de William l'idée qu'elle va trop loin.

– Ah, elle n'a que cinq ans ! Non, laisse-moi réfléchir : six. Oui, six ans ; elle a fêté son sixième anniversaire pendant qu'Agnes était à la mer. Maintenant, Sugar, je te demande : crois-tu qu'une enfant de six ans ait besoin d'une préceptrice ? »

Sugar se revoit à l'âge de six ans, assise près de sa mère sur un tabouret, son pied droit bandé à cause d'une morsure de rat, tâchant de déchiffrer *Le Moine*, un roman d'horreur gothique auquel elle ne comprend quasiment rien.

« Je ne sais pas, William, j'ai reçu une instruction rigoureuse à peine sortie du berceau, mais j'ai eu… (elle grimace au souvenir des moqueries de Mrs. Castaway qui raillait son incapacité à prononcer des mots qu'elle était trop petite pour comprendre) une enfance exceptionnelle.

– Hmm. » Sa réponse n'est pas celle qu'attendait William et il change de sujet. « Mon frère Henry, aussi (il soupire bruyamment), est pour moi une source constante d'inquiétude.

– Oh ?

– Il prend très mal le déclin d'une amie.

– Quelle amie… ?

– Une femme… (il cherche un adjectif, qui, par respect pour la maladie de Mrs. Fox, ne soit pas trop peu flatteur) de grande *valeur* qui s'appelle Emmeline Fox. C'était un des phares de la Société de Secours avant qu'elle ne contracte la phtisie. »

Sugar se demande si elle doit feindre d'ignorer la Société de Secours, dont les envoyées visitaient Silver Street de temps à autre, et étaient toujours bien accueillies par Mrs. Castaway, qui allait jusqu'à leur offrir un concert de violoncelle donné par Katy Lester – avant d'être soumises aux sarcasmes, vilipendées et renvoyées en larmes.

« La Société de Secours ? répète-t-elle.

– Des âmes charitables qui réforment les prostituées.

– Vraiment ? » Elle ramasse discrètement sa chemise abandonnée sur le plancher et commence à s'habiller. « Avec quel succès ?

– Aucune idée, dit William avec un haussement d'épaules. Elles apprennent aux filles des rues à devenir… je ne sais pas… couturières et ainsi de suite. Lady Bridgelow a eu son aide-cuisinière par la Société, je crois. La fille lui est terriblement reconnaissante et elle ne pense qu'à bien faire, et lady Bridgelow dit qu'on ne pourrait jamais deviner, à la voir. » (Sugar ne peut pas continuer à s'habiller, car William est assis sur ses pantalons.) « J'ai songé, quand je cherchais une nouvelle femme de chambre, à m'adresser à la Société de Secours, mais aujourd'hui je suis content de ne pas l'avoir fait. Rose vaut son pesant d'or. »

Sugar se risque à pousser William, pour dégager ses pantalons, et il se déplace sans faire de difficultés. Enhardie, elle décide de prendre un risque bien plus important.

« Et ton frère, s'enquiert-elle, il est aussi à la Société de Secours ?

– Non, non, répond William. Il n'y a que des femmes.

– Dans une société similaire, peut-être ?

– Non… Pourquoi demandes-tu ça ? »

Sugar prend une grande respiration, craignant moins de

trahir la confiance de Caroline que de s'attirer les foudres d'un William aux idées arrêtées.

« J'ai une connaissance, commence-t-elle prudemment, que je vois de temps à autre, quand je... j'achète des fruits. C'est une prostituée... » (Est-ce un froncement de sourcils sur le visage de William ? A-t-elle préjugé de la confiance qu'il a en elle ? Mais elle ne peut plus reculer.) « La dernière fois que nous nous sommes vues, elle m'a raconté une histoire étrange et singulière... »

C'est ainsi que Sugar raconte l'histoire du pieux réformateur en herbe qui la paie deux shillings pour parler avec elle. William écoute patiemment, jusqu'à ce qu'elle en arrive au moment où le type propose à la prostituée un travail honnête à l'usine Rackham, ce qui provoque un sursaut chez William. Quand elle a terminé, il secoue la tête, abasourdi.

« Dieu tout-puissant... ! marmonne-t-il. Est-ce possible ? Est-ce que ce serait Henry ? Je suppose que ça ne peut être personne d'autre... Je me rappelle parfaitement qu'il m'a demandé si j'accepterais d'employer une pauvre femme sans lettre de recommandation... Dieu tout-puissant... ! » Et soudain il éclate de rire. « Le coquin ! C'est donc un homme après tout ! »

Sugar est prise de remords, bien qu'elle ne sache qui, d'Henry ou de Caroline, elle a trahi. « Oh mais il ne la touche pas », se hâte-t-elle de déclarer.

William ricane, penchant la tête pour exprimer la pitié que lui inspire la crédulité des femmes. « Peut-être pas celle-*là*, petite cruche, dit-il, cette fois-*là*. Mais qui sait combien d'autres putains il va voir ? »

Sugar se tait. Malgré sa honte, elle frissonne de plaisir à s'entendre traiter de « petite cruche » d'un ton si affectueux et paternel.

« Qui l'eût cru ! » William continue à marmonner en pouffant.

« Mon dévot de frère ! Mon pharisien de frère ! Ha ha ! Tu sais, je dois avouer, je ne l'ai jamais tant aimé que maintenant. Dieu le bénisse ! » Et il se penche vers Sugar pour poser sur sa joue un baiser de gratitude – pour quoi, elle ne saurait dire.

« Tu ne vas pas… te moquer de lui, n'est-ce pas ? l'implore-t-elle en caressant doucement son épaule.

– Mon propre frère ? se récrie-t-il avec un sourire énigmatique. Dans l'état où il est ? Dieu m'en garde. Je serai la discrétion même.

– Quand est-ce que tu dois le voir ? demande-t-elle, espérant qu'avec le passage des semaines ou des mois les détails de sa révélation se seront peut-être estompés de son esprit.

– Ce soir, dit William. À dîner. »

Ce soir-là, afin de dissiper l'humeur sombre qu'Henry instaure généralement dans la maison, William a fait mettre sur la table, festonnée de fleurs riantes, deux fois plus de bougies que d'habitude. Vu du seuil de la pièce, l'effet est (s'il peut le dire lui-même) irrésistiblement réjouissant. Et, bien que la ségrégation de la cuisine soit conçue pour que nulle odeur ne s'en échappe, le nez de William – devenu si sensible ces derniers mois qu'il est capable de distinguer le *Lavandul delphinensis* de la *Lavandula latifolia* – détecte un fameux dîner en cours de préparation. Il fera de son mieux pour bannir la tristesse, par Dieu.

Contrairement à son habitude, Agnes a annoncé qu'elle dînerait avec les frères. Une perspective dérangeante ? Pas du tout, se dit William : Agnes a toujours eu un faible pour Henry, et elle est d'excellente humeur ce soir, elle rit et chante tout en supervisant l'accrochage des rideaux d'hiver.

« Je sais que ce ne sera pas facile vu les circonstances, mais ne parlons pas de Mrs. Fox, voulez-vous ? suggère-t-il, tandis qu'il est bientôt l'heure à laquelle Henry doit arriver.

– Je ferai comme si la Saison battait son plein, mon cher – Agnes lui adresse un clin d'œil, presque coquet –, et je ne dirai absolument rien sur *quoi que ce soit.* »

Légèrement en retard, agité, Henry fait son apparition et à peine a-t-il été débarrassé de son chapeau et de son manteau mouchetés d'eau que William passe un bras fraternel autour de ses épaules et l'emmène droit à la salle à manger. Là, Henry est confronté à une vision d'abondance élyséenne : chaleur, lumières, des roses partout, des serviettes déployées en queue de paon, et une jolie nouvelle servante posant une soupière pleine d'un liquide doré sur la table. Déjà assise, lui souriant à travers un halo rutilant de fleurs et d'argenterie, Mrs. Rackham est vêtue de couleurs pêche et crème.

« Mes excuses, dit Henry. J'étais… euh…

– Assieds-toi, Henry, assieds-toi, l'enjoint William d'un geste magnanime. Nous ne sommes pas à cinq minutes près ici.

– J'ai failli ne pas venir, dit Henry, clignant des yeux devant tout cet éclat.

– Alors nous n'en sommes que plus contents que vous soyez ici », déclare une Agnes radieuse.

Henry prend place devant les verres remplis de vin, les assiettes scintillantes, les serviettes d'un blanc de neige, et les candélabres, qui concourent tous à jeter une lumière puissante sur son visage ; alors seulement William remarque à quel point son frère a pauvre apparence. Ses cheveux, qui ont grand besoin d'un coiffeur, sont coincés derrière ses oreilles, excepté une mèche qui se balance sur son front transpirant. Il semble qu'il n'ait fait usage ni d'huile ni de savon depuis un certain temps. William examine ensuite les vêtements d'Henry, qui sont froissés et déformés comme s'il se déplaçait en rampant tel Nabuchodonosor, ou avait beaucoup maigri, ou les deux. Le bouton de son col de chemise, découvert par sa cravate de travers, luit de manière irritante dans l'éclat des chandelles, donnant envie à William de se pencher pour l'ajuster. Mais le dîner commence.

Henry porte à sa bouche le consommé de canard sans même y jeter un coup d'œil, préférant garder ses yeux injectés de sang fixés sur un invisible miroir de tourments accroché quelque part à la gauche de l'épaule de William.

« Je ne devrais pas manger, me gorger ainsi, remarque-t-il, sans s'adresser à personne en particulier, tandis qu'il manie sa cuillère comme un automate. Il y a des gens en Écosse qui vivent d'algues.

– Oh, mais cette soupe n'est pas grasse du tout, l'assure Agnes. Elle est toujours parfaitement écumée. » Un silence gêné menace de s'ensuivre, ponctué uniquement par les bruits d'aspiration que fait Henry. *Est-ce là,* se demande Agnes, *la vraie raison pour laquelle il n'a été invité nulle part cette Saison?* « Quant aux algues, poursuit-elle, visitée par l'inspiration, nous en avons mangé, n'est-ce pas, William, chez Mrs. Alderton, dans une sauce. Avec des coquilles Saint-Jacques et de l'espadon. Un goût très particulier, le peu que j'en aie pris. Quelle chance qu'on ait été servis *à la russe**, sinon j'aurais dû vider mon assiette sous la table. »

William fronce les sourcils, se rappelant soudain sa gêne au dîner de Mrs. Cuthbert il y a deux ans, quand le chien de cette dame s'était jeté sous la nappe en damas blanc, tout près de la chaise d'Agnes, et s'était mis à bâfrer bruyamment.

« La société m'est fermée, déclare Henry d'un air lugubre, tandis que son assiette de soupe est prestement enlevée par une domestique. Je ne parle pas des bals et des dîners, je veux dire la *société – notre* société –, la communauté d'âmes dont nous sommes censés faire partie. Il n'y a rien que je puisse faire pour personne, je n'ai aucun rôle à jouer.

– Oh mon Dieu, dit Agnes en considérant son beau-frère

avec de grands yeux pleins de sympathie tandis qu'on apporte le plat principal. Mais n'espériez-vous pas devenir pasteur?

– J'espérais! s'écrie Henry d'un ton acerbe dénué de tout espoir.

– Vous feriez un excellent pasteur, j'en suis sûre», persiste Agnes.

Les mâchoires d'Henry se crispent, juste à temps pour qu'une cuisse brûlante de grouse braisée soit placée dans son assiette.

«Meilleur que cet ennuyeux docteur Crane, ajoute Agnes. Sincèrement, je ne sais pas pourquoi je prends la peine d'aller l'entendre. Il n'arrête pas de me prévenir contre des choses que je n'ai pas la moindre intention de faire...»

Et ainsi la soirée avance, fourchetée par fourchetée, Agnes se chargeant de la plus grande partie de la conversation (fortifiée par de fréquentes gorgées de vin rouge), tandis que William regarde, de plus en plus consterné, la figure pathétique qu'est devenu son frère.

Sans cesse Henry revient – quand il peut se résoudre à parler – sur la grossière inutilité de toute tentative, du moins en ce qui concerne sa pauvre personne. Sa voix est irrégulière, passant du murmure à la véhémence amère, ou même au sarcasme – ce qui ne lui ressemble pas du tout. Tout ce temps, ses grosses mains s'affairent à couper la grouse en morceaux de plus en plus petits qu'il écrase ensuite dans les légumes et laisse intacts, au grand mécontentement de William.

«Vous êtes trop bonne pour moi, soupire-t-il, en réponse à de nouveaux encouragements chaleureux de son hôtesse. Vous et... et Mrs. Fox me voyez dans une lumière très différente de ce que je sais être la réalité...»

Agnes jette un regard à William, ses yeux brillants quémandant la permission de mentionner la femme interdite. Il écrit l'interdiction partout sur son front plissé, mais elle est incapable de lire les lignes et s'exclame immédiatement : « Mrs. Fox a tout à fait raison, Henry ; tout à fait raison ! Vous êtes un homme d'une sincérité rare, en ce qui touche la foi ; je le sais ! J'ai une intuition particulière pour ces choses ; je vois une aura autour de la tête des gens – non, ne me regardez pas d'un œil noir, William. C'est vrai ! La foi rayonne des gens comme… comme le halo qui entoure une lampe à gaz. Non, William, c'est *vrai.* » Elle se penche sur la table en direction d'Henry, la poitrine touchant presque son assiette intacte, le visage dangereusement près d'un candélabre, et lui déclare sur le ton plaisant de la conspiration : « Regardez votre frère là, qui essaie de me faire taire. Il n'y a pas la moindre parcelle de crainte de Dieu dans… » Elle s'arrête court et sourit modestement. « Mais sincèrement, Henry, vous ne devez pas penser tant de mal de vous-même. Vous êtes plus pieux que tous ceux que je connais. »

Henry est au supplice. « Je vous en prie, dit-il, je suis sûr que votre assiette refroidit. »

Agnes ignore son conseil. Elle est chez elle et elle peut manger aussi peu qu'elle le désire – ce qui est vraiment très peu. « Un jour, poursuit-elle, William m'a raconté une histoire. Il m'a dit que quand vous étiez petit garçon, vous aviez entendu un pasteur dire en chaire que de nos jours, à l'époque moderne, Dieu ne parle plus qu'à travers les Écritures, et non plus directement à nos oreilles. William disait que ce sermon vous avait tellement mis en colère que vous vous êtes privé de nourriture et de sommeil, tout comme les prophètes du passé, rien que pour entendre la voix de Dieu ! » Elle joint ses deux petites mains, et sourit, et hoche la tête, lui signifiant ainsi muettement qu'elle a fait la même chose, et a été récompensée par le souffle du divin murmure sur sa nuque.

Henry fixe son frère d'un regard furieux et angoissé.

« Jeunes, nous sommes tous des idiots, avance William, qui transpire abondamment et voudrait bien que quelqu'un débarque en coup de vent dans la pièce pour éteindre d'un coup la moitié de ces foutues chandelles. Je me rappelle avoir dit, quand j'étais gosse, que seuls les hommes sans une once d'imagination ou de sensibilité pouvaient devenir des hommes d'affaires… »

Cette mâle confession manque d'impressionner Agnes, qui a repoussé ses assiettes, et se penche maintenant sur la nappe afin de mieux poursuivre sa conversation à cœur ouvert avec Henry.

« Je vous aime beaucoup, Henry, dit-elle, sa voix très légèrement pâteuse. Je vous ai toujours bien aimé. Vous auriez dû être catholique. Avez-vous jamais pensé à devenir catholique, Henry ? »

Mortifié, Henry ne peut que fouetter de sa cuillère sa mousse de fruits jusqu'à la transformer en une sorte de pâtée d'un jaune brun.

« Un changement vaut des vacances, lui assure Agnes, prenant une nouvelle gorgée de vin. Ou même plus. J'ai été en vacances il n'y a pas longtemps, et je n'étais pas heureuse du tout… »

Sur ce, William émet un grognement de désapprobation et, décidant que son intervention ne peut plus être remise, tend le bras pour pousser le candélabre qui le sépare de sa femme.

« Peut-être avez-vous assez bu, ma chère ? suggère-t-il d'une voix ferme.

– Pas du tout, dit Agnes, moitié hargneuse, moitié charmeuse. Cette grouse salée m'a donné soif. » Et elle picore une nouvelle gorgée au bord de son verre, baisant le liquide rouge de ses lèvres en bouton de rose.

« Nous avons de l'eau sur la table, ma chère, dans cette carafe, lui rappelle William.

– Merci, mon cher… dit-elle, sans cesser de regarder Henry en hochant la tête comme pour dire : *Oui, oui, tout va bien, je comprends tout, vous pouvez tout m'avouer.*

– J'ai entendu dire, à propos de vigne, remarque William d'un ton plutôt désespéré, que le docteur Crane songe à acheter la maison qui était auparavant occupée par… euh… quel était leur nom ? »

Agnes intervient non pour fournir le nom manquant, mais pour diffamer une nouvelle fois l'homme d'Église.

« Je déteste aller à l'église pour me faire réprimander, pas vous ? demande-t-elle à Henry, en faisant la moue. Pourquoi est-on adulte, avec tous les horribles désenchantements que cela suppose, sinon pour se bâtir ses propres idées ? »

Et ainsi de suite pendant cinq, dix longues minutes, tandis que les domestiques muettes enlèvent les plats, ne laissant que le vin et les trois Rackham dépareillés. Finalement Agnes fléchit, sa tête s'abaissant lentement vers la pliure de son coude, sa joue touchant presque le tissu de sa manche. La progression de son front en direction de son avant-bras est lente mais sûre.

« Vous vous endormez, ma chère ? demande William.

– Je repose mes yeux, murmure-t-elle.

– Vous ne préféreriez pas les reposer sur un oreiller ? »

Il avance cette suggestion sans beaucoup d'espoir que ses mots l'atteindront, et, s'ils le font, il s'attend un peu à une rebuffade. Mais elle tourne lentement son visage vers lui, ses yeux bleu de porcelaine se fermant avec des battements, et dit : « Ou-ou-i… Cela me plairait. »

Déconcerté, William repousse sa chaise et plie sa serviette sur ses genoux.

« Voulez-vous… voulez-vous que je sonne Clara pour qu'elle vous accompagne ? »

Agnes se redresse brutalement sur sa chaise, cligne une ou

deux fois des yeux, et gratifie William d'un sourire de parfaite condescendance.

« Je n'ai pas besoin que Clara m'emmène au lit, idiot, le taquine-t-elle, tout en se mettant tant bien que mal sur ses pieds. Qu'est-ce qu'elle ferait ? Elle me porterait dans l'escalier ? » Sur quoi, ne s'arrêtant que pour souhaiter la bonne nuit à son invité, Mrs. Rackham s'éloigne gracieusement de la table à reculons, tourne sur ses talons et, avec à peine un vacillement, sort de la pièce à pas feutrés.

« Oh, bon Dieu... » marmonne William, trop éberlué pour s'empêcher de blasphémer. De toute façon, son dévot de frère ne semble pas l'avoir remarqué.

« Elle est mourante, Bill, dit Henry, fixant intensément le vide.

– Quoi ? dit William, plutôt interloqué par cette suggestion. Le vin ne lui réussit pas, voilà tout...

– Mrs. *Fox*, dit Henry, trouvant, dans les profondeurs de son tourment, une voix qu'on attendrait de lui dans un débat public. Elle est en train de mourir. Mourir. La vie la quitte avec son sang, chaque jour, devant mes yeux... Et bientôt, la semaine prochaine, demain, après-demain, car nous ne connaissons ni le jour ni l'heure – n'est-ce pas ? –, je frapperai à la porte de son père, et une domestique me dira qu'elle est morte. » Chaque mot est articulé avec une clarté amère, chaque mot est comme un pincement de doigts mouchant une faible flamme d'espoir.

« Du calme, du calme, soupire William, se sentant soudain éreinté, maintenant qu'Agnes s'est retirée de la mêlée.

– Oui, la mort viendra tel un voleur en pleine nuit, n'est-ce pas ? dit Henry d'un ton caustique, poursuivant son débat avec un invisible apologiste. C'est ainsi que les Écritures nous disent que viendra le Christ, n'est-ce pas ? » Il saisit son verre de vin et en vide le contenu d'un trait, grimaçant avec mépris. « Des histoires bonnes pour les enfants. Babioles et eau sucrée… »

William tâche, de toute sa patience, qui s'épuise rapidement, de réprimer un accès d'exaspération.

« Tu parles comme si la malheureuse était déjà dans la tombe. Elle n'est pas encore morte ! dit-il. Et pendant qu'elle vit, c'est un être humain, avec des besoins et des désirs qui peuvent encore être satisfaits.

– Il n'y a rien…

– Pour l'amour de Dieu, Henry ! Arrête de dire toujours la même chose ! Nous parlons d'une femme qui… se prépare à dire adieu à cette vie terrestre, et tu as été son ami le plus cher. Es-tu en train de me dire qu'il n'y a rien que tu puisses faire pour son vécu des choses ? »

Cela, enfin, semble pénétrer la cuirasse de souffrance d'Henry.

« Elle… elle sait lire dans mon âme, Bill, murmure-t-il, hanté par ce souvenir. Ses yeux… Ses yeux implorants… Qu'est-ce qu'elle veut de moi ? Qu'est-ce qu'elle veut ?

– Dieu tout-puissant ! explose William, incapable d'en supporter plus. Comment peux-tu être si stupide ? Elle veut se faire baiser ! » Il se lève et s'approche d'Henry si près que leurs visages se touchent presque. « Emmène-la au lit, imbécile : elle t'attend ! Épouse-la demain ! Épouse-la *ce soir*, si tu peux réveiller un pasteur ! » À chaque instant son énervement s'accroît, excité par l'air outragé de son frère. « Misérable cagot ! Tu ne sais pas que baiser est un plaisir et que les femmes l'éprouvent elles aussi ? Ta Mrs. Fox ne peut pas avoir manqué de remarquer *ça* au cours de ses excursions pour la Société de Secours. Pourquoi ne pas lui faire ressentir ce plaisir juste une fois à son tour, avant de mourir ! »

Dans un fracas de verres renversés et le vacillement des chandelles, Henry se lève brutalement, le visage blanc de fureur, ses énormes poings serrés.

« Tu me permettras de m'en aller, murmure-t-il d'un ton féroce.

– Oui, va-t'en! hurle William, avec un geste exagéré en direction de la porte. Retourne dans ta petite maison minable rêver que le monde est plus noble qu'il n'est en réalité. Mais Henry, tu es un âne et un hypocrite. » (Les mots se déversent en torrent maintenant, d'autant plus violemment qu'ils ont été retenus pendant des années.) « L'homme n'est pas né, vocifère-t-il, qui ne désire pas follement savoir ce que les femmes ont entre les cuisses. Tous les patriarches et les ecclésiastiques qui chantent les louanges de la chasteté et de l'abstinence ne font que courir le jupon, tous autant qu'ils sont! Et pourquoi pas? Pourquoi s'adonner à l'onanisme alors qu'il y a des femmes dans le monde pour nous l'éviter? J'ai eu des douzaines, des *centaines* de putains; si je bande, je n'ai qu'à claquer des doigts, et dans l'heure je suis satisfait. Et quant à *toi*, mon frère, qui as l'air de ne pas faire la différence entre une prostituée et un prie-dieu, *ne crois pas* que j'ignore ce que tu trafiques. *Oh* oui, tes… tes escapades, tes soi-disant "conversations", font la risée des putains de tout Londres! »

Avec un cri guttural, Henry se précipite hors de la pièce, ouvrant la porte si violemment qu'elle rebondit contre le mur en vibrant. William se lance d'un pas chancelant à sa poursuite et, voyant que son frère est déjà au milieu du hall, crie :

« Renonce à être un saint, Henry! Montre-lui que tu es un homme! »

Sur quoi, jugeant qu'il en a assez dit, il retourne dans la salle à manger et s'appuie contre le mur, reprenant souffle. Il entend vaguement Letty qui prie Mr. Rackham de l'aider à lui passer son manteau et Henry qui poursuit sa course comme un ours traqué. Puis la maison tout entière semble trembler sous le claquement de la porte.

« Eh bien, déclare William d'une voix enrouée (car il a crié très fort) tout est dit maintenant. Nous verrons bien ce qui adviendra. »

Son cœur bat vite – à cause sans doute de la vision des poings serrés et de l'air furieux de son frère, combinaison effrayante dont William n'a pas été témoin depuis leur enfance. Il se dirige d'un pas traînant jusqu'à la table, et se remplit un verre à la bouteille presque vide. Puis, ayant bu la potion revigorante jusqu'à la lie, il trouve le chemin de l'escalier et se met à gravir les marches d'une allure de plus en plus résolue, en direction non de sa chambre mais de celle d'Agnes.

Bon Dieu, il en a assez des pruderies et des faux-fuyants des gens. Il est grand temps, a-t-il décidé, de faire un fils.

Aux petites heures du matin, Henry est assis devant sa cheminée, mettant au feu tout ce qu'il a écrit ces dix dernières années ou plus : toutes les pensées et opinions qu'il avait espéré communiquer un jour du haut de la chaire de son église.

Quel excès absurde de papier et d'encre a-t-il amassé, feuilles libres, enveloppes, cahiers à dos et calepins cousus avec de la ficelle, tous soigneusement remplis de sa lourde écriture sans élégance, tous annotés de symboles de son invention, signifiant des choses telles que *demande une étude plus poussée* ou *mais est-ce réellement vrai ?* ou *développer*. Le hiéroglyphe le plus triste de tous, trouvé dans les marges de presque tous les manuscrits des trois dernières années, est un triangle inversé, suggérant une tête de renard, signifiant : *Demander son avis à Mrs. Fox*. Page après page, Henry brûle les preuves de sa vanité.

Minette ronronne à ses pieds, approuvant totalement son jeu, qui chauffe tant sa fourrure qu'elle en rougeoie presque.

Le charbon est agréable, et lent à se consumer, mais le papier est incomparablement meilleur, et il faudrait encourager les humains à en produire plus.

Henry est occupé maintenant avec un gros registre, jeté par son père (avec une douzaine d'autres) au cours d'un « nettoyage de printemps » des bureaux Rackham en 1869. « Ça me fait de la peine de voir du bon papier détruit, se rappelle-t-il avoir dit au vieux. Je pourrais le réutiliser. » Vanité ! Et qu'est-ce que c'est que ça ? *Soyez dans la joie et l'allégresse,* est-il écrit sur la couverture : un des nombreux titres auxquels il avait songé pour le premier recueil de sermons qu'il publierait. De nouveau, vanité ! Avec une grimace d'angoisse, il déchire le carton et le jette dans les flammes.

Le feu brûle furieusement, et il se carre dans son fauteuil, les yeux fermés, en attendant de se calmer. Il est fatigué, terriblement fatigué, et tenté de dormir. Le sommeil viendrait si facilement, si seulement il gardait les yeux fermés encore quelques instants. Mais non, il ne dormira pas. Tout doit être détruit.

Mais avant qu'il puisse reprendre sa tâche, un coup frappé à la porte le fait bondir. *Qui diable... ?* Il jette un regard à la pendule sur la cheminée : il est exactement minuit ; l'heure où tous les braves gens sont au lit, même les jeunes filles galvanisées par le triste sort des habitants de l'île de Skye. Pourtant le coup est répété, faible mais insistant, l'attirant dans l'entrée sombre. Pourrait-ce être un assassin venu le tuer pour s'emparer dans sa maison des quelques objets de valeur qui s'y trouvent ? Eh bien, qu'il entre, alors.

En chaussettes, Henry entrebâille la porte pour scruter l'obscurité. Là, sur le trottoir près de son seuil, couverte des pieds à la tête d'une volumineuse cape à capuchon, se trouve Mrs. Fox.

« Laissez-moi donc entrer, Henry, dit-elle d'un ton affable, comme si la situation n'avait rien d'extraordinaire, excepté son manque de galanterie qui la fait attendre dans le froid.

Éberlué, il recule, et elle se glisse dans le vestibule, dégageant sa tête de son capuchon. La chevelure qu'elle révèle ainsi est défaite, sans peignes ni épingles, et plus abondante qu'il n'eût cru.

« Retournez dans la pièce chauffée, idiot, le tance-t-elle doucement, tout en s'y dirigeant sans autre formalité. Il fait froid, et vous n'êtes pas vêtu. »

Et certes, lorsqu'il baisse les yeux, il ne peut nier qu'il est en chemise de nuit.

« Qu'est-ce… qu'est-ce qui vous amène ici ? bégaie-t-il, la suivant dans la lumière. Je… je suis surpris… je pensais… »

Elle se tient derrière son fauteuil vide, les mains posées sur l'appuie-tête. Son visage a perdu sa pâleur livide, ses joues ne sont plus creuses, ses lèvres sont humides et roses.

« Ils se trompent tous, Henry, dit-elle d'une voix chaude et ample, sans nulle trace du sifflement de la phtisie. Ils se trompent terriblement. »

Il reste là, bouche ouverte, les bras ballants, les cheveux dressés sur la nuque. Minette, toujours lovée devant l'âtre, lève sur lui des yeux pleins d'un dédain languide, comme pour dire : *Sois un peu naturel !*

« Le Paradis n'est pas un vide, ni un grand brouillard d'éther, avec des esprits fantomatiques qui se promènent en flottant, poursuit Mrs. Fox, levant les mains pour mimer, en agitant malicieusement les doigts, un faible battement d'ailes. Il est aussi réel et tangible que les rues de Londres, plein de vigoureuses entreprises et de l'étincelle de la vie. J'ai tellement *hâte* que vous le voyiez – cela vous ouvrira les yeux, Henry, cela vous ouvrira les yeux. »

Il cille, le souffle coupé par la réalité et la tangibilité d'*elle*, la forme si nettement familière de son visage et l'expression qu'elle arbore : ce regard désarmant, mi-innocent, mi-raisonneur, qui a toujours accompagné ses déclarations les plus hérétiques. Combien de fois elle l'a ainsi surpris par sa facilité à flirter avec le blasphème, inquiété que ses idées lui attirent la colère des puissances en place, mais enchanté par la perspective qu'elle lui ouvre sur ce qui, tout d'un coup, se révèle comme la plus élémentaire vérité. Il s'approche d'elle, ainsi qu'il s'est approché d'elle tant de fois auparavant – pour la mettre en garde, la retenir par le froncement de sourcils de son orthodoxie, cependant qu'il est exalté par le désir de considérer les choses exactement comme elle.

« Et j'avais raison, Henry, poursuit-elle, hochant la tête tandis qu'il s'approche. Ceux qui sont au Paradis ne ressentent que l'amour. Le plus merveilleux… infini… parfait… amour. »

Il s'assied – tombe, presque – dans son fauteuil, levant sur elle des yeux où se lisent la crainte respectueuse et la perplexité. Elle défait sa cape au col, et la laisse glisser à terre. Ses épaules nues resplendissent tel du marbre ; sa poitrine exquise frôle le haut de son fauteuil tandis qu'elle se baisse pour l'embrasser. Son visage ne lui est jamais apparu ainsi dans ses rêves : chaque cil est parfaitement net, les pores de sa peau sur les ailes de son nez sont grandeur nature, le blanc de ses yeux légèrement injecté, comme si elle avait pleuré mais se sentait mieux maintenant. Tendrement elle pose la main sur sa joue ; délibérément elle passe les doigts sous son menton et le guide en direction de ses lèvres.

« Mrs. Fox… pour tout l'univers, je ne voudrais… tâche-t-il de protester, mais elle lit dans ses pensées.

– Il n'y a ni femme ni mari dans les Cieux, Henry, lui murmure-t-elle, se penchant de plus en plus au-dessus de son fauteuil, de sorte que ses cheveux tombent sur sa poitrine, et que son souffle est chaud sur son front. Marc, chapitre douze, verset vingt-cinq. »

Elle commence à remonter sa chemise de nuit sur ses cuisses, mais il lui saisit les poignets avec douceur, pour l'empêcher de découvrir sa nudité. Ses poignets sont puissants, et son pouls bat le rythme de son cœur contre ses paumes.

« Oh, Henry, soupire-t-elle, contournant le fauteuil et posant ses fesses sur le bras. Cessez d'être timoré ; on ne peut pas arrêter ce qui a commencé, vous ne voyez pas cela ? »

La tenant ainsi, ses poignets toujours prisonniers de ses mains, il commence à prendre conscience du délicat équilibre entre volonté et muscle d'un côté, et désir de l'autre : ses bras sont les plus forts, et il peut la plier de toutes les façons qu'il souhaite ; il peut la refermer sur elle-même, couvrant ses seins avec ses coudes, ou il peut ouvrir tout grand ses bras ; pourtant, à la fin, c'est elle qui décide de la façon dont ils bougent, et c'est elle qui exerce le pouvoir. Il la lâche, et ils s'étreignent ; quelque indigne qu'il soit, il la revendique pour sienne comme si lui et le péché n'avaient pas encore été inventés, et ils sont deux animaux au sixième jour de la Création.

« Ce sont tous des chacals, Henry, murmure-t-elle, et vous êtes un lion.

– Mrs. Fox... », hoquette-t-il, durcissant soudain sous sa chemise de nuit. Le feu a tellement chauffé la pièce qu'il n'est aucun besoin de vêtements, et il laisse Mrs. Fox le faire aussi nu qu'elle.

« Vous savez, Henry, il est grand temps que vous m'appeliez Emmeline », souffle-t-elle à son oreille, tandis que d'une main elle trouve sa virilité et la guide dans l'endroit accueillant que Dieu a fait, semble-t-il, dans nul autre dessein que de le recevoir. Une fois joints, ils s'accordent parfaitement dans leurs mouvements ; lui profondément en elle, elle l'enserrant de plus en plus puissamment, sa joue pressée fort contre la sienne, sa langue, telle celle d'un chat, lui léchant la mâchoire. « Mon amour, ou-ou-oui, roucoule-t-elle, lui couvrant les oreilles de ses mains de peur que la lointaine sonnerie entêtante d'une cloche de pompiers ne le distraie de l'appel à l'extase. Venez en moi. »

# 21

Dans quelques secondes nous serons le 29 septembre de l'an de grâce 1875. Emprisonnée sans espoir d'évasion dans la Maison du Mal, quinze jours après les calamités jumelles de la mort d'Henry Rackham et l'infortune indescriptible qui a frappé sa propre personne sous la même lune malveillante, Agnes s'assied dans son lit et tire le cordon. Le sang a encore coulé : Clara doit venir immédiatement la laver et changer les pansements.

La domestique réagit promptement, et sait pourquoi on l'appelle ; elle porte une cuvette métallique pleine d'eau fumante. Dedans, du savon et une éponge flottent comme des créatures marines mortes prélevées de leur élément naturel.

« Il y en a *encore* », murmure Agnes d'une voix inquiète, mais Clara tire déjà les draps pour découvrir les langes de sa maîtresse. Ce n'est pas à elle de demander pourquoi Mrs. Rackham se conduit comme si la malédiction commune à toutes les femmes requérait le genre d'attention qu'on porterait à une blessure mortelle ; elle est là pour servir.

« C'est le sixième jour, madame, dit-elle, roulant en boule le linge taché de sang. Ça sera sûrement fini demain. »

Agnes ne voit pas en quoi un tel optimisme se justifie, avec le monde chamboulé comme il est.

« Si Dieu le veut », dit-elle, détournant avec dégoût le regard de ses stigmates. Elle était si sûre d'être guérie de cette affliction, s'imaginant que ce devait être une maladie d'enfance qui passe avec l'âge adulte : le Diable doit être si content de la désillusionner !

Agnes regarde ailleurs tandis que la seule partie de son corps qu'elle n'a jamais examinée dans un miroir est lavée et séchée. Elle, qui est intime avec chaque poil de ses sourcils, qui contrôle quotidiennement chacune des rides naissantes de son visage, qui pourrait, si on le lui demandait, produire une esquisse fidèle de son menton sous plusieurs angles, n'a que la plus vague idée de ce qu'elle appelle son « infériorité ». Tout ce qu'elle sait c'est que cette partie d'elle n'est, du fait d'une erreur déplorable, pas correctement fermée, et donc vulnérable aux forces et influences du Mal.

Le docteur Curlew est indubitablement ligué avec ces forces, et cache difficilement le plaisir que lui inspire sa chute ; juste alors que William s'est mis à le prendre en grippe, lui aussi ! Tout au long de la Saison, les visites du docteur ont été impitoyablement réduites, mais hier, William lui a permis de rester une heure entière, et les deux hommes se sont même retirés au fumoir pour parler longuement – *de quoi ?* Dans ses cauchemars, Agnes se voit enchaînée dans la cour d'un asile, molestée par d'horribles vieilles biques et des idiots grognants, tandis que le docteur Curlew et William s'en retournent chez eux tranquillement. Elle rêve aussi qu'elle est dans une baignoire d'eau chaude et pure, qu'elle s'endort et se réveille pour découvrir qu'elle est plongée jusqu'au cou dans du sang glacé, épais et gluant comme de la gelée.

Épuisée, elle retombe sur son oreiller. Clara est repartie et elle est propre et douillettement installée sous ses couvertures. Si seulement le sommeil pouvait l'emmener au Couvent de la Santé ! Pourquoi sa Sainte Sœur l'a-t-elle abandonnée ? Pas le plus petit aperçu, pas une empreinte de doigt… À l'enterrement d'Henry, Agnes n'a cessé de guetter l'apparition de son ange gardien, même au loin parmi les arbres derrière la tombe. Mais rien. Et, la nuit, même quand le rêve commence de façon prometteuse, elle ne va jamais au-delà de la gare. Elle attend anxieusement dans un train qui vibre de manière inquiétante sans jamais bouger, patrouillé par des porteurs qui ne soufflent mot, jusqu'à ce qu'il devienne horriblement clair que le train n'est pas du tout un véhicule, mais une prison.

« Ma Sœur, où êtes-vous ? s'écrie Agnes dans l'obscurité.

– Juste ici, madame », répond Clara par la porte entrebâillée quelques instants plus tard – d'une voix plutôt irritée, si ses oreilles ne la trompent pas.

« Le courrier, Mr. Rackham, s'il vous plaît », dit Letty le lendemain matin, hésitant à entrer dans le bureau du maître. Elle tient un plateau en argent supportant une pile de lettres et de cartes de condoléances.

« Seulement les lettres blanches, merci, Letty, dit William, sans quitter son siège derrière son bureau, et faisant signe à Letty d'entrer d'un simple mouvement des doigts. Portez les cartes à Mrs. Rackham.

– Oui, Mr. Rackham. » Letty sépare le courrier d'affaires – le « grain », pour ainsi dire – de l'ivraie bordée de noir, pose la moisson sur une petite aire dégagée du bureau encombré du maître, et quitte la pièce.

William se frotte le visage, fatigué, avant de s'attaquer à ce que la journée a apporté ; il a les yeux rouges à cause du manque de sommeil, de la douleur d'avoir perdu son frère, de la peine d'avoir blessé sa femme, et... eh bien... de l'épreuve du désagrément. Rien, a-t-il découvert, ne cause plus de désagrément qu'une mort, sinon un mariage.

Certes, Black Peter Robinson a approvisionné la maisonnée

avec la plus grande rapidité. Quelque vingt-quatre heures après que la commande eut été passée, les cartons de robes de crêpe, de bonnets de deuil, de vestes, châles, etc., étaient livrés, accélérés dans leur acheminement par ces mots magiques : « urgent pour funérailles ». Ce n'était que le début du brouhaha. À peine les domestiques étaient-elles vêtues de noir qu'elles se dépêchaient de revêtir les meubles, d'accrocher des rideaux noirs, d'attacher des rubans noirs aux cordons et Dieu sait quoi d'autre. Puis l'absurdité qui consiste à choisir un cercueil... C'est une chose d'avoir eu à choisir entre cinquante sortes de portemanteaux quand il s'agissait de meubler l'appartement de Sugar, mais quelle sorte d'homme aurait l'appétit, à la mort de son frère, d'étudier attentivement cinq cents modèles de cercueils ? « Un homme exigeant comme vous, monsieur, d'après ce que nous savons de la qualité des produits Rackham, verra immédiatement la différence entre le Chêne Obligé et l'Orme *Ex Voto...* » Les vautours ! Et pourquoi eût-ce été à William d'être responsable de cette orgie de dépenses inutiles ? Pourquoi Henry Calder Rackham ne l'aurait-il pas prise en charge ? Le vieux avait suffisamment de temps libre maintenant. Mais : « C'est sur toi que les gens comptent, William. J'ai été mis au pré ; aux yeux du monde, dorénavant, c'est toi "Rackham". » Vieux filou roublard ! D'abord la tyrannie et l'intimidation, et maintenant la flatterie ! À quelle fin ? – que William Rackham soit le pauvre type qui doive se taper des rames et des rames de paperasse pour choisir le cercueil et le matelassage et les couronnes et les rubans de chapeau et Dieu sait combien de centaines d'autres choses, à expédier en plus de toutes les autres tâches, et alors qu'il souffre de la perte de son frère.

Quant aux funérailles elles-mêmes... ! S'il y a une chose pour laquelle il eût volontiers payé une somme exorbitante, cette chose eût été une drogue miraculeuse pour effacer de son esprit la lamentable cérémonie. Ç'avait été une attraction lugubre, un rituel vide au bénéfice de personne, présidé par l'insupportable docteur Crane sous la pluie battante. Quelle bande de tartufes se trouvait là, avec MacLeish – un homme qu'Henry ne pouvait sentir de son vivant – à leur tête ! Sincèrement, la seule personne hors la famille qui avait quelque droit véritable à se trouver là était Mrs. Fox, et elle était alors à l'hôpital. Pourtant il y avait deux douzaines de personnes autour de la tombe. Deux douzaines de balourds et de figurants pompeux en trop ! Le spectacle, avec voitures à quatre chevaux, ordonnateurs, couronnes, etc., aura coûté à William, tous comptes faits, pas moins de cent livres. Et pourquoi ?

Non qu'il mesure la dépense à son frère ; il lui aurait donné trois fois cette somme avec bonheur pour qu'il s'achète une maison correcte au lieu de ce minable piège à feu dans lequel il a péri. C'est juste que… bon Dieu, quel bien cela fait-il à Henry d'être enterré avec tant de pompe ? Cette manie de mettre chaque personne et chaque objet en noir : quel sens cela a-t-il ? La maison Rackham est maintenant aussi lugubre qu'une église – plus lugubre encore ! Les domestiques se déplacent comme des sacristains… la cloche est assourdie, de sorte que la moitié du temps il n'arrive même pas à l'entendre… tout cela a des relents de papisme. Vraiment, cette espèce de comédie dolente devrait être laissée à l'Église romaine : juste le genre de bêtise dont ils pensent qu'elle pourrait ramener un homme à la vie !

*Chéri dans la mémoire de tous ceux qui eurent le bonheur de le connaître – le Ciel a gagné ce que la Terre a perdu* – voilà ce que William a composé pour la pierre tombale d'Henry, avec l'aide du tailleur de pierre. Tout le monde se dévissait la tête pour le lire – pensaient-ils qu'entre frères on peut s'honorer davantage ? Les sentiments semblent différents quand ils sont froidement gravés – gravés de la façon la plus froide qu'on puisse imaginer.

William rassemble les lettres de la matinée et bat les enveloppes, notant les noms des expéditeurs : Clyburn Verriers ; R. T. Aburrick, Fabricant de Boîtes, Caisses & Co. ; Greenham & Bott, Avocats ; Greenam & Bott, Avocats ; Henry Rackham (Sr.) ; La Société pour l'Avancement de l'Éducation Universelle ; sieur G. Pankey ; Tuttle & Son, Récupération.

C'est celle-là que William ouvre la première, en extrayant huit pages dont chacune porte l'en-tête TUTTLE & SON, RÉCUPÉRATION. La lettre commence ainsi :

*Monsieur,*

*Vous trouverez ci-joint une liste des objets récupérés au 11 Gorham Place, Notting Hill, le 21 septembre 1875, à la suite de l'incinération partielle des lieux. Tous les objets non inclus dans cette liste peuvent être présumés détruits ou volés par des personnes sans scrupules arrivées sur les lieux avant Tuttle & Son.*

*CATÉGORIE 1 : ENTIÈREMENT OU SUBSTANTIELLEMENT INTACTS*

*1 Chat (actuellement sous notre garde, merci de nous informer de vos intentions)*

*1 Cuisinière*

*1 Vaisselier avec quatre tiroirs*

*Divers ustensiles de cuisine, casseroles, poêles, etc.*

*Divers articles de cuisine, condiments, épices, etc.*

William tourne les pages, remarquant çà et là :

*Diverses gravures encadrées, à savoir :*

*« Jour d'été », par Edmund Cole*

*« Le Pieux va-nu-pieds », par Alfred Wynne Forbes*
*« Sans titre apparent », par Mrs. F. Clyde*
*« Les Vierges sages et les Vierges folles », par John Bramlett, R. A…*
*Des livres, au nombre de 371, la plupart sur des sujets religieux (liste complète sur demande)*
*1 mappemonde, montée sur un socle en cuivre (légèrement brûlée)…*

À la lecture de cette dernière ligne, William laisse échapper un grognement de pitié et d'exaspération. Une mappemonde légèrement brûlée. Que peut-il, lui ou qui que ce soit, d'ailleurs, faire d'une mappemonde légèrement brûlée ? Dans le bouleversement qui a suivi la nouvelle de la mort d'Henry, il a pensé qu'il faisait preuve de bon sens en appelant les récupérateurs, pour empêcher que la maison d'Henry ne soit pillée par les pauvres, mais, une fois cela évité, que faire ? Où doit-il mettre les biens terrestres d'Henry ? S'il ne peut pas avoir son frère vivant, quelle est l'utilité de posséder sa cuisinière ou sa cuvette ?

William jette la liste sur son bureau et quitte son fauteuil pour aller à la fenêtre. Il fixe la rue au-delà de son terrain, là où Agnes prétend qu'elle voit marcher des anges. Seuls de gris piétons s'y trouvent à cette heure, tous plus petits et moins droits qu'Henry. Ah, Henry, si grand, si droit ! William se demande s'il fait preuve d'hypocrisie en le regrettant, alors que son frère vivant l'insupportait ? Peut-être, mais le sang reste le sang.

Ils ont grandi ensemble, non ? Il fait un effort pour raviver des souvenirs de leur enfance partagée, quand Henry était trop jeune encore pour dresser entre eux un mur de piété. Il ne trouve pas grand-chose. De vagues images, comme des photographies abîmées, de deux garçons jouant dans des champs qui se sont depuis longtemps transformés en rues, enfouissant toutes traces dans les fondations.

D'Henry plus tard, les souvenirs ne sont pas bons. William se rappelle son frère à l'université, traversant d'un air affairé la pelouse ensoleillée en direction de la bibliothèque, une demi-douzaine de livres pressés contre sa poitrine, affectant de ne pas entendre les appels joviaux de William, Bodley et Ashwell en train de pique-niquer sur l'herbe. Puis, faisant un saut dans le temps, il se rappelle la petite maison exiguë et sombre d'Henry, pleine jusqu'au toit du bazar de la religion, vide de cigares, de coussins, de boissons fortes, ou de quoi qui puisse encourager les visites. Il se rappelle Henry s'arrêtant presque tous les dimanches à la maison Rackham, pour passer en revue toutes les belles choses stimulantes que son frère avait ratées.

William remonte péniblement dans le temps pour convoquer devant lui un Henry de douze ans récitant, après les prières familiales, un discours de sa composition. Comme les domestiques s'agitaient sur leurs sièges, ne sachant s'il fallait (une fois que ce serait terminé) applaudir ou observer un silence respectueux !

« Très bien, très bien, avait prononcé Henry Rackham Senior. Quel garçon intelligent j'ai là, hein ? »

William prend conscience d'une douleur dans la main droite, baisse les yeux, et découvre qu'il presse le poing sur le rebord de la fenêtre, meurtrissant la peau contre le bois. Dans ses yeux, des pleurs de jalousie enfantine. Résonnant à ses oreilles, les paroles des pompiers lui assurant qu'Henry avait été asphyxié par la fumée bien avant d'être atteint par les flammes.

S'essuyant le visage à sa manche, il sent dans le haut de sa poitrine un chatouillement convulsif qui menace de se développer en crise de larmes, quand il est interrompu par un nouveau coup frappé à sa porte.

« Oui, qu'est-ce que vous voulez ? crie-t-il d'une voix enrouée.

– Excusez-moi, monsieur, répond Letty en entrebâillant la porte. Lady Bridgelow est là. Est-ce que vous ou Mrs. Rackham êtes à la maison ? »

William tire sa montre de son gousset pour vérifier l'heure, car, qu'il sache, lady Bridgelow ne se présente jamais en dehors des heures fixées par la convention. Et certes tel n'est pas le cas. C'est plutôt sa notion du temps à lui qui est déréglée. Dieu, il a perdu des *heures* à rêvasser et à se rappeler des souvenirs mélancoliques ! Il avait pensé se laisser aller quelques minutes seulement, mais il n'a fait que cela toute la matinée, et le voilà avec les yeux pleins de larmes de jalousie pour un acte de favoritisme paternel vieux de dix-huit années ! Est-ce ainsi que les fous et les hypocondriaques s'occupent durant les longues heures d'une journée oisive ? Dieu tout-puissant ! La tristesse a ses droits, mais il faut bien qu'enfin quelqu'un prenne par les cornes le taureau de la responsabilité ; il faut bien que *quelqu'un* continue à faire tourner les roues de la vie.

« Oui, Letty, dit-il après s'être éclairci la gorge. Dites à lady Bridgelow que je suis à la maison. »

La semaine suivante, Agnes Rackham écrit :

*Chère Mrs. Fox,*

*Merci pour votre lettre, à laquelle William m'a demandé de répondre.*

*Je suis très heureuse que vous ayez décidé de prendre possession des effets d'Henry, car je suis sûre qu'ils auraient été bien mal vendus sinon. J'ai choisi de m'occuper de la chatte d'Henry jusqu'à ce que vous soyez sortie de l'hôpital. William dit que les autres choses ont déjà été apportées chez vous, et déposées là où il y avait de la place. William dit que c'est une maison plutôt petite, et que les hommes se sont plaints de la difficulté de leur tâche, mais je vous conjure de ne pas prendre à cœur les plaintes d'ouvriers mal élevés.*

*L'hôpital est-il très désagréable ? J'ai moi-même été frappée d'une terrible Affliction la semaine dernière, mais elle a passé.*

*Je suis soulagée de lire que vous déplorez tout autant que moi les apparats du Deuil. Je dois porter du crêpe trois mois durant, le noir deux, et ensuite le demi-deuil un mois encore. Et vous ? J'avoue n'être pas sûre des règles qui s'appliquent à votre cas.*

*Ne vous méprenez pas sur moi, chère Mrs. Fox ; j'avais pour Henry un amour que je n'avais pour aucun autre homme, et même maintenant je verse pour lui des larmes chaque jour, mais combien je souffre du Deuil ! Je ne peux pas sonner pour faire faire la moindre chose, comme d'ouvrir une fenêtre ou remettre du bois dans le feu, sans recevoir une apparition lugubre vêtue de noir. Quand je sors en Public, je dois être noire comme de l'encre et bien que le catalogue de la maison Peter Robinson tâche de tirer le meilleur parti des choses en expliquant que la dentelle d'Espagne est très élégante et que les gants noirs font la main merveilleusement petite, je demeure inconsolée. J'ai la chance d'avoir de petites mains de toute façon !*

*Noir, Noir, tout est Noir. Il faut écrire toutes les lettres sur cet horrible papier de deuil bordé de noir. J'ai l'impression d'écrire constamment dessus, car nous recevons un flot intarissable de lettres de condoléances, et William veut que je réponde pour lui à toutes, me disant que je dois comprendre qu'il n'est pas en état de le faire. Cependant je ne suis pas tout à fait sûre de le comprendre : peut-être veut-il seulement dire qu'il est trop occupé. Certainement, le sort cruel d'Henry ne le hante pas autant qu'il me hante moi. Je frissonne et parfois je pousse un cri quand j'y pense. Quelle fin terrible… S'endormir devant un feu et en être consumé. Bien souvent je me suis moi-même endormie avec le feu dans la cheminée mais j'avais Clara pour l'éteindre à ma place.*

*Peut-être aurais-je dû faire cadeau à Henry d'une petite domestique. Mais comment aurais-je pu savoir?*

*Noir, tout est Noir, et je suis aussi seule que le jour est long. Est-ce un péché que de désirer de la compagnie et de la distraction en un moment si triste? Si nous ne pouvons recevoir la visite que de parents et d'amis proches, quel réconfort cela offre-t-il aux personnes telles que moi, qui n'ont presque pas de l'un et de l'autre? Les charmantes Connaissances que j'ai faites la Saison passée ne peuvent venir me voir, et je ne peux aller leur rendre visite. Elles m'oublieront sûrement maintenant que je suis enveloppée de Ténèbres. Tout va bien pour William – ses trois semaines de deuil ont déjà passé, et il peut faire ce qu'il veut, mais comment vais-je endurer les mois qui viennent?*

*Cordialement,*

*Agnes Rackham*

*P.-S. : La chatte d'Henry est parfaitement satisfaite, et très amoureuse de la crème, comme si elle n'en avait jamais eu auparavant.*

Church Lane, St. Giles, pas très loin de là vers l'est à vol de corbeau. Contente de sentir du chaud, Sugar referme les mains autour du gobelet fumant de cacao, souriant maladroitement à son hôtesse. Environnant la pâle lueur de sa robe jaune lin, la pièce sombre est d'un gris morne et sale, et Caroline, se rasseyant sur le lit, disparaît presque dans l'obscurité. En contraste, ayant pris la place d'honneur sur l'unique siège de la chambre, Sugar se voit vêtue de couleurs criardes, comme un oiseau exotique qui ferait étalage de ses plus beaux atours devant une vulgaire volaille de boucherie. Comme elle regrette de porter cette robe, qui semblait si modeste dans son appartement!

Caroline – pleine de tact comme toujours – a déclaré combien elle aimait les « falbalas » de Sugar, mais comment *peut-*

*elle,* alors qu'elle est condamnée à porter des choses si tristes et démodées ? Et ses pieds nus et sales, qui se balancent dans le vide ? Sont-ils comme ceux d'un animal, indifférents aux éléments ? Sugar porte le gobelet à ses lèvres mais n'y boit pas, préférant sentir sa vapeur sur son visage et chauffer ses paumes à la faïence brûlante.

« Tes mains sont pas si froides, quand même ? »

Gênée, Sugar rit et avale à contrecœur une gorgée du mauvais breuvage.

« À mains froides, cœur chaud », dit-elle, rougissant invisiblement sous une couche de Poudre Juvénile Rackham. Elle sait très bien pourquoi elle a si froid : c'est qu'elle s'est habituée à être généreusement approvisionnée en chaleur du matin au soir. Pour elle aujourd'hui ce n'est rien d'avoir un feu d'enfer dans chaque pièce jusqu'à ce que les fenêtres dégoulinent de vapeur et que la riche odeur d'âtre ait pénétré chaque recoin. Une fois par semaine – deux fois par semaine, dernièrement – un homme vient lui livrer un sac de bois sec, et elle est si loin de la pénurie qu'elle ne se rappelle même pas quelle pièce elle lui donne.

« Comment va ton Mr. Hunt ? s'enquiert Caroline, cherchant une brosse à cheveux.

– Mm ? Oh bien. Aussi bien que possible.

– Le colonel était de merveilleuse humeur, des jours après l'avoir rencontré.

– Oui, Mrs. Leek vient de me dire ça. C'est étrange ; ce jour-là il m'a plutôt donné l'impression qu'il avait détesté.

– C'est ce qu'il te dira, ricane Caddie, ravie de trouver enfin une vilaine brosse en buis plein de cheveux. Il chantait quand il est rentré. »

La vision du colonel Leek chantant est trop grotesque pour que Sugar la conçoive, mais c'est sans importance : elle est contente de pouvoir se servir de lui à nouveau. Peut-être cette fois-ci le soûlera-t-elle *avant* qu'il n'arrive à la campagne, au cas où cela améliorerait son jeu.

Caroline poursuit sa toilette, examinant le visage réfléchi dans le miroir de sa coiffeuse.

« Je vieillis, Shush, remarque-t-elle d'un ton détaché, gai presque, tout en louchant pour trouver sa raie naturelle.

– Ça nous arrive à toutes », dit Sugar. Sur ses lèvres, la phrase sonne on ne peut plus faux.

« Oui, mais je bosse depuis plus longtemps que toi. » Et sur ce, Caroline baisse la tête et fait tomber ses cheveux sur ses genoux. À travers le rideau brun qui se balance sous les coups de brosse, elle parle doucement.

« Tu savais que Katy Lester est morte, non ?

– Non, je ne savais pas », dit Sugar, prenant une gorgée de cacao. Une boule de honte glacée se forme dans son ventre au moment même où le liquide brûlant descend dans sa gorge. Elle essaie de se dire qu'elle a pensé à Kate chaque jour – enfin, presque chaque jour – depuis qu'elle a quitté Mrs. Castaway. Mais les pensées ne remplacent pas ce pour quoi elle fut jadis si connue : passer toute la nuit avec des putains mourantes, main dans la main, aussi longtemps qu'il fallait. En dépit de son intuition, ces derniers mois, que la fin de Kate devait être très proche, elle n'avait pas pu se décider à retourner chez Mrs. Castaway, et maintenant il est trop tard. Resterait-elle toute la nuit avec Caroline, si Caroline était mourante, plutôt que de la passer au lit avec William ? Probablement pas.

« Quand est-ce qu'elle est morte ? demande-t-elle, tandis que la culpabilité croît dans ses entrailles.

– Peux pas dire, répond Caroline, toujours brossant, brossant. Je perds le compte des jours quand il y en a plus que quelques-uns. Il y a longtemps.

– Qui te l'a dit ?

– Mrs. Leek. »

Sugar sent la sueur s'insinuer entre ses manches serrées et son corsage tandis qu'elle s'efforce de penser à une autre question – *n'importe quelle* question, qui prouverait en quelques mots bien choisis la profondeur et la sincérité de ses sentiments pour Kate –, mais il n'y a rien qu'elle soit particulièrement curieuse de savoir. Rien, sinon :

« Qu'est devenu son violoncelle ?

– Son quoi ? » Caroline relève la tête et sépare sa chevelure sale, que ses soins ont rendue luisante.

« L'instrument de musique dont jouait Kate, explique Sugar.

– Je présume qu'ils l'ont brûlé, répond Caroline d'un ton neutre. Ils ont brûlé tout ce qu'elle avait touché, a dit Mrs. Leek, pour purger la maison de la maladie. »

*Toute une vie disparue, comme une flaque de pisse dans une ruelle,* pleure une voix dans la tête de Sugar. *Les anguilles me mangent les yeux, et personne ne saura jamais que j'ai vécu.*

« Des nouvelles de... de l'ancien endroit ? » demande-t-elle.

Caroline est maintenant occupée à relever ses cheveux ; elle y fixe des épingles avec négligence, sans l'aide d'un miroir. Une mèche huileuse s'échappe, inspirant à Sugar le fantasme de saisir son amie par les épaules pour la forcer à recommencer.

« Jennifer Pearce va bien, dit Caddie. Commandante en second, comme dit Mrs. Leek. Et il y a une nouvelle – j'oublie son nom. Mais c'est un autre genre d'établissement maintenant. Pas très courant, si tu vois ce que je veux dire. Plus pour les amateurs de fouet. »

Sugar grimace, surprise d'être à ce point dérangée par la nouvelle. La prostitution reste de la prostitution, quoi que les corps se fassent les uns aux autres, pas vrai ? Pourtant l'idée que les murs familiers de Chez Mrs. Castaway résonnent de cris de douleur plutôt que de gémissements de plaisir a, pour Sugar, l'effet particulier de jeter un halo de nostalgie sur les transactions charnelles qu'elle jugeait jadis répugnantes. D'un coup, le fait qu'un homme paie une femme quelques shillings pour se soulager entre ses cuisses a acquis une innocence mélancolique.

« Je ne pensais pas que Mère oserait rivaliser avec Mrs. Stanford de Circus Road, dit-elle.

– Ah, mais tu ne sais pas ? Mrs. Stanford abandonne la partie. Un vieil amoureux à elle veut la mettre au pré dans son château. Elle aura tous les domestiques qu'elle veut là-bas, elle aura des chevaux, et tout ce qu'elle aura à faire c'est de le fouetter avec une ceinture en soie les jours où sa goutte ne lui fait pas trop mal. »

Sugar sourit, mais le cœur n'y est pas ; elle voit devant elle le pauvre petit Christopher à la porte de son ancienne chambre, ses bras grêles rouges et luisants de l'eau savonneuse contenue dans le seau qu'il a monté, tandis qu'à l'intérieur, une étrangère fouaille le dos saignant d'un gros homme couinant à quatre pattes.

« Quoi… quoi de neuf dans ta vie à toi ? » demande-t-elle.

Caroline scrute le plafond moucheté à la recherche d'inspiration en se balançant d'avant en arrière sur le lit.

« Eueueuh, songe-t-elle, un vague sourire se dessinant sur ses lèvres tandis qu'elle passe en revue les hommes rencontrés récemment. Eh bien… j'ai pas vu mon beau curé depuis très longtemps. J'espère qu'il ne m'a pas abandonnée en pensant que j'étais trop vicieuse pour être sauvée. »

Sugar garde un instant les yeux fixés sur le giron jaune de ses jupes, le temps de décider si oui ou non elle va parler. La connaissance du triste sort d'Henry brûle un trou dans son cœur ; si elle pouvait la transmettre à Caroline, la brûlure cesserait peut-être.

« Je suis désolée, Caddie, finit-elle par dire. Mais tu ne reverras plus ton pasteur.

– Et pourquoi ? demande Caroline en riant. Tu me l'as piqué, c'est ça ? » Mais elle est assez finaude pour humer la vérité qui vient et l'appréhension lui fait serrer les poings.

« Il est mort, Caddie.

– Ah non, putain, bon Dieu ! s'exclame Caroline en se frappant les genoux. Putain de putain de putain de putain. » Venant d'elle c'est le cri de douleur et de regret le plus amer qui soit, une mélopée d'angoisse. Elle se laisse tomber à la renverse sur le lit, haletant, les poings tremblant sur les draps.

Après quelques secondes, cependant, elle soupire, ouvre les mains et les croise sur son ventre. Se remettre des chocs en deux temps trois mouvements est une faculté que des années de malheur lui ont appris à affûter.

« Comment tu sais qu'il est mort ? dit-elle d'une voix étouffée.

– Je… savais qui c'était, c'est tout », dit Sugar. La violence de la réaction de Caroline l'a plutôt déconcertée ; elle s'attendait à de la curiosité, sans plus.

« Alors qui *c'était* ?

– Est-ce que ça a vraiment de l'importance, Caddie ? À part son nom, tu le connaissais bien mieux que moi. Je ne l'ai même jamais rencontré. »

Caroline s'assied, toute rouge et les joues bouffies, mais les yeux secs.

« C'était un homme bien, déclare-t-elle.

– Je suis désolée de t'avoir dit qu'il était mort, poursuit Sugar. Je ne savais pas qu'il comptait tant pour toi. »

Caroline hausse les épaules, gênée d'avoir montré de tendres sentiments pour un client.

« Ah, dit-elle. Il n'y a rien d'autre dans ce monde que des hommes et des femmes, non ? Alors il faut bien y tenir, non, sinon à quoi d'autre tenir ? » Elle se lève et va se mettre à la fenêtre, là où se tenait Henry, regardant les toits de Church Lane. « Oui, c'était un homme bien. Mais je suppose que le pasteur a déjà dit ça à l'enterrement. Ou est-ce qu'on l'a enterré sous une route avec un pieu dans le cœur ? C'est ce qu'on a fait au frère de ma grand-mère, quand il s'est tué.

– Je ne pense pas que c'était un suicide, Caddie. Il s'est endormi dans son salon, avec plein de papiers près de la cheminée, et la maison a pris feu. Ou peut-être qu'il s'est débrouillé pour que ça ait l'air d'un accident, pour épargner des soucis à sa famille.

– Pas aussi bête qu'il en avait l'air, alors. » Caroline se penche à la fenêtre, scrutant le ciel qui s'assombrit. « Mon pauvre bébé pasteur si joli. Il ne voulait de mal à personne. Pourquoi ceux qui veulent du mal ne se tuent pas, et que les autres ne vivent pas éternellement, hein ? Voilà mon idée à moi du Paradis.

– Il faut que j'y aille, dit Sugar.

– Oh non, reste encore un peu, proteste Caddie. Je vais allumer des bougies. » Elle remarque la posture raide de Sugar, les mains toujours serrées sur le gobelet, l'amas de jupes jaunes dans la pénombre. « Même peut-être allumer un feu.

– Je t'en prie, pas pour moi, dit Sugar, jetant un coup d'œil à la maigre pile de bois dans le panier en osier. C'est du gâchis si… si tu sors maintenant. »

Mais Caroline est déjà accroupie devant l'âtre, l'approvisionnant d'une main experte. « Il faut que je pense à mes clients, dit-elle. Je peux pas les faire fuir sous prétexte que la chambre est trop froide, n'est-ce pas ? Ça paierait le colonel, mais pas moi.

– Tant que ce n'est pas pour moi », dit Sugar. Irritée de ne s'être pas défilée plus tôt, elle cache son gobelet de cacao sous la chaise. (Il est froid maintenant: pourquoi se forcerait-elle à boire du cacao froid – du *mauvais* cacao froid? Sincèrement, il a un goût de mort-aux-rats.)

Mais d'autres humiliations l'attendent. L'habileté de Caroline à allumer le feu lui rappelle sa propre méthode qui consiste à sacrifier de grandes quantités, poignée après poignée, d'un excellent petit bois bien sec, jusqu'à ce qu'enfin les bûches s'enflamment. Caroline bâtit un édifice frugal, avec des lamelles tatouées de caisses d'emballage et des éclats de vieux meubles, et d'une seule allumette lui fait prendre feu. Le dos toujours tourné à Sugar, elle poursuit la conversation.

« Alors comment c'est d'être la maîtresse du vieux Rackham? »

Sugar rougit jusqu'à la racine des cheveux. Trahie! Mais par qui? Le colonel, probablement... Sa parole ne vaut rien, le vieux cochon...

« Comment tu sais?

– Je ne suis pas idiote, Shush, répond Caroline d'un ton d'ironie désabusée, tout en continuant à attiser le feu. Tu m'as dit que tu étais entretenue par un riche; et ensuite le pauvre pasteur m'a dit qu'il pouvait me trouver du travail chez Rackham; et aujourd'hui tu me dis que tu connaissais mon pasteur... Et bien sûr je sais qu'un des Rackham est mort dans l'incendie de sa maison il n'y a pas longtemps...

– Mais comment est-ce que tu as appris tout ça? » persiste Sugar. Caroline ne lit pas, et le ciel de Church Lane est si encrassé que tout Notting Hill pourrait brûler sans que personne ici remarque la fumée.

« Il y a des malheurs, soupire Caroline, que je ne peux pas m'empêcher d'apprendre. » Elle pointe un doigt éloquent vers le bas, à travers le plancher, à travers le dédale vermoulu de la maison de Mrs. Leek jusqu'au salon où le colonel trône avec ses journaux.

« Mais pourquoi appelles-tu mon… mon compagnon “le vieux Rackham” ?

– Eh bien, il est vieux, non ? Ma mère mettait du parfum Rackham, je me souviens, dans les grandes occasions. » Elle ferme à demi les yeux à l'évocation de ce souvenir aussi lointain que la Lune. « “Une bouteille dure un an” !

– Non, non, dit Sugar (prenant note de conseiller à William de supprimer cette devise vulgaire de la publicité Rackham), ce n'est pas le père, c'est le fils qui… m'entretient. Le fils survivant c'est-à-dire. Il a pris les rênes de l'affaire seulement cette année.

– Et comment est-ce qu'il te traite ?

– Bien… » Sugar fait un geste pour désigner les jupes abondantes de sa luxueuse toilette. « Comme tu vois…

– Les vêtements ça ne veut rien dire, remarque Caroline avec un haussement d'épaules. Il pourrait te donner des coups de tisonnier ou te faire lécher ses bottes.

– Non, non, s'empresse de dire Sugar. Je – je n'ai pas à me plaindre. » Soudain prise d'une terrible envie de se soulager la vessie, elle a hâte de s'éclipser (elle pissera dehors, pas ici !). Mais Caroline, que Dieu la bénisse, n'en a pas terminé.

« Oh, Shush, quelle chance ! »

Sugar se trémousse sur sa chaise. « J'aimerais que toutes les femmes en aient une pareille.

– Et moi donc ! dit Caroline avec un rire. Mais il faut du charme et du talent pour saisir ce genre de chance. Des traînées comme moi… on n'a pas ce qu'il faut pour plaire à un monsieur – sauf *ici* (elle tapote les draps) le temps d'un petit tour. » Ses yeux louchent légèrement de plaisir, car elle se rend compte qu'elle a trouvé quelque chose de vraiment intelligent à dire. « Un petit tour de magie. Est-ce que c'est pas ça, Shush ? Si je les attrape pendant qu'ils bandent, ils sont sous mon charme. Ma voix, c'est de la musique pour eux, je marche comme un ange sur les nuages, ma poitrine leur rappelle leur chère vieille nourrice, et ils me regardent dans les yeux comme s'ils pouvaient y entrevoir le Paradis. Mais dès qu'ils débandent... » Elle grogne, mimant la fin de la passion d'une main molle. « Alors là, qu'est-ce que ma grossièreté leur déplaît, et ma démarche de souillon, et mes mamelles tombantes ! Et quand ils jettent un second coup d'œil à mon visage, ils voient la petite pute la plus sale qu'ils ont jamais fait l'erreur de toucher sans gants ! » Caroline a un grand sourire de défi, et regarde Sugar, s'attendant à la voir sourire de même ; mais à sa grande surprise, celle-ci se couvre le visage de ses mains et éclate en sanglots.

« Shush ! s'exclame-t-elle, abasourdie, se précipitant aux côtés de Sugar pour poser un bras sur son dos agité de soubresauts. Qu'est-ce qui t'arrive, qu'est-ce que j'ai dit ?

– Je ne suis plus ton amie ! sanglote Sugar d'une voix que ses paumes étouffent. Je suis devenue une étrangère pour toi, et je déteste cet endroit, je le déteste. Oh, Caddie, comment tu peux supporter de me voir ? Tu es pauvre ; je vis dans le luxe. Tu es emprisonnée ; je suis libre. Tu ne me caches rien ; je suis pleine de secrets. Je suis si pleine d'intrigues et de complots que rien ne m'intéresse en dehors des Rackham. Je tourne ma langue dix fois dans ma bouche avant de dire un mot. Rien de ce que je dis ne me vient du cœur... » Ses paumes se transforment en poings pressant ses joues inondées de larmes pour y faire rentrer sa rage. « Même ces larmes sont fausses. Je *choisis* de les verser pour me sentir mieux. Je suis fausse ! Fausse ! Fausse jusqu'à l'os !

– Assez, mon petit, la calme Caroline, attirant la tête et les épaules de Sugar contre sa poitrine. Assez. Nous sommes ce que nous sommes. Ce que tu ne peux plus sentir... eh bien, c'est perdu, c'est envolé, et voilà tout. Pleurer ne ramène pas les virginités. »

Mais Sugar continue de pleurer sans discontinuer. C'est la première fois depuis qu'elle est enfant – une *toute petite* enfant, avant que sa mère ne porte le rouge et le nom de Mrs. Castaway – qu'elle pleure ainsi sur la poitrine d'une femme.

« Oh Caddie, renifle-t-elle. Tu es trop bonne pour moi.

– Mais quand même pas assez bonne, hein, la taquine son aînée, lui donnant un coup de coude dans les côtes. Tu vois ? Je lis dans tes pensées, ma petite, aucune ne m'échappe. Et je dois te dire, sans mentir (elle s'interrompt pour plus d'effet) que j'ai vu pire. »

Dans la chambre qui s'assombrit, tandis que la chaleur du feu commence à se répandre, toutes deux continuent de s'étreindre, jusqu'à ce que Sugar se reprenne, et que Caroline attrape un tour de reins d'être restée si longtemps penchée.

« Ouille ! s'exclame Caroline d'une plainte enjouée tout en se dégageant. Tu m'as cassé le dos. Pire qu'un homme qui veut me prendre cul et jambes en l'air.

– Il-il faut vraiment que j'y aille, dit Sugar, dont la douleur à la vessie se fait de nouveau sentir, plus pressante d'avoir été oubliée. Il se fait tard.

– Eh oui, eh oui. Où sont passées mes chaussures ? » Caroline tire ses bottines de sous le lit, offrant à Sugar un aperçu tentant du pot de chambre. Elle époussette ses pieds d'une claque et enfile ses bottines. « Mais encore une question, dit-elle en se mettant à les boutonner. Je pense toujours à te la poser une fois que tu es partie. Le jour où je t'ai vue dans cette papeterie de Greek Street – tu te souviens ? Et tu achetais tout ce papier. Des centaines et des centaines de feuilles. Qu'est-ce que c'est que cette histoire ? »

Sugar se tamponne les yeux, attendrie d'avoir tant pleuré. Elle pourrait recommencer, si elle y était un peu plus provoquée. « Je ne t'ai jamais dit ? J'écris… J'écrivais… un livre.

– Un livre, répète Caroline d'un ton incrédule. Bon Dieu! Un *vrai* livre, comme… comme… (elle regarde autour d'elle, mais il n'y a pas de livre en vue, excepté le Nouveau Testament de la taille d'une boîte de tabac en fer-blanc que son pasteur lui a donné, qui bloque maintenant un trou de souris dans la plinthe) comme ceux dans les librairies?

– Oui, soupire Sugar, comme ceux dans les librairies.

– Et qu'est-ce qui s'est passé? Tu l'as terminé?

– Non. » C'est tout ce que Sugar a la force de dire, mais elle voit bien à l'expression de Caroline que ce n'est pas assez. « Mais… improvise-t-elle, je vais en commencer un autre bientôt. Un meilleur, j'espère.

– Je serai dedans?

– Je ne sais pas encore, dit Sugar d'une voix plaintive. J'y réfléchis seulement. Caddie il faut que… j'utilise ton pot.

– Sous le lit, mon chou.

– Sans que tu me regardes. » Sugar rougit de nouveau, de honte, cette fois-ci, d'avoir honte. Au début de leur vie commune, elle et Caroline étaient tels des animaux dans un Éden dégénéré. Si jamais le besoin s'en était fait sentir, elles auraient pu, épaule contre épaule, nues, écarter les cuisses pour les pareils de Bodley et Ashwell. Maintenant, son corps n'est l'affaire de personne, sinon elle – et William.

Caroline lui lance un regard étrange, mais ne relève pas. Elle passe prestement du lit à la chaise et continue de boutonner ses bottines tandis que Sugar s'accroupit hors de vue.

Le silence descend, du moins dans la chambre de Caroline : dans Church Lane, la vie continue de grincer, s'esclaffer et jacasser. Deux hommes se querellent, criant dans ce qui semble une langue étrangère, et une femme part d'un grand rire rauque. Malgré tous les efforts de Sugar, qui lui font trembler les genoux et les poings, rien ne sort.

« Parle-moi, demande-t-elle.

– De quoi ?

– N'importe quoi. »

Caroline songe un instant, tandis qu'au-dehors quelqu'un hurle « Putain ! » et que le rire disparaît dans une cage d'escalier invisible.

« Le colonel veut plus que du whisky cette fois-ci, dit-elle. Il veut du tabac à priser. »

Sugar se met à rire, et sous le baldaquin de ses jupes, Dieu merci, un filet étouffé commence à couler. « Je lui en achèterai.

– Il faut que ce soit du tabac *indien*, il dit. Du tabac noir et poisseux juste comme celui qu'il avait à Delhi au temps de la mutinerie.

– Si c'est une question d'argent, je le trouverai. » Sugar se lève, des larmes de soulagement sur le visage et, après avoir fait disparaître l'arme du crime, passe discrètement de l'autre côté du lit.

« Tu sais, poursuit Caroline, j'aimerais vraiment être dans un livre. S'il est écrit par une amie, bien sûr.

– Pourquoi, Caddie ?

– Eh bien ça se comprend, non ? Une ennemie te ferait passer pour une peau de…

– Non, je voulais dire : pourquoi tu aimerais être dans un livre ?

– Eh bien… » Les yeux de Caroline se voilent. « Tu sais j'ai toujours voulu me faire peindre le portrait. Si ça n'est pas possible… » Elle hausse les épaules, brusquement intimidée. « C'est un peu d'immortalité, non ? » Devant l'expression de Sugar, elle part d'un rire rauque. « Ha ! Tu ne pensais pas que je connaîtrais un mot comme ça, hein ? » Son nouvel éclat de rire se fond en un sourire triste tandis que les dernières traces de l'esprit d'Henry Rackham s'évaporent en spirale par le conduit de cheminée. « C'est un ami qui me l'a appris. »

Pour chasser l'humeur mélancolique, elle fait un clin d'œil à Sugar et déclare : « Eh bien, il faut que j'aille au boulot, sinon les hommes de cette paroisse n'auront que leurs femmes à baiser. »

Sur ce, elles s'embrassent et Sugar descend seule l'escalier lugubre, laissant Caroline choisir les touches finales de sa tenue de soirée.

« Fais attention, lui crie-t-elle. Il y a des marches pourries !

– Je sais », répond Sugar, et certes, jadis elle savait exactement celles auxquelles on pouvait se fier et celles qui avaient supporté le poids de trop nombreux hommes. Aujourd'hui, elle se tient à la rampe et marche sur le côté, prête à se rattraper au cas où le bois céderait.

« Ils s'amassent, affirme d'une voix sifflante le colonel Leek, sortant de l'ombre à ses pieds, les nuages du désastre ! »

Parvenue sur le sol ferme, ou ce qui en tient lieu dans cette maison menaçant ruine, Sugar ne se sent pas l'envie de rester à écouter les divagations du vieillard ou de refaire connaissance avec son odeur inimitable plus tôt que nécessaire.

« Sincèrement, colonel, si c'est ainsi que vous avez l'intention de vous conduire la prochaine fois que vous viendrez à la lavanderaie... », le prévient-elle tout en se faufilant, garant ses jupes de l'huile de la chaise roulante du vieil homme. Loin de s'assagir, celui-ci prend ombrage de son avertissement et, avec un gémissement d'effort, se met à la suivre. Elle hâte le pas, espérant le laisser derrière elle, mais il la poursuit dans le couloir, les coudes frottant les murs étroits, le châssis en fonte de sa chaise cliquetant et grinçant tandis qu'il peine à faire tourner les roues.

« L'automne, aboie-t-il après elle. L'automne amène une brassée de nouvelles calamités ! Miss Delvinia Clough, poignardée au cœur par un assaillant qui court toujours, à la gare de Penzance ! Trois personnes à Derry écrasées par l'effondrement d'un bâtiment neuf! Henry Rackham, frère du parfumeur, brûlé vif dans sa propre maison! Est-ce que tu imagines échapper à ce qui approche?

– Oui, vieux scélérat! siffle Sugar, qui lui en veut d'avoir révélé, intentionnellement ou non, la véritable identité de son mystérieux George Hunt. Oui, je m'attends à y échapper à l'instant même!» Sur quoi elle ouvre brutalement la porte et sort en courant sans jeter un regard en arrière.

«Et cette fois-ci tu n'as pas besoin de t'embêter à amener ce… ce vieillard, dit William au cours de leur entrevue suivante.

– Oh, mais ça ne m'embête pas, dit Sugar. Tout est arrangé. Il sera doux comme un agneau, je te l'assure.»

Ils sont assis sur le canapé du salon de Priory Close, entièrement habillés, aussi dignes que possible. William n'a pas de temps à consacrer à la fornication aujourd'hui. Sur le tapis à ses pieds se trouvent une demi-douzaine d'échantillons de papiers d'emballage aux dessins compliqués, et sa décision doit être prise à temps pour la prochaine levée. Sugar lui a dit que les teintes or et olive lui semblaient le meilleur choix, et il est enclin à partager son avis, bien que le bleu et émeraude ait un air propre et frais, et reviendrait sacrément moins cher au millier d'exemplaires. Quant au papier lui-même, ils sont tombés d'accord que le plus fin épouse très joliment la forme du savon et, après essai, ils ont découvert qu'il ne se déchire que dans des conditions auxquelles nul commerçant raisonnable ne le soumettrait. Voilà au moins ça de décidé; il ne leur reste plus qu'à choisir le motif et à cette fin il détourne les yeux des échantillons pendant une minute, comptant sur son instinct pour le guider quand il y reportera le regard.

«Non, insiste-t-il, le vieux peut rester chez lui.»

Sugar voit dans ses yeux l'éclat de l'acier et, pendant un

instant, craint ce que cet éclat pourrait signifier pour elle. Est-ce le début d'un refroidissement de leurs relations ? Certainement pas – il y a une minute il lui disait, avec un sourire contraint, qu'elle était devenue son « homme de confiance ». Seul le colonel est donc en disgrâce ; quels autres hommes de sa connaissance l'accompagneraient à Mitcham, pour lui prêter un air de respectabilité aux yeux des ouvriers ?

En un instant, elle passe en revue tous les mâles qu'elle a connus dans sa vie : un trou noir là où devrait figurer son père ; deux logeurs géants au visage courroucé qui ont fait pleurer sa mère (aux tout débuts, avant que sa mère ne chasse les larmes de son répertoire) ; le « bon monsieur » qui est venu lui tenir chaud la nuit où elle a été déflorée ; et tous les hommes ensuite, une procession indistincte de chair à moitié nue, tel un monstre de carnaval qui serait composé non de deux corps conjoints, mais de centaines. Elle se rappelle un client unijambiste, pour la façon dont son moignon cognait contre son genou ; elle se rappelle la lèvre mince de l'homme qui a failli l'étrangler, avant qu'Amy ne vienne à son secours ; elle se rappelle un idiot au crâne plat qui avait des seins plus gros que les siens ; elle se rappelle des épaules pleines de poils et des yeux opacifiés par la cataracte ; elle se rappelle des bites grandes comme des haricots verts et des bites de la taille d'un concombre, des bites au nœud violacé, des bites coudées au milieu, des bites distinguées par des marques de naissance et des zébrures et des tatouages et des cicatrices laissées par des tentatives d'autocastration. Dans *La Chute et l'Ascension de Sugar* il y a des bouts de bien des hommes qu'elle a connus, tous massacrés par le couteau de la vengeance. Juste ciel, n'a-t-elle pas connu un homme qu'elle ne méprise pas ?

« Je – je dois admettre, dit-elle tout en rejetant la vision d'elle et du petit Christopher bras dessus bras dessous, que j'ai du mal à trouver un compagnon convenable.

– Pas besoin d'en amener, ma chère, marmonne Rackham, dirigeant de nouveau son attention sur les échantillons à ses pieds.

– Oh, mais William, proteste-t-elle, n'en croyant pas ses oreilles. Cela ne pourrait-il pas causer un scandale ? »

Il répond par un grognement irrité, l'esprit de nouveau occupé par l'or et olive contre le bleu et émeraude.

« Je refuse d'être pris en otage par des esprits mesquins, bon Dieu. Que les ouvriers agricoles murmurent si bon leur semble ! Ils se retrouveront sur la paille s'ils osent faire plus que murmurer… Dieu tout-puissant, je suis le patron d'une grande entreprise et je viens d'enterrer mon frère : il y a des problèmes plus importants pour m'empêcher de dormir que les commérages d'inférieurs. » Et, se penchant d'un air décidé, il saisit l'olive et or. « Tant pis pour le prix, déclare-t-il. Celui-là me plaît et ce qui me plaît plaira aussi à mes clientes. »

Étourdie de bonheur, Sugar l'enlace, et il dépose sur son front un baiser indulgent.

« La lettre, il faut qu'on écrive la lettre », lui rappelle-t-il, avant qu'elle ne se fasse trop entreprenante.

Elle va lui chercher du papier et une plume et il expédie sa lettre à l'imprimeur. Puis, comme il a dix minutes avant la dernière levée de la poste, il lui permet de l'aider à passer son manteau.

« Tu es un trésor, dit-il, d'une diction claire malgré l'enveloppe serrée entre ses dents. Indispensable, voilà le seul terme qui te convienne. »

Et, hâtivement boutonné et épousseté, il disparaît.

À peine la porte est-elle refermée derrière lui, Sugar s'ébroue, libérée des entraves imposées par la nécessité de conserver une attitude réservée. Avec des cris aigus de triomphe, elle danse de pièce en pièce, pirouettant jusqu'à ce que ses jupes s'enroulent autour d'elle et que ses cheveux s'envolent. Oui! Enfin: elle peut marcher à ses côtés, et tant pis pour le qu'en-dira-t-on! C'est ce qu'il a dit, non? Leur liaison ne peut être prise en otage par les esprits mesquins – il ne le permettra pas! Heureux, heureux jour!

Son allégresse n'est ternie que par l'idée qu'elle doit se rendre de nouveau à Church Lane, pour informer les Leek qu'elle a changé ses plans. Mais le faut-il vraiment? Inspirée, elle prend une feuille de papier, s'assied à son écritoire et, tremblant de nervosité, plonge sa plume dans l'encrier.

*Chère Mrs. Leek,*

*Mon voyage de vendredi a été annulé, je ne viendrai donc pas chercher le colonel.*

(Pendant un long moment elle ne trouve plus rien à écrire. Puis:)

*Inutile de me rendre l'argent que je vous ai donné.*

*Cordialement,*

*Sugar*

Durant les dix ou quinze minutes qui suivent, bien au-delà de l'heure de la dernière levée, Sugar songe au post-scriptum, du genre: *Embrassez Caroline pour moi*, mais en moins chaleureux. Les convenances lui offrent un certain nombre d'alternatives que Sugar passe toutes en revue, mais, tout compte fait, la possibilité que Mrs. Leek daigne communiquer une marque d'affection à qui que ce soit, surtout une de ses locataires, semble mince. Donc, tandis que le soleil se couche et que les bourrasques de vent assiègent Priory Close, Sugar décide de garder son affection jusqu'à ce qu'elle revoie Caroline, et cachette la lettre dans son enveloppe, qui sera postée quand le temps sera plus clément.

« À mon commandement ! crie William aux porteurs de torches impatients. Très bien : allumez le bûcher ! »

Tout autour de l'imposant amoncellement, des bâtons à l'extrémité enduite de suif enflammé s'enfoncent dans l'entrelacs de branches noueuses et de feuilles grises, et une demi-minute plus tard l'odeur de la lavande se mêle à celle du bois brûlé. Les hommes sont tout sourires, chassant à grands gestes la fumée qui leur vient dans les yeux. Déclencher cette destruction : le privilège d'exercer ce pouvoir flatte leur pauvre orgueil et, le temps d'un après-midi, prête un éclat à leur existence misérable qui consiste à travailler dans ces champs pour neuf pence par jour plus la limonade.

« Celui-là il va falloir y remettre un sacré coup de torches, ma foi », déclare un homme qui brandit son bâton enflammé comme une épée, et de fait il semble bien que le feu, sans aide supplémentaire, pourrait bien mourir plutôt que d'engouffrer la montagne de plantes déracinées. Un brouillard de fumée s'élève dans le ciel, obscurcissant davantage les nuages bas.

« La preuve de la qualité de nos produits, annonce William à Sugar. Les buissons sont lents à prendre parce qu'ils ne sont pas encore épuisés : il leur reste de la vie. Mais Rackham n'essaie pas de soutirer une sixième moisson à des plantes qui ne sont plus robustes. »

Sugar le regarde, ne sachant comment réagir. Il lui parle comme si elle pouvait être la fille ou la petite-fille d'un vieil investisseur, poussant un invisible colonel Leek. Il y a une distance entre eux, pas l'intimité bras dessus bras dessous qu'elle avait imaginée.

« Un jour, déclare William d'une voix forte qui couvre le brouhaha des bavardages et le craquement du bois, j'ai vu brûler des plantes qui avaient six saisons d'âge : le feu est parti, *whoosh !* comme un tas de bois d'allumage. L'huile distillée de cette sixième récolte était certainement de troisième ordre, c'est indubitable. »

Sugar acquiesce, garde le silence, contemple les flammes qui montent. Glacée par le vent froid qui lui souffle dans le dos, le visage brûlant, elle se demande si finalement elle est faite pour la vie à la campagne, ainsi qu'elle le croyait naguère. Tout autour du périmètre du feu, les hommes plongent de nouveau leurs torches dans le brasier, discutant des progrès des flammes. Leur accent est opaque à ses oreilles ; elle se demande si elle est devenue trop raffinée pour les comprendre, ou s'il est aussi marqué que cela.

Ce sont des étrangers pour elle, ces ouvriers ; tous vêtus de grossières chaussures, de pantalons bruns et de chemises sans col, ils lui font l'effet d'être de race commune, horde de bipèdes robustes que n'atteignent ni le froid du vent ni la chaleur des flammes.

Sugar se félicite que, trop occupés par leur bûcher, ils fassent peu de cas de sa présence, ce qui convient particulièrement à son humeur discrète. Aujourd'hui elle porte des vêtements sombres et sobres qui n'ont rien à voir avec le plumage lavande qui avait attiré tous les yeux sur elle lors de sa première visite. Si elle ne peut pas être au bras de William, elle préfère rester dans l'anonymat.

Des flots de fumée, fourmillant d'étincelles et de cendres, véritables têtards livides, s'élèvent en tourbillons dans le ciel qui s'assombrit ; les hommes poussent des acclamations et rient devant le fruit incandescent de leurs efforts. Mais, les vapeurs de lavande devenant de plus en plus chargées, Sugar craint d'en être suffoquée – une crainte très raisonnable, vu qu'elle manque de sommeil, de nourriture et qu'elle souffre d'un refroidissement qu'elle met sur le compte de sa visite dans la chambre glacée de Caroline. Vaut-il mieux respirer profondément, pour inhaler autant d'air frais que possible en même temps que les exhalaisons, ou vaut-il mieux retenir son souffle ? Elle essaie les deux, et décide de s'imposer, comme elle le peut, un rythme respiratoire normal. Si seulement elle avait mangé quelque chose avant de venir ! Mais elle était trop impatiente.

« Je ne vais probablement pas, lui dit soudain William, tout près de son visage rouge de chaleur, pouvoir venir te voir pendant un certain temps. » Sa voix n'est plus celle du maître de cérémonies, mais celle de l'homme qui est étendu contre son corps nu après l'amour.

L'esprit embrumé de Sugar s'efforce d'interpréter ses mots. « Je suppose, dit-elle, que c'est une période très chargée. »

William fait signe aux hommes de reculer du bûcher qui n'a plus besoin de leur encouragement. Les exhalaisons, à l'évidence, n'ont aucunement sur lui l'effet qu'elles ont sur elle.

« Oui, mais ça n'est pas ça, dit-il, parlant du coin de la bouche, tout en surveillant la retraite des hommes. Il y a des affaires à la maison… Rien n'est jamais résolu de manière satisfaisante… C'est un véritable nid de frelons… Dieu, quelle maisonnée… ! »

Sugar s'efforce de se concentrer, la tête lourde de parfums.

« La nurse de Sophie ? devine-t-elle, tâchant de prendre un ton de sympathie, mais ne réussissant, sent-elle, qu'à sembler irritable.

– Tu as deviné juste – comme toujours, dit-il, osant se tenir plus près d'elle maintenant. Oui, Beatrice Cleave m'a rendu son tablier. Elle est convaincue que Sophie a besoin d'une gouvernante, elle ronge son frein pour aller chez Mrs. Barrett, et je suis sûr qu'elle n'est pas non plus très contente de se trouver dans une maison en deuil.

– Et est-ce qu'une gouvernante est si difficile à trouver ? demande Sugar, dont le cœur se met à battre.

– Quasiment impossible, dit-il. J'ai un travail effroyable qui m'attend. Les mauvaises gouvernantes sont légion, et il n'y a pas moyen de les départager. Si tu proposes de faibles appointements, seules les plus mauvaises se présentent ; si tu proposes une somme rondelette, toute la gent féminine est attirée par l'appât du gain. Ma petite annonce est passée mardi soir dans le *Times* et j'ai déjà reçu quarante lettres.

– Mais est-ce qu'Agnes ne peut pas s'occuper de choisir une gouvernante ? hasarde Sugar.

– Non.

– Non ?

– Non. »

Sugar est prise d'étourdissements, son cœur bat si fort qu'elle sent frémir sa cage thoracique, et elle s'entend dire d'une voix faible :

« William ?

– Oui ?

– Est-ce que tu regrettes *vraiment* que nous ne vivions pas ensemble ?

– De tout mon cœur, répond-il immédiatement, d'un ton moins sentimental qu'ennuyé, comme si les obstacles à la perfection de leur union étaient dus à des restrictions commerciales ou des lois dénuées de sens. Si j'avais une baguette magique... !

– William ? » Sa respiration se fait sifflante, elle a l'impression que sa langue est lourde de lavande, le sol sur lequel elle se tient se met lentement à tourner, comme une épave géante sur un océan trop vaste et trop sombre pour qu'on le discerne. « Je-je crois que j'ai ta solution, et... et *notre* solution. Laisse-moi être la gouvernante de ta fille. J'ai toutes les connaissances nécessaires, je crois, à part la musique, que-que je pourrais apprendre dans les livres, j'en suis sûre. Pour apprendre à lire et à écrire, le calcul et les bonnes manières, Sophie pourrait tomber plus mal, tu ne crois pas ? »

Le visage de William est déformé par la lumière du feu, ses yeux rougis par la conflagration; sa bouche s'ouvre – découvrant des dents jaunies par le reflet des flammes – d'étonnement, ou d'indignation. Désespérément, Sugar poursuit :

« Je-je pourrais habiter là où habite la nurse de Sophie… Ça n'est pas grave si c'est simple; je serais heureuse rien que d'être près de toi… »

Sa voix la lâche sur le dernier mot, faible bêlement, et elle reste là, chancelante, haletante d'espoir. Lentement – oh si lentement ! –, il se tourne pour lui répondre. Grand Dieu, ses lèvres sont retroussées de dégoût… !

« Tu ne peux pas…, commence-t-il, mais il est interrompu par une grosse voix rustique :

– M'sieur Rackham ! J'peux vous causer ? »

William pivote vers l'importun, et Sugar ne peut plus se tenir debout. Une onde de chaleur parcourt son corps tout entier et, tandis que l'obscurité envahit l'intérieur de son crâne, elle s'effondre. Elle ne sent même pas l'impact mais seulement – chose étrange – les brins d'herbe froide qui lui piquent la peau du visage.

Puis, après un temps indéfini, elle sent vaguement qu'on la soulève et l'emporte, mais qui, et où, elle ne saurait le dire.

QUATRIÈME PARTIE

# LE SEIN DE LA FAMILLE

# 22

Tout au long de la nuit, des milliers de litres d'eau, distillés indifféremment des effluves des rues londoniennes ou des douces exhalaisons de lointains lacs, sont déversés sur la maison de Chepstow Villas. Une seule fenêtre luit dans l'obscurité tel le fanal d'un bateau, et chaque fois que le torrent s'intensifie, cette lumière solitaire vacille, comme si la maison flottait, arrachée à ses fondations. Mais à l'aube la résidence Rackham n'a pas bougé, les nuages noirs sont épuisés, et un nouveau ciel pâle est autorisé à faire son apparition. La tempête, pour l'instant, est passée.

La maison et son terrain trempent cependant dans le résidu scintillant du déluge. L'allée s'écoule, son fin gravier noir dérivant, grain par grain, en direction du portail. Autour de la maison, une eau claire se déverse des gouttières le long des murs, lavant des fenêtres déjà immaculées. Dans le jardin chaque feuille brille dans la lumière de l'aube, et chaque branche est courbée en direction du sol ; une pelle qui était fermement plantée dans la terre penche et tombe sur le côté.

Dans la cuisine souterraine, une Janey aux yeux chassieux éponge à la serpillière les flaques laissées par l'eau qui, durant la nuit, a pénétré par les conduits de cheminée crasseux, la fenêtre de l'arrière-cuisine et l'escalier. Elle recharge les chaudières de charbon, afin que le sol sèche et que ses doigts dégèlent avant qu'elle ait à les utiliser pour une tâche compliquée. Bien qu'elle ne puisse encore apercevoir la lumière du jour, elle entend de temps à autre les oiseaux qui commencent à chanter.

Si Sugar se tenait dans la ruelle qui donne dans Pembridge Crescent, à cet endroit ombragé où elle a fait signe à Mrs. Rackham plusieurs mois auparavant, elle verrait Agnes déjà à la fenêtre de sa chambre, contemplant le monde à travers le verre étincelant. Car Agnes a passé la plus grande partie de la journée d'hier à dormir, et elle est demeurée éveillée tout au long de la nuit, attendant que le soleil suive son exemple. Au pôle Nord (si elle doit se fier à ce que lui disent les livres) il fait jour tout le temps, jamais nuit, ce qui doit certainement être agréable. Mais ce qu'elle n'arrive pas vraiment à comprendre, c'est si cela signifie que le Temps lui-même s'arrête là-bas. Et sinon, échappe-t-on au moins à l'accumulation des années ? Elle se demande ce qui serait préférable : ne jamais changer parce que *rien* ne change jamais, ou devenir vieille tout en ayant vingt-trois ans à jamais. Une énigme bien propre à exercer l'esprit.

Craignant de se donner la migraine dès le début de la journée, Agnes met le pôle Nord de côté pour descendre l'escalier de sa maison sombre et silencieuse et traverser les couloirs jusqu'à la chaleur et la lumière de la cuisine déjà en pleine activité. Les domestiques ne sont pas surprises de la voir, car dernièrement elle vient tous les matins ; confirmant qu'elle n'est pas venue se plaindre, elles poursuivent leur travail. À travers le brouillard d'une vapeur délicieuse, la nouvelle fille de cuisine, comment s'appelle-t-elle, sort un pain viennois du four ; la cuisinière est en train de pêcher des langues d'agneau dans leur bol de marinade, ne choisissant que celles dont la taille et la forme sont susceptibles de retenir l'approbation du maître.

Agnes va droit à l'arrière-cuisine, où Janey est occupée à récurer l'évier en bois, ayant déjà fait celui en pierre. Elle se tient sur la pointe des pieds, ses mouvements imprimant à son derrière une oscillation circulaire. Tout absorbée par l'application qu'elle met à étouffer ses grognements et ses soufflements, elle ne remarque pas l'entrée de Mrs. Rackham.

« Où est Minette ? »

Janey sursaute comme si on lui avait enfoncé un doigt dans les côtes, mais se reprend aussitôt.

« Il était derrière la chaudière, madame », dit-elle, pointant une main rouge et gonflée. Pourquoi, vous demandez-vous, dit-elle « il » en parlant du chat d'Henry ? Parce que le chat d'Henry, en dépit de la réputation qui l'a précédé, est mâle. Le matin de son arrivée dans la cuisine Rackham, la cuisinière lui a soulevé la queue pour vérifier son sexe – une chose que le pauvre Henry n'avait évidemment jamais faite.

Agnes s'agenouille sur le sol en pierre immaculé devant la plus grande des chaudières.

« Je ne le vois pas », dit-elle, scrutant l'obscurité.

Janey a une réponse toute prête : elle va chercher une assiette sur laquelle la fille de cuisine a parcimonieusement disposé quelques cœurs, cous et rognons de lapin et de poulet qu'elle pose devant la chaudière. Minet émerge aussitôt, clignant des yeux ensommeillés.

« Minet chéri », lui dit Agnes en caressant son dos aussi doux qu'un manchon et aussi chaud qu'un pain sortant du four.

« Ne mange pas ça, lui conseille-t-elle tandis qu'il renifle les abats sombres et suintants. C'est sale. Janey, apportez de la crème. »

La fille obéit, et Agnes continue à caresser le dos du chat, lui faisant ployer les pattes jusqu'à ce que son ventre touche terre, à quelques centimètres du plat, en un rythme lent qui allèche l'animal tout en le retenant.

« Ta nouvelle maîtresse arrive aujourd'hui, poursuit-elle. Mais oui. Tu es un briseur de cœurs, hein ? Mais je te laisserai partir, absolument. Je serai courageuse, et je me contenterai des souvenirs que j'ai de toi. Petit charmeur, va. » Et de nouveau sa caresse l'éloigne de son festin.

« Ah ! chante-t-elle, ravie, comme Janey revient avec un bol en porcelaine. Voilà ta bonne crème bien propre. Montre-moi ce que tu fais de *ça.* »

C'est sa dernière matinée à Priory Close et Sugar est assise, frissonnante, à son bureau, regardant son petit jardin à travers les portes-fenêtres mouchetées de pluie. L'imminence de son départ le lui rend, soudain, précieux au-delà de toute expression, même si elle n'a rien fait pour s'en occuper tant qu'elle a habité là : la terre a été chassée de ses parterres soignés par des semaines de pluie, les azalées pendent brunes et pourries sur leurs tiges, et un tas gluant de feuilles mortes s'est amoncelé contre la vitre. Ah, mais c'est *mon* jardin, pense-t-elle, sachant qu'elle est ridicule.

De fait il n'y a quasiment pas un centimètre carré dans cet appartement qui ne lui inspire quelque nostalgie, quelque sentiment poignant de perte, malgré toutes les insatisfactions et l'anxiété qu'elle a endurées ici. Toutes ces heures solitaires à faire les cent pas, et maintenant elle est désolée de partir. Folie.

Sugar ne cesse de frissonner. Il y a trop longtemps qu'elle a éteint les feux, afin de ne pas retarder William quand il arrivera, et son appartement s'est refroidi. Il n'en paraît que plus froid d'avoir été dépouillé de tous ses ornements et décorations, et la lumière blême de l'automne, se mêlant péniblement aux lampes à gaz, rend les murs encore plus nus qu'ils ne sont. Les mains de Sugar sont blanches de froid, ses poignets exsangues au bout des manches d'un noir d'encre ; elle souffle sur ses jointures, et son haleine est tiède et humide. Drapée de noir elle est assise, son bonnet de deuil déjà noué, ses gants prêts dans son giron. Tout ce qu'elle désire emmener avec elle est déjà, à la demande de William, rassemblé dans le salon afin d'être emporté plus facilement ; quant au reste il s'en débarrassera sans doute d'une manière ou d'une autre. Ce qui était même légèrement sali – draps, serviettes, vêtements, quelque coûteux qu'ils fussent –, elle l'a déjà jeté dans la rue à l'intention de pilleurs de poubelles méritants (la pluie aura tout trempé, mais avec un peu de patience, quelque pauvre malheureux pourra sûrement les sauver).

Au cours de la conversation qu'elle et William ont eue à propos du déménagement, on n'a pas parlé du lit, même si Sugar imagine que son nouveau logement sera très petit. Y aura-t-il assez de place, se demande-t-elle, pour qu'ils fassent ce qu'ils font d'habitude ? À la pensée de ses pieds nus dépassant de la fenêtre d'une minuscule mansarde au toit pointu, dans le style *Alice au pays des merveilles*, elle pouffe d'un rire hystérique qu'elle étouffe aussitôt.

Dans quoi diable s'est-elle engagée ? Dans quelques heures, elle sera seule responsable de Sophie Rackham – *Que va-t-elle faire d'elle ?* Elle est une usurpatrice, une simulatrice si transparente que... que même une enfant pourrait voir au travers d'elle ! Axiomes, maximes et règles d'or sont ce qu'on attend d'un professeur, mais quand Sugar se creuse la cervelle, que trouve-t-elle ?

Un jour, il y a peut-être cinq ans de cela, sa mère avait été appelée à son chevet peu après le départ d'un client monté comme un cheval. Après avoir inspecté les dégâts, Mrs. Castaway avait décidé que la chair déchirée de sa fille guérirait sans points de suture et, alors même qu'elle refermait la boîte à pharmacie, lui avait donné cet excellent conseil pour éviter « toute effusion de sang en bas » :

« Rappelle-toi : tout fait plus mal si tu résistes. »

« On dit, déclare Mrs. Agnes Rackham à Mrs. Emmeline Fox, que votre guérison est proprement miraculeuse. »

Mrs. Fox murmure des remerciements tandis qu'elle accepte une tasse de cacao et une tranche de cake proposées par Rose. « Les miracles sont rares, rappelle-t-elle avec douceur mais fermeté à son hôtesse, et Dieu a tendance à les garder pour les cas désespérés. Je préfère penser que j'ai simplement été bien soignée. »

Mais Agnes ne veut rien entendre de la sorte. Ici face à elle est assise une femme qui claudiquait péniblement la dernière fois qu'elle l'a vue à l'église tel un grotesque *memento mori*, soulevant des murmures illicites de dégoût et de pitié. Aujourd'hui, Mrs. Fox semble en pleine forme, particulièrement son visage ; le crâne qui tenait si macabrement à s'exhiber est douillettement vêtu de chair, les orbites ne sont plus creuses. Elle est presque jolie ! Et n'oublions pas, elle est arrivée sans l'aide de sa canne, avançant, forte de cette certitude (aussi indubitable que mystérieuse) que l'on dispose d'assez de souffle et d'énergie pour toute une journée.

« Vous êtes allée au Couvent de la Santé, n'est-ce pas ? murmure Agnes.

– Non, à Saint Bartholomew Hospital, répond Mrs. Fox. Vous m'y avez écrit, vous n'avez pas oublié, j'en suis sûre... ? » Mais Emmeline n'en est pas sûre du tout, car pour être franche elle trouve que Mrs. Rackham n'a pas tous ses esprits aujourd'hui. Par exemple, il y a des valises dans l'entrée, et une montagne de cartons à chapeau et de parapluies roulés et ainsi de suite, indiquant clairement qu'un membre de la maisonnée est sur le point de partir, mais lorsqu'elle lui en a touché un mot, Mrs. Rackham n'a pas semblé entendre.

« Peut-être ne suis-je pas venue au bon moment ? » Emmeline lance de nouveau sa ligne. « Ces valises dans l'entrée...

– Pas du tout, dit Agnes. Nous avons des heures devant nous.

– Des heures avant quoi ? »

Mais Mrs. Rackham réagit de la même façon à l'approche directe qu'à l'approche détournée.

« Des heures avant que nous risquions d'être interrompues, assure-t-elle à son invitée, par quelque chose qui ne nous concerne pas. »

Rose tend le plateau en argent et Mrs. Rackham prend une part de cake à l'extrême gauche où il est entendu que les spécimens les plus fins sont toujours disposés. La tranche entre les doigts, survivante de nombreux découpages au couteau chauffé dans la cuisine, est si mince que la lumière passe au travers du fruit.

« Allons, Mrs. Fox, minaude-t-elle, grignotant sa portion translucide. Est-ce que vous prétendez que vous avez été arrachée aux mâchoires de… Vous-Savez-Quoi, par rien de plus extraordinaire que d'excellents soins ? »

Emmeline commence à se demander si, au cours des longs mois de son indisposition, les règles de la conversation ont radicalement changé : quel drôle de petit tête-à-tête ! Mais elle fera de son mieux.

« Je n'ai jamais déclaré que j'avais la phtisie. D'autres personnes ont dit que je l'avais, et je ne les ai pas contredites. Il y a des choses plus importantes sur quoi batailler, vous ne trouvez pas ?

– Henry nous avait dit qu'il vous avait vue sur votre lit de mort », dit Mrs. Rackham sans se laisser démonter.

Mrs. Fox cligne des yeux, incrédule, et pendant un instant, paraît sur le point de perdre son sang-froid. Puis elle repose la tête contre le dos de son fauteuil et laisse ses grands yeux gris s'embuer.

« Henry m'a vue à mon pire, c'est vrai, soupire-t-elle. Peut-être aurait-il été préférable pour lui que je disparaisse pendant un certain temps, pour revenir quand tout serait fini. » Par-dessus la rampe de la tragédie Emmeline contemple cette vallée brumeuse du passé récent où Henry était encore présent. Elle ne remarque pas qu'Agnes hoche la tête comme une enfant, galvanisée par ce qu'elle croit être un aveu : son invitée possède des pouvoirs surnaturels. « Je lui ai bien dit, pourtant, que je guérirais. Je me rappelle lui avoir parlé de ce que j'appelle le calendrier de mes jours, que Dieu a mis en moi. Je ne sais pas exactement combien de pages il contient, mais je sais qu'il en reste beaucoup plus que ne pensaient les gens. »

Maintenant Agnes se trémousse presque, tellement elle est excitée. Oh, avoir un tel calendrier magique en elle, et pouvoir vérifier (contrairement à l'estimation de cet horrible article de journal qu'elle ne peut tout simplement effacer de son esprit) qu'elle a plus de 21 917 jours sur terre ! Ose-t-elle demander le secret, ici et maintenant, dans son salon par un matin froid du début de novembre ? Non, elle doit être prudente, elle le voit bien : Mrs. Fox a cet air mystérieux qu'on observe sur les portraits des mystiques et de ceux qui ont survécu à la mort tout au long des siècles. D'ailleurs, dans un livre caché sous son ouvrage de broderie, *Les Preuves illustrées du spiritisme*, il y a une gravure, d'après photographie, d'un monsieur peau-rouge américain arborant un « collier » de serpents venimeux, et son visage ressemble étonnamment à celui de Mrs. Fox !

« Mais dites-moi, poursuit Agnes, qu'avez-vous apporté dans votre sac ? »

Avec effort, Mrs. Fox s'arrache à sa rêverie et soulève le lourd sac en papier qui était posé contre le pied de son fauteuil.

« Des livres », déclare-t-elle, tirant un volume en parfait état qu'elle tend à Mrs. Rackham. Un par un elle les sort : de minces traités portant des titres tels que *La Piété chrétienne dans les rapports quotidiens, La Folie des paléontologistes* et *Le Carlylisme et la Doctrine chrétienne : amis ou ennemis ?*

« Mon Dieu, dit Agnes, tâchant d'avoir l'air reconnaissant malgré sa déception, car ces livres ne semblent promettre rien de ce qu'elle désire savoir. C'est terriblement généreux de votre part…

– Si vous regardez les pages de garde, explique Mrs. Fox, vous verrez que la générosité n'a rien à voir là-dedans. Ces livres appartiennent à votre mari – ou du moins, ils lui sont *dédicacés* par Henry. Je n'arrive pas à comprendre comment ils se sont retrouvés dans les affaires d'Henry, mais j'ai pensé que je devais vous les rendre. »

Un moment de gêne s'ensuit, et Agnes décide qu'elle en a appris autant qu'il était possible durant cette visite.

« Eh bien, dit-elle d'un ton enjoué, voulez-vous que nous allions à la cuisine voir ce qui vous y attend ? »

Plus de deux heures après que Sugar eut commencé à considérer la possibilité que William se soit ravisé, et une heure après qu'elle eut versé de copieuses larmes d'appréhension et d'apitoiement sur elle-même, convaincue qu'elle ne le reverrait plus jamais, la voiture Rackham s'arrête devant la maison, et William frappe à la porte.

« Retard inévitable », déclare-t-il, laconique.

Puis il ne dit plus un mot, préférant surveiller son cocher qui charge les bagages sur le toit du coupé. Sugar, ne sachant si elle doit attendre ou sortir, traîne dans l'entrée, aussi raide que le portemanteau, tandis que Cheesman entre et sort, un sourire narquois aux lèvres. Du coin de l'œil, tandis qu'elle met ses gants noirs, elle le voit charger l'une de ses valises sur ses larges épaules, et imagine qu'elle l'entend renifler à la recherche d'odeurs révélatrices. S'il en est ainsi, il renifle en vain, car l'air de l'appartement est étrangement stérile.

Le chargement terminé, William lui fait signe de sortir, et elle le suit dans la rue.

« Attention à vos pieds, miss », lui conseille Cheesman avec entrain, alors que, quelques instants plus tard, elle monte dans la voiture, aidée par une furtive poussée de ses mains sur son postérieur. Elle se tourne pour lui décocher un regard meurtrier, mais il a disparu.

« Je suis tellement heureuse de te voir », murmure Sugar à son sauveur en disposant l'excès froufroutant de ses jupes noires sur le siège face à lui.

Pour toute réponse William pose un index sur ses lèvres et lève ses sourcils broussailleux en direction de l'endroit au-dessus de leurs têtes où Cheesman s'empare des rênes.

« Garde ça pour plus tard », lui conseille-t-il à voix basse.

La large porte de la maison Rackham s'entrebâille, puis s'ouvre plus grand lorsque la domestique voit son maître et la nouvelle gouvernante. Les gonds grincent, car cette porte, ouvrage massif de marqueterie gravé d'un « R » élaboré, n'a été installée que la semaine dernière.

« Letty, annonce William Rackham d'un ton grave, voici Miss Sugar. »

La servante fait la révérence – « Enchantée, miss » – mais ne reçoit pas de réponse.

« Bienvenue dans la maison Rackham, proclame son propriétaire. J'espère, non, je suis *sûr*, que vous serez heureuse ici. »

Il suffit à Sugar de franchir le seuil pour être immédiatement entourée des signes extérieurs de la richesse. Au-dessus de sa tête pend un lustre colossal, rehaussé par le soleil qui entre par les fenêtres. Des vases de fleurs, si énormes et si généreusement agrémentés de feuillage qu'on dirait des buissons, sont posés sur des tables cirées de chaque côté du grand escalier. Aux murs, chaque fois que quelques centimètres carrés ne sont pas autrement occupés, se trouvent des tableaux richement encadrés représentant des scènes pastorales. Près de la voûte du couloir menant à la salle à manger et au grand salon, une vieille pendule balance bruyamment son battant doré avec un tic-tac clairement audible – tout comme les pas hésitants de Sugar sur les carreaux rutilants. Ses yeux suivent la spirale des balustres en acajou jusqu'au palier en L ; quelque part là-haut, elle le sait, se trouve *sa* chambre, au même niveau – détail excitant – que celle des Rackham.

« Quelle belle maison », dit-elle, trop confuse pour savoir si elle est sincère. Son employeur l'accueille à grands gestes, les femmes de chambre courent en tous sens ; les bagages de celle qui la précédait sont empilés dans l'entrée ; tout ce remue-ménage est causé par *elle*, et lui donne l'impression d'être l'héroïne d'un roman de Samuel Richardson ou de ces sœurs Bell, dont le nom n'est pas Bell du tout mais quoi ? Son cerveau résonne de Bell, Bell, Bell… leur nom véritable lui échappe…

« Miss Sugar ?

– Oui, oui, excusez-moi dit-elle, se ressaisissant. J'admirais…

– Laissez-moi vous montrer votre chambre, dit William. Letty, Cheesman vous aidera à rentrer les bagages. »

Ensemble ils montent l'escalier, leurs mains glissant chacune le long d'une rampe différente, leurs corps séparés par une distance respectueuse, leurs pas assourdis par le tapis qui recouvre les marches. Sugar se rappelle les nombreuses fois qu'ils ont gravi l'escalier de Chez Mrs. Castaway, alors que William était un oisif désargenté, misérable créature rampante, brûlant du désir de voir le monde à ses pieds. Elle jette un coup d'œil de côté : ce monsieur barbu est-il vraiment la même personne que son George W. Hunt au visage poupin, qui, il y a moins d'un an, la suppliait de « l'avilir » ?

« Il n'y a rien à quoi je ne te soumettrai, lui avait-elle assuré alors, avec le plus grand plaisir. »

« Voilà votre chambre », déclare William quand, après l'avoir conduite le long du palier, il lui fait passer une porte déjà entrouverte.

Elle est encore plus petite que ce à quoi elle s'attendait, et plus simple. Coincé sous une unique fenêtre, un lit en bois étroit, paré avec soin de draps en flanelle et d'une courtepointe. Une commode en bois de bouleau jaune pâle munie de poignées en porcelaine blanche et un miroir mobile perché dessus. Un tabouret et un fauteuil d'apparence confortable. Une petite table. Pour plus de meubles, il n'y a simplement pas de place. Des crochets parsèment le papier peint d'un bleu fané tels des insectes écrasés ; un vilain vase en céramique est posé vide près de la cheminée. Sur le parquet nu, qu'il ne couvre pas entièrement, s'étend un grand tapis, assez bien fait, mais qui n'a rien de comparable aux splendeurs persanes du rez-de-chaussée.

« Beatrice a vécu très modestement, admet William, fermant la porte derrière eux. Ce qui ne signifie pas nécessairement que tu fasses de même – bien que tu comprendras qu'il y a des limites à ce qu'une gouvernante peut sembler posséder. »

*Embrasse-moi juste*, pense-t-elle, lui tendant sa main – qu'il saisit et serre, après un instant d'hésitation, comme il ferait avec celle d'un associé.

« Je peux vivre aussi modestement que n'importe qui », lui dit-elle, puisant du réconfort dans le souvenir – souvenir très *récent* – de ses doigts tremblants sur ses hanches nues.

On frappe à la porte, et William retire sa main, pour ouvrir aux domestiques – sur quoi, sans un mot de plus, il sort de la chambre à grandes enjambées. Letty entre, titubant sous le poids du lourd sac Gladstone de Sugar, qui contient, entre autres choses, le manuscrit de son roman. À la vue de la servante portant de guingois ce bagage distendu, Sugar se précipite et tente de la soulager de son fardeau.

« Non, non, ça va, miss, *vraiment*, ça va », s'écrie la fille, choquée par ce qui se révèle être une inconvenance flagrante. Sugar recule, déroutée : si elle est si supérieure aux domestiques, où est-elle allée chercher l'idée profondément ancrée en elle que les gouvernantes sont humbles et méprisées ? Dans les romans, elle suppose – mais ces romans ne sont-ils pas la vérité parée de luxueux atours ?

Les pas lourds d'un homme botté et le grognement d'effort d'un homme puissant se font entendre en provenance de l'escalier et Letty se dépêche de quitter la chambre pour laisser la place à Cheesman. Il entre pesamment, serrant une valise contre sa poitrine.

« Dites seulement où vous voulez que je la mette, miss, déclare-t-il avec un grand sourire, et je l'y mettrai. »

Sugar jette un œil sur sa petite chambre, qui semble déjà encombrée par la présence d'un unique sac.

« Sur le lit, fait-elle, consciente que de toutes les réponses possibles celle-ci est la plus susceptible de titiller l'imagination paillarde de Cheesman, mais... eh bien, il n'y a vraiment pas d'autre place pour la valise, si elle veut pouvoir la défaire.

– Y'a pas meilleur endroit, je vous l'accorde, miss. »

Sugar l'examine tandis qu'il dépose sa charge, avec une douceur exagérée, sur le lit. Il est grand, et semble encore grandi par son manteau aux boutons de cuivre qui lui arrive aux genoux, sa silhouette osseuse, et ses longs doigts. Il a un visage longiligne marqué par la petite vérole et un menton en galoche, des sourcils drus et rétifs, des cheveux noirs bouclés soumis par l'huile et le peigne, et des dents blanches et bien plantées, qui sont visiblement ce qu'il a de plus précieux et de plus inhabituel compte tenu de ses origines. Malgré l'épais manteau, son arrogance masculine perce tel un aiguillon invisible dressé afin que les femmes viennent y buter. Alors qu'il se tourne vers elle, un sourcil crânement levé pour dire : « Ça sera tout, miss ? », elle a déjà décidé comment s'y prendre avec lui.

« Tout pour le moment. » Le ton est guindé, mais son visage et son corps sont astucieusement disposés pour suggérer qu'elle pourrait, en dépit d'elle-même, le désirer : c'est une pose compliquée qu'une putain nommée Lizzie lui a inculquée et qu'elle a perfectionnée devant son miroir – une combinaison de crainte, de dédain et d'excitation irrépressible que les hommes de son genre croient pertinemment inspirer où qu'ils aillent.

Le petit sourire satisfait et les yeux brillants de Cheesman l'assurent, au moment où il sort, qu'elle a bien choisi. Elle ne peut espérer effacer ce qu'il sait déjà ; pour lui elle sera toujours la putain de William, jamais la gouvernante de Sophie, autant donc qu'il chérisse l'illusion qu'un jour il l'ajoutera à la liste de ses conquêtes. Il suffit qu'elle maintienne le délicat équilibre entre rejet et attraction, et il sera assez charmé pour ne pas lui vouloir du mal, sans jamais aller jusqu'à risquer sa position.

*Bien*, pense-t-elle, réprimant une montée de panique, *voilà pour Cheesman* – comme si chacun des membres de la maisonnée Rackham n'était rien de plus qu'un problème à résoudre.

Elle va à son lit et, posant les paumes sur la valise, regarde par la fenêtre. Pas grand-chose à voir de là : une partie vide et détrempée du terrain Rackham… Mais elle n'a plus besoin d'espionner, n'est-ce pas ? Non ! Tous ses efforts ont été récompensés, le soin qu'elle a pris à cultiver William a porté ses fruits, et la voilà, bien installée dans la maisonnée Rackham, avec la bénédiction de William et d'Agnes ! Il n'y a vraiment pas de quoi avoir les tripes nouées…

« Miss Sugar ? »

Elle tressaille, mais ce n'est que comment s'appelle-t-elle – Letty – de nouveau sur le seuil. Quel visage accommodant elle a cette Letty – un visage bienveillant. Elle n'aura pas de problèmes avec Letty, non, elle…

« Miss Sugar, Mr. Rackham vous invite à prendre le thé. »

Dix minutes plus tard, Miss Sugar est assise, raide, au milieu du bric-à-brac touffu du salon, une tasse de thé à la main et une domestique tout de noir vêtue comme elle allant et venant avec un plateau de cake, tandis que William Rackham disserte sur l'histoire de Notting Hill. Oui, l'histoire de Notting Hill. Il pérore interminablement, comme le docteur Crane en chaire, les mots se déversant avec une inflexibilité mécanique – *quelles* familles ont été les premières à construire dans Chepstow Villas, *combien* Portobello Farm a été vendue, *quand* précisément Kensington Gravel Pits Gate a été renommé Notting Hill Gate, et ainsi de suite.

« Et vous serez sans doute contente de savoir qu'il y a une bibliothèque gratuite, qui a ouvert l'année dernière seulement, dans High Street. Combien de paroisses peuvent-elles s'enorgueillir de *cela* ? »

Sugar écoute aussi attentivement qu'elle peut, mais son cerveau commence à tourner sur lui-même comme un chou-fleur dans l'eau bouillante. Tant que la servante se trouve dans la pièce l'air est étouffant d'irréalité mais, à la surprise de Sugar, William ne tombe pas le masque une fois Rose partie, et poursuit son exposé.

« … de la boue à la boutique en deux générations ! »

Il se tait pour lui permettre de goûter son bon mot et, ne sachant que faire, Sugar sourit. Est-ce que l'appeler « William » le ferait sortir de sa cachette, ou cela lui attirerait-il des ennuis ?

« Les valises dans l'entrée… commence-t-elle.

– Ce sont celles de Beatrice Cleave, dit-il en baissant la voix, enfin, pour adopter un ton plus intime.

– Je la fais attendre, alors ? » Un nouvel accès de panique doit être réfréné, à l'idée de la femme qu'elle est venue supplanter – une femme qui, dans l'imagination de Sugar, est passée de l'inexistence à l'état de matrone effroyablement compétente et, par-dessus le marché, douée d'un talent remarquable pour débusquer les imposteurs.

« Qu'elle attende, dit William d'un air dédaigneux, levant un regard irrité au plafond. Son départ ne pouvait pas plus mal tomber ; elle peut certainement se tourner les pouces quelques minutes de plus pendant que tu bois ton thé.

– Mmm. » Sugar porte la tasse à ses lèvres, bien que le thé soit trop chaud.

William se lève de son fauteuil et se met à faire les cent pas, caressant les poches de son gilet. « Beatrice t'apprendra tout ce que tu as besoin de savoir sur ma fille, dit-il, et plus, je n'en doute pas. Si elle t'énerve trop, je te conseille de lui parler de trains – elle en a un à prendre.

– Et Agnes ? »

William s'arrête net, les mains immobilisées à mi-caresse.

« Quoi Agnes ? demande-t-il, fermant à demi les yeux.

– Est-ce qu'Agnes euh… viendra nous voir ? » Sugar juge cette question parfaitement raisonnable – Mrs. Rackham ne pourrait-elle pas avoir une ou deux choses à dire sur l'éducation de sa fille ? Mais William est ahuri.

« Nous ? répète-t-il.

– Moi et Beatrice, et… Sophie.

– Je ne crois pas, dit-il, comme si la conversation avait dévié sur les miracles. Non. »

Sugar hoche la tête, bien qu'elle ne comprenne pas, et sirote le thé brûlant aussi vite qu'elle peut, entre deux bouchées de cake. Un raisin tombe du morceau qu'elle tient entre ses doigts et disparaît instantanément dans les dessins sombres du tapis. Une pendule, discrète jusqu'alors, se met à tictaquer bruyamment.

Après avoir réfléchi, William s'éclaircit la gorge et s'adresse gravement à Sugar, *sotto voce*: « Il y a quelque chose que j'avais espéré ne pas avoir à dire. J'avais espéré que ce serait évident, ou que je pouvais compter sur Beatrice pour qu'elle te le dise. Mais au cas où ni… »

Mais à cet instant, leur intimité est interrompue par Letty, qui s'aventure sur le seuil et, voyant qu'elle n'est pas la bienvenue, se met immédiatement à trembler de tics de respect ancillaire.

« Qu'est-ce qu'il y *a*, Letty ? demande William d'un ton coupant, la fixant d'un regard qui la tue à moitié.

– Je vous demande pardon, monsieur, c'est Shears, monsieur. Qui veut vous parler, monsieur. Il a trouvé quelque chose dans le jardin, monsieur, qui appartient à Mrs. Rackham.

– Dieu tout-puissant, Letty ! grogne William. Shears sait quoi faire avec ce damné oiseau…

– C'est quelque chose *d'autre*, monsieur », dit-elle, se faisant toute petite.

William serre les poings ; il semble tout à fait possible qu'il se mette en colère et chasse la servante. Mais alors, tout d'un coup, ses épaules s'affaissent, il prend une grande inspiration, et se tourne vers son invitée.

« Je vous prie de m'excuser, Miss Sugar », dit-il – et il quitte la pièce.

Abandonnée parmi le bric-à-brac, Sugar reste figée comme un vase, tendant l'oreille pour entendre ce qui se dit. Elle n'ose quitter son siège, mais penche la tête, tel un chien, afin de capter ce qui pourrait parvenir de l'entrée, source du remue-ménage.

« Qu'est-ce que c'est que ça ? » demande William impatiemment, sa voix de baryton durcie par l'acoustique. La voix du jardinier est confuse – un grommellement de ténor, dédaignant de rivaliser avec celle de son questionneur. « *Quoi?* Enterrés! s'exclame William. Eh bien, qui les a enterrés? » (Une autre réponse assourdie, cette fois-ci issue d'un duo composé de Shears et de Letty.) « Allez chercher Clara! ordonne William. Ah! regardez-moi ce sol... »

Plusieurs minutes passent avant que la voix de Clara, dont les mots sont indistincts mais le ton clairement humilié, s'ajoute au pot-pourri. Plus elle est interrompue, plus sa voix chancelle. « Qu'est-ce que vous voulez dire: "table rase"? » La réponse de la fille, quelle qu'elle soit, ne l'impressionne pas, et il jure. Enfin, on entend de nouveau la voix de Shears, juste comme Clara se met à pleurer, ou éternuer, ou les deux. « Non, non, non, grogne William, repoussant la suggestion du jardinier. Elle va vouloir les récupérer. Mettez-les à l'abri dans un endroit sec... » (Suivent encore des murmures.) « Je ne sais pas, n'importe où, mais qu'on ne les voie pas! Est-ce qu'il faut que je prenne toutes les foutues décisions dans ce monde? » Sur quoi il leur abandonne l'affaire et, d'un pas énergique dont Sugar ressent les secousses jusque sur son siège, retourne au salon.

« Des problèmes, mon amour? » brûle-t-elle de dire lorsqu'il apparaît, mais il ressemble si peu à l'homme dont les lèvres ont embrassé son ventre qu'elle n'ose pas, et se contente de lever sur lui un regard interrogateur.

« Les journaux d'Agnes... explique William, secouant la tête avec incrédulité. Une douzaine ou plus. Agnes... les a *enterrés* dans le jardin. Ou forcé Clara à le faire pour elle... » Ses yeux se ternissent tandis qu'il se représente la servante en deuil, maniant la bêche en ahanant; le trou; la terre froide et humide se refermant sur les journaux et leur reliure en tissu. « Peux-tu croire ça? »

Sugar fronce les sourcils pour signifier sa sympathie, en espérant que c'est ce qu'il attend. « Pourquoi ferait-elle pareille chose ? »

William se laisse tomber dans son fauteuil, fixant ses genoux.

« Elle a dit à Clara qu'elle… "en avait fini avec le passé" ! Qu'elle "recommençait à zéro" ! "Table rase" ! » Sous les yeux de Sugar son incrédulité se mue en détresse ; il secoue de nouveau la tête, et sur les rides de son front il est écrit, afin que tout un chacun puisse le lire : *Y a-t-il en Angleterre un mari qui endure ce que j'endure ?*

S'ils étaient à Priory Close, elle le prendrait dans ses bras pour lui caresser la tête ; elle l'attirerait contre sa poitrine pour lui rappeler qu'il y a des femmes qui ne font que ce que demandent leurs maris : rien de moins, et pas autre chose. Mais ici dans le salon Rackham, avec la pendule qui tictaque bruyamment et les gravures de plantes et les napperons brodés et le tapis persan dans lequel s'est perdu un raisin sec…

« Je crois qu'il y avait quelque chose que tu voulais me dire ? lui rappelle-t-elle. Avant que nous ne soyons interrompus ? »

Il se passe la main sur la bouche et se reprend, sans l'aide de ses bras réconfortants.

« Oui, dit-il, se penchant autant que le permet la bienséance. Ce que je voulais te dire est ceci. Ce serait mieux si… pendant quelque temps… en fait, jusqu'à ce que je te dise… » Il presse ses mains l'une dans l'autre, priant pour que l'inspiration lui révèle un moyen d'énoncer une vérité sans avoir à la mettre à nu. « Ce serait mieux si tu t'occupais de Sophie de manière à ce qu'Agnes… euh… soit dérangée aussi peu que possible. En fait, si tu peux t'assurer que chaque fois qu'Agnes est levée et se déplace… je veux dire, *dans*… (il désigne d'un geste vague la maison en général) elle… c'est-à-dire Agnes… soit libre de s'occuper de ses affaires sans… »

C'en est plus que Sugar ne peut supporter. « Tu veux dire, traduit-elle, qu'Agnes ne doit pas voir Sophie.

– Précisément. » Son soulagement est évident, mais presque aussitôt gâché par une nouvelle difficulté ; il aimerait épargner à son épouse, semble-t-il, les stigmates de la déraison. « Je ne veux pas dire que si Agnes vous *aperçoit* toi et Sophie en train de descendre l'escalier ce serait la fin du monde, je ne te demande pas non plus de garder ma fille prisonnière dans la nursery, mais…

– La discrétion, résume-t-elle, retrouvant à tâtons le chemin de sa confiance, souhaitant qu'il tire réconfort de son ton décidé et de son regard serein.

– Précisément. » Il se laisse aller dans son fauteuil et respire comme un homme à qui l'on vient d'arracher une dent avec moins de mal et d'effusion de sang qu'il ne craignait.

« Maintenant il est temps, déclare-t-il, quand le tic-tac se fait à nouveau importun, de procéder à la passation des pouvoirs, tu ne crois pas ? »

Dans la chambre de Sophie Rackham règne une atmosphère de sévère austérité. Excepté le lit d'enfant poussé dans un coin sombre, ce pourrait être une cellule de couvent – un couvent fondé par un ordre qui a depuis longtemps rejeté tout divertissement hors la prière et la contemplation. Nul tableau aux murs, nul ornement, nulle babiole n'est visible ; en fait pas un grain de poussière – encore moins un jouet – ne dépare la perfection des surfaces sombrement polies. Une douzaine de livres se tiennent droit dans une bibliothèque de la hauteur et de la largeur d'un cercueil, chacun affichant un air d'implacable difficulté.

« Je suis la nurse de Sophie, dit Beatrice Cleave, d'un ton qui appelle les félicitations – ou la commisération. Cela fait six ans que je suis ici. »

L'hystérie chatouille le cerveau de Sugar, la tentant de répliquer : « *Enchantée*!* Je suis la maîtresse de William Rackham, et cela fait quarante-cinq minutes que je suis ici. » Mais elle avale sa salive et dit : « Miss Sugar.

– J'ai été aussi bien la nourrice que la nurse de cette enfant, dit la femme dont l'ample poitrine jure avec l'air coincé, et j'ai vu la fortune de la famille s'élever et tomber et s'élever de nouveau. »

Sugar ne trouve rien à répondre à cela, si ce n'est informer Beatrice que si son lait s'est définitivement tari elle peut toujours trouver du travail chez Mrs. Gill dans Jermyn Street, qui se spécialise dans les putains à grosses poitrines.

« Le temps passe vite », dit-elle avec un bref regard circulaire.

Cette chambre est, malgré sa première impression, exactement de la taille de la sienne, qui lui est adjacente ; elle ne paraît plus grande que parce qu'elle est quasiment vide. Sophie est perchée sur une grande chaise au dos droit, misérable poupée de cire vêtue des vêtements les plus sombres, les plus serrés, les plus endimanchés qu'elle ait jamais vus, pareille à une silhouette dans le diorama d'une société de tempérance. Elle n'a pas été présentée. Elle n'est que le sujet de la discussion. Elle fixe le sol ou, pour varier, ses chaussures.

« Vous verrez, dit Beatrice, que dans l'ensemble Sophie est pleine de bonne volonté. Il n'y a pas de malice en elle, même si elle préférerait plutôt bâiller aux corneilles à toute autre activité. Vous verrez aussi, je l'espère, qu'elle n'est pas bête, bien qu'elle soit distraite. »

Sugar jette un regard à Sophie pour voir comment elle prend ces critiques, mais la petite fille continue à examiner la cire sur les lames du parquet.

« Il y a des moments, poursuit Beatrice, où elle se comporte en bébé, et sa raison la quitte. Ce n'est pas joli à voir. En pareils cas, il est nécessaire d'être ferme avec elle, si on ne veut pas qu'elle devienne exactement comme... » Beatrice s'interrompt brusquement, même si elle est sur le point de quitter pour toujours la maison Rackham. « Comme une internée. »

Sugar acquiesce poliment, espérant que son visage ne trahit pas l'aversion grandissante qu'elle éprouve pour cette femme à la dure poitrine noire, aux lèvres minces et au vocabulaire étonnamment choisi. La Beatrice qu'elle avait imaginée quand William lui avait parlé de la nurse de sa fille pour la première fois était d'une tout autre race – une version plus robuste de Caroline, peut-être, tout sourires et mœurs provinciales, ou sinon une cockney très portée sur les câlins et les effusions sentimentales. Sugar avait même redouté une orgie de pleurs et d'embrassades de dernière minute, avec une Sophie s'accrochant frénétiquement aux jupes de sa nounou replète parmi des lamentations type « Mon bébé ! » et ainsi de suite.

Au lieu de quoi, voici trois silhouettes en deuil gardant résolument leur place dans une chambre glacée, et si Beatrice embrasse Sophie Rackham, c'est de son regard en biais, tel un ventriloque qui oblige à se tenir droite, par la seule force de son magnétisme, une marionnette abandonnée. Les nurses aux joues roses que l'amour naturel rend voluptueuses ? Encore un préjugé romantique, semble-t-il, contracté à lire trop de romans, et voué à se flétrir au vu de la dure réalité.

« Elle mouille son lit, vous savez, dit Beatrice. Toutes les nuits. » Et elle lève un sourcil à l'intention de Sugar, invite stoïque à apprécier l'importance du désagrément ainsi causé durant les six années passées.

« Comme c'est... regrettable », dit Sugar, jetant un nouveau coup d'œil à Sophie. L'enfant semble perdue sans espoir de retour dans le monde enchanté de ses boucles de chaussures.

« L'été c'est moins pénible, dit Beatrice. En hiver, c'est un cauchemar. Si vous voulez bien venir avec moi, je vais vous montrer où faire sécher les draps à l'intérieur.

– Mm, oui, je vous en serais reconnaissante, dit Sugar, soudain prise de l'étrange envie de gifler Beatrice Cleave, encore et encore, avec une pantoufle trempée de pisse.

– C'est un piètre réconfort, poursuit Beatrice, mais au moins Sophie n'est pas de ces enfants qui détestent l'eau. En fait, elle aime trop être lavée. Ce qui me fait penser... » Ses yeux brillent d'un éclat inquisiteur tandis qu'elle examine la frêle charpente de Sugar. « Je suppose que vous et Mr. Rackham êtes convenus des tâches précises qui vous incomberont ? Moi j'ai été nurse et préceptrice et Dieu sait quoi d'autre encore, ces six années passées, sans m'en plaindre aucunement, mais je peux comprendre que vous, qui êtes gouvernante, ne soyez pas prête à faire... certaines choses. »

Sugar ouvre la bouche, mais ne trouve rien à dire ; elle n'avait pas imaginé, et William ne l'avait pas prévenue, que Sophie requerrait d'autres soins que ceux d'une tutrice.

« Je... nous sommes tombés d-d'accord, Mr. Rackham et moi, bégaie-t-elle, que je m'occuperais de Sophie sous tous rapports. »

Beatrice lève de nouveau un sourcil, le regard fixe en dépit de la pluie de coups de pantoufles trempées d'urine qu'elle est en train de recevoir.

« Vous pouvez toujours demander qu'on engage une femme de chambre pour la nursery, dit-elle d'un ton qui suggère que ce serait une excellente idée, et que Mr. Rackham est terriblement négligent de ne l'avoir pas déjà fait. L'argent coule à flots dans cette maison, Miss Sugar, *à flots*. Ne serait-ce que la semaine dernière, on a installé une nouvelle porte d'entrée, vous savez cela ? »

Sugar secoue la tête et, tandis que Beatrice se lance dans un compte rendu, désagrément par désagrément, vis par vis, de la pose de la porte, elle se met à considérer sérieusement les moyens d'aborder le sujet des trains sans paraître folle.

« Je suis sûre que Sophie ne me posera pas de problème, dit-elle, profitant de l'arrêt que Beatrice a marqué pour respirer après qu'une paire de menuisiers "escrocs" eurent été payés (d'après la nurse) pour un long bout de bois oblong et gravé à peu près la somme qu'on donne à une femme de chambre pour un an. Je suis sûre que vous l'avez si bien éduquée qu'il ne me reste plus rien à faire que de... euh... poursuivre votre excellent travail. »

Beatrice fronce les sourcils, momentanément frappée de mutisme, la louange ayant réussi là où la pantoufle invisible avait échoué. Mais, avant que Sugar puisse poursuivre avec une allusion aux longs voyages et au temps compté, elle s'adresse pour la première fois à l'enfant : « Restez ici, Sophie. » Le mannequin vêtu de noir, toujours perché sans un mouvement sur la chaise à haut dossier, cligne à peine de ses grands yeux bleus Agnes et n'ose même pas tourner la tête pour les regarder partir.

Tout en descendant l'escalier, Beatrice parle de Sophie ou plutôt de la maladresse de Sophie, des manières de Sophie, de la distraction de Sophie, des préjugés irraisonnés qu'entretient Sophie contre certains vêtements parfaitement portables, et de l'importance de ne pas céder sur la question des brocolis. Comme elles parcourent les couloirs somptueusement décorés du rez-de-chaussée, Beatrice fait à la nouvelle gouvernante l'inventaire de ce qui peut être accordé à Sophie si elle est sage, et de ce qu'on peut lui refuser si elle n'est « pas si sage ». Cet inventaire est si exhaustif qu'il n'est pas terminé – seulement suspendu – lorsqu'elles entrent dans la réserve claustrophobique adjacente à la cuisine.

« Au départ c'était une cave », explique Beatrice. Elles sont toutes deux nimbées de chaleur et de l'agréable odeur du savon évaporé. « Mais Mr. Rackham est arrivé à court de vin et n'avait pas les moyens de le remplacer. » Elle jette à Sugar un regard significatif. « C'était il y a quelques années, bien sûr – avant que ne survienne *le changement.* »

Sugar hoche la tête, bizarrement perturbée à l'idée que c'était *elle* le changement. Beatrice est occupée à décrocher un drap d'un long tuyau de cuivre qui, pour une raison inconnue, relie un mur à l'autre.

« Puis il s'est entiché de photographie, poursuit-elle, pliant le rectangle de tissu contre sa poitrine, et pendant un moment c'était ce qu'on appelle une "chambre noire". Mais ensuite il a eu un accident avec un poison, et l'odeur n'est jamais partie bien qu'on ait lavé le sol à grande eau je ne sais combien de fois, et alors un homme est venu et a dit que c'était à cause de l'humidité, et on a donc installé ce tuyau… » Elle s'interrompt à mi-phrase, plissant les paupières. « Mais qu'est-ce que c'est que ça ? »

Par terre, dans un coin sombre, se trouve un tas de ce qui ressemble à des détritus mais se révèle, à l'examen, être des papiers humides et boueux, sous la forme de cahiers ou journaux.

« Il faut que je parle à la personne responsable, dit-elle avec une grimace. Cette pièce n'est pas une fosse d'aisances.

– Ah, mais vous avez un train à prendre, lâche Sugar, n'est-ce pas ? Je vous en prie, laissez-moi m'occuper de cela. » Et, comme une prière exaucée, une horloge proche sonne *bong, bong, bong* et encore *bong.*

Une fois Beatrice Cleave enfin partie, lorsque ses affaires n'encombrent plus l'entrée, et que les domestiques ont quitté les fenêtres d'où elles regardaient la voiture s'éloigner, Sugar retourne, seule, à la chambre où Sophie a reçu l'ordre de « rester ». Que peut-elle faire d'autre ?

Elle s'attendait à ce que William la cherche une fois la nurse partie pour lui souhaiter la bienvenue avec plus d'effusion, mais il a disparu, et elle ne peut pas aller fourrer son nez dans toutes les pièces de la maison à sa recherche, n'est-ce pas? Non. À chaque marche qu'elle gravit, elle comprend avec plus d'acuité que sa brève heure de répit est passée. Elle n'est plus ici une invitée, mais… une gouvernante.

Alors même qu'elle ouvre la porte de la chambre, elle se prépare à une vision lugubre, une vision à vous glacer le cœur et vous faire frissonner: la vision de Sophie Rackham assise toute droite sur cette chaise à dossier raide, comme une pièce de musée que le taxidermiste n'a pas entièrement achevée, raide de peur et de méfiance, ses yeux immenses perçant l'âme de Sugar et attendant… quoi?

Mais ce n'est pas la vision qui l'accueille à son entrée. La petite Sophie, bien qu'elle soit indubitablement restée là où elle en avait reçu l'ordre, a trouvé l'attente beaucoup trop longue, et s'est endormie sur son siège. Ses manières, si décriées par Beatrice, sont incontestablement peu gracieuses, du fait qu'elle se tient affaissée de guingois, la tête reposant contre une épaule, ses jupes froissées et plissées, un bras abandonné dans son giron et l'autre pendant dans le vide. Une mèche de ses cheveux blonds volette au rythme de son souffle et, clairement visible sur le tissu noir de son corsage boutonné jusqu'au cou, il y a un endroit que la bave a rendu plus noir que le reste.

Sugar approche doucement, et s'agenouille, de sorte que son visage soit au même niveau que celui de l'enfant endormie. Dans le sommeil, avec ses joues bouffies et sa lèvre inférieure saillante, il est évident que le visage de Sophie n'est pas parvenu à reproduire la beauté d'Agnes; dès que ces grands yeux d'un bleu de porcelaine sont fermés, il ne reste rien de la mère, seuls le menton, le front et le nez de William.

Comme il est triste que, sauf si la fortune Rackham intervient, le célibat soit déjà inscrit dans les os et la chair de cette petite fille ! Son torse, lui aussi, est celui de William, car derrière les rondeurs de l'enfance, il porte en germe l'embonpoint à venir. *Pourquoi ne pas la laisser dormir ?* suggère une voix tentatrice de lâcheté et de compassion. *Laisse-la dormir aussi longtemps que possible.* Mais Sugar, sachant qu'elle doit la réveiller, s'agenouille et attend, espérant que la proximité de son souffle fera l'affaire.

« Sophie ? » murmure-t-elle.

Avec un grognement mouillé et quelques mouvements convulsifs, l'enfant reprend conscience et, pendant un précieux instant, l'univers fait un cadeau à Sugar : l'occasion d'être la première chose que rencontre un esprit tout juste sorti du sommeil, avant que la peur ou les préjugés aient pu faire leur apparition. Sophie cligne des yeux, confuse, l'esprit trop brouillé pour reconnaître le visage qui se tient tout près d'elle – problème bien moins fondamental, pour quelqu'un qui vient d'être arraché à la matrice des rêves, que celui que soulève la possible similitude entre ce monde et celui qu'on vient de quitter. À quoi ressemble cette vie diurne ? À peine est-il venu à l'esprit de Sophie qu'il est très probable qu'elle a commis un terrible péché, et peut s'attendre à être punie, que Sugar pose doucement la main sur son épaule et dit :

« Tout va bien, Sophie. Tu t'es endormie, c'est tout. »

Raide et courbatue, Sophie se laisse soulever de sa chaise et Sugar décide, à l'instant même, qu'être une gouvernante ne sera pas aussi difficile qu'elle le craignait. Sous le coup du soulagement, elle fait sa première faute.

« Nous nous sommes déjà vues, dit-elle. Tu te souviens ? »

Sophie, qui tâche de toutes ses forces de se composer une nouvelle identité, celle d'une élève, semble perplexe. Voilà une première question de sa gouvernante, et c'est une énigme – peut-être même un piège, pour l'éliminer !

« Non, miss », avoue-t-elle. Sa voix est exactement celle d'Agnes, mais plus douce et moins délicatement modulée – musicale, certes, mais évoquant une petite cloche triste plutôt qu'un hautbois d'amour.

« À l'église, lui souffle Sugar. Je t'ai regardée, et tu m'as regardée. » (D'être formulée, l'affaire paraît en effet de bien peu d'importance.)

Sophie se mord la lèvre inférieure. Cent fois sa nurse lui a dit d'être plus attentive à l'église, et voilà sa punition !

« Me rappelle pas, miss. » Des mots articulés par le désespoir enfantin, à l'ombre menaçante du bonnet d'âne.

« Aucune importance, aucune importance », dit Sugar avant de se relever. Ce n'est que lorsqu'elles sont toutes deux debout que l'ordre de grandeur s'impose avec une évidence déconcertante : la tête de Sophie arrive à peine à la taille de Sugar.

« Eh bien, Sugar s'empresse de poursuivre, commettant sa seconde erreur. Je suis bien contente que Beatrice soit partie, pas toi ? » Elle espère, en empruntant ce ton de conspiration enjouée qui serait celui d'une enfant avec une autre, ne laisser aucun doute quant à la personne à qui va sa sympathie.

Sophie lève les yeux sur elle – une telle distance entre leurs visages ! – et dit d'un ton suppliant : « Je ne sais pas, miss. » Son front est creusé de rides d'anxiété ; ses petites mains sont serrées fort devant ses jupes, et cet étrange monde nouveau, maintenant qu'elle est bien éveillée, est un endroit dangereux après tout.

Que faire ? Que faire ? Écumant ses innombrables lectures à la recherche de celles qui traitaient des enfants, Sugar demande : « As-tu une poupée ? » Une question stupide, elle le reconnaît, mais qui allume une étincelle inattendue dans les yeux de Sophie.

« Dans la nursery, miss.

– La nursery ? » Sugar se souvient alors qu'elle n'y a pas encore été. C'est là qu'elle enseignera à Sophie et elle ne l'a pas encore vue ! Certes, au cours de l'exposé de Beatrice lui fournissant la notice d'entretien de la petite Rackham, il a été fréquemment fait référence à la nursery, mais il se trouve qu'elle a fini par quitter la maison sans avoir été jusqu'à montrer à la gouvernante « ce que je suppose que vous appellerez dorénavant la salle d'étude ». Peut-être l'aurait-elle fait, si Sugar n'avait pas hâté son départ en évoquant les trains.

« Emmène-moi, alors », dit-elle lui tendant, après un instant d'hésitation, la main. Sera-t-elle acceptée ? À son grand soulagement, Sophie s'en empare.

Au toucher des doigts chauds de l'enfant, Sugar ressent ce qu'elle n'aurait jamais cru *pouvoir* ressentir : le frisson de la peau contre une peau inconnue. Elle qui, maniée par un millier d'inconnus, est devenue insensible à tout sinon les inspections les plus cruelles, éprouve maintenant un picotement, presque un choc, d'initiation tactile ; et avec ce choc vient la timidité. Ses doigts grossiers en comparaison de ceux de Sophie ! L'enfant est-elle dégoûtée par l'aspect craquelé et corné de la peau de Sugar ? Leurs mains doivent-elles se serrer fort ou à peine ? Et qui décidera du moment de les séparer ?

« Montre-moi le chemin », dit-elle, alors qu'elles quittent la chambre.

De nouveau, la maison Rackham semble vide, moins un foyer qu'un magasin silencieux proposant pendules, miroirs, lampes, tableaux, et une douzaine de papiers peints différents. La nursery est située à l'extrémité du L que forme le palier, et sur leur chemin Sugar et Sophie passent devant plusieurs portes fermées.

« C'est la pièce à penser de Papa, murmure Sophie de sa propre initiative.

– Et l'autre ?

– Je ne sais pas, miss.

– Et la première porte, derrière nous ?

– C'est là que Maman habite. »

La nursery, quand elles y pénètrent, offre une vision réconfortante, du moins par contraste avec la chambre de Sophie. Elle est de bonne taille, avec une fenêtre plus grande que la moyenne, un assortiment de meubles de rangement et de coffres, un bureau, et quelques jouets – en réalité, plus de jouets que Sugar en a jamais eu. De ce côté-ci il y a des animaux peints pour une arche de Noé (l'arche elle-même n'est pas visible), de ce côté-là une maison de poupée grossièrement bâtie mais généreusement proportionnée avec quelques meubles à l'intérieur. Dans le coin le plus éloigné, un cheval à bascule avec une « selle » tricotée à la main, et un tas de paniers aux couleurs gaies pleins de babioles trop petites pour être identifiées. Une ardoise d'un vert terne, épargnée par la craie, se tient prête sur quatre pieds en bois, achetée exprès pour ce nouveau chapitre dans la vie de Sophie Rackham.

« Et ta poupée ? »

Sophie ouvre un coffre, et en sort une poupée de chiffon flasque à la tête brun sombre, un nègre souriant de toutes ses dents et arborant, sur sa poitrine de coton élimé, le mot « Twinnings ». On pourrait difficilement trouver plus hideux, mais Sophie le manie tendrement, avec une pointe de tristesse, comme si elle concédait qu'il est un peu moins vivant qu'elle aimerait le croire.

« C'est mon grand-papa qui me l'a donné, explique-t-elle. Il devrait être assis sur un éléphant mais il y avait encore du thé. »

Sugar s'interroge une seconde ou deux, puis abandonne.

« Pourquoi est-ce qu'il est dans un coffre ? demande-t-elle. Tu n'aimerais pas dormir avec lui ?

– Nurse dit que je ne dois pas avoir une vieille poupée qui sent mauvais dans ma belle chambre bien propre, miss, répond Sophie, une nuance de récrimination altérant le stoïcisme de sa voix. Et quand il est ici, elle n'aime pas voir son visage noir. »

C'est l'occasion que Sugar attendait pour se racheter.

« Mais ça doit être très sombre et triste dans ce coffre, proteste-t-elle. Et il doit se sentir très seul ! »

Les yeux de Sophie se font encore plus grands que de coutume ; elle est prête à s'abandonner à la confiance. « Je ne sais pas, miss », dit-elle.

De nouveau Sugar s'agenouille, comme pour examiner la poupée de plus près, mais en réalité pour que Sophie puisse lire sur son visage. « Nous trouverons un meilleur usage pour ce coffre, dit-elle, ramenant une jambe pendante du jouet dans la saignée du bras de Sophie. Et comment s'appelle ta poupée ? »

Une nouvelle colle. « Je ne sais pas, miss. Mon grand-papa ne me l'a jamais dit.

– Alors comment l'appelles-tu ?

– Je ne l'appelle pas, miss. » Sophie se mâche la lèvre, au cas où une telle impolitesse, même envers une créature de biscuit et de chiffon, lui vaudrait une réprimande.

« Je pense que tu devrais lui donner un nom, déclare Sugar. Un joli nom anglais. Et à partir de maintenant il a le droit d'habiter dans ta chambre. »

Pendant encore quelques secondes, Sophie semble douter, mais quand l'extraordinaire nouvelle gouvernante hoche la tête pour la rassurer, elle prend une grande inspiration et s'écrie :

« Merci, miss ! »

Dans la joie, elle n'est pas si vilaine après tout.

À une petite douzaine de rues de là, alors que Sophie présente, une par une, les merveilles de sa nursery à Miss Sugar, Emmeline Fox est assise dans son escalier, se reposant avant de poursuivre son ascension. Elle en a fait beaucoup, aujourd'hui, pour une femme qui n'est pas encore tout à fait remise, et c'est une sorte de béatitude que d'être assise là, la tête nichée sur le tapis entre deux marches, respirant en silence.

Y a-t-il encore un sifflement dans sa trachée ? Peut-être un léger. Mais elle a définitivement, ainsi que l'a dit Mrs. Rackham, échappé aux mâchoires de Vous-Savez-Quoi. Comme il est doux, et fatigant aussi, de sentir la douleur de l'épuisement dans ses jambes, la dureté d'une marche contre ses omoplates, le battement du sang dans les veines de ses tempes. Ce corps, ce pauvre véhicule d'os et de muscles, on lui en a accordé l'usage pour un peu plus de temps ; Dieu fasse qu'elle l'utilise à bon escient.

La visite à Mrs. Rackham était terriblement éreintante, particulièrement le retour, avec le chat (une créature solide, pas un poids plume) dans son panier en osier le long des rues de Notting Hill. Nul doute que sa décision de se passer d'un fiacre, ou même de sa servante Sarah, fera encore jaser – d'autant plus si l'on apprenait la vérité, que Sarah est retournée à la prostitution, son « grand-père malade » s'étant endetté jusqu'au cou en jouant aux courses durant toute la Saison.

Une autre fille, elle aussi provenant de l'écurie de catins réhabilitées de la Société de Secours, doit commencer mercredi, mais Emmeline voudrait ranger un peu la maison avant, afin de ne pas décourager la fille aux débuts d'une carrière respectable. Donc, c'est ce qu'elle est en train de faire maintenant : mettre les choses en ordre. Enfin, pas maintenant tout de suite, bien sûr ; maintenant tout de suite elle est assise à mi-chemin dans son escalier, occupée à regarder le passage des piétons fantômes à travers le verre dépoli de la porte d'entrée en contrebas.

La livraison des biens terrestres d'Henry, parce qu'elle a été effectuée tandis qu'elle était à Saint Bartholomew et incapable de superviser les déménageurs, a fait basculer sa petite maison de l'état de fouillis à celui de chaos. Charité bien ordonnée commence par soi-même, comme on dit, eh bien… Minet quant à lui s'est depuis son arrivée montré extrêmement intrigué et désorienté, arpentant l'escalier de haut en bas, entrant dans chaque pièce, refaisant connaissance avec les meubles, les machins et les trucs de son maître, tous empilés et bourrés dans des endroits inconnus. Ce qui l'inquiète particulièrement, c'est le phénomène déconcertant du lit d'Henry, qui est debout contre le mur du salon, son matelas affaissé tel un ivrogne contre les montants en fer, sans utilité tant pour l'homme que pour la bête. Au moins une demi-douzaine de fois depuis qu'Emmeline l'a lâché dans sa maison, il a essayé d'attirer là-dessus son attention, dans l'espoir évident qu'elle y mettra bon ordre.

Emmeline doit admettre que sa maison ressemble fortement à la boutique d'un brocanteur de Cheapside. Dans la cuisine, tout est en double : deux cuisinières, deux vaisseliers, deux seaux à glace, deux bouilloires, deux bains-marie, et ainsi de suite – jusque deux armoires à épices, contenant quasiment les mêmes ingrédients. Tout cela est bien malheureux, attendu qu'elle n'a jamais été bonne cuisinière, et maintenant encore moins encline à progresser.

Dans toute la maison, chaises et tabourets sont imbriqués par deux ou trois, certains de manière précaire, d'autres inextricablement, mais la source la plus importante de désordre est de loin la surabondance de livres : les volumes d'Henry ajoutés aux siens. Dans chaque pièce, et dans les passages aussi bien, des monceaux de livres, certains empilés logiquement, comme des châteaux de sable, du plus grand au plus petit, d'autres entassés dans l'autre sens, tentant la gravité et le museau caressant du chat d'Henry. Elle ne peut même pas tenir les employés de la société de récupération pour responsables de cet empilement au petit bonheur : c'est *elle* qui a sorti ces livres de leurs caisses, juste pour voir ce qui avait survécu au feu. Sa capacité à ranger les objets matériels laisse beaucoup à désirer et il y a déjà eu plusieurs éboulements. La tour de nouveaux testaments qui n'a jamais été particulièrement stable, que l'homme de la Société de Propagation de la Bible n'est jamais venu rechercher, s'est vautrée sur tout le palier, et quelques malheureux exemplaires sont même tombés au rez-de-chaussée à travers les balustres.

Les sacs de vêtements font meilleure impression, mais ils sont plus décourageants. Non pas l'habituel stock de dons d'Emmeline – les gants en laine, les chaussettes reprisées et les draps et couvertures soigneusement rapiécés destinés aux malheureux de Londres et d'ailleurs – mais les vêtements d'Henry. Trois sacs pleins, qu'elle garde dans sa chambre, fermés avec de la ficelle et tamponnés *Tuttle & Son.*

Minet tourne autour de ses jupes en miaulant, s'efforçant de lui donner des coups de tête dans les jambes à travers le volumineux obstacle du tissu. Avant qu'il n'aille jusqu'à passer dessous, Emmeline se lève. Comme elle est fatiguée ! C'est l'après-midi, mais elle aspire au sommeil. Avec impiété, elle voudrait que Dieu relâche le règlement rien qu'aujourd'hui pour faire tomber la nuit quelques heures plus tôt. Le déséquilibre pourrait être compensé le lendemain, non, avec quelques heures de lumière en plus ?

Raide – si raide qu'elle aurait presque besoin de sa canne à nouveau –, Emmeline traîne les pieds vers la cuisine, pensant que Minet, ayant pris la mesure de l'endroit, est maintenant prêt à manger.

« C'est ça que tu veux, Minet ? » lui demande-t-elle, tandis qu'il hésite sur le seuil de la cuisine, reniflant les poils d'un balai.

Quoi lui donner ? Maintenant qu'elle l'a installé chez elle, elle va devoir réfléchir sérieusement à la méthode pour le persuader de rester. Une inspection de ses placards et glacières lui confirme que, en plus de ne pas avoir de crème, elle n'a pas de viande, car elle n'a pas fait la cuisine dernièrement, préférant prendre ses repas au restaurant (oui, déplorable, elle sait : toutes ces familles aux joues creuses qui tirent leur subsistance de petits bouts de mouton et de miettes de pain, et la voilà qui dîne comme une courtisane ! Mais sans l'aide de Sarah elle ne s'est pas senti le courage de cuisiner, et de toute façon, la cuisinière qui est reliée au conduit de cheminée est celle qui est hors d'atteinte). Dommage qu'elle ne puisse emmener Minet au restaurant, et lui commander un plat en même temps que le sien… Précisément le genre de solution qui tombe sous le sens, et dont on peut compter sur les gens pour la rejeter d'emblée. Ah ! comme la société anglaise hait le pragmatisme ! Pas le type de pragmatisme qui construit les usines, mais celui qui rend la vie de ses citoyens plus agréable ! Un sujet de discussion avec Henry, la prochaine fois qu'elle…

Avec un soupir, elle ouvre un autre placard et en sort une grosse part de fromage de Leicester, sa nourriture de base quand la domestique n'est pas là. Minet pousse un miaulement d'encouragement.

« Je suppose que les chats ne mangent pas de fromage ? » dit-elle en jetant un petit bout entre ses pattes, mais il bondit sur le morceau et le dévore avec délectation. Un autre préjugé réfuté : elle apprend chaque jour quelque chose. S'appuyant contre la cuisinière superflue, elle nourrit le chat, par petits bouts de fromage, jusqu'à ce qu'il soit rassasié, ou ait trop soif pour continuer. Elle le mène à un bol d'eau qu'il contemple sans enthousiasme ; demain elle lui achètera du lait.

Elle devrait manger quelque chose elle aussi ; elle n'a rien pris aujourd'hui que du pain, du fromage, du thé, et le cake aux fruits de Mrs. Rackham. Elle n'a pas encore retrouvé son appétit d'antan, et elle ne s'est toujours pas remise de la désagréable découverte, à son retour de l'hôpital, d'une caisse marquée DENRÉES PÉRISSABLES dont le contenu, après un bref séjour dans les entrepôts de Tuttle & Son puis une station nettement plus longue ici, avait en effet péri.

Elle se penche au-dessus d'un enchevêtrement de casseroles en cuivre pour ouvrir un autre placard, où elle croit avoir laissé une boîte de biscuits. Au lieu de quoi elle trouve une nouvelle cachette de livres. Quelques minutes plus tard, quinze peut-être, après avoir feuilleté le *Nouveau Système de cuisine bourgeoise* de Mrs. Rundell, et fixé un moment l'inscription sur sa page de garde, *À mon cher ami Henry Rackham, Noël 1874*, elle monte l'escalier, pas douloureux à pas douloureux.

Sur le palier, très près de la porte de sa chambre, elle aperçoit deux petits objets brun foncé qui ressemblent, à cette distance, à des cigares, mais qui se révèlent être, vus de plus près, des crottes, et très odorantes en plus. Emmeline ferme les yeux et sent les larmes qui s'en échappent ; elle ne peut pas, peut pas, *peut pas*, redescendre et remonter une nouvelle fois les escaliers. Elle va donc chercher un mouchoir à son chevet, où elle en a une boîte pleine, datant de l'époque pas si lointaine où elle pouvait être prise, à n'importe quelle heure du jour ou de la nuit, par l'envie irrésistible de cracher du sang. Avec précaution elle enveloppe les crottes du chat dans le fin coton, qu'elle replie plusieurs fois jusqu'à en faire une sorte de boule à senteurs. Empaquetées ainsi, elles peuvent sûrement attendre demain matin.

Dans la pagaille de sa chambre, elle commence à se déshabiller, puis, alors qu'elle est à moitié déboutonnée, comprend pourquoi elle ne trouve pas sa chemise de nuit. Après une tentative trop vigoureuse, ce matin, pour en nettoyer une vieille tache de sang, elle avait été obligée de raccommoder une déchirure dans le tissu et – Dieu aide sa mémoire en passoire – elle l'a laissée au rez-de-chaussée, sur le dos d'une chaise. *Peut pas, peut pas, peut pas.* Juste pour cette fois, elle devra dormir dans ses sous-vêtements.

Elle s'extrait péniblement de sa robe et de son jupon, les doigts gourds de fatigue, mais, une fois en chemise et pantalons, réalise trop tard qu'elle est moite d'une sueur qui lui picote les aisselles, l'aine et la raie des fesses. Vacillant sur ses pieds, elle songe brièvement à prier pour obtenir la force de redescendre jeter les crottes du chat, prendre sa chemise de nuit, et faire bouillir de l'eau pour se laver, mais décide que ce serait attirer indûment l'attention de Dieu. Elle se défait donc des vêtements restants et, avec un soupir de soulagement, se glisse nue et fiévreuse entre les draps.

*Seuls ceux qui sont très mauvais et ceux qui sont très malades,* pense-t-elle, *se couchent dans la journée.* Demain elle devra mieux gérer son énergie, et ne pas surmener ce corps qu'elle a été si près de perdre.

Les draps sont merveilleux contre sa peau, une douce torpeur envahit ses membres, et bien que la sanction de la tombée du jour soit encore lointaine, elle se sent glisser dans le sommeil, ne percevant que vaguement un léger remue-ménage près d'elle dans le lit, et dont ce ne sera qu'à son réveil le lendemain matin qu'elle découvrira que c'était Minet, alors blotti, dans un état de contentement parfait, à ses pieds.

# 23

Le lit de Sugar, qui était à la taille de celle qui y dormait auparavant, est trop petit pour elle. Au cours de sa longue première nuit dans la maison Rackham, au cours d'un sommeil qui est gâté par l'aboiement d'un chien lointain, Sugar rêve toutes sortes de choses bizarres. Un peu avant l'aube, elle se tourne une fois de trop, et une longue jambe osseuse sort des draps, se balançant dans l'air glacé, avant de heurter le flanc de sa valise. Dans le rêve de Sugar, cela se traduit par les doigts calleux d'un homme qui lui saisissent le mollet et rampent sur sa chair en direction de l'aine.

« Tu n'as plus besoin d'avoir froid, dit Mrs. Castaway. Un gentil monsieur est venu te tenir chaud. »

Sugar tente de se pelotonner, se cogne la cheville à un montant de lit, et se réveille.

Pendant quelques instants elle est complètement perdue dans sa nouvelle chambre, cette petite chambre sombre en étage, s'étant habituée aux spacieuses pièces de plain-pied de Priory Close, toujours éclairée par la douce lumière des lampadaires. C'est presque comme si elle était de retour dans son ancienne chambre chez Mrs. Castaway, excepté qu'elle était bien plus grande que celle-ci. Aussi, il y a une odeur particulière sous le lit, une odeur terreuse et humide, qui lui rappelle la pourriture de la première maison qu'elle a habitée – la masure de Church Lane.

Sugar se penche pour tâtonner sous le lit, et sa main rencontre le tas souillé des journaux d'Agnes. Ah oui, maintenant elle se souvient. À peine la porte d'entrée s'était-elle refermée sur Beatrice Cleave hier qu'elle était redescendue subrepticement dans la réserve pour s'emparer des journaux avant qu'il ne soit trop tard. Puis, les ayant rangés sous son lit, elle s'était dépêchée d'aller s'occuper de Sophie.

Ah, Sophie.

Sugar tâtonne à la recherche d'une allumette, ravive deux chandelles sur sa vilaine commode jaune, et se frotte les yeux. *Je suis une gouvernante*, se dit-elle, alors que le monde retrouve sa netteté. Immédiatement, elle sent une boule dans son estomac, puis une douleur fulgurante. Elle n'a presque rien mangé, et n'a pas été à la selle, depuis des jours. L'anxiété l'a gelée. Maintenant elle se dégèle, et son ventre est plein de bruits.

La pendule annonce cinq heures et demie. Combien de temps a-t-elle dormi ? Un certain temps ; elle s'est couchée hier soir presque immédiatement après l'enfant, à l'heure enfantine de sept heures. Elle s'attendait à ce que William vienne la rejoindre, et voulait absolument rester éveillée – elle avait même songé à s'occuper de son clitoris pour se préparer –, mais quelques minutes après avoir posé la tête sur cet oreiller à l'étrange odeur elle s'était assoupie. Si William était venu – et il n'y a aucune preuve qu'il l'ait fait – il avait dû la laisser dormir.

Sugar extrait de sa mémoire les événements d'hier en ordre inverse à partir du coucher de Sophie – Sophie s'endormant, devant ses yeux comme si elle obéissait à un ordre. Ou faisant seulement semblant peut-être ? Sugar, elle aussi, sait contrefaire l'inconscience, si elle peut en tirer quelque chose…

*C'est une petite actrice, je vous préviens*, avait été l'un des derniers conseils donnés par Beatrice. *Elle fera de vous ce qu'elle veut, si vous lui en donnez la moindre occasion.*

Sugar se rappelle le visage de Sophie respirant doucement sur l'oreiller, les draps et les couvertures tirés sur sa chemise de nuit raide, car Sugar n'avait pas osé les remonter jusque sous son menton.

Qu'est-ce qui s'est passé avant ça ? Il a fallu écouter Sophie prier. Une litanie de Dieu bénisse. Pour qui et pour quoi Sophie a-t-elle prié ? Sugar ne se rappelle pas. L'idée qu'elle ne manquera pas d'entendre les mêmes prières ce soir est à la fois rassurante et perturbante.

Mais que s'est-il passé *avant* les prières ? Oh, oui, le bain de Sophie dans un tub à côté de son lit. La petite a tout fait toute seule, sinon que c'est Sugar qui a disposé la serviette autour de ses petites épaules mouillées. Sugar avait détourné les yeux, par pudeur, et quand la laveuse était entrée pour prendre le linge de Miss Rackham, sursauté comme si elle avait été surprise en flagrant délit.

Et avant cela ? Ah oui, l'affaire de la poudre Gregory. Beatrice avait insisté sur l'absolue nécessité de lui en administrer une dose tous les soirs – ses derniers mots avaient d'ailleurs été : « N'oubliez pas la poudre Gregory ! » – mais l'expression de dégoût sur le visage de l'enfant tandis que l'horrible cuillère approchait de ses lèvres lui avait fait suspendre immédiatement son geste.

« Tu n'en veux pas, Sophie ?

– Nurse dit que je le regretterai si je n'en prends pas, miss.

– Eh bien, avait répliqué Sugar, dis-moi si tu le regrettes, et alors je t'en donnerai. » Et, au grand soulagement de l'enfant, elle avait reversé dans sa boîte l'atroce concoction de rhubarbe, magnésium et gingembre.

Il n'y avait pas eu de leçon hier, parce que Sugar essayait

de découvrir ce que Sophie avait appris jusqu'alors. Ce n'était pas peu, et Sophie s'était épuisée à se le rappeler et le réciter. Des histoires bibliques et des homélies constituaient le gros de son savoir, mais il y avait aussi une bonne quantité de ce que Beatrice Cleave qualifiait de « connaissances générales ». Quels pays appartiennent à l'Angleterre, lesquels ne lui appartiennent pas mais y gagneraient ; des comptines, des petits poèmes sur l'importance d'être vertueux, et le sujet sur lequel Sophie était la plus érudite : les éléphants d'Inde.

« Leurs oreilles sont plus petites, avait affirmé l'enfant, après bien d'autres révélations.

– Plus petites que quoi ? avait demandé Sugar.

– Je ne sais pas, miss, avait confessé Sophie après un silence confondu. C'est Nurse qui sait. »

Tout au long de l'après-midi, tandis que les faits s'empilaient sur les fictions en un fouillis grandissant, Sugar avait plusieurs fois dit : « Très bien, Sophie », en souriant. Elle ne savait quoi dire d'autre, et cela semblait approprié de toute façon. À en juger par la réaction de Sophie – un visage de plus en plus rayonnant de fierté et de soulagement – les mots « bien » et « Sophie » avaient été trop rarement associés dans la même phrase. Sugar l'en avait régalée, comme de bonbons interdits, jusqu'à la rendre malade de bonheur.

Voilà pour hier. Aujourd'hui l'éducation de Sophie doit commencer. *Préparer l'agneau avant de le tuer*, ainsi que Mrs. Castaway avait répondu à Sugar qui avait osé lui demander ce qu'était exactement l'éducation.

Dans la lueur du petit matin, à la lumière des bougies, Sugar ouvre le livre que Beatrice lui a confié comme un calice sacré. « Acheté par Mr. Rackham en personne, avait déclaré la nurse. Tout ce que Sophie doit savoir se trouve dedans. » *Questions sur l'Histoire et divers sujets à l'usage des jeunes personnes* est le titre de cet épais ouvrage imprimé en petits caractères. Le nom de l'auteur, Richmal Mangnall, fait songer au grognement d'un chien qui refuse de lâcher la balle qu'il tient dans la gueule.

Sugar examine la première question à propos des anciennes monarchies fondées après le Déluge, mais s'arrête car elle ne sait pas exactement comment prononcer « Chaldéen » et ne voudrait pas entamer ses cours du mauvais pied. Elle poursuit sa lecture et, lorsqu'elle tombe sur « Qu'étaient les amphictyonies ou confédérations amphictyoniques ? », elle est sûre qu'une partie de ce livre n'est pas encore à la portée de Sophie. Elle décide de sauter quelques centaines d'années – ou disons plutôt une douzaine de pages – et de commencer après la naissance de Jésus-Christ, dont Sophie a au moins entendu parler.

Voilà qui est réglé, donc. Sugar met de côté les *Questions* de Mangnall et sort les journaux d'Agnes de leur cachette. À sa surprise, ils sont (elle le remarque maintenant) fermés à clef, chaque volume étant ceint d'un fermoir muni d'un petit cadenas en cuivre. Un peu de terre tombe dans son giron tandis qu'elle essaie d'en ouvrir un, mais sa fermeture délicate se révèle plus robuste qu'il n'y paraît. Elle finit, malgré ses scrupules, par forcer le cadenas avec la pointe d'un couteau.

Au hasard les pages s'ouvrent, pour révéler Agnes en 1869, comme suit :

> *Je suis terrorisée aujourd'hui – je suis certaine qu'une grande épreuve m'attend, plus grande encore que celles que j'ai déjà endurées… À cette minute même Clara est venue m'apprendre que le docteur Curlew est en chemin, pour « me délivrer de mes peines ». Que peut-il vouloir dire ? Je sais que la dernière fois qu'il est venu il s'est plaint amèrement, et il se peut que j'aie dit après tant*

*de mois de Maladie que je n'aspirais qu'à la Mort, mais je ne le pensais pas ! Son sac noir me fait peur – il y a des bistouris dedans, & des sangsues. J'ai supplié Clara de l'empêcher de me faire mal si je m'évanouissais, mais elle ne semble pas écouter, et raconte que tout le monde s'inquiète beaucoup du « bébé » – du retard important qu'il a pris, et qu'il faut qu'il sorte bientôt. De quel bébé peut-elle parler ? J'aimerais que William me tienne mieux informée des gens qu'il invite dans cette maison…*

Une douleur soudaine fouaille les entrailles de Sugar. Avec un gémissement elle se perche sur le pot de chambre et se plie en deux, ses cheveux s'empilant dans son giron, son front posé sur ses genoux, couvert de sueur. Elle ferme les poings, mais rien ne vient, et le spasme passe.

De retour dans son lit, elle reprend le journal d'Agnes, retourne au passage qu'elle vient de lire, s'attendant à apprendre, à la page suivante, comment Sophie est venue au monde. Mais l'entrée qui suit celle décrivant les douleurs peu éclairées d'Agnes commence ainsi :

*Viens de rentrer de Chez Mrs. Hotten, où j'ai dîné « dehors » pour la première fois depuis que j'ai retrouvé la Santé. Soit les Hotten sont des gens très singuliers, soit les manières ont changé du tout au tout durant ma Maladie. Mr. Hotten met sa serviette sur sa poitrine, et j'étais censée manger mon melon avec une cuillère. Il n'y avait pas de pinces à asperges, et l'une de mes pommes de terre avait un « os » dedans. Tout le monde parlait sans fin des Baring, et faisait des plaisanteries sur le prix d'une pairie. Mrs. Hotten riait la bouche ouverte. Toute la soirée j'ai été soit atterrée soit ennuyée. Je n'y retournerai pas. Quand Mrs. Cecil répondra à mon invitation, je me demande.*

Et ainsi de suite. Sugar feuillette les pages : encore et encore du même. Où est William ? Où est Sophie ? Leurs noms n'apparaissent pas. Agnes va dans des soirées, probablement avec son mari à ses côtés ; elle rentre chez elle, probablement pour retrouver sa fille.

*Chez Mrs. Amphlett, j'ai vu Mrs. Forge, Mrs. Tippett, Mrs. Lott, Mrs. Potter, Mrs. Ousby…* De pareilles listes remplissent des pages, cousues ensemble par une broderie inlassable de *je, je, je, je, je, je, je.*

Sugar ouvre deux autres journaux. Elle lit quelques lignes çà et là, mais elle est découragée par l'énormité de la tâche qui l'attend. Vingt journaux, des centaines de pages, toutes couvertes de la minuscule écriture d'Agnes. Et au lieu de révélations qui pourraient lui être de quelque aide si elle devait rencontrer Mrs. Rackham dans l'escalier aujourd'hui, il n'y a que des plaintes à propos de porcelaine de mauvaise qualité, du temps, et de la poussière sur les balustres. Quelques semaines auparavant, Sugar aurait été très excitée si elle avait trouvé, dans une boîte aux lettres ou un tas de détritus, rien qu'une seule lettre d'Agnes Rackham ; elle aurait étudié chaque ligne pour en tirer le maximum d'informations. Maintenant, la vie entière d'Agnes est ici sous ses yeux, dans un monceau de journaux sales, et elle ne sait par où commencer.

Finalement, elle décide qu'il n'y a qu'une façon de procéder : commencer par le commencement. Forçant le cadenas de chacun des journaux, elle les classe par dates jusqu'à ce qu'elle ait le premier en main.

La page inaugurale de ce premier journal, le plus petit et le plus délicat de tous les volumes, consiste en plusieurs faux départs, rédigés d'une écriture nette bien qu'un peu penchée.

La date, le 21 avril 1861, est consignée avec un soin particulier.

> *Cher Journal,*
> *J'espère que nous serons bons amis. Lucy tient un Journal et elle dit que c'est une chose très agréable et amusante à faire. Lucy est ma meilleure amie, elle ~~habite~~ ~~habitait~~ habite la maison à côté de celle où j'~~habite~~ ~~habitais~~*

La seconde tentative d'Agnes enchaîne directement sous la première, tout aussi proprette, preuve de sa détermination de ne pas se laisser décourager par un échec.

> *28 avril 1861*
> *Cher Journal,*
> *J'espère que nous serons bons amis. Je pense que tu trouveras que je suis une petite fille aussi Loyale que possible. En mai j'aurai Dix Ans. Quand j'étais plus jeune j'étais très heureuse, bien que nous habitions une maison plus petite que maintenant. Alors mon cher Papa nous a été enlevé, et Maman a dit que je ne devrais pas être privée de Père, et*

Les deux entrées qui suivent celle-ci ne sont pas aussi soignées, comme si Agnes les avait écrites à toute vitesse – espérant, peut-être, que la rapidité pourrait leur faire franchir les obstacles qui avaient arrêté les autres.

> *Cher Journal,*
> *Enchantée de faire ta connaissance. Je m'appelle Agnes Pigott, ou devrais-je dire que je m'<u>appelais</u> ainsi, mais maintenant*

*Cher Journal,*
*Je*

L'entrée suivante, sans date et visiblement écrite dans la plus grande hâte, remplit une page recto verso.

*Ma très chère, bien-aimée Sainte Thérèse,*
*Est-ce un si grand péché de détester mon père si ce n'est pas mon Vrai père ? Je le déteste tant, je le déteste jusqu'à ce que mes dents fassent des trous dans mes lèvres. C'est un mauvais homme et il a jeté un Sort à Maman pour qu'elle oublie notre cher Papa et qu'elle le regarde comme une chienne qui attend son os. Elle ne peut pas voir ce que je vois – la cruauté dans ses yeux et son sourire qui n'est pas un sourire. Je ne sais pas ce que nous allons devenir parce qu'il nous a interdit d'aller à l'Église – La Vraie Église – et nous a emmenées à son église et c'est une posture hontée. Personne n'y est habillé comme il faut et tout est si commun, ils ont même un Livre De Prière Commune. Je suppose, chère Sainte Thérèse, que Vous n'êtes jamais entrée dans un de ces endroits. Il n'y a que du vide là où Notre-Dame devrait être, et il n'y a rien à ramener à la maison sinon une lettre qui parle de bonnes œuvres. ~~Mon père~~ ~~Mon nouveau père~~ Lord Unwin dit que tout est pareil que dans mon ancienne église sauf qu'ils parlent l'anglais, mais il ne comprend pas (ou peut-être qu'il fait semblant) que si même un petit mot d'une Formule est oublié ou mal prononcé, elle ne marche pas du tout, comme dans « La Forêt Enchantée de Colombine » quand Colombine dit « zabda hanifah » et qu'elle perd ses ailes. Lord Unwin déteste l'Église et Notre-Dame et tous les Saints, il dit : « Plus de ce karabia dans cette maison » et karabia ça veut dire Vous, Sainte Thérèse.*

*Pourquoi est-ce que Vous ne me parlez plus ? Est-ce que les murs de cette malheureuse nouvelle maison sont un bouclier contre Votre voix ? Je ne peux pas croire qu'il est plus fort que Vous. Si Vous ne pouvez pas me parler à haute voix, peut-être que Vous pourriez me parler tout bas quand Mrs. Pitt m'emmène promener, ou peut-être Vous pourriez faire que Votre réponse apparaisse sur cette page demain matin (ou la suivante s'il n'y a plus de place). Je laisserai la plume dans l'encre, mais s'il Vous plaît n'en renversez pas parce que Mrs. Pitt (ma nouvelle gouvernante) est très sévère.*
*Oh oui, il faut que vous sachiez quelles sont mes questions. Elles sont : Où est allé mon cher papa à moi et quand le reverrai-je ? Et : Combien de temps encore ce mauvais homme nous gardera Maman et moi en son pouvoir ? Il dit que je dois aller à l'École des Jeunes Dames dès que possible. J'ai très peur de cela car il faudra que je quitte Maman, et j'ai entendu dire que l'école prend beaucoup d'années. Aussi je ne veux pas être une Jeune Dame parce qu'on ne leur permet pas de jouer au cerceau parce qu'elles doivent se marier.*

Le reste du journal consiste en pages vierges, couleur crème, mystérieuses. Sugar sent une nouvelle salve douloureuse dans ses entrailles, et s'assied de nouveau sur le pot de chambre. Elle libère spasmodiquement des déjections brûlantes. Elle se tient les épaules, frissonnant, se mordant les lèvres pour ne pas laisser échapper des blasphèmes ou des obscénités. Entre deux crampes, elle se force à inspirer profondément. *Je suis une gouvernante.*

Un peu plus tard, à six heures et demie, Rose lui apporte une tasse de thé. Sugar est déjà habillée, son abondante chevelure maîtrisée en un chignon serré, son corps gainé de noir.

La chambre est rangée, les journaux invisibles – empilés sous le lit, enroulés dans la vieille robe qu'elle utilisait comme déguisement pour aller à l'église des Rackham. Dieu sait pourquoi elle a gardé cette robe – elle n'a plus besoin de se déguiser maintenant ! Mais elle l'a gardée, et elle lui a trouvé une utilité après tout.

« Bonjour, Miss Sugar, dit Rose, dont le nez se tord rien qu'un instant à l'odeur de diarrhée qui parfume encore l'air. Je-je ne savais pas quel biscuit vous aimez. » Et elle lui présente une assiette contenant trois sortes différentes.

« Merci, Rose », dit Sugar, émue quasiment aux larmes par la bienveillance de la servante. Soit Rose n'a jamais lu de romans, soit son maître lui a ordonné d'être aimable. « C'est très gentil à vous. Je me demande si vous pourriez me dire comment ouvrir la fenêtre ? J'ai essayé, mais je n'y arrive pas.

– Elle est grippée à cause de la peinture, miss, de l'extérieur. » Rose incline la tête en manière d'excuse. (La maison tout entière est affligée d'inconvénients mineurs causés par la récente orgie d'améliorations.) « J'en parlerai à Mr. Rackham qui demandera au jardinier de monter la réparer pour vous, miss.

– Inutile, inutile. » Sugar ne veut causer le moindre embêtement à William, de peur qu'il pense qu'une gouvernante choisie à une source plus conventionnelle aurait été plus facile à vivre. Quand il viendra la voir, que ce soit parce qu'il la désire, non parce qu'il doit gérer les conséquences de rénovations hâtives. Avec un signe de tête d'encouragement à Rose, Sugar prend une gorgée de thé tiède et une bouchée de biscuit.

*« Qwor ! »* s'exclame son estomac, tandis que la domestique quitte la chambre.

Quelques minutes plus tard, dans une chambre quasiment identique à la sienne, Sugar réveille Sophie, et la trouve trempée d'urine. La petite fille, troublée et clignant des yeux à la lumière de la lampe, est empêtrée dans un enchevêtrement de chemise de nuit et de draps qui collent à sa peau, comme si un broc de pisse avait été versé sur son corps des genoux à la poitrine.

« Oh… mon Dieu, Sophie, dit Sugar, après s'être mordu la langue afin de refouler des réactions plus grossières.

– Je suis désolée, miss, je suis mauvaise », dit l'enfant du ton de la constatation, comme si elle lui donnait un renseignement qu'elle avait oublié de lui communiquer le jour précédent.

Le tub en métal plein d'eau chaude est déjà près du lit, posé là par la personne qui fait le travail du petit Christopher dans la maison Rackham. Sugar aide Sophie à se lever, et lui retire prudemment sa chemise de nuit pour ne pas lui frotter le visage dans son pipi. L'enfant fait le reste. Son corps trapu et ses bras maigres disparaissent sous la mousse du Savon Rackham (toujours *Moussant comme nul autre !*, jusqu'à ce que la formule suggérée par Sugar soit adoptée).

« Très bien, Sophie », dit-elle, détournant le regard. Ses cheveux se dressent sur sa nuque lorsqu'elle remarque deux yeux brillant dans l'obscurité : la poupée de Sophie, avachie sur la commode, le menton dans la poitrine, souriant de toutes ses dents peintes. Sugar et le mannequin se fixent mutuellement jusqu'à ce que l'eau du bain ne clapote plus, puis elle se tourne vers Sophie. L'enfant est debout, prête à être séchée, ses omoplates tremblant de froid, et Sugar l'enveloppe dans une serviette ; mais, ce faisant, elle aperçoit la petite vulve entre les cuisses de Sophie, le sexe ferme, nettement dessiné, luisant d'eau – et ne peut s'empêcher d'imaginer une bite au nœud mauve en train de s'y introduire.

« Je suis désolée, miss, dit Sophie en entendant le grommellement navré de Sugar.

– Tu n'as rien fait de mal, ma chérie », dit Sugar, regardant vers la fenêtre tandis que l'enfant finit de se sécher. Il semble que le soleil se lève, ou du moins que la nuit recule, et dans le giron de Sugar, un tout petit jupon est prêt.

À huit heures et demie, après qu'elles ont mangé les bols de porridge que Rose leur a apportés, Sugar accompagne Sophie à ce qui était, jusqu'à hier, la nursery. Elles marchent sur la pointe des pieds, longeant de sombres portes fermées derrière lesquelles sont cachés les effets personnels, et peut-être les corps, de William et d'Agnes Rackham. Silencieuses comme des souris ou des voleurs, elles arrivent au bout du palier et s'introduisent dans la pièce obscure où ardoise et cheval à bascule se tiennent prêts.

Une servante a fait un feu dans la cheminée, ramenant ainsi la température à une fraîcheur supportable. Tandis que Sugar allume la lampe, Sophie va droit au bureau et s'assied, ses pieds serrés dans leurs chaussures pendant à quelques centimètres du sol.

« La dictée, d'abord, je pense, dit Sugar, tandis que ses intestins continuent à faire grand bruit. Quelques mots au hasard, juste pour voir comment tu écris quand tu es à moitié endormie ! »

Sophie ne comprend pas la plaisanterie ; elle semble considérer cela comme une véritable tentative de la prendre en faute alors qu'elle est le moins préparée. Mais elle pose une feuille de papier blanc sur le bureau devant elle et se tient droite, attentive, dans l'attente de la première humiliation.

« Chat », déclare Miss Sugar.

Le visage penché sur la page, Sophie trace le mot, sa petite main tenant maladroitement la plume, ses grands yeux brillant tandis qu'elle s'efforce de calligraphier au mieux.

« Chien. »

Un nouveau plongeon dans l'encrier. Une grimace de déception alors qu'une tache noire défigure le « c » – tel était le piège, sans doute ! Une deuxième tentative.

« Maître. »

De nouveau l'enfant écrit les lettres, avec difficulté mais (pour autant que Sugar puisse en juger à l'envers) sans incertitude apparente quant à l'orthographe. Laquelle des deux est attrapée ici ?

« Maîtresse – non… euh… Fille. »

*Vierge*, suggère un souffleur fantôme dans la tête de Sugar, un diable rusé avec la voix de Mrs. Castaway. *Vierge.*

« Euh… (elle cherche l'inspiration autour d'elle) fenêtre. »

*Gardée intacte spécialement pour vous, monsieur.*

« Matin. »

*Catin.*

Le soleil brille maintenant, effaçant les ombres de la salle d'étude, réchauffant l'air renfermé. Sugar s'éponge le front avec le tissu noir de sa manche. Elle n'aurait jamais cru qu'il fût si difficile de dicter.

Toute la matinée, Sophie Rackham fait ce qu'on lui dit. Elle écrit, elle lit tout haut, elle écoute une fable d'Ésope et régurgite la morale. Sa première leçon d'histoire en règle est un modèle d'obéissance ; Miss Sugar récite les faits cinq ou six fois, et Sophie les répète jusqu'à ce qu'elle les ait gravés, ou du moins inscrits au crayon, dans sa mémoire. C'est ainsi que Sophie apprend qu'au premier siècle, Londres avait été fondée par les Romains, Jérusalem avait été détruite par Titus, et que Rome avait été brûlée sous le règne de Néron. La mémorisation de ces événements est une affaire de dix minutes, consacrées en grande partie à corriger la tendance qu'a Sophie à prononcer « Jéruzlemme ». Mais le reste de la matinée passe en un éclair, tandis que Sugar met Mangnall de côté et essaie de répondre aux questions que sa leçon inspire à Sophie, comme : où était Londres avant que les Romains la fondent ; pourquoi est-ce que Titus n'aimait pas Jérusalem ; et comment Rome pouvait-elle prendre feu s'il pleuvait ? Puis, dès qu'elle a résolu ces énigmes (pour ce qui est de Titus, en improvisant une pure fiction), Sugar s'attaque aux questions plus fondamentales, comme : qu'est-ce qu'un siècle et comment sait-on dans quel siècle on est ; et y a-t-il des éléphants à Londres.

« Tu en as vu des éléphants, toi, à Londres ? la taquine Sugar.

– Je n'y ai jamais été, miss », répond l'enfant.

À midi, Sophie ayant droit à une récréation de deux heures, Sugar en profite également. Le rituel commun aux autres maisons, qui consiste à faire descendre l'enfant vêtu de façon irréprochable et arborant son maintien le plus digne, pour prendre le déjeuner ou le dîner avec ses parents, est inconnu dans la maison Rackham.

Le brillant soleil matinal a été remplacé par la pluie. Rose leur apporte leur part du déjeuner qui est servi au rez-de-chaussée (à qui ? Sugar l'ignore) et disparaît. Les leçons ne reprenant qu'à deux heures, Sugar attend avec impatience l'occasion de remédier à ses inconforts physiques – les pieds gourds à moitié gelés, les aisselles collantes de sueur, le trou du cul endolori et irrité. Tout en mangeant son gâteau à la carotte, elle cherche un autre mot pour « trou du cul » – pas « anus », qui fait encore grossier, mais quelque terme évasif qui soit entièrement inoffensif et raffiné, qu'on puisse prononcer en bonne compagnie. Sans succès. Elle devra purifier ses mots et ses pensées, si elle veut devenir une bonne gouvernante. Bien que William n'ait jusqu'alors témoigné que peu d'intérêt pour sa fille, il ne souhaiterait certainement pas la voir apprendre le langage grossier.

« Sois sage, Sophie », dit-elle, se préparant à enfermer l'enfant dans la nursery – la salle d'étude, plutôt.

« *Sois sage, douce enfant, et laisse la ruse aux rusés,* récite Sophie, saisissant l'occasion de compléter le poème, comme une prière. *Accomplis de nobles choses, au lieu d'en rêver toute la journée ; Et fais ainsi de la vie, de la mort, et de la vaste éternité, Un long chant de douceur et de félicité.* »

« Très bien, Sophie », dit Sugar avant de fermer la porte.

Dans sa chambre, le pot a été vidé et lavé, et de l'essence de lavande a été diffusée dans l'air. On a changé les draps et les taies, et sa brosse à cheveux, sa boîte à épingles, son tire-bouton et le reste ont été soigneusement disposés sur la couverture. Le paquet des journaux est demeuré intact sous le lit, Dieu merci. Une carafe d'eau a été placée sur la commode, ainsi qu'un verre propre et une feuille de papier pliée.

Sugar s'empare précipitamment du message, pensant qu'il vient de William. Il est de Rose et dit : *Shears s'occupera de la fenêtre – Rose.*

Elle se déshabille, lave les parties de son corps qui en ont besoin, et revêt la robe de chambre bordeaux aux revers capitonnés que William apprécie tant. Elle s'assied sur le lit, les pieds entourés d'une couverture, et attend. Quelque tentée qu'elle soit de lire les journaux d'Agnes, elle ne peut s'y risquer car quand William viendra – ce qu'il ne manquera pas de faire – il ne frappera peut-être pas avant d'entrer, et que dirait-elle alors ? Même s'il frappait, les journaux sont sales, et il lui faudrait du temps pour se laver les mains…

La pendule tictaque. La pluie crépite sur la vitre, cesse un moment, puis revient. Ses orteils se réchauffent un à un. William ne vient pas. Sugar se remémore la manière frénétique dont il l'étreint quand il la baise par-derrière, ses mains pesant sur ses épaules comme dans l'espoir fou de fondre leurs corps en un seul – comme si, par une soudaine, fantastique contraction de la chair, elle pouvait s'emboutir dans son bas-ventre, ou lui disparaître complètement dans le sien.

À deux heures moins dix elle se rhabille, se boutonnant dans son uniforme noir de gouvernante et raccrochant sa robe de chambre bordeaux dans le placard. Elle s'est rappelée, à son soulagement, que nous sommes mercredi – le jour où William vérifie quelle proportion des marchandises qu'il a commandées est effectivement arrivée dans les entrepôts. Il doit être à Air Street, examinant les bons de livraison d'un front soucieux, formulant déjà dans son esprit les lettres qu'elle l'aidera à écrire quand sa contrariété sera passée. C'est une tâche ennuyeuse, mais elle doit être accomplie.

Le restant de la journée file rapidement. Sophie adore qu'on lui lise des histoires, découvre Sugar. Donc, quand elle ne lui fait pas ingurgiter machinalement les *Questions* de Mangnall et quand elle ne clarifie pas les confusions provoquées par ce livre vénérable, Sugar lui lit les fables d'Ésope, prenant une voix différente pour chaque animal. À un moment, après un coin-coin particulièrement réussi, elle jette un coup d'œil à Sophie et croit détecter un frémissement de lèvres qui pourrait être un sourire hâtivement réprimé. En tout cas les yeux de la petite sont brillants et grands ouverts, et elle respire à peine de crainte de rater un seul mot.

« Mouououstaches », dit Sugar, reprenant courage.

Peu avant quatre heures, des grincements et des cliquetis attirent Sugar et Sophie à la fenêtre pour voir la voiture émerger de la remise. Mrs. Rackham, semble-t-il, sort prendre le thé chez une dame ou peut-être même chez plusieurs à la file. L'obscurité descend déjà, et il bruine, mais quand Agnes apparaît elle est resplendissante de rose et son ombrelle de même couleur paraît lumineuse dans le crépuscule. Cheesman l'aide à monter en voiture et l'emporte. « J'aurais sûrement le mal de mer, dit Sophie, le nez collé à la vitre, si je voyageais là-dedans. »

À sept heures, après un dîner de rôti et une heure ou deux passées dans sa chambre à attendre William, Sugar retourne accomplir auprès de Sophie le dernier de ses devoirs. Elle ne peut s'empêcher de penser qu'il est inutile de donner un bain à Sophie à l'heure du coucher alors qu'il est très probable qu'il faudra le faire à nouveau le lendemain matin, mais Sophie y semble habituée et Sugar ne voudrait pas bousculer trop rapidement les routines établies. Elle procède donc au rituel et revêt l'enfant de sa chemise de nuit blanche.

« Dieu bénisse Papa et Maman, dit Sophie, s'agenouillant à côté de son lit, ses petites mains disposées en clocher au-dessus de la couverture. Dieu bénisse Nurse. » Son ton est à ce point incantatoire qu'elle ne semble se soucier du fait que deux éléments de ce triumvirat soient à peine présents dans la vie de Sophie et que le troisième l'ait abandonnée pour nourrir un bébé appelé Barrett. Père, Mère et Nurse sont des personnages folkloriques comme le Père, le Fils et le Saint-Esprit, ou Grand Ours, Moyen Ours et le Tout Petit Ours.

« ... et je suis contente d'être une petite fille en Angleterre avec un foyer et un lit, et Dieu bénisse les petits enfants noirs d'Afrique, qui n'ont pas de lits, et Dieu bénisse tous les petits enfants jaunes en Chine, qui sont obligés de manger des rats... »

Les yeux de Sugar, fixés sur les pieds pâles et nus de Sophie qui dépassent sous l'ourlet de sa chemise de nuit, se croisent lentement. Quels que puissent être ses scrupules à embellir d'anecdotes sentimentales et fictives la décision de Constantin qui mit fin à la persécution des chrétiens, elle ne fait guère plus que de marcher sur les pas de Beatrice Cleave. Beaucoup de bêtises ont déjà été déposées dans le crâne de Sophie, et d'autres suivront.

« Est-ce que… est-ce que tu veux que je te lise une histoire pour t'endormir ? demande Sugar tout en bordant l'enfant.

– Merci, miss. »

Mais lorsque Sugar a trouvé un livre, il est trop tard.

Allongée dans son lit cette nuit-là, après avoir finalement renoncé à attendre William, Sugar pose une sélection des journaux d'Agnes devant elle sur la couverture, un niché dans son giron, les autres à portée de main. Si elle entendait William à sa porte, elle a décidé que faire : souffler la chandelle et, sous couvert d'obscurité, jeter les journaux sous le lit. Puis, s'il est dans l'état qu'elle pense, il est peu probable qu'il s'aperçoive, même à la lumière d'une chandelle rallumée, que ses mains sont sales. Elle les essuiera à loisir, quand son visage sera enfoui entre ses seins.

Agnes reprend la rédaction de ses mémoires après la tirade contre son beau-père et son noir dessein de la mettre à l'école, le 2 septembre 1861, sur la première page d'un nouveau volume intitulé *École de Filles de Langley*. Le malheur auquel elle s'attendait dans cette sorte d'endroit n'est visible nulle part ; car, non seulement elle calligraphie avec fierté le nom de l'école, mais en plus elle décore les marges d'aquarelles représentant l'emblème de l'école, une couronne de roses trémières, avec sa devise : *Comme Il Faut**.

S'adressant de nouveau à son « cher journal », plutôt qu'à « sainte Thérèse » ou quelque autre correspondante surnaturelle, Agnes, qui a alors dix ans, inaugure ainsi le compte rendu ininterrompu de ses six années d'école.

*Eh bien, me voici à Abbots Langley (près d'Hampstead). Miss Warkworth & Miss Barr (les directrices) disent qu'on ne peut pas quitter l'école avant d'être « achevée », mais n'aie crainte, cher journal, car elles entendent par là Intelligente et Belle. J'ai réfléchi profondément à cela et j'ai décidé que ce serait une bonne chose si j'étais Intelligente & Belle parce qu'alors je me marierais bien, à un officier de la Vraie Foi. Je lui décrirais mon papa et il dirait : « Mais j'ai vu cet homme se battre dans des îles lointaines ! » et dès que nous serions mariés il partirait à sa recherche. Maman & moi nous habiterions ensemble dans sa maison, en attendant que lui et Papa reviennent. Je ne sais pas comment Miss Warkworth & Miss Barr & les autres maîtresses ont l'intention de m'« achever », mais j'ai vu des filles plus âgées qui avaient été à Abbots Langley pendant des années, & elles ont l'air très contentes d'elles & certaines sont très Grandes et Gracieuses. En robe de soirée, je suis sûre qu'elles ressembleraient à des Dames en peinture avec un bel Officier à leurs côtés.*

*J'ai été installée dans ma chambre, que je dois partager avec deux autres filles. (Il y en a, je crois, trente en tout. Cela m'inquiétait beaucoup avant de venir, car je savais que je devrais vivre avec des inconnues qui pourraient être cruelles & j'étais presque malade de peur à l'idée d'être à leur merci.) Mais les deux filles dans ma chambre ne sont pas si mal après tout. Une s'appelle Letitia (je pense que c'est comme ça que ça s'écrit) et bien qu'elle soit un peu plus vieille que moi & dise qu'elle vient d'une meilleure famille, elle a été tellement enlaidie par une Maladie qu'elle n'a pas le courage de prendre de grands airs. L'autre fille a pleuré et reniflé depuis son arrivée mais n'a rien dit.*

*Au dîner, d'autres filles (que j'ai d'abord prises pour des maîtresses d'école, tant elles semblaient âgées – je suppose qu'elles sont presque achevées) ont essayé de me faire dire qui était mon Père & je ne voulais pas leur répondre, parce que j'avais peur qu'elles ne se moquent de Papa. Mais alors il y en a une qui a dit : « Je sais qui est son père – c'est lord Unwin », & ça les a fait toutes taire ! Peut-être que j'ai un peu trahi Papa en ne disant pas que c'était lui mon Vrai père, mais ne crois-tu pas que je devrais être heureuse des petits bénéfices que je pourrais tirer d'être la belle-fille de lord Unwin ? Que ce soit bien ou pas, j'accepte avec reconnaissance tout ce qui m'aidera à moins souffrir, car je déteste souffrir. La plus légère égratignure sur mon cœur y demeure sans être le moins du monde guérie et me fait craindre que la prochaine blessure ne soit la dernière. Si seulement je pouvais ne plus recevoir de blessures, j'arriverais sauve au Mariage, et après cela je serais libre de tout souci. Souhaite-moi bonne chance !*

*(Je peux te parler librement, cher Journal, parce qu'il n'y a que les lettres que j'envoie par la poste que je dois donner ouvertes à Miss Barr.)*

*J'ai encore des choses à te dire, mais Miss Wick (dont je te dirai plus demain) vient de passer nous dire que nous devions toutes éteindre. Et donc, cher Journal, je dois te remettre sous clef, & te demander de ne pas t'inquiéter pour moi pour l'instant car il semble que je survivrai à mon éducation après tout !*

*Ton amie affectionnée,*

*Agnes*

Sugar lit encore vingt ou trente pages avant de succomber à l'épuisement – et, pour tout dire, au gaz inodore et mortel de l'ennui. La promesse d'Agnes d'en dire « plus demain » à propos de Miss Wick est fidèlement tenue, et de fait Miss Wick, et toutes les autres miss qu'Agnes n'a pas le talent d'incarner dans ses écrits, dressent leurs têtes dépourvues de traits non seulement demain, mais demain et demain et demain.

Au cours des dernières minutes d'éveil, le désir vient à Sugar de glisser dans la maison Rackham tel un fantôme pour voir ses occupants *maintenant*, tels qu'ils sont réellement. Elle aimerait traverser la lourde porte du bureau de William pour voir ce qu'il fabrique ; scruter l'intérieur de son cerveau afin d'en extirper les raisons qu'il a de l'éviter. Elle voudrait voir Agnes, la véritable Agnes en chair et en os qu'elle a touchée et sentie, faire ce qu'elle fait la nuit dans sa chambre… Même la vue de Mrs. Rackham endormie lui révélerait plus, elle en est sûre, que ces vieilles réminiscences pleines de terre !

Enfin, elle s'imagine entrant dans la chambre de Sophie et lui suggérant à l'oreille de sauter du lit pour utiliser une dernière fois le pot de chambre. Cela n'est pas un fantasme : elle *pourrait*, si elle voulait, le faire. Comme Sophie serait heureuse de se réveiller demain matin dans une chemise de nuit sèche ! Sugar prend une grande inspiration pour se donner le courage de rejeter les chaudes couvertures et aller pieds nus dans le noir jusqu'à la chambre de Sophie. Une minute ou deux d'inconfort, c'est tout ce qu'elle devra endurer pour accomplir cet acte charitable – oui ! La voilà debout, la voilà marchant sur la pointe des pieds sur le palier, chandelle en main !

Mais, comme dans ces rêves d'enfance qu'elle se rappelle encore, quand, convaincue d'avoir quitté son lit pour utiliser le pot, elle découvrait, dès qu'elle se laissait aller, qu'elle était en train de se mouiller, l'acte charitable n'a lieu que dans son sommeil, et sa fin heureuse est emprisonnée comme une mite dans sa tête ronflante.

Le lendemain matin, dans la froide lumière de l'aube, tandis que le vent hurle et ricane et que la neige fondue jacasse contre les fenêtres du côté est de la maison Rackham, Sugar approche doucement du lit de Sophie, tire les couvertures, et trouve l'enfant trempée d'urine comme d'habitude.

« Je suis désolée, miss. »

Que répondre ? « Eh bien, nous n'avons pas d'autres draps, et il pleut, et j'aurai bientôt des visiteurs qui n'apprécieront pas ton odeur – alors qu'est-ce que tu suggères que nous fassions, hmm, ma petite poupée désolée ? » Les mots résonnent dans la mémoire de Sugar ; elle est tentée de les dire tout haut, de ce même ton taquin, aigrement affectueux qu'utilisait Mrs. Castaway il y a quinze ans de cela. Comme ils viennent vite sur la langue de Sugar ! Elle les ravale, horrifiée.

« Il n'y a pas de quoi être désolée, Sophie. Nous allons te laver. »

Sophie se bat avec sa chemise de nuit, dont le tissu trempé colle à chaque centimètre de sa peau, épousant le contour de ses côtes. Sugar vient à son aide, libérant ses bras en tirant sur la chemise qu'elle roule en boule, déguisant d'une toux un cri de douleur étouffé lorsque l'urine acide entre en contact avec les crevasses de ses paumes et de ses doigts. Elle ne peut s'empêcher de remarquer, quand l'enfant nue quitte son lit puant pour entrer dans le tub, que la vulve de Sophie est rouge vif.

« Lave-toi bien, Sophie », l'enjoint-elle d'un ton léger, détournant le regard en direction des ombres de la pièce, mais il est impossible d'échapper au souvenir de ses propres parties enflammées, examinées dans un miroir fêlé, une fois que le gros vieillard aux mains velues l'eut enfin laissée seule. *Il est intelligent mon majeur, et comment!* C'est ce qu'il lui disait tout en fouillant entre ses cuisses. *C'est un petit bonhomme très espiègle! Il adore jouer avec les petites filles, et les rendre plus heureuses qu'elles l'ont jamais été!*

« Terminé, miss », dit Sophie, les jambes tremblant de froid, ses épaules fumant de vapeur sous la lumière de la lampe.

Sugar entoure les épaules de Sophie de la serviette, la soulève à moitié hors du tub, et l'aide à se sécher partout, en tamponnant les fentes. Puis, juste avant de lui passer ses pantalons, elle saupoudre l'entrecuisse de Sophie de Poussière de Neige Rackham, et fait pénétrer le talc dans la chair meurtrie par légers tapotements. L'odeur de lavande imprègne l'air entre elles; le sexe de l'enfant a été poudré comme le visage d'une putain, fendu d'une fine bouche rouge, pour disparaître ensuite à l'intérieur du coton blanc dans un léger nuage de talc.

Après l'avoir boutonnée dans une robe bleue qui lui va mal et arrangé son tablier blanc, elle tire les draps du matelas (protégé par une alèse en toile cirée, tout comme le sien chez Mrs. Castaway!) et le met à tremper dans l'eau du bain. Y a-t-il une raison, se demande-t-elle, pour que les draps soient lavés immédiatement et mis à sécher dans cette vilaine petite pièce au sous-sol, alors que la chemise de nuit de Sophie et en fait tout le linge de la maison est lavé normalement par les domestiques? La laveuse s'est-elle plainte, un beau jour, de ne pouvoir supporter cette charge quotidienne de linge souillé? Ou le rituel a-t-il été imaginé par Beatrice Cleave, dans le seul but de rappeler à Sophie combien elle causait d'embêtements à sa nurse déjà harassée?

« Je me demande ce qui arriverait, dit Sugar tandis qu'elle plonge jusqu'aux coudes dans l'eau tiède et jaunie, si nous mettions ce drap avec les autres choses à laver. » Elle soulève le lourd enchevêtrement et se met à le tordre en attendant la réponse de Sophie.

« Il est trop plein de saleté, miss, répond l'enfant, du ton solennel de qui initie la nouvelle venue aux réalités intangibles du domaine Rackham. Ma mauvaise odeur se répandrait dans les bonnes parties de la maison, dans les lits bien propres, partout.

– C'est ta nurse qui t'a dit ça ? »

Sophie hésite ; les interrogations de la journée ont évidemment commencé, et elle doit s'appliquer à répondre correctement.

« Non, miss. Tout le monde sait ça. »

Sugar laisse tomber le sujet, essore le drap du mieux qu'elle peut. Elle laisse Sophie se peigner, et emporte le bouchon de linge mouillé, pour suivre les pas de Beatrice Cleave une fois de plus.

Le palier est encore très sombre, mais l'entrée est tapissée d'une fine couche de lumière laiteuse, et le trop-plein de soleil se répand jusqu'à mi-chemin de l'escalier, rendant la seconde partie de la descente de Sugar plus facile que la première. Que penserait William, s'il la rencontrait en train de courir comme ça dans sa maison, portant à bout de bras un bouchon de linge mouillé et puant ? Vaine conjecture, car elle ne rencontre personne. Bien qu'elle sache que les régions inférieures de la maison Rackham doivent être une véritable ruche, elle n'en perçoit rien, et elle a l'impression d'être la seule âme à hanter ses couloirs luxueux. Le silence est tel qu'elle entend le tapis sous ses pieds, la contraction presque imperceptible de son épaisseur de laine dense à chacun de ses pas.

La bizarre remise avec son tuyau en cuivre est chaude comme un four une demi-heure après la sortie du gâteau. Toute trace de boue et d'eau sale a été scrupuleusement nettoyée dans le coin où les journaux d'Agnes s'étaient trouvés pour quelques heures, avant que Sugar ne les prenne ; et contrairement à ses craintes, il n'y a, à la place des journaux, pas de mot sévère signalant que le vol est puni d'un renvoi immédiat.

Sugar pend le drap sur le tuyau de cuivre. Alors seulement, elle remarque que le talc, qui avait pénétré les crevasses de ses paumes, s'est mêlé à l'eau du bain, soulignant les monstrueuses circonvolutions de sa peau d'un réseau de lignes crémeuses. Des caillots et des taches de cette vase parfumée parsèment le drap, semblables à une épaisse semence masculine.

*William, où es-tu ?* pense-t-elle.

La matinée est consacrée à l'Empire romain et la dictée, avec deux contes de fées en récompense. Sugar les trouve dans un mince volume relié de tissu dont le dos est élimé et les pages écornées. *Illustré et augmenté de Morales Révisées*, proclame la page de titre, avec une inscription à la main :

*Chère Sophie, Une bonne amie m'a grondé de t'avoir donné la Bible pour Noël dernier, me disant que tu étais encore trop jeune. J'espère que ce petit livre te plaira <u>presque</u> autant. Avec les vœux affectueux de ton barbon d'oncle Henry.*

« Tu te rappelles ton oncle Henry ? demande Sugar d'un ton dégagé, entre deux enchantements et un sauvetage surnaturel.

– On l'a enterré », dit Sophie, après quelques instants d'une réflexion qui lui ride le front.

Sugar poursuit sa lecture. Les contes de fées sont une nouveauté pour elle ; Mrs. Castaway ne les aimait pas, parce qu'ils encouragent à croire que tout se passe exactement comme cela devrait se passer, alors que « Tu découvriras bien assez tôt, mon enfant, que ce n'est jamais le cas». Mrs. Castaway préférait nourrir la jeune Sugar de contes populaires (plus ils étaient méchants mieux cela valait), d'épisodes de l'Ancien Testament (Sugar peut encore réciter toutes les épreuves de Job), et de récits d'événements réels; de fait, toute chose pourvue d'une bonne dose de souffrance injustifiée et d'actes gratuits.

À midi, quand Rose apporte à Sugar et Sophie leur part de déjeuner, elle apporte également un message. Mrs. Rackham reçoit et désire montrer la maison à ses invitées. Mr. Rackham demande donc que Mrs. Rackham puisse ce faire sans être aucunement dérangée. *Aucunement* dérangée, comprenez-vous? «Et si vous voulez, il reste de la galantine, et j'apporte le gâteau tout de suite», ajoute Rose pour adoucir la rigueur de leur emprisonnement.

Le silence descend sur gouvernante et élève une fois la servante partie. Fidèle aux habitudes de ce mois de novembre, le soleil disparaît et la pièce s'assombrit, le vent secouant bruyamment sa fenêtre. Les claques des gouttes de pluie se muent en vacarme de grêlons.

«Eh bien, ces invitées n'auront pas la chance, dit enfin Sugar, de voir ta jolie nursery – ta jolie salle d'étude, je devrais dire. C'est la pièce la plus gaie de toute la maison, et tes jouets sont très intéressants.»

Un nouveau silence.

«Maman ne m'a pas vue depuis mon anniversaire», dit Sophie, fixant la pistache sur son assiette, se demandant si, sous cet étrange régime post-Beatrice, on sera indulgent si elle refuse de manger ce bout de galantine.

«Quand était ton anniversaire? s'enquiert la gouvernante.

– Je ne sais pas, miss. Nurse le sait.

– Je demanderai à ton père.»

Sophie fixe Sugar avec de grands yeux, impressionnée par

les rapports familiers que semble entretenir la gouvernante avec les personnages importants et mystérieux du monde des adultes.

Sugar saisit le Mangnall et l'ouvre au hasard. « … communément appelé le "Polyglotte complutinien", de Complutum, nom latin d'Alcala » est ce sur quoi tombe son regard. Elle décide de lire plutôt la Bible, rehaussée de ses propres commentaires et ses évocations de la mode galiléenne, peut-être suivie d'un peu d'Ésope.

« Qu'est-ce qui s'est passé le jour de ton anniversaire ? demande-t-elle à Sophie d'un ton égal, tandis qu'elle feuillette la Bible. Est-ce que tu as fait quelque chose de mal ? »

Sophie réfléchit, la lumière gris argent provenant de la fenêtre éclaboussée par la grêle faisant vaciller son visage rondelet au front plissé. « Je ne me rappelle pas », finit-elle par dire.

Sugar fait entendre un chantonnement qui signifie : « Aucune importance. » Elle a rejeté Job, songe à choisir Esther avant de constater qu'il renferme une quantité effroyable de meurtres et de purifications de vierges, puis s'empêtre dans Néhémie, dont les listes interminables sont encore plus ennuyeuses que celles d'Agnes Unwin. Cherchant l'inspiration autour d'elle, elle aperçoit les animaux en bois peint entassés dans un coin.

« Voici l'histoire, déclare-t-elle en fermant le livre, de l'arche de Noé. »

Ce soir-là, une fois Sophie couchée, Sugar retourne dans sa chambre pour y passer la longue nuit. William est à la maison, elle le sait, et Agnes est partie en visites : conditions idéales pour qu'il vienne voir sa bien-aimée. Cachée là dans une pièce minable aux allures de boîte, tapissée d'un vilain papier défiguré par des crochets auxquels aucun tableau ne pend, elle s'allonge sur le lit, ses seins parfumés sous le tissu capitonné de sa robe de chambre bordeaux.

Une heure passe, l'ennui commence à s'installer, et Sugar tire les journaux d'Agnes de sous le lit. La pluie cogne à la vitre. Peut-être est-il préférable que Shears ne soit pas encore monté briser le sceau de peinture, car cette eau balayée par le vent semble vouloir entrer à toute force.

À Abbots Langley, dans un cloître restauré bourré jusqu'au plafond d'adolescentes, l'éducation d'Agnes Unwin n'en finit pas de se faire. D'après ce que Sugar peut lire entre les lignes du récit haletant mais soporifique que livre Agnes, les études poussées ne figurent plus au menu, supplantées par l'importance croissante donnée aux « arts d'agrément ». Sur des sujets tels que géographie ou anglais Agnes n'a rien à dire, mais elle consigne l'exultation qu'elle ressent à être complimentée sur ses travaux de tapisserie, le supplice des promenades avec un professeur d'allemand ou de français durant lesquelles elle doit réciter des conjugaisons au pied levé. Les années défilent, et Agnes ne réussit jamais que médiocrement dans les matières scolaires, ainsi qu'en attestent les nombreux « P » (pour passable) inscrits dans son cahier, mais la musique et la danse sont pour elle une joie quasi spontanée. Un des rares passages vivants du récit d'Agnes la décrit assise à l'un des pianos de la salle de musique avec sa meilleure amie Laetitia deux octaves à sa gauche, jouant au rythme frappé par une canne le même air que quatre autres filles interprètent à deux autres pianos. Son orthographe défaillante ne lui vaut jamais plus qu'un tut-tut de reproche, tandis qu'en arithmétique, les sanctions lui sont souvent épargnées pour ses erreurs, tant que la calligraphie des sommes est parfaitement formée.

Bien qu'Agnes ne manque pas un seul jour de son journal, Sugar est incapable de faire preuve de pareille application et saute des pages ici et là. Où est sa récompense pour le risque qu'elle court d'être prise la main dans le sac – ou plutôt dans la terre – par William s'il entrait soudain pour la trouver lisant les journaux volés de son épouse ? Et grand Dieu, combien d'inepties d'écolière lui faudra-t-il avaler ? Où est la vraie Agnes dans tout cela ? Où est la femme de chair et de sang qui vit plus loin sur le palier, cette créature étrange et souffrante qui est la femme de William et la mère de Sophie ? L'Agnes des journaux n'est qu'une invention de contes de fées, aussi peu plausible que Blanche-Neige.

Un coup à sa porte la fait violemment sursauter, envoyant promener le journal. En deux secondes frénétiques elle l'a récupéré et fourré sous le lit, s'est essuyé les mains au tapis, et léché trois fois les lèvres pour les faire briller.

« Oui ? » dit-elle.

Sa porte s'ouvre, révélant William, habillé de pied en cap, impeccable, comme s'il se trouvait sur le seuil d'un bureau. Sur son visage, rien de lisible.

« Entrez, monsieur », l'invite-t-elle, faisant de son mieux pour moduler le ton de sa voix à mi-chemin entre la déférence solennelle et le ronronnement séducteur.

Il entre et referme la porte derrière lui.

« J'ai été horriblement occupé, dit-il. C'est bientôt Noël. »

L'absurdité de cette affirmation, combinée à la tension de ses nerfs, l'amène au bord de l'hilarité.

« Je suis à votre service… », dit-elle, serrant un poing aux ongles pointus derrière son dos, utilisant la douleur pour lui rappeler que quoi qu'elle fasse ensuite avec William – discuter des points les plus épineux de la politique commerciale de la société, l'attirer contre sa poitrine – ne gagnera rien à être accompagné de hurlements de rire hystériques.

« Je crois que je maîtrise la situation, dit-il. Les commandes pour les parfums en bouteille sont encore pires que ce que je craignais, mais les articles de toilette marchent très fort. »

Sugar serre le poing si fort que sa vision se brouille de larmes.

« Comment est-ce que tu t'en tires ? demande William d'un ton à la fois jovial et lugubre. Dis-moi la vérité : tu te repens d'être venue, j'en suis sûr.

– Pas du tout, proteste-t-elle. Sophie est bien élevée, et pleine de bonne volonté. »

Son visage s'assombrit légèrement ; ce n'est pas un sujet qu'il affectionne.

« Tu as l'air fatigué – particulièrement sous les yeux », dit-il.

Avec effort, elle lui montre un visage plus frais et enjoué, mais ce n'est pas nécessaire : il ne se plaignait pas, il ne faisait qu'exprimer son inquiétude. Et quel soulagement, qu'il se rappelle à quoi ses yeux *devraient* ressembler !

« Veux-tu que j'engage une servante pour toi ? » propose-t-il. Sa voix est un mélange étrange, une composition subtile d'éléments digne d'un parfum : il y a de la déception, comme si lui aussi avait rêvé que son entrée dans sa maison inaugurerait une vie d'extase charnelle ininterrompue ; il y a de la timidité, comme s'il savait que c'était lui le responsable de ce qui s'était passé à la place ; il y a de la contrition pour les inconvénients que lui fait subir la compagnie de sa fille ; il y a de l'appréhension, à l'idée d'avoir à trouver une domestique supplémentaire alors qu'il a mille autres choses à faire ; il y a de la pitié, à la voir occuper le petit lit fonctionnel de Beatrice Cleave ; il y a de l'affection, comme s'il voulait, d'une seule caresse, redonner leur éclat à ses yeux ; et, oui, il y a du désir. Une phrase de seulement neuf mots, et elle est pleine de toutes ces nuances qui s'évaporent telles les notes qui font l'octave d'un bouquet réussi.

« Non merci, dit Sugar. Ce n'est pas nécessaire, vraiment. Je n'ai pas encore très bien dormi, c'est vrai, mais je suis sûre que c'est à cause du lit. Le nôtre me manque : c'était un tel plaisir d'y dormir, n'est-ce pas ? »

Il incline la tête – pas tout à fait un acquiescement ; une concession plutôt. C'est tout ce dont Sugar a besoin : sur-le-champ elle s'avance pour l'entourer de ses bras, pressant ses paumes contre ses reins, levant une cuisse pour la nicher entre les jambes de son pantalon.

« Toi aussi, tu m'as manqué », dit-elle, posant la joue contre son épaule. L'odeur du désir masculin est vaguement perceptible, qui s'échappe du sceau quasi hermétique de son col. Sa queue durcit contre la douce pression de sa cuisse.

« Il n'y a rien que je puisse faire, dit-il d'une voix rauque, pour changer les dimensions de cette chambre.

– Bien sûr, mon amour, je ne me plains pas, roucoule-t-elle à son oreille. Je m'habituerai vite à ce petit lit. Il n'a besoin que d'être… (elle pose une main sur son bas-ventre et suit la forme de son érection du bout de ses doigts) baptisé. »

Elle l'attire de quelques pas en direction de son lit où elle s'assied et libère sa bite de son pantalon, le prenant immédiatement en bouche. Pendant quelques secondes il demeure immobile comme une statue, puis se met à gémir et – Dieu merci – caresser ses cheveux avec une tendresse maladroite mais indubitable. *Je le tiens toujours,* pense-t-elle.

Quand il commence à bouger le bassin, elle s'allonge et remonte sa robe de chambre sur sa poitrine. Avec un cri étouffé, il tombe en elle ; et, contrairement à ce qu'elle craignait, son con l'accueille avec plus de lubricité qu'elle n'aurait pu organiser en une demi-heure de préparation.

« Oui, mon amour, viens, viens », murmure-t-elle comme il arrive à la jouissance. Elle l'enserre étroitement de ses jambes et de ses bras, criblant son cou de baisers, dont certains sont soigneusement calculés et d'autres sincères, sans qu'elle puisse les différencier. « Tu es mon homme », l'assure-t-elle, tandis qu'un liquide tiède coule dans la raie de ses fesses.

Quelques minutes plus tard, n'ayant pas de sanitaires à sa

disposition, elle est occupée à lui nettoyer le bas-ventre avec un essuie-mains trempé dans un verre d'eau.

« Tu te rappelles la première fois ? » murmure-t-elle d'un air coquin.

Il s'essaie à un sourire qui se métamorphose en une grimace mortifiée. « Quel minable j'étais alors, soupire-t-il, les yeux au plafond.

– Oh, je savais que tu étais en train de devenir un grand homme », le tranquillise-t-elle, tandis que la pluie s'arrête enfin de tomber et que le silence s'installe autour de la maison Rackham. Séché et habillé, William est étendu dans ses bras, bien qu'il y ait à peine la place pour deux sur le lit.

« Cette affaire… songe-t-il tout haut, sa voix teintée de regret. Les Parfumeries Rackham, je veux dire… Je perds des heures, des jours, des semaines entières de ma vie à m'en occuper.

– C'est la faute de ton père, dit Sugar, répétant ce qu'elle l'a si souvent entendu dire comme si les mots lui échappaient. S'il avait bâti la société sur des fondations plus rationnelles…

– Exactement. Mais cela signifie que je dois passer une éternité à traquer ses erreurs et à étayer son… son…

– Son architecture branlante.

– Exactement. Et pendant tout ce temps je néglige (il lève la main pour caresser son visage et une de ses jambes tombe du lit) les plaisirs de la vie.

– C'est pourquoi je suis ici, dit-elle. Pour te les rappeler. » Elle hésite ; est-ce le moment de lui demander s'il permet qu'elle vienne frapper à la porte de sa chambre à lui, plutôt que d'attendre qu'il frappe à la sienne ? Mais le crissement du gravier dans l'allée, sous les roues et les sabots, leur apprend le retour d'Agnes.

« Elle va mieux ces derniers temps, n'est-ce pas ? demande Sugar tandis que William se lève.

– Dieu sait. Oui, peut-être. » Il aplatit ses cheveux sur son crâne, se préparant au départ.

« Quand est l'anniversaire de Sophie ? » demande Sugar, ne voulant pas le laisser partir avant d'avoir appris au moins une chose à propos des habitants de cette étrange maison dans laquelle elle est entrée, ce dédale de pièces secrètes dont les occupants semblent si rarement reconnaître l'existence les uns des autres.

Il fronce les sourcils, consultant un inventaire mental déjà trop plein de détails accablants. « En août… en août mais je ne sais pas quel jour.

– Oh, ce n'est pas si terrible alors, dit Sugar.

– Quoi ?

– Sophie m'a dit qu'Agnes ne l'avait pas vue depuis son anniversaire. »

William la considère avec un regard des plus étranges, mélange de contrariété, de honte, et d'une tristesse plus profonde qu'elle n'imaginait qu'il pouvait recéler.

« Par anniversaire, dit-il, Sophie entend le jour de sa naissance. Le jour où elle est née. » Il ouvre la porte de Sugar, craignant que sa femme ne soit plus rapide, ce soir-là, à descendre de la voiture. « Dans cette maison, résume-t-il d'un air las, Agnes est sans enfant. »

Et sur ce, il sort sur le palier, lui fait un signe brutal de la main, comme pour dire « Reste là ! », et l'enferme.

Bien des heures plus tard, alors que Sugar est restée allongée dans le noir aussi longtemps qu'elle peut le supporter, et que la maison Rackham est si silencieuse qu'elle est sûre de trouver chacun enfermé dans une chambre ou une autre, elle quitte son lit et allume une chandelle. Pieds nus, la flamme cireuse à la main, elle sort sur le palier. Elle se sent si minuscule, avançant sur la pointe des pieds dans l'obscurité de cette majestueuse et mystérieuse résidence, mais son ombre, comme elle passe devant les portes qui lui sont interdites, est énorme.

Discrète telle une louve ou un fantôme de conte de fées, elle se glisse dans la chambre de Sophie et s'avance doucement jusqu'au chevet de l'enfant. La fille de William dort profondément, les paupières frémissant infinitésimalement de l'effort nécessaire pour garder ces énormes yeux Agnes voilés de peau. Elle respire par la bouche, bougeant de temps à autre les lèvres comme si elle répondait à un stimulus rêvé ou remémoré.

« Réveille-toi, Sophie, murmure Sugar. Réveille-toi. »

Les yeux de Sophie s'ouvrent avec des battements de cils ; ses iris bleu de porcelaine roulent, comme ceux d'un bébé drogué au cordial de Godfrey, à la Tranquillité de l'Enfant de Street ou quelque autre marque de laudanum. Sugar tire le pot de chambre de sous le lit.

« Sors du lit une minute, dit Sugar, passant la main dans le dos chaud et sec de Sophie et redressant son petit corps lourd. Juste une minute. »

Sophie tâche d'obéir, abasourdie, les yeux emplis d'une confusion qui est au bord de l'inconscience.

Sugar saisit les petites mains dans ses paumes craquelées et pelées et les soulève. « Fais-moi confiance », murmure-t-elle.

# 24

Folie ! Pure folie !

La moitié du problème de cette maison, si vous demandez aux domestiques, c'est que les Rackham ont la mauvaise habitude d'être encore debout quand ils devraient dormir, et de dormir quand ils devraient être levés.

Prenez cet instant même, par exemple. Clara avance sur la pointe des pieds dans le couloir, chandelle à la main, à minuit et demi, une heure à laquelle les serviteurs accablés de travail devraient pouvoir reposer leurs têtes sur leurs oreillers, assurés que maîtres et maîtresses ne leur causeront plus d'ennuis jusqu'au matin. Mais qu'est-ce que c'est que ça ? Clara confirme, en se penchant pour regarder par le trou de la serrure de chacune des chambres successivement, que *pas un seul Rackham ne dort.*

Folie, si vous voulez l'avis de Clara. Juste parce que William Rackham a augmenté son salaire annuel de dix shillings, s'attend-il à ce qu'elle lui baise les pieds pour le remercier de travailler ici ? Dix shillings c'est très bien, mais combien vaut une bonne nuit de sommeil ? Elle en a perdu plein ! Prenez cette nuit, par exemple ! Des portes qui s'ouvrent et se ferment, des bruits dont elle doit absolument percer la signification, car qui sait ce que prépare Mrs. Rackham ? Dix shillings par an… Qu'est-ce que c'est pour un homme dont on voit la tête sur les affiches dans l'omnibus ? Elle ne sait pas ce qui la retient de lui dire qu'elle veut un shilling pour chacune des heures où sa folle de femme la tient éveillée ! Qu'est-ce que la malheureuse peut bien manigancer en ce moment ? Une bêtise, sans aucun doute. Et demain, à l'heure où la fidèle femme de chambre est censée se tenir prête, morte sur ses jambes, Mrs. Rackham sera sûrement en train de ronfler dans son lit, bavant sur son oreiller éclairé par le soleil.

Quant à la petite Rackham, elle devrait être couchée à sept heures du soir et *rester* couchée jusqu'à sept heures du matin. Il est clair que la nouvelle gouvernante – Miss Sugar – n'a aucune idée de la façon de s'y prendre avec les enfants... Qu'est-elle en train de trafiquer ? Clara regarde par le trou de la serrure de la chambre de Sophie Rackham et voit – folie ! – la chandelle qui vacille d'un côté et de l'autre, et l'ombre de Miss Sugar enveloppant celle de l'enfant. Elle la pelote, ça n'étonne pas Clara. Dès l'instant qu'elle a mis le pied dans la maison, Clara l'a sentie sur elle : l'odeur du péché. Cette prétendue gouvernante, avec sa démarche hautement suspecte et sa bouche de traînée – où diable Rackham l'a-t-il dénichée ? À la Société de Secours, peut-être. Un des « succès » de Mrs. Fox, venue tripatouiller la petite Sophie au milieu de la nuit.

Et Rackham lui-même ? Que fait-il éveillé ? Clara regarde par le trou de sa serrure d'où elle a une vue imprenable sur le bureau du grand homme, avec le grand homme en train de gribouiller. Ne peut-il pas attendre jusqu'au matin pour persuader les gens d'acheter son parfum ? Ou ces gribouillages sont-ils le roman qu'il racontait à sa femme être occupé concevoir ? *William va publier un roman, Clara*, disait Mrs. Rackham, au moins une fois par mois durant les années de vaches maigres. *Le meilleur roman du monde. Bientôt nous n'aurons plus à supporter les grossièretés de son père.*

Clara en vient à la porte d'Agnes, et se penche pour regarder. Mrs. Rackham a toutes les lumières allumées, et elle est vêtue d'une robe de chambre magenta. Folie ! Au moins elle n'a pas eu le front de sonner la femme de chambre pour l'aider à s'habiller… Mais pourquoi marche-t-elle de long en large ? Et qu'est-ce que c'est que ce livre qu'elle tient en l'air comme un missel ? On dirait un livre de comptes – bien que Mrs. Rackham ne soit pas capable d'additionner douze et douze, pauvre nigaude.

Clara voudrait pouvoir espionner plus longtemps, mais Agnes se fige soudain et regarde droit vers le trou de la serrure, comme si elle avait remarqué l'éclat d'un œil de l'autre côté. Acuité de l'ouïe ? Instinct animal ? Le sixième sens des fous ? Clara ne sait pas exactement ce que c'est, mais elle a appris à s'en méfier. Retenant son souffle, elle se hâte de rejoindre son lit sur la pointe des pieds.

Agnes Rackham se dresse de toute sa hauteur – pour autant qu'on puisse parler de hauteur à son propos – et lève les yeux au plafond. Il y a une araignée, qui est en train d'escalader la crête de la rosette en plâtre. Agnes ne craint pas les araignées, du moins pas les maigres et fines, et n'a pas envie de la faire enlever. Nouvellement inspirée par un opuscule qui lui a été envoyé d'Amérique – *La Divine Inextricabilité de toutes choses*, d'Ambrosius M. Lawes –, elle sait que cette petite araignée est une âme tout comme elle, bien que d'un ordre inférieur.

De plus, elle se sent exceptionnellement bien, en ce moment. La migraine qui lui a gâché sa journée a disparu, et l'intérieur de son crâne est frais et purifié. Elle doit vraiment apprendre à réagir plus vite quand son estomac lui dit qu'elle n'aurait pas dû manger son dîner – ouste, du balai, immédiatement ! Un moment désagréable, et elle est une femme neuve.

Elle a donc commencé un nouveau journal – non, pas un journal –, la langue lui a fourché, ou plutôt l'esprit. Non, elle s'est déjà juré de ne plus écrire de journaux. Ils sont tellement ennuyeux, remplis et de plaintes et de griefs, qu'ils sont mieux sous terre, à l'abri des regards indiscrets.

Non, ce qu'elle écrit en ce moment est quelque chose de bien plus grand et plus profond. La Saison passée, malgré tous ses triomphes, a été la dernière à laquelle elle participera. Une destinée différente a éclos en elle, et elle doit répondre à son appel. Pendant des années elle a été une femme élégante parmi les élégantes, niant sa nature profonde. Pendant des années elle a dévoré tous les livres de savoir ésotérique qu'elle a pu trouver, et s'est dit qu'elle ne le faisait que par curiosité – maintenant le temps est venu de dire la Vérité.

Elle tient son nouveau journal – non, pas journal – à la lumière. Comment doit-elle l'appeler ? C'est un beau et gros volume, de la taille d'un registre, mais sans lignes ni colonnes. Sur la première page, elle a écrit, de sa plus belle écriture gothique : *Les Pensées Illuminées & les Réflexions Surnaturelles d'Agnes Pigott.* Pour faire plus court, elle l'appellera… « Le Livre ».

Elle fait les cent pas dans sa chambre, relisant cette première page pleine des mots que, pour la solennité de la chose, elle a attendu les douze coups de minuit pour tracer. Maintenant il est une heure moins le quart, et la voici : transcrite pour la postérité, avec ses « o » encore luisants d'encre !

*Leçon 1. Dieu et Soi*

*Dieu est une Trinité. Mais bien peu savent que nous sommes tous des Trinités. Nous avons d'abord notre Premier corps, (que j'appellerai notre Corps Père), qui est le corps que nous habitons quotidiennement. Nous avons ensuite notre Second corps, (que j'appellerai notre Corps*

*Soleil. Ce corps est gardé pour nous par les Anges du Paradis, dans des Endroits Secrets partout dans le monde, en attente de la Résurrection. Troisièmement nous avons notre Troisième Corps, que j'appellerai notre Corps Saint-Esprit, connu également sous le nom d'âme).*
*Leçon 2. L'erreur fréquente*
*La plus grande partie de la souffrance dans ce Monde provient de l'ignorance de notre Second corps. Nous faisons la faute de croire que quand notre Premier corps a disparu, nous devons passer le reste de l'Éternité tels des Fantômes. Pas du tout! Les autorités les plus hautes et les plus sûres, dont saint Jean, Mr. Uriah Nobbs, & co., sont d'accord que la Vie Éternelle se passera sur terre, et que les Élus recevront des corps neufs pour l'occasion.*
*Leçon 3.*

Agnes continue à aller et venir, cherchant une troisième Leçon à la hauteur des deux premières. Elle songe à traiter du Couvent de la Santé et de son ange gardien, mais finit par juger le sujet trop personnel. Tout ce qu'elle écrit à partir de maintenant doit avoir une portée universelle, contenir des vérités essentielles et révélatrices. Exposer les particularités de sa propre situation rapprocherait trop « Le Livre » d'un journal – et les journaux sont des pensées mortes, passé enfoui, vanité. Des mots pour la tombe.

C'est pourquoi elle ne regrette pas un instant d'avoir enterré ses journaux ; que les vers les mangent, pour ce qu'elle en a à faire ! À partir de cette nuit, tous ses mots sont immortels !

De retour dans son lit après avoir mis Sophie sur le pot, Sugar ouvre un nouveau journal et le pose en équilibre sur ses genoux. Elle lève légèrement une cuisse pour attraper la lumière de la chandelle, et se met à lire.

Nous sommes en 1864 à Abbots Langley, et Agnes juge qu'elle est enfin une dame. Pour Sugar, elle n'a pas agi ou pensé une fois en adulte, mais aux yeux d'Agnes, elle est presque « achevée ». Les élégantes demoiselles des journaux féminins, jadis ses idoles, sont maintenant des rivales. Elle informe son journal, au cas où son journal ne le saurait pas encore, de la manière exacte dont elle est coiffée (les cheveux tirés en arrière, deux épaisses anglaises de chaque côté, le tout retenu par un petit chignon sur la nuque). Elle porte des tenues de la dernière mode française, reproduites en classe de couture. Bien qu'aucune mention ne soit faite d'une chose aussi dégoûtante que la chair, il est probable qu'elle est suffisamment développée pour emplir les robes qu'elle dessine avec tant d'amour.

Son programme d'études, maintenant qu'elle a treize ans, est encore plus mince que lorsqu'elle en avait neuf. Tout a été réduit à l'essentiel : danse, musique, français et allemand. Ces deux dernières matières sont des pierres d'achoppement pour Sugar : elle sait quelques mots de français et pas un d'allemand, Mrs. Castaway jugeant que les hommes ne détestent pas un peu de français sur la langue d'une fille, mais que l'allemand évoque le vomissement des vieux prêtres. Donc, chaque fois qu'Agnes commence par *Bonjour, mon cher journal**, ou *Liebes Tagebuch*, Sugar bâille, et tourne la page.

La petite Miss Unwin apprend la gavotte, la cachucha et le menuet mais, malgré le dessein romantique de ces danses, semble totalement ignorante du sexe mâle. Son expérience du flirt, excepté quelques brèves et secrètes toquades pour des maîtresses et d'autres filles, est nulle. Elle a laissé discrètement s'envoler l'espoir d'épouser un soldat qui partirait à la recherche de son vrai père ; maintenant son mari imaginaire est un fringant aristocrate qui possède une résidence d'hiver dans le sud de la France. Un autre fantasme, sans doute, mais celui-ci n'est pas tombé du ciel.

*Eugenie a quitté l'école aujourd'hui, en pleurs. Elle doit être mariée le mois prochain, à son correspondant secret de Suisse! Dans de pareilles circonstances, j'ai pensé qu'il ne serait pas gentil de lui rappeler mes pinceaux. Peut-être me les postera-t-elle.*

Sugar émet un grognement, une exclamation de mépris impuissant. Comme il serait doux de guérir l'égoïsme d'Agnes avec une bonne gifle! Mais alors elle se rappelle la fois où elle a aidé Agnes dans la ruelle de Bow Street, quand Mrs. Rackham n'était qu'une enfant ensanglantée et effrayée, tremblant dans les bras de Sugar, suppliant qu'on la ramène chez elle.

*Avec toute cette agitation, Eugenie a aussi oublié son album de chatons,* écrit Miss Unwin. *Il y a même quelques petits chéris qui ne sont pas encore collés! Ça par exemple, si ce banquier suisse aime Eugenie moitié moins qu'il le prétend, il ferait bien de s'assurer qu'elle récupère son album!*

Maintenant au moins Sugar comprend: cette adolescente danseuse de menuet aux idées confuses *est* une dame, aussi adulte qu'elle le sera jamais. Oui, et toutes les dames que Sugar a jamais vues, toutes ces damoiselles patriciennes descendant de leurs voitures d'un air impérieux, ou se promenant sous leurs ombrelles dans Hyde Park, ou faisant leur entrée à l'Opéra: ce sont des enfants. Identiques pour l'essentiel à ce qu'elles étaient quand elles jouaient avec des poupées ou des crayons de couleur, elles grandissent en taille et acquièrent quelques « talents » jusqu'à ce que, à l'âge de quinze ou seize ans, encore habituées à être envoyées au coin pour une erreur de conjugaison ou leur refus de manger du dessert, elles soient sommées de rejoindre leurs prétendants. Et qui sont-ils, ces prétendants? De jeunes hommes sûrs d'eux qui ont déjà parcouru le monde, fait des enfants illégitimes et survécu à la vérole. Rassasiés des plaisirs de la jeunesse, ils entreprennent de se marier et, posant les yeux sur les enfants gracieusement parées dont regorge la Saison, ils se choisissent une petite femme.

*Dernièrement Laetitia s'est mise à sentir, la pauvre,* écrit Agnes sur la dernière page d'un autre journal. *Quel malheur : être laide et maintenant sentir mauvais ! Mais je suis bien trop bien élevée pour le lui dire. Dieu bénisse l'Éducation, car elle nous apprend à épargner les sentiments de nos congénères. Si toutes les filles du Monde étaient envoyées à Abbots Langley, quel Monde ce serait ! Pas une parole de travers ne serait prononcée et tout le monde saurait précisément comment se comporter. Existe-t-il un* mal au monde* *que l'Éducation ne peut guérir ?* Je ne crois pas* !

Secouant la tête d'incrédulité, Sugar ferme le volume et saisit le suivant dans l'ordre chronologique.

*Liebes Tagebuch,* annonce-t-il en première page. *Ich hatte einen zehr ermudenden tag. Welche Erleichterung zu dir zuspechen…*

Sugar laisse le journal se refermer tout seul, et souffle sa chandelle.

Assez, pour l'instant, des pages jaunies du passé. La vie présente poursuit son cours, et très bientôt nous serons en 1876.

Laissons de côté le jugement de Clara selon lequel la résidence Rackham ne vaut pas mieux qu'une maison de fous ; les jours de novembre s'écoulent paisiblement. Le lever et le coucher du jour se suivent à intervalles prévus, et la maison de Chepstow Villas ne résonne ni de hurlements ni d'altercations. La période de deuil d'Henry Rackham a pris fin, et chacun s'habille à nouveau de gaies couleurs. Les repas sont cuisinés et jugés avec succès ; les domestiques travaillent d'arrache-pied sans qu'il soit besoin de les châtier ou de les renvoyer. William passe ses journées à préparer un Noël à tout casser pour les Parfumeries Rackham, un Noël qui montrera à ses concurrents l'ampleur qu'a acquise la petite société de son père. Agnes continue à confier sa sagesse au « Livre » et n'a pas la moindre envie de déterrer ses journaux, non, aucune, en dépit de la pitoyable vision des volumes se gonflant d'humidité dans le sol froid et sale. Elle a reçu une visite de Mrs. Vickery et, plutôt que de cancaner comme d'habitude, l'a étonnée en lui parlant de l'excellent livre de Mr. Allan Kardec : *Les Évangiles expliqués par les esprits.*

Quant à Sugar, la crainte de ne pouvoir être à la hauteur de sa tâche auprès de Sophie s'est envolée. Elle avait imaginé des crises de rage et une insolence cruelle – le genre de choses qui a lieu dans les romans, où la pauvre gouvernante est réduite à sangloter d'humiliation – mais, encore une fois, les romans se sont révélés faux, et son élève est aussi diligente et soumise qu'on peut l'espérer. Sophie semble même la considérer avec une admiration mêlée de crainte, ne serait-ce qu'à cause du pouvoir miraculeux qu'elle a de soigner l'incontinence nocturne. Tous les matins, Sophie se réveille dans un lit tiède et sec, se demandant comment tel miracle a pu se faire. Quelle personne extraordinaire que cette Miss Sugar, qui comprend l'Empire romain tout en étant capable de contrôler le flux du vilain pipi d'une autre personne pendant la nuit !

Sugar est fière de son succès, plus fière qu'elle n'a jamais été de toute sa vie. Les rougeurs dues à l'urine ont complètement disparu, laissant un bourgeon rose pâle entre les cuisses rondes de Sophie. C'est ainsi que ce devrait être. C'est ainsi que tout devrait être.

Sugar est ravie de l'admiration que lui porte l'enfant, et lui donne dix nouveaux mots à apprendre chaque après-midi.

Elle a même eu l'audace d'écrire à William un mot signé « Miss Sugar », dans lequel, au lieu de l'implorer de visiter sa couche, elle lui demande d'un ton guindé d'acheter de nouveaux livres pour la salle d'étude. En glissant cette lettre sous la porte de son bureau elle s'est sentie aussi cochonne que lorsqu'elle lui avait fait le coup de la chatte qui crache de l'eau.

À sa surprise, son audace est récompensée en moins de trente-six heures. Par un matin encore une fois pluvieux, elle et Sophie pénètrent dans la salle d'étude, toutes deux à moitié endormies, et trouvent un mystérieux paquet perché sur le bureau.

« Ah, dit Sugar en défaisant le papier brun. Voilà les livres que j'ai demandés à Wil – euh… ton père. »

Sophie a les yeux écarquillés, impressionnée qu'elle est non seulement par les volumes immaculés mais aussi par cette preuve indubitable de l'intimité de Miss Sugar avec l'énigme que représente son père.

« Est-ce que ce sont des… cadeaux ? demande-t-elle.

– Pas du tout, déclare Sugar. Ce sont des ouvrages hautement nécessaires à ton éducation. » Et elle laisse Sophie contempler le trophée : un livre d'histoire avec des gravures à chaque page, un guide de l'Empire britannique pays par pays, une mallette d'objets à fabriquer avec du papier, de la colle et de la ficelle, et un élégant et mince recueil de poèmes d'Edward Lear.

« Ce sont des livres modernes, à la page, déclare Sugar. Parce que tu es quelqu'un de moderne, qui vit aujourd'hui, tu comprends ? »

Les yeux de Sophie menacent de rouler dans leurs orbites tant elle est déconcertée par cette idée que l'Histoire se meut, comme un véhicule dans lequel une petite fille de six ans peut prendre place. Elle avait toujours imaginé l'Histoire comme un édifice plein de toiles d'araignées terminé par un piédestal colossal sur lequel adhérerait, tels quelques grains de poussière, l'insignifiante nullité qu'est Sophie Rackham.

À midi, Sophie a déjà appris par cœur une ou deux tirades de Mr. Lear, un écrivain qui est toujours vivant – mieux, qui a écrit ces vers après la naissance de Sophie !

> *« Le Hibou et la Chatte prirent la mer*
> *Dans un beau bateau vert*
> *Munis d'un peu de miel et de beaucoup d'argent*
> *Roulé dans un billet de cent.*
> *Le Hibou regarda la voûte étoilée*
> *Et chanta au son d'un petit cigare :*
> *"Ô Belle Minette, Ô Minette bien-aimée,*
> *Quelle belle Minette vous êtes, mon adorée*
> *Minette vous êtes d'une beauté rare !" »*

Et Sophie exécute une rapide révérence, exceptionnelle démonstration d'exubérance.

« Ce n'est pas *tout à fait* ça, Sophie, dit Sugar en souriant. Relisons-le, veux-tu ? » Son sourire cache un secret : elle ne prône pas la patience pour la noblesse du geste ; c'est une vengeance contre sa mère. Sugar n'a jamais oublié le jour où, à l'âge de sept ans, elle avait fait l'erreur de réciter une fois de trop une comptine qu'elle aimait, à portée d'oreille de Mrs. Castaway.

« Non, ma poupée, dit Mrs. Castaway, de la voix douce qu'elle réservait aux menaces. Nous en avons eu assez, n'est-ce pas ? » Tels étaient toujours les derniers mots de sa mère sur quelque sujet que ce soit, et c'est ainsi que mourut la comptine, comme un cafard écrasé sous une semelle.

« Il est temps, annonça Mrs. Castaway, que tu apprennes de la poésie pour adulte. » Debout devant la bibliothèque, elle fit courir ses doigts – aux ongles déjà rouges, à l'époque – le long des dos. « *Pas* Wordsworth et le reste, murmura-t-elle, car alors tu pourrais prendre goût aux montagnes et aux rivières, et nous ne vivrons jamais dans ces parages… » Avec un sourire, elle sortit deux volumes, les soupesant dans ses mains. « Tiens, mon enfant. Essaie Pope. Non, encore mieux : essaie Rochester. »

Sugar avait emporté le volume poussiéreux dans un coin, et avec quelle application elle l'avait étudié ! Mais elle avait découvert qu'à chacune des lignes qu'elle lisait, elle oubliait complètement le peu qu'elle avait compris de la précédente, n'en retenant qu'une vague odeur de supériorité masculine.

« Il y a des poésies que tu aimes, Maman ? hasarda-t-elle quand, honteuse de sa stupidité, elle lui rendit le livre.

– Je n'ai jamais dit que j'aimais la poésie, répondit Mrs. Castaway, replaçant le Rochester dans la bibliothèque d'une poussée brutale, de sorte que le livre alla cogner contre le mur. Détestables inepties. »

« *Comme votre chant est beau,* Sugar récite maintenant à Sophie, de sa voix la plus sincère et encourageante. *Oh, il faut nous marier ; nous avons trop tardé. Mais que faire pour l'anneau ?* Peux-tu répéter ça après moi, Sophie, et t'exercer jusqu'à mon retour ? »

Sophie et Sugar se sourient. L'enfant imagine des hiboux et des chattes. La gouvernante imagine Mrs. Castaway perchée sur le tabouret réservé aux cancres, ses mains aux ongles rouges tremblantes de fureur impuissante tandis qu'une classe entière de petites filles l'encercle, récitant la même comptine pour la millième fois.

« Continue », dit Sugar, et elle quitte la pièce.

Bien installée dans sa chambre pendant la pause de midi, faisant passer le temps jusqu'à la reprise des leçons de Sophie,

Sugar se consacre aux journaux d'Agnes. Elle découvre que les études de Miss Unwin touchent, enfin, à leur terme.

Dieu en soit remercié! Elle a lu tant de milliers de mots, a péniblement pataugé dans une marée soyeuse, satinée, cotonneuse de robes en trompe-l'œil, d'amitiés de gaze et de pensées laineuses, dans l'espoir de tourner une page et *là*, soudain, trouver la femme tourmentée de William exposée sans voiles. Au lieu de quoi ces journaux d'écolière ont été comme un roman dont la couverture trompette horribles actions et folles passions, pour se révéler insipide comme une omelette pour malades.

Au cours des derniers jours qu'elle passe à Abbots Langley, notre Agnes, qui a alors quinze ans, fait preuve d'une frivolité mesurée et la dernière entrée écrite le dernier matin, datée du 3 mai 1866, est un modèle de convention. Elle va jusqu'à composer un poème en l'honneur de son école – sept vers ramollis par les rimes féminines que l'ensemble en est presque désossé.

*Car nul ne peut arrêter l'Avenir qui se précipite en avant!* conclut-elle, bien que l'Avenir dans son poème ait cessé de bouger depuis longtemps, hébété par les sédatifs mortels de la sentimentalité.

Cette ode d'adieu achevée, Agnes se met en devoir de trouver un souvenir d'Abbots Langley à rapporter chez elle.

> *Les autres filles, je crains de le dire, ont dérobé toutes sortes de petites choses. Pinces à linge, craies, feuilles de musique, épingles tombées des cheveux de Mrs. Wick: rien n'a été négligé. J'ai même remarqué qu'il manquait des cuillères à table aujourd'hui.*

Sur la double page suivante, les signatures des vingt-quatre filles d'Abbots Langley sont confiées, en rangées baveuses, au papier jauni. De l'autre côté, Agnes poursuit:

*Comme tu vois, je leur ai demandé à toutes de signer, et elles l'ont fait, même Emily, dont j'ai décidé de pardonner les péchés qu'elle a commis contre moi en gymnastique. Cher Journal, je n'aurai plus de telles amies! Comme j'ai pleuré quand j'ai vu tous leurs noms devant moi! Le papier était* <u>*tout*</u> *mouillé, comme tu peux voir d'après les pâtés.*

*Comme ils sont divers les Espoirs de toutes ces jeunes Dames qui se quittent! Certaines seront bientôt Mariées, mais cela n'est pas pour moi, car Maman est malade et je dois l'aider à guérir. D'autres, aux perspectives moins brillantes, vont devenir gouvernantes. Puissent-elles trouver des maîtres généreux et des élèves agréables! Quant à celles qui ont échoué à devenir des Dames (cf. Emily) je ne peux imaginer ce qu'elles vont devenir.*

*Cher Journal, j'avais espéré écrire encore beaucoup plus, mais la journée est presque terminée, et je dois me lever tôt demain pour voyager. Quel triste au revoir! et dans quelle confusion je me trouve! Je t'écrirai de la Maison!*

*Ton amie affectionnée,*

*Agnes*

Sur ces mots le volume se termine.

Le suivant, d'une écriture si minuscule et grumeleuse qu'on dirait des points d'ourlet, commence:

*Ma Maman est morte, et je vais bientôt la suivre. Seigneur aie pitié de nous. Épargne Ta colère, la rigueur de Ta justice et les flammes éternelles à ma Maman. Toi qui as pardonné à Madeleine, je T'en supplie. Mais Personne n'entend. Mes prières se transforment en sueur au plafond et retombent en gouttes. Maman a saigné jusqu'à ce qu'elle soit vidée de tout son sang; Il (son « mari ») est resté là sans rien faire. Maintenant ma Maman a été emportée dans une tombe dans un cimetière où personne ne la connaît. Jour après jour, notre maison est infestée de Démons de plus en plus nombreux. Ils ricanent dans les chevrons. Ils murmurent derrière les plinthes. Ils attendent de s'attaquer à moi. Il attend de s'attaquer à moi.*

Sugar fouille dans le tas de journaux à la recherche d'un volume qui lui aurait échappé. Mais non. Une semaine ce sont la gymnastique et les roses trémières, la suivante, un crucifix de sang séché. Et ce sang n'a pas été tiré d'une piqûre d'aiguille au pouce pour solenniser le vœu d'une écolière ; celui-ci est plus épais, avec un caillot au sommet du crucifix à la place de la tête du Christ.

*Ici tu vois mon propre sang,* explique Agnes sous le crucifix. *Un sang qui coule d'une profonde blessure cachée en moi. Ce qui a tué Maman est en train de me tuer. Mais pourquoi ? Pourquoi, alors que je suis innocente ?*

Sugar tourne la page, et il y en a plus, beaucoup plus : un flot d'encre si épais que le papier a viré au violet.

*Dans le Noir de mon sommeil, les ressorts du sommier deviennent mous et s'avancent comme des lèvres pour recevoir les gouttelettes de mon sang à travers le tamis du matelas. Sous le lit, des démons gris comme des champignons attendent que le sang tombe puis le sucent et deviennent roses. Ils sucent jusqu'à ce qu'ils deviennent rouges et gros à en éclater. Comme celle-ci est bonne, s'écrient-ils ! Tellement meilleure que sa mère ! Donne-nous encore de ce divin jus !*

*Il ne peut y avoir de Salut dans cette maison où même le Rosaire est interdit. À Son commandement, tous ceux qui pourraient*

*m'aider ne peuvent entrer. Sur la vitre de ma fenêtre il y a le nuage de vapeur que le nez de Notre-Dame a formé quand Elle s'est pressée tout contre, et les marques de Ses doigts.*
*Comme j'aimerais me coucher! Mais je ne leur donnerai pas mon sang! Je continuerai à marcher en rond dans ma chambre, en écrivant ceci dans le creux de mon bras. Leurs bouches démoniaques n'auront rien à sucer. Quand je ne pourrai plus marcher je me traînerai jusqu'à la cheminée et leur donnerai un bouillon bien amer et cendré à avaler!*

Une déclaration pleine de bravoure, mais à l'évidence Agnes avait perdu courage et fini par aller au lit. Le jour suivant elle écrit:

*Je me réveille dans un lit de sang, et pourtant je vis.*

Suit une nouvelle tirade, moins exaltée cependant que la première. Malgré de fréquents recours à des mots tels que « malédiction » et « fin », Agnes soupçonne que la Mort a raté son occasion.

*Un somptueux dîner vient d'être servi, et tout le monde m'a pressée de m'y rendre. Maman est morte, et ma vie s'enfuit, et ils veulent que je mange des bécassines et des cailles! Je n'ai pris qu'un ortolan sur un toast beurré, et quelques bouchées de dessert, puis je les ai priés de m'excuser.*

Les jours passant, Agnes a de plus en plus de difficultés à se maintenir dans les profondeurs du désespoir. La normalité grignote les bords de sa folie, l'infectant de pensées mondaines. Lord Unwin, tout complice de Satan qu'il soit, l'emmène à un concert de Mendelssohn au Crystal Palace un samedi après-midi. La peur qu'éprouve Agnes d'expirer dans une mare de sang se révèle infondée et elle « oublie presque » son affliction fatale pendant la durée de ce concert « vraiment très beau ». Quand, le cinquième jour, le saignement cesse complètement, Agnes en conclut qu'un ange plein de compassion a intercédé en sa faveur. Son écriture s'étale davantage, les démons dans les chevrons se transforment en pigeons et, quelques entrées plus loin, elle se plaint que la cuisinière mette trop de poivre dans le pilaf de poisson.

C'est ainsi qu'Agnes Unwin survit au passage à l'âge adulte. Tout le monde, depuis son beau-père jusqu'à celui qui livre le gibier, lui dit qu'elle s'est épanouie en dame, mais personne ne l'informe qu'elle est devenue une femme.

« Et quand sa queue sort toute pleine de sang, tu dis : "Oh, monsieur, vous m'avez pris ma virginité !" et tu pleures un peu, si tu peux. »

Ainsi parle la voix oubliée depuis longtemps de Sadie, une prostituée de Chez Mrs. Castaway à l'époque de Church Lane, lui apprenant comment tirer le meilleur parti de ses affaires tant qu'elle est jeune.

« Et s'il ne me croit pas ?

– Bien sûr qu'il te croira. Tu n'as pas plus de poils qu'un bébé et tu es plate comme une planche à repasser – qu'est-ce qui pourrait te trahir ?

– Et s'il m'a déjà vue ?

– Aucune chance. Pour les défloraisons, Mrs. Castaway va chercher ses clients hors de Londres. Les tenancières de toute l'Angleterre font passer le mot, murmurent dans les oreilles de ceux qui sont aux aguets. Ce sera un marchand ou un prêtre, ce type.

– Et si je saigne avant qu'il entre ?

– Faut-il que je t'apprenne la moindre chose ? Tu n'as qu'à te tenir propre comme un sou neuf ! S'il est lent à commencer, dis-lui de regarder quelque chose d'amusant dans la rue, et essuie-toi vite fait pendant qu'il a la tête tournée.

– Il n'y a rien d'amusant à regarder dans la rue. »

À quoi Sadie répondit en levant un sourcil, qui semblait signifier : *Je comprends pourquoi ta mère te traite d'ingrate.*

Sugar ferme le journal d'Agnes, irritée par le besoin de se moucher. La morve imprègne son mouchoir, en même temps que les larmes. Nous sommes le 30 novembre 1875, et Sadie est morte depuis des années, assassinée peu de temps après qu'elle eut quitté Mrs. Castaway pour Mrs. Watt.

« Partie pour un monde meilleur, avait malicieusement commenté Mrs. Castaway en apprenant la nouvelle. C'est ce qu'elle a dit qu'elle ferait, non ? »

Sugar laisse tomber son mouchoir trempé par terre et s'essuie le visage sur sa manche, puis essuie l'avant-bras sur le lit. Cette robe noire qu'elle porte n'a pas été lavée depuis qu'elle est entrée ici. Elle, qui jusqu'à récemment, arborait une robe différente chaque jour de la semaine, porte maintenant les mêmes frusques tous les jours. Sa frange est trop longue ; il faudrait qu'elle la fasse couper, mais pour l'instant peignes et épingles la contiennent.

Sa petite chambre est aussi modeste qu'elle l'était le jour de son arrivée. Hormis quelques articles de toilette – anciens cadeaux de William – elle n'y a rien mis qui soit à elle. Les gravures et bibelots de Priory Close, tout comme ses vêtements préférés, sont encore dans ses valises, qui elles-mêmes sont entassées au sommet de l'armoire. Il y a encore d'autres vêtements, des caisses entières, dont elle ne sait même pas où ils se trouvent ; William les a fait mettre quelque part.

« Tu n'as qu'à demander », lui avait-il assuré, à cette lointaine époque de sa vie, un peu plus d'un mois auparavant, où elle était sa maîtresse dans un appartement qui sentait le bain parfumé et la sueur fraîche.

Sugar se lève pour regarder par la fenêtre. La pluie s'est calmée, et les buissons et haies bien manucurés du jardin

Rackham brillent, vert épinard et argent. Shears le jardinier patrouille le long des grilles les plus éloignées, vérifiant que son *Hedera helix* s'épanouit bien contre le treillis, car trop de curieux sont venus observer la maison dernièrement. Il est deux heures moins cinq, presque temps pour la gouvernante de retourner à son élève. Ce que fabrique le maître de la maison Rackham, et à qui il pense, Dieu seul le sait.

Sugar scrute son visage dans le miroir, se met un peu de poudre sur le nez et ôte une peau morte de sa lèvre inférieure. Elle n'a plus de Crème de Jeunesse Rackham et ne sait comment en redemander, sauf à l'ajouter à une liste de livres pour Sophie.

Dans le couloir, tandis qu'elle se dirige vers la salle d'étude, elle s'arrête d'abord devant la porte de William, puis celle d'Agnes, et regarde furtivement par le trou des serrures. Le bureau de William est inondé de lumière, mais vide ; il doit être quelque part dans le monde, occupé à le plier à sa volonté. La chambre d'Agnes est obscure ; soit la journée de Mrs. Rackham est terminée soit elle n'a pas encore commencé.

Prise d'une impulsion, Sugar regarde par le trou de la serrure de la nursery, au cas où elle surprendrait l'enfant en train de se mal conduire. Mais non. Sophie est assise par terre à côté de son bureau, mettant de l'ordre dans les franges du tapis de ses doigts épais, fixant d'un air satisfait les dessins ternes.

« Petite guitare, petite guitare, petite guitare… » murmure-t-elle afin d'imprimer les mots dans son esprit de manière indélébile.

« Dieu bénisse Papa, dit Sophie ce soir-là, les mains jointes au-dessus du couvre-lit, projetant une ombre pentue dans la lumière de la chandelle. Dieu bénisse Maman. Et Dieu bénisse Miss Sugar. »

Sugar tend une main timide pour caresser les cheveux de

l'enfant, mais à la flamme de la bougie l'ombre de sa main est grotesque et démesurée, et elle se recule dans un sursaut.

« As-tu froid, Sophie ? demande-t-elle à l'enfant qui frissonne dans ses draps amidonnés.

– P-pas b-beaucoup, miss.

– Je dirai à Rose de t'apporter une autre couverture. Ton lit n'est pas du tout adapté à la saison. »

Sophie la regarde d'un air étonné : à la grande masse des choses que comprend Miss Sugar, il faut ajouter maintenant la relation précise entre la manière dont un lit est fait et les saisons.

Huit heures et demie. La maison Rackham est emmitouflée dans l'obscurité, silencieuse et ordonnée. Même Clara devrait être satisfaite, si elle n'était déjà dans sa chambre, le nez plongé dans un périodique appelé *La Servante.* Mrs. Rackham est dans le grand salon, occupée à relire un roman intitulé *L'Enlèvement de lady Antonie* – ce n'est pas vraiment un livre de philosophie, elle l'avoue, mais une excellente lecture néanmoins, particulièrement quand on a mal à la tête. William est à Plymouth – ou Portsmouth – quelque chose-mouth, en tout cas. Des excursions de ce genre – de plus en plus fréquentes – sont essentielles, ma chère, si l'on veut que le nom de Rackham se répande jusqu'aux horizons les plus lointains.

Les trous de serrure du couloir, si Clara se sentait encline à les inspecter, ne révèlent rien qui la contrarierait. Toutes les chambres sont noires excepté celle de la gouvernante, dont la lumière est modeste et statique. C'est ainsi que Clara préfère les occupants de la maison Rackham : endormis, comme Miss Sophie, ou lisant au lit, comme Miss Sugar.

Sugar se frotte les yeux, bien décidée à terminer encore un des journaux d'Agnes. Au moins, la tâche la tiendra éveillée jusqu'à minuit, heure à laquelle elle met Sophie sur le pot. L'enfant est de plus en plus alerte; avant longtemps, un murmure depuis le pas de la porte suffira, et bientôt après, le souvenir d'un murmure uniquement. Sophie mettra peut-être du temps à maîtriser l'histoire du monde et le fonctionnement de l'univers, mais Sugar est bien décidée à la rendre propre d'ici la fin de l'année.

Dans ses journaux, Agnes Unwin vient d'avoir seize ans.

*Comme Maman aurait été fière de moi*, songe-t-elle avec nostalgie. *Bien que je suppose qu'elle me regarde du haut des limbes – si elle peut me reconnaître au sommet de mon crâne, à une telle distance.* Il n'est pas précisé de quoi exactement Mrs. Unwin pourrait être fière de sa fille, bien qu'Agnes soit devenue (si elle le dit elle-même) très belle.

*Chaque fois que je suis tentée de désespérer*, déclare-t-elle, *par la cruauté du destin et ma solitude dans cette maison abandonnée de Dieu, je compte mes bénédictions. Parmi lesquelles on trouve en premier mes cheveux et mes yeux...*

La douleur et la première période menstruelle ont fait de Miss Unwin une petite créature très particulière, folle et conventionnelle tour à tour. Quand elle ne saigne pas, elle s'intéresse plus ou moins également aux vêtements, garden-parties, bals, chaussures, chapeaux et rituels secrets destinés à conserver une âme catholique sans tache tout en suivant le rite anglican. Elle évite le soleil et les exercices, mange comme un oiseau, et semble en bonne santé, la plupart du temps.

Chaque fois qu'elle est frappée par l'« affliction » – qui survient à intervalles irréguliers –, elle la considère comme une maladie mortelle causée par de mauvais esprits. Le jour précédant les premiers saignements, elle se plaindra qu'il y avait *indubitablement* une trace de doigt à l'intérieur de la soupière chez les Grimshaw; le lendemain, elle dit adieu à toutes choses terrestres et voue les quelques heures qui lui restent au jeûne et à la prière. Des démons sortent de leurs diverses cachettes, assoiffés de son sang. Agnes, terrifiée à l'idée qu'ils entrent dans son lit avec elle, se maintient éveillée à l'aide de sels *(« Je pense que j'en ai senti trop profondément et trop souvent la nuit dernière, car je commençais à imaginer que j'avais vingt doigts et un troisième œil »).* Elle refuse de laisser les domestiques emporter les serviettes souillées, craignant que les démons ne s'en emparent ; elle les brûle donc dans la cheminée, causant une terrible puanteur que lord Unwin n'arrête pas de sommer les ramoneurs de débusquer.

Lord Unwin, en dépit de tous les efforts d'Agnes pour le diffamer, ne parvient pas à être à la hauteur de sa réputation de monstre ; aux yeux de Sugar ce serait plutôt un beau-père bien inoffensif. Il ne la bat pas ; il ne l'affame pas (elle le fait elle-même, tandis qu'il tente de la persuader « de la manière la plus cruelle » d'avaler quelque chose) ; il l'emmène à des concerts et des dîners. Tuteur indulgent sinon attentif, il pourvoit sans objection aux dépenses les plus capricieuses de sa belle-fille.

Sur un sujet cependant, il demeure inflexible : Agnes doit aller à l'église anglicane. Et non seulement cela : elle doit y aller en tant qu'unique représentante des Unwin, car lui-même ne désire pas s'y rendre. « La religion est l'affaire des femmes, Aggie », lui dit-il, et elle doit souffrir d'entendre des hymnes abominables qui ne sont pas même en latin.

*J'articule, mais je ne chante pas,* assure-t-elle à son journal, telle une prostituée qui assure l'autre qu'elle suce mais n'avale pas.

Excepté cette humiliation hebdomadaire, et la malédiction qui s'attaque à ses entrailles tous les deux ou trois mois, l'idée d'Agnes, qui se croit la survivante miraculeuse d'un million d'attaques terrifiantes, semble plutôt en contradiction avec la réalité. Elle est constamment invitée à des garden-parties, des bals et des pique-niques par tous les gens qu'il faut, et s'y « amuse follement ». Si on l'en croit, elle a au moins une demi-douzaine de soupirants, que lord Unwin n'encourage ni ne décourage, de sorte qu'elle entretient un flirt timide avec chacun. Aucun de ces soupirants, pour autant que Sugar puisse en déduire d'après les maigres descriptions qu'en donne Agnes, ne travaille : ce sont tous des aristocrates aux joues roses.

*Elton est gentil, et viril aussi*, déclare Agnes. *Il a enlevé son habit et relevé ses manches de chemise afin de manier notre petite barque. Il fronçait terriblement les sourcils, mais nous sommes allés presque en droite ligne, et il nous a toutes aidées à débarquer.*

Lire un de ces comptes rendus revient à les avoir tous lus. C'est un monde bien né, un monde dans lequel les marchands ambitieux qui côtoient des dockers suants à Yarmouth ou discutent le prix de la toile à sac n'existent tout simplement pas : pour tout dire, un monde dans lequel des gens tels que William Rackham sont inconcevables.

Depuis le rez-de-chaussée, dans le monde du 30 novembre 1875, provient le bruit assourdi de la sonnette de la porte, puis :

« Willi-a-a-am, fripouille, montre-toi ! »

La puissante voix d'homme, brisant le silence de la maison Rackham, fait sursauter Sugar.

« Couard ! Poltron ! Tire ton épée et sors de ton trou ! »

Une voix différente, mais tout aussi forte. Il y a des intrus dans la maison ! Sugar se glisse hors du lit et s'agenouille devant sa porte, l'ouvrant de quelques centimètres pour regarder au-dehors. Elle ne voit rien sinon les barreaux de la balustrade du palier, et la lumière du lustre. Pourtant les voix sont plus distinctes : Philip Bodley et Edward Ashwell, ivres comme des bourriques.

« Qu'est-ce que vous voulez dire : il est à Yarmouth ? Je dirais plutôt qu'il se cache sous son lit ! Pour éviter ses vieux amis ! Nous exzi... exsi... exigeons satisfaction ! »

Pendant une trentaine de secondes, les prières de Rose s'entremêlent aux fanfaronnades joviales de Bodley et Ashwell, puis – à la surprise de tous – Mrs. Rackham entre en scène.

« Laissez Rose prendre vos manteaux, messieurs, dit-elle avec douceur, la cadence mélodieuse de sa voix réverbérée par l'acoustique de l'entrée. J'essaierai de vous recevoir du mieux que je peux, n'étant pas mon mari. »

Une invitation remarquable, quand on sait avec quel soin Agnes a évité Bodley et Ashwell par le passé. Elle a certainement pour effet de faire taire les deux hommes, les réduisant à des grognements et des marmottements.

« J'ai entendu, dit Agnes, que vous avez un nouveau livre qui... euh... va sortir ?

– Mardi prochain, Mrs. Rackham. Notre meilleur !

– Comme ce doit être satisfaisant. Quel en est le titre ?

– Oh, hum... son titre n'est peut-être pas pour les oreilles d'une dame...

– Voyons, messieurs. Je ne suis pas tout à fait la fleur fragile que William pense que je suis.

– Eh bien... (raclements de gorge embarrassés) *La Guerre contre le Grand Fléau Social – Qui gagne ?* (ricanement aviné).

– Comme c'est intéressant, gazouille Agnes, que vous puissiez faire publier tant de livres sans qu'aucun soit un roman, mais rien que vos opinions ! Il faut que vous me disiez comment vous faites. Y a-t-il un éditeur particulier qui est heureux de vous aider ? Vous savez, je m'intéresse terriblement à ce sujet depuis peu... »

Les voix se font plus étouffées ; Agnes conduit les deux hommes au salon.

« Le sujet du… Grand Fléau Social ? s'enquiert Ashwell d'un ton incrédule.

– Non, non, non, roucoule Agnes avec coquetterie, alors qu'elle passe sous l'escalier, le sujet de la *publication…* »

Et ils disparaissent.

Pendant deux minutes encore Sugar reste agenouillée devant sa porte, mais la maison est retombée dans le silence, et l'air froid se glisse dans l'entrebâillement, couvrant de chair de poule ses bras et sa poitrine légèrement vêtus. Peinant à croire ce dont elle vient d'être témoin, Sugar retourne au lit et reprend les journaux d'Agnes Unwin là où elle les a laissés.

Elle poursuit sa lecture, une oreille tendue à ce qui pourrait se passer en bas, respirant le plus doucement possible au cas où les hommes élèveraient la voix. Elle essaie d'être disciplinée et de lire chaque mot, mais elle n'a plus la patience d'égrener les listes exhaustives de bals et de couturières, ou peut-être la présence de Bodley et Ashwell l'empêche-t-elle de se concentrer. Quelle que soit la raison, elle feuillette le volume, à la recherche de signes révélateurs d'un fait plus intéressant : l'écriture minuscule et grumeleuse de la folie, par exemple.

Les pages se suivent, pleines de mots, vides de sens, et les mois défilent au rythme des pages. Ce n'est pas avant juillet 1868 qu'Agnes Unwin fait mention de William Rackham. Ah, mais quelle mention !

*J'ai aujourd'hui été présentée à une personne des plus extraordinaires*, écrit la jeune fille de dix-sept ans. *En partie barbare, en partie oracle, en partie gandin !*

Oui, au grand étonnement de Sugar, voici William, le jeune dandy fringant, à peine débarqué de ses voyages continentaux, flamboyant et plein de mystères. Grand, aussi ! (Bien que pour une femme aussi petite qu'Agnes, il se puisse que tous les hommes soient grands.) Pourtant, quelle que soit sa taille réelle, il se détache sur la masse des fils de pairs idiots auxquels Agnes est plus habituée.

Ce vigoureux jeune Rackham évolue dans le cercle de Miss Unwin avec une audace présomptueuse, sans craindre, semble-t-il, d'être snobé. Il a le don, à son arrivée, de déranger une assemblée de façon qu'elle se regroupe, un peu à contrecœur, en demi-cercle autour de lui, sur quoi il repousse (grâce à son intelligence supérieure) les autres mâles à la périphérie, gardant les jeunes femelles en grand nombre pour les amuser des récits de ses aventures au Maroc ou en France. C'est depuis cette harde de dames qu'Agnes préfère, d'abord, le fréquenter, afin d'éviter que sa puissante aura ne brille exclusivement sur son visage rougissant. Mais, les événements, qu'Agnes qualifie de *tellement gênants**, font que Rackham la choisit entre toutes et trouve moyen de se retrouver seul avec elle. De crainte que son journal ne l'accuse de complicité, Agnes s'en défend de manière emphatique, se plaignant que chaque fois que William Rackham arrive, ses compagnes la quittent brusquement, et le voilà, souriant comme le chat qui a eu la crème!

Tout en qualifiant ses attentions des « plus ennuyeuses », Agnes décrit son poursuivant en ces termes:

> *Il est robuste mais son visage et ses mains sont fins, et ses cheveux abondants et bouclés sont dorés. Ses yeux ont une étincelle d'insolence, et il regarde tout le monde en face, bien qu'il affecte de ne pas s'en apercevoir. Il s'habille comme peu d'hommes de nos jours osent s'habiller: pantalons à carreaux, gilet jaune canari, casquettes de chasse, et des choses de ce genre. Je ne l'ai vu qu'une fois en noir (qui lui va fort bien aussi!), mais quand je lui ai demandé pourquoi il n'en portait pas plus souvent, il a répondu: « Le noir est pour les*

*dimanches, les enterrements et les hommes ennuyeux. Qu'est-ce que j'ai à craindre en m'habillant comme je le fais ? Qu'on me refuse l'entrée des églises, de suivre les enterrements, ou la compagnie d'hommes ennuyeux ? Alors je veux bien me promener en robe de chambre avec une casquette à la Sherlock Holmes sur la tête ! »*
*Son père dirige un grand commerce – cela il ne le cache pas. « La façon dont il fait son chemin dans le monde est l'affaire de mon père et ma façon est mon affaire à moi. » Je ne sais pas exactement de quelle source il tire ses revenus ; peut-être de ses écrits. Il n'a certainement pas les qualités requises pour figurer parmi les premiers dans la liste de mes soupirants.*

Cette tentative de sévérité peu convaincue n'impressionne pas Sugar, car non seulement elle sait déjà comment l'histoire finit, mais en plus elle ne peut s'empêcher de remarquer que la demi-douzaine de soupirants à peine distingués au cours des mois précédents a tout simplement disparu du journal, et il est dépensé plus d'encre pour William Rackham qu'il n'en coula jamais pour aucun d'eux. Avant peu, Agnes archive des conversations entières, depuis bonjour jusqu'à adieu, se précipitant pour les retranscrire immédiatement de manière qu'aucune des sages sentences du monsieur ne soit perdue ou citée de travers. À l'automne 1868, les entrées dans lesquelles figure William sont devenues si vivantes qu'elles se lisent comme des épisodes de roman :

*« Assez de bavardage », dit-il soudain, tendant un index de chaque côté de mon éventail et me le fermant brusquement au nez. J'avais peur mais il souriait. « Dans dix ans, dit-il, est-ce que nous nous souviendrons de tout ça ? »*

*J'étais toute rougissante, mais mon esprit ne me fit pas défaut. « Je ne pense pas que nous nous connaîtrons encore dans dix ans », dis-je.*

*Sur quoi il se frappa la poitrine de la main, comme si je l'avais percé au cœur.*

*Craignant de l'avoir offensé, je me hâtai d'ajouter : « De toute façon, j'avoue que je n'ai rien d'autre à vous offrir que du bavardage. On ne m'a rien appris d'autre. Je n'ai pas voyagé et je suis une chose bien peu intéressante et très superficielle comparée à vous. »*

*J'espérais le flatter par ces paroles, mais il les prit <u>très</u> au sérieux, et insista : « Oh mais vous êtes très intéressante et moins superficielle que toutes les jeunes dames que je connais ! Il y a des désirs profondément enfouis en vous, que personne ne peut imaginer – personne à part moi. Vous évoluez parmi les jeunes dames comme si vous en étiez une, mais vous ne faites pas <u>vraiment</u> partie d'elles. Vous êtes différente et, qui plus est, <u>je sais que vous le savez</u>.*

*– Mr. Rackham ! » fut tout ce que je pus dire ; il m'avait fait tellement rougir. Sur quoi il fit une chose des plus singulières, savoir qu'il se pencha en avant, saisit de nouveau les extrémités de mon éventail, et le déploya, de sorte que mon visage lui était caché. Je l'entendis expliquer ainsi son geste :*

*« Maintenant je vois que j'ai eu tort de révéler les secrets de votre âme : cela vous a effrayée, et je ne voudrais pas vous effrayer pour tout l'or du monde. Revenons-en, alors, au bavardage. Regardez par là, Agnes, les filles Garnett, et les chapeaux qu'elles portent. Je vous ai vue convoiter ces chapeaux cet après-midi – mais oui, inutile de le nier. Eh bien, cessez de les convoiter ! J'étais à Paris il n'y a pas deux semaines, et tout le monde*

> *là-bas est d'accord que la vogue de ces chapeaux a passé.* »

Ce tête-à-tête est un tournant dans les sentiments d'Agnes pour William Rackham ; elle méditera dorénavant chacune de ses paroles tel un disciple dévoué. Pas une de ses remarques, quelque enjouée qu'elle soit, ne manque d'être dotée d'un sens plus profond et, quand il daigne être sage, il est plus sage que quiconque elle ait jamais rencontré. Il connaît tout un tas de religions et il résume leurs défauts avec une *si* jolie phrase – quelque chose comme « il y a plus sur Terre et dans le Ciel que leur philosophie ne peut rêver ». (Ah, si seulement elle n'avait pas dîné avant d'écrire son journal, elle pourrait se la rappeler exactement !) Il va à l'église anglicane, quand il va à l'église, mais il soutient l'opinion hérétique que la religion anglaise est en piètre état depuis Henry VIII – conviction qu'Agnes partage, naturellement. Il est expert en fleurs, prédit le temps qu'il fera, connaît les étoffes des vêtements féminins, et est un ami personnel de plusieurs artistes régulièrement exposés à la Royal Academy. Quel homme ! Seules les sources précises de son revenu demeurent cachées, mais, comme l'écrit Agnes :

> *C'est un Auteur, un Érudit, un Homme de Science, et il est plus intelligent que n'importe quel homme d'État. Pourquoi n'hésiterait-il pas sur le chemin à prendre, quand il peut les prendre tous ? Je sens mon cœur cogner dans ma poitrine quand je m'approche de lui, et je me sens faible quand nous nous séparons. Bien que je sois sûre que je le repousserais s'il portait la main sur moi, j'espère à demi qu'il le fasse, et parfois après son départ j'ai l'impression de sentir ses bras autour de moi. Chaque matin je me réveille avec le désir d'ouvrir les yeux sur son*

*visage, et quand je me couche, le premier visage que je vois dans mes rêves est le sien. Est-ce que je deviens folle?*

Au rez-de-chaussée, un grand fracas. Du verre ou de la porcelaine – des exclamations de surprise bourrues –, le choc d'une porte contre un mur, faisant frémir toute la maison.

« Hors d'ici! Hors de ma vue! » hurle Agnes.

En un instant, Sugar est de nouveau agenouillée à sa porte, le visage pressé dans l'entrebâillement. Ombres et lumières tournoient sous le palier, tandis qu'un violent tumulte se déverse dans l'entrée. La porte du salon s'est ouverte si violemment que le lustre continue à se balancer doucement au plafond.

« Mrs. Rackham, proteste l'un des hommes. Il n'est pas nécessaire de… »

Un terrible choc et un *spoinggg* alarmant: c'est le portemanteau qu'on jette par terre. « Ne me dites pas à moi ce qui est nécessaire, gros chien ivre! s'écrie Agnes. Vous êtes inutiles et… et ridicules, l'un comme l'autre!

– Ma chère Mrs. Rackham…

– Rien ne vous est cher sinon l'ordure! Renifleurs de crotte! Rats d'égout! Vos cheveux sentent la banane pourrie! Vos crânes sont pleins de vase! Sortez de ma maison!

– Voui, voui…, marmonne l'un des hommes.

– Nos manteaux, Bodley…, lui rappelle son compagnon, tandis qu'un flot d'air glacé s'engouffre dans la maison.

– Des manteaux! crie Agnes avec mépris. Vos peaux épaisses et huileuses vous tiendront assez chaud! Elles et vos prostituées!

– Ah Rose – vous voilà, dit Ashwell, tâchant d'adopter un ton chaleureux. Je crois que votre maîtresse a peut-être… euh… une de ses crises…

– Je n'ai pas "une de mes crises" ! rage Agnes. J'essaie seulement de débarrasser ma maison de détritus pour ne pas marcher dedans ! Non, ne les touchez pas, Rose : si vous saviez où ils ont été… ! »

Bodley, le plus ivre des deux, ne peut en supporter davantage. « Si je-je peux m'essprimer ainchi, Mrs. Rackham, déclame-t-il, votre a-ttitude est la moitié de la raison pour laquelle la proshtituchion se développe chi… chi autant ! Si au lieu de nous inchulter, vous preniez la peine de lire nos recherches chur le chujet…

– Prétentieux imbécile – vous croyez que je ne sais même pas ce que sont les prostituées ! hurle Agnes, les harmonies discordantes de sa voix semblant se répercuter sur toutes les surfaces métalliques et vitrées de la maison. Eh bien si ! Ce sont des femmes sournoises et vulgaires qui s'abaissent jusqu'à embrasser vos vilaines trognes pour de l'argent ! Hah ! Pourquoi est-ce que vous ne vous embrassez pas l'un l'autre pour *rien*, espèces de singes ! »

Sur ces mots, Bodley et Ashwell prennent la fuite, la porte d'entrée claque, Agnes laisse échapper un dernier cri rauque de frustration, et on entend le bruit mou d'un corps heurtant le sol de l'entrée.

Après quelques instants de silence, la voix de Rose s'élève, ténue et anxieuse. « Miss Tillotson ! Miss Tillotson ! »

Toujours à quatre pattes, Sugar recule jusqu'à son lit et y saute comme une petite fille bien sage.

« Une soirée pareille… (halètements) vaut dix shillings à elle toute seule, se plaint une voix dans l'escalier.

– Fais attention à ses doigts », geint une autre.

En l'absence du maître, la tâche de porter Agnes, évanouie, incombe à Rose, Letty et Clara. Elles prennent du temps à l'accomplir, soufflant et ahanant, mais à la fin la procession passe devant la chambre de Sugar et, peu après, le silence est rétabli.

Sugar attend, aussi longtemps que sa patience le lui permet, que tout le monde soit endormi. Quelque palpitant qu'ait été cet épisode, il ne doit pas empêcher son travail avec Sophie. Au lit, tout le monde, et laissez la pauvre gouvernante faire son devoir !

Sugar regarde l'heure. Minuit moins le quart – toutes les domestiques doivent être au pays des rêves maintenant. Elles se lèvent tôt le matin, une chose à ne pas oublier, si elles savent ce qui est bon pour elles. Clara surtout, avec sa bouche maussade et son regard brillant et soupçonneux – elle devrait les reposer jusqu'à demain, la petite mégère venimeuse. Enfoncer ses vilaines joues marquées de petite vérole dans son oreiller et laisser la Terre tourner sans elle pour quelques heures…

Minuit moins dix. Sugar parcourt le couloir glacé sur la pointe des pieds en direction de la chambre de Sophie. Toutes les cheminées de la maison ont refroidi et la chaleur a cessé de monter ; les chevrons grincent dans le vent et la grêle tambourine sur le toit. Sugar se glisse dans la chambre de Sophie tel un fantôme, mais trouve l'enfant déjà assise dans son lit, yeux grand ouverts à la lueur de la chandelle.

« Un mauvais rêve, Sophie ? demande Sugar avec douceur, maîtrisant les ombres instables en posant la chandelle sur la commode, juste à côté du petit nègre dont elle remarque qu'il a été emmailloté dans une écharpe blanche en tricot.

– Ma maman, annonce Sophie d'un ton doctoral, a des crises, miss. Elle est terriblement grossière, et elle crie, et après elle tombe par terre.

– Ce n'est pas grave, Sophie, dit Sugar, qui, sachant bien que c'est grave, est incapable de trouver d'autres mots pour la rassurer. As-tu… fait la petite chose ? » L'euphémisme, de son invention, a un accent bégueule sur ses lèvres – ces lèvres qui, il y a peu, exhortaient William à lui remplir le con de son foutre.

Obéissante, Sophie sort péniblement de son lit pour s'accroupir sur le pot. Elle ne connaît que les euphémismes ; et, si Sugar parvient à ses fins, c'est tout ce qu'elle connaîtra jamais.

« Nurse m'a dit, cite Sophie tandis qu'un jet de chaton fait entendre son sifflement contre les bords en porcelaine, que ma maman finira ses jours dans un asile. Un instant plus tard elle ajoute (juste au cas où ce terme échapperait au savoir encyclopédique de sa gouvernante) : « Une maison où on met les fous, miss. »

*Vieille commère, crève et va pourrir en enfer*, pense Sugar. « Comme c'est méchant de la part de ta nurse, dit-elle.

– Mais Maman *devra* aller là-bas, n'est-ce pas, miss ? » insiste l'enfant tandis qu'elle l'aide à se remettre au lit.

Sugar soupire. « Sophie, le milieu de la nuit, lorsque nous devrions tous dormir, n'est pas l'heure de s'inquiéter de ce genre de choses.

– Quelle heure est-il, miss ? » demande l'enfant, tout à fait éveillée.

Sugar jette un coup d'œil à la pendule.

« Minuit moins une. » Elle remonte la couverture sous le menton de Sophie. Il fait si froid dans la chambre que ses mains tremblent. Pourtant la petite l'implore du regard de ne pas partir.

« Il faut que je retourne à mon lit maintenant, Sophie.

– Oui, miss. Est-ce qu'on est déjà demain ? »

Sugar vérifie, hésite à mentir. « Pas tout à fait, reconnaît-elle. Tiens, laisse-moi te montrer. » Elle va chercher la lourde pendule sur le manteau de la cheminée, vilaine chose gris acier, piquetée, en forme de moule à gâteau. La tenant des deux mains elle présente à Sophie les secondes qui passent sous le verre jauni. Le vent hurle au-dehors, couvrant le bruit du mécanisme.

« *Maintenant*, nous sommes demain, déclare Sophie, soulagée, comme si un désaccord pénible avait été réglé à la satisfaction générale.

– Pas seulement, ma chérie, dit Sugar, se rappelant soudain la date. Nous sommes en décembre. Le dernier mois de l'année, celui qui nous apporte l'hiver et Noël. Et quand décembre se termine, qu'est-ce qui vient après, Sophie ? »

Sugar attend, prête à accepter soit « janvier » soit « 1876 ». La maison est assaillie par la pluie, infiltrée par toutes sortes de bruits mystérieux plus sonores que la légère respiration d'une enfant. Quand il est clair qu'aucune réponse ne viendra, elle souffle la chandelle.

# 25

« Mais nous avons parlé de tout sauf de *vous*, William, dit lady Bridgelow, tandis qu'ils vont côte à côte sur le trottoir étincelant de pluie. Votre vie est devenue mystérieuse, et je suis *si* curieuse ! »

William glousse, savourant un instant son état d'énigme. Mais il ne voudrait pas laisser Constance (ainsi que lady Bridgelow l'a prié de l'appeler) trop longtemps dans l'ignorance. Elle est, après tout, sa meilleure amie – enfin, parmi celles avec qui il peut aujourd'hui se montrer en public.

Le crachin matinal a cessé, faisant place à un dimanche après-midi exceptionnellement clément. Quelque pâle que soit le soleil, il chauffe vraiment, embrase les tuiles des toits de Notting Hill et couronne de son éclat la flèche de l'église. William est content d'être sorti ; avec un temps pareil, sa résolution de se montrer plus régulièrement à l'église promet d'être sans douleur.

« Avez-vous trouvé une gouvernante pour votre fille ? s'enquiert lady Bridgelow.

– Oui, oui, merci.

– Parce que je connais une excellente fille qui sera très bientôt libre – follement intelligente, douce comme un agneau, son père vient de faire faillite…

– Non, non je suis sûr que celle que j'ai engagée est parfaitement adéquate. »

Lady Bridgelow fronce légèrement les sourcils, découvrant une chose supplémentaire qu'elle ignore dans la vie de son ami.

« Ce n'est pas une fille de la Société de Secours, n'est-ce pas ? »

William sent ses joues et son cou rougir et se félicite de porter une barbe de plus en plus fournie et un col haut.

« Certainement pas : qu'est-ce qui vous fait penser une chose pareille ? »

Lady Bridgelow jette un regard en arrière à l'étole d'hermine autour de son cou, comme si la discrétion absolue était nécessaire à ce qu'elle est sur le point de révéler.

« Eh bien, vous avez entendu que Mrs. Fox est retournée à son ancienne… *profession**, n'est-ce pas ? Et qu'elle travaille plus dur que jamais, m'a-t-on dit. Elle cherche à tout prix à convaincre les dames qui ont *quelque* problème de domesticité que l'un de ces… spécimens réformés est la solution à tous leurs maux. Elle se garde bien de m'approcher moi ; j'ai eu une de ces filles dans ma cuisine, et j'ai dû la renvoyer au bout de quatre mois.

– Ah bon ? » Le foyer de William a finalement, au prix de dépenses et d'efforts cérébraux considérables, recouvré sa stabilité et l'évocation de tout problème domestique lui est désagréable. « Que s'est-il passé ?

– Rien que je puisse dire en bonne compagnie, déclare lady Bridgelow avec un petit sourire narquois en décrivant, d'un léger mouvement de ses doigts gantés de chevreau, un arc de cercle devant son ventre soyeux.

– Suis-je de bonne compagnie, Constance ? »

Elle sourit. « Vous êtes… unique en votre genre, William. Je sens que je pourrais parler de *tout* avec vous.

– Oh, je l'espère bien. »

Enhardie, elle poursuit : « Quel dommage que vous n'ayez pas pu assister au lancement du livre d'Edward et Philip. Savez-vous que nous n'étions que cinq femmes ? Quatre, en réalité : Mrs. Burnand a été traînée dehors de force par son mari *furibond*, devant tout le monde ! »

William lui adresse un sourire, mais il est un peu peiné, se demandant s'il a eu raison de prendre ombrage du fait que sur l'invitation qui lui était adressée on avait rajouté à la main la mention *« sans femme* * *»*.

« Il faut dire que le livre de Bodley et Ashwell ne mâche pas ses mots, soupire-t-il. Et je ne suis pas totalement convaincu par leurs statistiques. S'il y avait autant de prostituées à Londres qu'ils le prétendent, nous marcherions dessus…

– Certes, certes, mais attendez : Mrs. Fox était là. Elle s'est levée pour féliciter les auteurs d'aider à faire mieux connaître le problème au public – puis leur a reproché de ne l'avoir pas fait avec suffisamment de sérieux ! "Une femme qui tombe n'a rien de risible !" a-t-elle dit – et bien sûr tout le monde a éclaté de rire.

– Pauvre Mrs. Fox. "Pardonne-lui, Seigneur, car elle ne sait pas ce qu'elle dit"… »

Lady Bridgelow glousse, d'un rire étonnamment fruste. « Mais il ne faut pas juger durement les imprudences d'autrui, n'est-ce pas ? dit-elle. Je parlais avec Philip et Edward ensuite et ils m'ont dit combien ils étaient inquiets pour votre pauvre Agnes… »

William se raidit dans sa marche.

« J'apprécie leur inquiétude, dit-il, mais fort heureusement elle est déplacée. Agnes s'est tout à fait rétablie.

– Mais elle n'était pourtant pas à l'église ce matin… ? murmure lady Bridgelow.

– Non.

– Elle était peut-être à l'église catholique de Cricklewood?

– Peut-être.» William sait très bien que tel est le cas. Sa femme se trompe de manière pitoyable en croyant qu'elle et son cocher partagent un «petit secret». «Elle changera d'avis avec le temps, je suis sûr.»

Lady Bridgelow pousse un profond soupir élégiaque et ses yeux s'embrument. «Aaah la certitude», prononce-t-elle avec tristesse, faisant allusion aux déconvenues qu'elle a connues dans sa vie. La mélancolie lui va bien, elle lui donne cet air lointain qui est à la mode depuis peu. Mais elle ne peut demeurer triste très longtemps, et elle rebondit avec ces mots:

«Vous allez faire quelque chose de particulier pour Noël?

– Rien que d'habituel, j'en ai peur, répond William. Je suis vraiment un type très ennuyeux ces derniers temps. Je dors, je prends mon petit déjeuner, je conquiers une nouvelle partie de l'Empire britannique avec mes usines, je dîne et je me mets au lit. Sincèrement, je ne peux pas imaginer que quiconque à part mon banquier puisse s'intéresser à moi le moins du monde...

– Oh mais non, vous devez me faire une place, William, objecte-t-elle. Tout grand homme d'affaires a besoin d'une amie. Particulièrement si ce qu'il fabrique a une telle valeur pour les femmes, hmm?»

William se retient péniblement de laisser éclater sa fierté. Il n'avait jamais pensé que lady Bridgelow utiliserait des produits Rackham. Les nouveaux catalogues et les nouvelles affiches doivent produire l'effet escompté...

«Quant à moi, dit lady Bridgelow, j'ai fait un beau coup pour ma prochaine réception, n'est-ce pas? Lord et lady Unwin, ensemble dans le même pays, à la même table!

– Oui, comment avez-vous réussi?

– Pour dire la vérité, par pure rapidité! J'ai lancé la question avant que quiconque se soit remis de la surprise causée par le retour de lord Unwin. Je ne peux certainement pas prétendre que ce sont mes charmes qui l'ont ramené ; je pense que sa femme a décidé qu'ils devaient fêter Noël en Angleterre *en famille** et lui a ordonné de venir – sinon. »

William a du mal à imaginer lord Unwin se laisser ainsi faire. « J'aurais cru qu'il lui aurait fallu plus que ça.

– Ah, eh bien, il faut se rappeler que sa femme actuelle n'est pas la créature soumise qu'était la mère d'Agnes. Et, bien sûr, il a des enfants à lui maintenant. Je veux dire, de son propre sang. »

William répond par un chantonnement détaché. Il ne connaît pas lady Unwin. Non que les Rackham n'aient été plusieurs fois invités chez elle, mais ces invitations, aux yeux d'Agnes, auraient pu tout aussi bien provenir de Belzébuth, et elle avait invariablement répondu par un *Regrettons de ne pouvoir venir.*

(« Je suis sûr qu'elle vous veut du bien, ma chère », lui alléguait William, mais Agnes n'a jamais pardonné son remariage à son beau-père. Le *moins* qu'il pouvait faire était de pleurer, jusqu'à la fin de ses jours, l'incomparable Violet Pigott qui « avait scarifié son âme » pour lui plaire ! Au lieu de quoi cette brute s'était empressée d'épouser cette… cette *chose.*)

« Je dois admettre, dit William, que j'appréhende de revoir le vieux monsieur après tout ce temps. Quand je lui ai demandé la main d'Agnes, il est possible qu'il ait pensé que je l'entretiendrais sur un plus grand pied que… Eh bien, vous connaissez l'histoire de mes infortunes, Constance. Je me suis toujours demandé s'il avait mauvaise opinion de moi…

– Oh non, c'est un brave homme, affirme lady Bridgelow alors qu'ils approchent de l'angle de Chepstow Villas. Lui et mon pauvre Albert étaient amis, vous savez, et il a fait son possible pour dissuader Albert de commettre toutes ces imprudences… Enfin, vous aussi vous connaissez l'histoire de mes infortunes. Et quand Albert est mort, lord Unwin m'a écrit une lettre exquise. Rien que les choses les plus gentilles. Et Albert avait fait des tas de bêtises, je peux vous assurer ! Il n'était pas intelligent comme *vous*... »

Lady Bridgelow se tait brusquement : elle et William n'ont plus le trottoir pour eux seuls. Une grande femme efflanquée, avec des bras maigres et des cheveux roux qui ont besoin d'être coupés, approche, une enfant grassouillette à ses côtés.

« Comment allez-vous, Miss Sugar, lui dit William, distant mais cordial.

– Très bien, merci monsieur », répond la femme efflanquée. Ses lèvres, malheureusement, sont couvertes de peaux mortes, bien qu'elle ait d'assez jolis yeux. Son maintien est aussi humble qu'on peut l'attendre d'une gouvernante.

« Il fait meilleur aujourd'hui, remarque William, que ces derniers temps.

– Oui, acquiesce la gouvernante, c'est certain. » Elle tend maladroitement la main pour saisir celle de son élève. « J'ai... j'ai emmené Sophie se promener parce qu'elle est tellement pâle...

– Une dame n'est jamais trop pâle de nos jours, dit lady Bridgelow. Le teint rose appartient au passé, n'est-ce pas, William ? »

Ni elle ni William n'abaissent leur attention au niveau de Sophie. Leurs regards et leurs paroles traversent l'air en droite ligne jusqu'à Miss Sugar, bien au-dessus de la tête de l'enfant.

« Je trouve que Sophie, dit la gouvernante, qui évidemment ignore les règles de la conversation, est une petite fille très obéissante et... euh... travailleuse.

– Comme c'est gentil à vous, dit lady Bridgelow.

– Très bien Sophie », William condescend à déclarer, croisant un bref instant le regard bleu de sa fille avant de reprendre son chemin.

De retour à la maison, dans la chaleur suffocante de la nursery, Sugar a le plus grand mal à se contrôler. Son corps veut frémir – bouillir – d'indignation, pour elle, et pour Sophie. Chaque muscle et chaque nerf fourmille du désir réprimé de projeter son corps dans l'espace, furie tourbillonnante de griffes et de pattes, pour mettre en pièces cette petite salope suffisante.

« Qui était cette dame, Sophie ? » demande-t-elle d'une voix égale, après avoir respiré très profondément.

Sophie joue avec les animaux en bois de son arche de Noé – toujours son activité préférée du dimanche, malgré la permission donnée par Miss Sugar de faire ce qu'elle veut le jour du Seigneur. Elle ne semble aucunement perturbée par la façon dont elle a été traitée par son père et sa compagne ; ses joues sont un peu rouges, certes, mais l'exercice inhabituel et le feu ronflant en sont la cause.

« Je ne sais pas, miss.

– Elle vient souvent voir ton père ? »

Sophie lève les yeux des girafes qu'elle est en train de rassembler, le front plissé par la confusion. Il lui serait plus facile de dresser la liste des rois de Mésopotamie.

« Mais tu l'as déjà vue ? » poursuit Sugar, d'une voix plus tendue.

Sophie songe un moment. « Parfois j'entends les domestiques l'annoncer », dit-elle.

Sugar se plonge dans un silence maussade. Pour la première fois depuis des mois, elle est taraudée par l'envie de prendre la plume pour écrire une histoire de vengeance comme celles de son roman. Seulement cette fois-ci la victime ne serait pas un homme, mais un affreux carlin de petite bonne femme, pieds et poings ficelés.

*« Pitié ! Pitié ! » gémit-elle, sentant un objet pointu sonder le trou fortement serré entre ses fesses – une protubérance froide, ressemblant à du cuir, hérissée de poils.*

*« Qu'est-ce que c'est ? Qu'est-ce que c'est ? s'écria-t-elle, terrorisée.*

*– Tu ne reconnais pas ? C'est le museau d'une hermine, répondit Sugar, brandissant dans son poing la tête pointue de l'étole. La pauvre créature sera certainement plus heureuse dans ton cul qu'autour de ton cou… »*

« Vous avez entendu, dit Sophie de sa voix fluette, ce qu'a dit mon père, miss ? Il a dit que j'étais une bonne fille. »

Sugar, violemment expulsée de son fantasme de vengeance, est étonnée de découvrir un sourire heureux sur le visage de l'enfant et un éclair de fierté dans ses yeux.

« Il n'a pas dit ça », dit-elle d'un ton cassant, avant de pouvoir se contrôler.

L'air satisfait de Sophie s'évapore, et son front se plisse – changement qui ne sert qu'à souligner sa ressemblance avec William. Elle détourne la tête, se réfugiant dans le monde moins dangereux de ses jouets. Tenu droit dans sa petite main, Noé commence à monter la passerelle de l'arche, à petits sauts lents et dignes.

« Mais mon cher Rackham, si vous me permettez, vous persistez à éviter le sujet.

– Vraiment ? » dit William. C'est un lundi matin, et il reçoit un invité dans son fumoir. Les cigares sont déjà allumés, et William débouche la bouteille de porto avec un *thwipp*. « Peut-être ne sommes-nous pas d'accord, poursuit-il, sur la nature du sujet. Je vous demande comment hâter les progrès de ma femme vers la guérison, ici, dans sa maison. Quant à vous, vous semblez décidé à cataloguer les mérites et démérites des asiles de fous depuis Aberdeen jusqu'à Aberystwyth. »

Le docteur Curlew émet un grognement. Cette abondance d'informations était toute naturelle, provoquée par la prétention de William à connaître sur les asiles d'aliénés des détails qu'il ignore. En fait, le docteur Curlew a probablement passé plus de temps dans les asiles que tout homme sain. Jeune médecin, avant qu'il ne décide que la chirurgie n'était pas son point fort, il a opéré de nombreux aliénés, et appris beaucoup de choses en plus des techniques du maniement du scalpel. Il sait faire la différence entre les bons et les mauvais asiles ; il sait lesquels ne sont rien d'autre que des prisons qui n'ont d'asile que le nom ou des pensions à prétentions médicales – ou, à l'autre bout de l'échelle, des hôpitaux de première classe voués aux progrès de la science et au rétablissement complet du patient. Il a observé bien souvent que les dames hystériques, dégradées au point de n'être d'aucune utilité à quiconque, homme ou bête, peuvent guérir miraculeusement une fois soustraites au milieu d'enquiquineurs indulgents dont se nourrit leur maladie.

Sachant tout cela, le docteur Curlew peut affirmer sans hésiter que, dans sa maison, Agnes Rackham est perdue. Quel espoir de guérison a-t-elle, alors qu'elle a non seulement un époux permissif, mais des domestiques obséquieuses et crédules pour la choyer ?

« Il n'y a aucun mérite, Rackham, déclare-t-il, à garder une malade chez elle. Personne ne condamne un homme qui envoie sa femme à l'hôpital quand elle se casse une jambe ou attrape la variole. Notre problème n'est pas différent, je vous assure. »

William sirote son porto, d'un air triste. « Je me demande, songe-t-il, si elle n'a pas un problème *physique*…

– Je l'ai examinée sous toutes les coutures. Il n'y a aucun

problème qui ne se résoudra à condition qu'elle soit correctement traitée.

– Parfois, quand elle se conduit très mal, juste avant de s'évanouir, je jurerais qu'elle a un œil plus gros que l'autre…

– Humphh. J'imagine qu'elle a du mal à vous regarder en face. Je suis sûr que ce serait le cas pour n'importe quelle femme qui exécute un pareil numéro. »

Brusquement, le silence embrumé du fumoir est pénétré par un air de piano, exécuté de manière fort séduisante dans l'entrée toute proche. Après un prélude fluide, Agnes se met à chanter, sereine et gaie comme un pinson. À voir l'air de sentimentalité rêveuse qui se répand sur les traits de William, Curlew réprime un grognement de frustration.

« Rackham, dit-il, vous devez vraiment vous débarrasser de cette idée que votre femme est une personne en bonne santé qui souffre de crises occasionnelles, plutôt qu'une personne malade qui bénéficie de rémissions occasionnelles. Dites-moi : si une des machines qui embouteillent votre parfum était détraquée, qu'elle cassait tout le verre et qu'elle envoyait du parfum dans tous les sens, et qu'elle le faisait sans cesse, et qu'ensuite, juste au moment où vous appeliez quelqu'un pour la réparer, elle semblait se guérir d'elle-même, penseriez-vous que le défaut a disparu et que les réparations ne sont pas nécessaires ?

– Les êtres humains ne sont pas des machines. »

*Une étrange philosophie,* se retient de remarquer Curlew, *pour un industriel.* « Eh bien, soupire-t-il, aux sons des trilles angéliques d'Agnes, si vous ne voulez pas envisager l'asile, il y a certaines mesures immédiates que je vous presse de prendre. D'abord, qu'elle arrête d'aller à la messe. Ce n'est pas un crime d'être catholique, mais votre femme était anglicane quand elle vous a épousé et elle devrait le demeurer. Si sa foi en l'Église romaine était autre chose qu'une illusion, elle essaierait de vous convaincre, pas de se faire plaisir en allant secrètement à Cricklewood. Deuxièmement, il est grand temps qu'Agnes admette qu'elle est une mère. Cette absurde pantomime d'évitement est allée trop loin et dure depuis trop longtemps. Si vous ne voulez pas considérer le bien d'Agnes, pensez à votre fille, maintenant qu'elle est assez âgée pour poser des questions. Être privée de l'amour d'une mère ne peut pas être une bonne chose pour elle, vous ne voyez pas cela ? »

William hoche lentement la tête. Quelque désagréable que soit la vérité, il est inutile de contester la sagesse supérieure d'un homme qui connaît son métier. Une mère ne peut renier son enfant indéfiniment sans qu'il en sorte quelque mal : c'est un fait.

« C'est comme si quelques mois auparavant elle n'était encore qu'un bébé », marmonne-t-il pour la défense d'Agnes, convoquant quelques vagues souvenirs de Sophie bébé emmaillotée dans les bras de Beatrice. Mais l'enfant a poussé comme une mauvaise herbe, et il doit avouer qu'hier, quand il a rencontré Sugar et Sophie dans la rue, il a été surpris par l'air intelligent et éveillé de sa fille.

« Je ne désire pas faire souffrir inutilement Agnes, dit-il.

– Avec ce qui est en jeu, William, déclare le médecin, un minimum de souffrance se révélera peut-être un prix faible à payer. »

William grimace en signe d'assentiment ; les négociations ont pris fin, les deux parties ont concédé du terrain tout en semblant tenir ferme. Respirant mieux, l'hôte offre du porto à son invité.

« Maintenant dites-moi, docteur, comment va *votre* fille ? »

Emmeline Fox se penche en haut de l'escalier pour ramasser les crottes du chat avec ses doigts. Elles sont tout à fait sèches, après tout, et elle peut se laver les mains dès qu'elle s'est débarrassée des bêtises de Minet. Sincèrement, les histoires que font les gens à propos de la saleté! On devrait les forcer à vivre une journée dans un taudis de Shoreditch, où la boue dégouline des murs et où les enfants sont défigurés par les morsures de rats... !

Emmeline s'accroupit pour accomplir sa tâche, ses cheveux défaits lui tombant dans la figure – plus elle ramasse de crottes, plus elle en trouve. Minet a vraiment été très vilain. S'il ne s'amende pas bientôt, elle devra le bannir de son lit et le laisser dormir dehors.

« Tu entends ça, Minet », dit-elle, comme si l'inspection désinvolte des pensées d'autrui était une autre de ses mauvaises habitudes. Il ne daigne pas répondre.

Elle jette les étrons dans une caisse en carton qui contenait des enveloppes, et contient maintenant une quinzaine de jours de crottes de chat. Le tout sera enfoui dans un trou au jardin dès qu'elle aura acheté une pelle, ce qu'elle fera certainement ce matin, et tant pis pour les regards du quincaillier.

Elle descend l'escalier poussiéreux pieds nus ; en fait elle est entièrement nue. La convention qui consiste à s'habiller pour dormir a cessé de faire sens pour elle et, malgré l'approche du froid de l'hiver, ses chemises de nuit ne lui manquent pas du tout. Elle sent à peine le froid : même quand ses extrémités sont blanches elle n'a pas mal. Qu'est-ce que les riches savent du froid, de toute façon, dans leurs maisons bien chauffées ?

Non que sa maison soit terriblement bien chauffée en ce moment. Elle a oublié de rentrer le charbon et toutes les cheminées ont besoin d'être nettoyées. Il est vraiment grand temps qu'elle remplace Sarah ; trois mois sans domestique, ça se sent. Il y a tout un tas de braves filles qu'on peut avoir par la Société de Secours ; il faut seulement qu'elle range un peu pour ne pas faire trop mauvaise impression.

Emmeline se lave avec une flanelle (elle a pris un bain hier) et met ses vêtements de travail – savoir, la robe élégante mais pratique qu'elle porte quand elle va voir les pauvres. Son estomac gronde, lui rappelant de ne pas quitter la maison sans avoir mangé, comme elle le fait trop souvent.

Dans la cuisine, elle se glisse entre la cuisinière d'Henry et la sienne pour prendre le pain dans le placard en hauteur. Un couteau est encore fiché dans la miche, ce qui est tout aussi bien, car elle a égaré des tas de couteaux dernièrement. Il n'y a pas de beurre, mais il y a une généreuse provision de viande et de poisson en boîte, véritable bénédiction de la femme indépendante. Elle songe à ouvrir la langue de bœuf Belgravia, mais finit par choisir le saumon. L'huile de poisson, a-t-elle lu, est bonne pour le cerveau.

Le chat d'Henry entre à pas feutrés, émettant des bruits douceureux et donnant de la tête contre la jupe d'Emmeline.

« Attends, attends », le tance-t-elle, tout en fourrageant à la recherche d'une tasse propre pour se préparer quelque chose de chaud. Puis elle se rappelle qu'elle n'a pas de lait, et sans lait elle n'aime ni le thé ni le cacao. Tant pis, bientôt Mrs. Nash lui servira une bonne tasse de thé dans la salle de réunion.

« Tiens, éhonté personnage, dit-elle en vidant le reste de saumon directement sur le sol de la cuisine. Tu n'arrêtes pas de m'exploiter… Pourquoi est-ce que tu ne vas pas te chercher un travail honnête, hein ? Je devrais t'appeler Minet Maquereau. »

Le chat d'Henry dresse la tête. « Miaou ? »

Emmeline doit se dépêcher maintenant ; elle a dormi plus tard qu'elle ne pensait, étant restée éveillée la plus grande partie de la nuit pour écrire des douzaines d'exemplaires de la même lettre priant les directeurs des écoles locales de ne pas abandonner les enfants qui se cachent dans les taudis surpeuplés. Si elle ne part pas bientôt, elle va manquer le thé et les biscuits.

Où est son bonnet ? Ah oui : pendu au montant du lit d'Henry, qui est toujours debout contre le mur dans le salon. (Elle a trouvé un foyer pour le matelas, grâce au récent appel lancé par Mrs. Emerson, mais le châssis en fer a été jugé trop lourd.) Avec deux épingles à chapeau, et un ruban noué sous son menton, Emmeline se transforme en Mrs. Fox, prête à la bataille.

Juste comme elle va ouvrir la porte, une lettre passe en murmurant par la fente et atterrit à ses pieds. Elle la fourre dans son sac et se dépêche de partir.

Confortablement assise dans la salle de réunion de la Société de Secours, tasse de thé à son coude, Mrs. Fox ouvre l'enveloppe. Une seule feuille, minutieusement pliée en minuscules carrés, tombe sur la table. Mrs. Fox la lisse devant elle, et tâche de déchiffrer son écriture lilliputienne.

*Le temps s'écoule vite. Je sais que vous êtes une personne bonne et gentille, en dépit des noires Allégeances de votre Père. (Moi aussi j'ai eu un mauvais père, je sympathise donc.) Je sais que vous avez déjà obtenu votre Second Corps. Les gens disent que vous n'êtes pas jolie et que votre teint est vilain mais ils ne regardent pas en dessous la beauté de votre Âme. Comme cette Âme doit être lumineuse, sachant que son enveloppe charnelle est Immortelle ! Quant à moi, ma chair matérielle montre des signes de délabrement terrifiants, et je ne peux supporter l'idée d'y demeurer emprisonnée encore longtemps. Il se trouve que je sais que mon Second Corps m'attend au Couvent de la Santé. S'il vous plaît, s'il vous plaît, s'il vous plaît dites-moi où se trouve le Couvent de la Santé. Je suis prête à partir, mais je crains que mon Ange Gardien ne veuille que j'attende patiemment jusqu'à la fin amère. Vous êtes mon seul espoir. S'il vous plaît accordez-moi le Savoir Secret dont j'ai tant besoin.*

*Au nom de l'estime commune que nous avions pour Henry, je vous supplie.*

*Agnes R.*

Mrs. Fox glisse la lettre dans son enveloppe. Tout autour d'elle, on débarrasse tasses et soucoupes, et ses sœurs mettent manteaux et gants. La supplique de Mrs. Rackham devra attendre, au profit d'âmes plus à portée de main.

Ce soir-là, allongée sur son lit avec Minet ronronnant contre sa cuisse, Mrs. Fox relit la lettre.

Elle est d'humeur irritable; son après-midi avec la Société de Secours n'a pas été un succès. Les rues de Shoreditch sont de riches veines de misère athée, certes, mais diablement difficiles à pénétrer: les résidents sont hostiles, et la plupart des portes se ferment en claquant à l'approche d'une Secouriste. Une putain a consenti à parler à Mrs. Fox, mais elle était dans un état d'ébriété si sévère que toute discussion sérieuse était impossible.

« Vous feriez une bonne putain! lui avait-elle déclaré en riant. Ça s'voit! Vous portez pas de corset, hein? J'vois vos tétons! »

Mrs. Fox essaya d'expliquer qu'elle avait été très malade, et avait du mal à respirer quand elle était enfermée dans une carapace rigide; et que, de toute façon, la modestie n'avait rien à voir avec les corsets, car les femmes décentes existaient bien avant l'invention des tels vêtements... Mais la putain ne voulait rien savoir.

« V'zavez pas eu d'enfants, à voir vot' allure, avait-elle gloussé, chatouillant Emmeline sous le bombement de sa poitrine. Les hommes aiment bien ça. »

Maintenant Emmeline est affalée sur son lit, les pieds douloureux, noire de particules de suie dont certaines se sont immiscées jusque sur sa langue, et *(quel ennui!)* elle n'a toujours pas de lait pour se faire un cacao. Et comme si cela ne suffisait pas, ici, de nouveau, il y a cette lettre dans laquelle Agnes Rackham la supplie de lui révéler le secret de l'immortalité physique.

Comment répondre ?

Par la vérité, bien sûr, quelque désagréable qu'elle puisse être. Emmeline saisit plume et papier et griffonne les mots suivants :

*Chère Mrs. Rackham,*

*Je suis désolée d'avoir à vous dire que vous vous trompez. Aucun de nous ne peut espérer être immortel sinon en esprit à travers le Christ (voyez Rom. 6:7 – 10 ; I Corinthiens 15:22 et plus particulièrement 15:50). Si je peux vous aider de quelque autre façon que ce soit, je le ferai avec plaisir.*

*Bien cordialement,*

*E. Fox*

Elle plie ce papier, le glisse dans une enveloppe qu'elle cachette et, presque du même mouvement, qu'elle déchire en morceaux. La vision de Mrs. Rackham recevant la lettre, ravie d'avance, et ne trouvant qu'une réfutation et quelques références bibliques, est trop pitoyable.

Peut-être serait-il plus utile de lui envoyer un livre ? Cela éviterait de la contredire personnellement et dissiperait plus efficacement les miasmes de l'illusion. Emmeline saute de son lit et se met à fouiller dans les piles de livres poussiéreux et pelucheux qui parsèment sa maison, à la recherche du *Temple en ruine*, autobiographie écrite par un évangéliste atteint d'un mal qui le ronge, qu'elle avait prêté à Henry quand il faisait tant d'histoires à propos de sa maladie. C'est un mince volume, avec un dos reconnaissable, mais elle n'arrive pas, quelque désir qu'elle en ait, à le trouver, et la poussière qu'elle soulève lui déclenche une crise d'éternuements.

Mais qu'est-ce que c'est que ça ? Une épaisse brochure qu'elle ne se rappelle pas avoir vue. Au verso, l'avis d'autorités telles que « A. E., de Bloomsbury » : *Pour les amateurs de plaisir, ce n'est rien de moins que la Bible !* Au recto, en lettres noires gaufrées : *Les Plaisirs de Londres – Quelques suggestions pour les hommes lancés, avec des conseils pour les débutants.* Elle ouvre le livre, et trouve écrit sur la page de garde : *à Henry, de la part de Philip & Edward,* avec le mot suivant : *Ta future paroisse ? Bonne chance !*

Cette cruelle plaisanterie de Bodley et Ashwell tire à Emmeline une grimace de douleur et, à son grand étonnement, de chaudes larmes jaillissent de ses yeux, s'écrasant sur le papier. À travers une brume de pleurs elle feuillette les pages, dont certaines sont cornées, probablement pour attirer l'attention d'Henry sur des prostituées particulières.

Mrs. Fox rejette la tête en arrière, gênée par son incontinence pleurnicharde. Elle étudiera cet horrible petit livre en détail plus tard ; il pourrait, avec toute la douleur qu'il lui cause maintenant, se révéler être un bien pour un mal. Elle doit le considérer… oui, c'est cela : elle doit le considérer comme un inventaire irremplaçable des femmes qu'elle fera son possible pour trouver et sauver. Oui, de cela après tout, il sortira de la bienveillance !

« Votre tasse de thé, miss. »

Sugar quitte dans un sursaut ses rêves troublés, clignant des yeux dans la pénombre. Elle lève le regard : une silhouette qu'elle ne reconnaît pas se tient au-dessus d'elle, une tasse de thé dans une main, une lampe allumée dans l'autre, car le jour point à peine. Comme elle se hisse sur ses coudes, dégageant ses bras des draps, elle sent un poids sur ses jambes, et y découvre un journal ouvert calé sur sa cuisse gauche.

Bon Dieu ! Elle ne peut qu'espérer que la domestique le prenne pour un manuel scolaire, ou le propre journal de Miss Sugar, plutôt qu'un bien dérobé.

« Euh… merci… Rose, dit-elle d'une voix enrouée, la gorge sèche, la vision floue. Quelle… euh…

– Six heures et demie, miss et c'est un beau mardi matin.

– Beau ? » Sugar tourne la tête vers la fenêtre sombre sur laquelle la lampe de Rose se reflète dans un halo de givre.

« Je voulais seulement dire, miss, qu'il a cessé de neiger.

– Ah, oui… » Sugar se frotte les yeux. « Je suis sûre que j'aurais dormi toute la journée si vous n'étiez pas venue. » Instantanément elle regrette ce geste de basse flatterie, qui n'a pour effet que de lui donner l'air d'une souillon. *N'ouvre pas la bouche avant d'être bien réveillée*, se conseille-t-elle.

Quand Rose et sa lampe ont fait leur sortie, les premiers faibles scintillements de l'aube s'insinuent dans la chambre de Sugar. Si elle plisse fort les paupières, elle peut discerner d'étranges formes blanches suspendues à l'extérieur des fenêtres, comme des fantômes parfaitement immobiles, à six mètres au-dessus du sol. Un coup de vent, et les contours des fantômes commencent à se désintégrer, leurs extrémités blanches disparaissant dans leur chute. De la neige dans les arbres, poudreuse et évanescente.

Frissonnant, Sugar boit une gorgée de thé dans cette tasse absurdement délicate. Comme elle continue à le trouver singulier, ce rituel du thé à la pointe de l'aube servi par une domestique, au lieu de se lever à dix ou onze heures avec le soleil qui vous chauffe le visage. Dans l'instant, elle est transportée dans le passé – non pas celui de Priory Close, mais encore plus loin – au premier étage de Chez Mrs. Castaway, avec les pigeons qui roucoulent dans les chevrons, le soleil d'un or impitoyable, et le petit Christopher qui frappe à la porte pour venir chercher le linge sale.

*Tu aurais dû emmener Christopher avec toi*, chuchote une voix pleine de reproche à son esprit mal éveillé. *Chez Mrs. Castaway ce n'est pas un endroit pour les enfants.*

Elle mord dans son biscuit, disséminant une cascade de miettes sur le devant de sa chemise de nuit. *C'est un enfant,* se dit-elle. *Il deviendra un homme comme tous les autres. Et le monde est conçu pour eux.*

Elle termine son thé, pas plus qu'une gorgée, à peine suffisant pour humecter sa langue sèche. Pourquoi est-elle si fatiguée ? Que s'est-il passé hier ? La dernière chose dont elle se souvienne, avant de sombrer dans un long rêve confus où une femme criait et gémissait dans les hurlements du vent, est l'annonce faite par Agnes Unwin de ses fiançailles avec William Rackham.

Le journal s'est fermé dans le giron de Sugar. Elle le rouvre, tourne ses pages souillées, trouve la partie où elle a perdu conscience.

*Je vais Épouser un homme, écrit Agnes, et je sais à peine Qui il est. Comme c'est terrifiant ! Bien sûr je le connais très bien – si bien que je pourrais écrire un livre sur toutes les choses intelligentes qu'il dit. Mais Qui est-il réellement, ce William Rackham, et que veut-il de moi qu'il n'a pas déjà ? Oh, j'espère que je ne vais pas l'ennuyer ! Il sourit et m'appelle son drôle de petit lutin – mais suis-je assez singulière pour un homme tel que lui ? Quand je pense au mariage, c'est comme de penser à un plongeon dans des eaux sombres. Mais les eaux sombres deviennent-elles plus claires si on y regarde pendant des années et des années avant de plonger ? (Oh mon Dieu ; peut-être n'aurais-je pas dû utiliser cette comparaison, ne sachant pas nager !)*
*Mais je ne dois pas m'inquiéter. Tout est possible à deux personnes qui s'aiment. Et ce sera intolérablement doux de n'être plus Agnes Unwin ! Je suis folle d'impatience !!!*

« Ma maman ne s'est pas couchée du *tout*, se plaint Sophie, confuse et gémissante, tandis que Sugar l'aide à s'habiller. Elle était dans le jardin, à crier, toute la nuit, miss.

– Peut-être que tu l'as rêvé, Sophie », suggère Sugar, mal à l'aise. Le simple effort de rassembler ses esprits en vue de la journée à venir, de se préparer pour être vêtue et coiffée à sept heures afin d'aider Sophie à faire de même a repoussé le cauchemar dans le passé ; les gémissements sont devenus un murmure. Maintenant, alors qu'elle tâche de se la rappeler, la voix de femme n'est plus solitaire, mais accompagnée par d'autres, masculines et féminines. Et oui, et elle a une vague impression de tohu-bohu dans l'escalier.

« Nurse dit que pleurer et faire des histoires ne trompe personne », remarque Sophie à brûle-pourpoint, avec une moue de simple d'esprit tandis que Sugar lui brosse les cheveux, vacillant dans ses petites chaussures serrées chaque fois que le peigne griffe son cuir chevelu. Elle n'est pas encore bien réveillée, c'est évident.

« Nous devons tous nous efforcer, Sophie, déclare Sugar, d'être courageux. »

À neuf heures et demie, peu après le début de la leçon, l'intimité de la salle d'étude est interrompue par un coup frappé à la porte. Normalement, une fois que le petit déjeuner a été emporté, elles ne sont pas dérangées jusqu'au déjeuner, mais voilà Letty qui apparaît dans l'encadrement de la porte, les mains vides et l'air solennel.

« Mr. Rackham voudrait vous voir, Miss Sugar, dit-elle.

– Me… voir ? » Sugar bat des paupières, l'air incrédule.

« Dans son bureau, miss. » Le visage bienveillant de Letty ne laisse rien paraître ; s'il y est inscrit quelques confidences de femme à femme, elles le sont trop vaguement pour que Sugar puisse les déchiffrer.

Sophie lève les yeux de son petit bureau, attendant de savoir quelle tournure le monde va prendre. D'un signe de la tête et de la main, Sugar l'engage à poursuivre son travail qui consiste à nommer et dessiner des instruments de musique. Elle vient de convaincre son élève qu'elle peut garder le dessin de violon au manche courbe, plutôt que d'arracher la page pour le refaire. Sophie se penche de nouveau sur sa tâche, appuyant sa règle sur un violoncelle à moitié dessiné, comme s'il menaçait d'échapper à sa prise.

« Je serai bientôt de retour », dit Sugar. Mais, comme elle suit Letty hors de la pièce, sa confiance vacille soudain. *Il veut que je m'en aille*, pense-t-elle. *Il a trouvé quelqu'un qui parle le français et l'allemand, qui joue du piano.* Puis, passant d'une crainte injustifiée à une excitation qui l'est tout autant, elle pense : *Non, il veut embrasser ma gorge, soulever mes jupes et me baiser. Il bande depuis son réveil et ne peut plus se contenir.*

Les tapis du couloir sont humides sous ses pieds, et sentent le savon et le tissu mouillé ; Letty, s'étant acquittée de sa mission, roule ses manches et retourne à son seau et son éponge, laissant la gouvernante affronter seule le maître. L'eau dans le seau de Letty est rose.

Le cœur battant fort dans sa poitrine, Sugar frappe à la porte du bureau de William, son *sanctum sanctorum*, dans lequel, depuis toutes les semaines qu'elle est ici, elle n'a jamais pénétré.

« Entrez », dit-il, et elle obéit.

La première pensée de Sugar quand elle le voit à son bureau, dans un nuage de fumée, penché en avant d'un air las, les coudes repoussant deux monticules de courrier, est qu'il ressemble à un homme qui a passé la nuit à boire. Ses yeux sont rouges et gonflés, ses cheveux plaqués par la sueur, sa barbe et sa moustache ne sont pas peignées. Il se lève de son fauteuil pour l'accueillir et elle remarque des auréoles sur son gilet, qu'il a faites en se passant brutalement de l'eau sur le visage.

« William, tu as l'air... si terriblement fatigué! Tu as sûrement trop travaillé! »

Il traverse la pièce – ses chaussures et le bas de son pantalon sont maculés de boue – et, saisissant ses épaules si brusquement qu'elle tressaille, il l'attire contre sa poitrine. Alors même qu'elle répond à son étreinte, l'enlaçant de ses longs bras et pressant sa joue contre la sienne, elle est tentée de le repousser comme une bonne gouvernante devrait le faire; toutes sortes de remontrances lui viennent à l'esprit: *Lâchez-moi, monsieur! Oh! Dieu! Je vais m'évanouir!* et ainsi de suite.

« Qu'y a-t-il, mon amour? murmure-t-elle dans ses cheveux, se serrant contre lui pour essayer de lui faire sentir ses hanches pointues à travers les couches de vêtements qui les séparent. Confie-moi tes soucis. » Des formules on ne peut plus galvaudées, certes, mais que dire d'autre? Tout ce qu'elle désire c'est de voir disparaître cette pièce en désordre, avec sa confusion de feuilles, de papier peint taché de tabac et de tapis couleur de ragoût de bœuf, et que tous deux se retrouvent par magie à Priory Close, où des draps doux et chauds s'enrouleraient autour de leurs corps nus alors que William, émerveillé, la regarderait et dirait...

« Ah, c'est une sale affaire, sans espoir. »

Elle retient son souffle alors qu'il l'étreint encore plus fort. « L'affaire de parfums? avance-t-elle, sachant parfaitement qu'il signifie autre chose.

– Agnes, gémit-il. Elle va me rendre fou. »

La possibilité que la folie de son épouse provoque réellement celle de William est très mince, mais sa détresse n'est pas à mettre en doute.

« Qu'est-ce qu'elle a fait?

– Elle a passé toute la nuit dehors, dans la neige, en chemise de nuit ! À déterrer ses journaux – ou à essayer. Maintenant elle est convaincue qu'ils ont été mangés par les vers. J'avais donné l'ordre de mettre ces satanés machins à l'abri ; personne ne semble savoir où ils sont passés. »

D'un son indistinct, Sugar exprime sa surprise et sa sympathie.

« Ah, elle s'est blessée ! s'exclame William, frissonnant dans les bras de Sugar. C'est horrible, elle s'est ouvert les deux pieds avec une pelle. Elle n'a jamais creusé un trou de sa vie, pauvre enfant. Et sans chaussures ! Ah ! » Il frissonne de nouveau, violemment, à l'idée de ces délicats pieds nus pénétrés, d'un coup maladroit, par la tranche coupante du métal. Sugar frissonne elle aussi – la première réaction qu'ils partagent réellement.

« Comment va-t-elle ? Qu'est-ce que tu as fait ? s'écrie-t-elle, et William s'arrache à son étreinte, se couvrant le visage de ses mains.

– J'ai fait venir le docteur Curlew, bien sûr. Dieu merci il n'a pas refusé… même si cela va me coûter une livre de chair… Étonnant comme un homme en manteau par-dessus sa chemise de nuit, occupé à recoudre une femme hurlante, peut parvenir à conserver son air suffisant ! Eh bien, qu'il prenne son air suffisant tant qu'il veut ; Agnes restera ici ! Dois-je condamner ma femme à vivre un véritable enfer parce qu'elle ne sait pas se servir d'une pelle ? Je ne suis pas encore une bête !

– William, tu es hors de toi ! l'avertit Sugar, bien que sa propre voix tremble d'inquiétude. Tu as fait tout ce que tu pouvais pour l'instant ; quand tu auras dormi, tu auras l'esprit plus clair pour réfléchir. »

Il se met à aller et venir, hochant la tête et se frottant les mains.

« Oui, oui, dit-il, fronçant les sourcils dans son effort

pour chasser de son esprit les pensées illogiques. Voilà, je me ressaisis. » Il la fixe d'un regard étrange, les yeux brillants. « Aurais-tu la moindre idée de qui peut avoir pris ces maudits journaux ?

– Est-ce... est-ce que ça ne pourrait pas être la nurse de Sophie ? Est-ce qu'on ne les a pas déterrés juste avant son départ ? »

William secoue la tête, prêt à objecter que Beatrice Cleave avait pour Agnes un dédain qu'elle cachait à peine ; puis il lui vient à l'esprit que c'est précisément la raison pour laquelle elle aurait saisi avec plaisir cette occasion de causer des ennuis.

« J'écrirai à Mrs. Barrett pour faire fouiller sa chambre, déclare-t-il.

– Non, non, mon amour, dit Sugar, songeant avec inquiétude que ses secrets souillés et mal acquis, si ses soupçons se tournaient vers elle, seraient facilement découverts sous son petit lit. Si elle l'a fait par malveillance, elle les aura jetés. Et en plus, est-ce d'un tas de vieux journaux qu'Agnes a besoin en ce moment ? N'a-t-elle pas plutôt besoin de repos et de soins attentifs ? »

Il retourne à son bureau, serrant et desserrant les poings avec nervosité. « De repos et de soins attentifs. Oui, bon Dieu. Si seulement elle pouvait dormir jusqu'à ce que ses blessures soient guéries ! Je demanderai quelque chose à un médecin – pas Curlew, qu'il aille au diable –, une pilule ou une potion... Clara pourra s'assurer qu'elle la prenne religieusement, tous les soirs... Pas d'excuses. Pas d'excuses, tu entends ! »

Sa voix a passé de l'assentiment à la rage en quelques secondes. Sugar se précipite et pose sa paume rugueuse contre son visage contorsionné.

« William, je t'en prie : ton angoisse t'empêche de discerner qui je suis. Je suis ta Sugar, ne vois-tu pas ? Je suis la femme à qui tu as confié tes peines, qui t'a conseillé, t'a aidé à écrire les lettres que tu redoutais d'écrire… Combien de fois t'ai-je prouvé qu'il n'y a rien que je ne ferais pour toi ? » Elle saisit sa main et la pose sur son sein, puis sur son ventre, un geste dont elle espère qu'il éveillera son désir, mais qu'il considère avec stupéfaction, comme si elle lui faisait faire le signe de croix.

« William, dit-elle d'un ton suppliant. Tu te rappelles Hopsom ? Les longues soirées que nous avons passées… ? »

Enfin son expression s'adoucit. Il semble que son cerveau surchauffé se rafraîchisse au souvenir de cette intimité : la façon dont elle l'a aidé à négocier les passages difficiles à l'époque où les Parfumeries Rackham se développaient, alors que de mauvais conseils lui eussent été fatals.

« Mon ange », soupire-t-il, contrit. Au grand soulagement de Sugar, il se penche pour l'embrasser sur la bouche ; sa langue sèche a un goût de cognac et de dyspepsie, mais au moins il l'embrasse. Reprenant courage, elle lui caresse les cheveux, les épaules, le dos, respirant plus vite, le désirant presque, désirant qu'il la désire.

« Oh, à propos, dit-il en se dégageant à nouveau. J'ai quelque chose à te montrer. » Sa queue est gonflée dans son pantalon, mais il ne s'agit pas de ça ; non, il n'est pas tout à fait prêt pour ça. Il fouille dans le chaos de papiers sur son bureau et en retire un exemplaire du *Times* plié en deux.

« Je présume que tu n'es pas tombée dessus ? » dit-il, le feuilletant rapidement – passant les nouvelles, les mariages et les fiançailles, jusqu'à ce qu'il ait trouvé la page qu'il veut lui montrer. Là, bien en vue parmi les petites publicités pour les épurateurs du sang et les pilules homéopathiques, se trouve un grand placard représentant un portrait gravé de William Rackham entouré d'une guirlande de houx.

RACKHAM

FABRICANT DE PARFUMS ET DE PRODUITS DE TOILETTE DE LUXE

*Vous Souhaite*

*Une Joyeuse Saison de Noël*

*Avant une Très Heureuse Année*

Sugar lit l'annonce plusieurs fois, se creusant la cervelle pour trouver un compliment. Comme c'est étrange de se voir montrer une idée de William comme un fait accompli, sans avoir été consultée auparavant!

« Très impressionnant, dit-elle. Et bien rédigé. Oui, très bien.

– C'est une façon de faire paraître mes vœux bien en avance, lui explique-t-il, avant que mes rivaux n'annoncent les leurs, tu comprends?

– Mm, dit-elle. Ils vont regretter de ne pas y avoir pensé, non? » Dans l'imagination de Sugar la vision écœurante ne cesse de s'épanouir, d'Agnes donnant un coup de pelle dans l'obscurité, et de la lame malpropre déchirant la peau blanche de ses pieds.

« Nul doute qu'ils ne se laisseront pas prendre l'année prochaine, dit William. Mais cette année, c'est moi qui ai l'avantage.

– Tu trouveras quelque chose d'encore plus intelligent, l'assure Sugar. Je t'aiderai. »

Ils s'embrassent de nouveau, et cette fois il semble prêt. Elle glisse la main à l'intérieur de son pantalon et sa queue durcit alors même qu'elle tâtonne à sa recherche.

« Quand est-ce que tu vas mettre fin à mon calvaire? » ronronne-t-elle dans son oreille, parvenant à muer un tremblement d'hystérie en une roucoulade de désir. Pourtant, quand elle lève une jambe pour le chevaucher, elle est surprise de sentir combien son sexe est mouillé. William se conduit comme une brute, c'est vrai, mais il est troublé par l'inquiétude, et son cœur est toujours à elle, elle en est certaine, et – Dieu merci – il la désire toujours. Si elle le baise maintenant, simplement pour entendre le gémissement d'abandon qui accompagne sa jouissance, alors tout continuera à aller bien.

Les pantalons de Sugar sont à ses chevilles, elle s'accroupit sur lui, elle halète de soulagement tandis que son gland s'introduit en elle – quand soudain un bref coup est frappé à la porte. Sans un instant d'hésitation elle se projette en avant, remontant ses pantalons tout en reprenant son équilibre. William est occupé à faire de même. Les mouvements identiques et synchrones avec lesquels ils se rhabillent et se composent une attitude décente sont aussi instinctifs et naturels que n'importe quel acte charnel.

« Entrez ! » prononce William d'une voix rauque.

C'est encore Letty, l'air gêné cette fois-ci – pas parce qu'elle a interrompu la conversation entre son maître et la gouvernante, mais à cause du pénible message qu'elle a à délivrer.

« C'est… Mrs. Rackham, monsieur, dit-elle timidement. Elle veut vous voir, monsieur.

– Veut me voir ?

– Oui, monsieur. C'est urgent, monsieur. »

William fixe le vide de ses yeux injectés aux paupières lourdes, hésitant à reconnaître sa malchance.

« Très bien, Letty, dit-il, j'y vais. »

La domestique disparaît, et William contourne son bureau, tripotant sa cravate et le col de sa chemise.

« Comme c'est flatteur, murmure-t-il d'un ton sardonique à Sugar tandis qu'il passe devant elle, d'être désiré par tant de femmes à la fois. »

La chambre d'Agnes, si souvent obscure durant la journée, est, chose inquiétante, baignée d'une lumière que laissent entrer les rideaux ouverts au maximum. Mrs. Rackham devrait sommeiller, mais elle est pleinement consciente, assise droite dans son lit, une chemise de nuit immaculée boutonnée jusqu'au menton, avec une grosse bosse au milieu du lit, là où se trouvent ses pieds bandés. Son visage est calme, bien qu'elle ait quelques égratignures sur la joue, souvenirs de sa bagarre avec son mari, Shears et Rose dans leurs tentatives pour la faire rentrer. Ses yeux incroyablement bleus sont bordés de rouge. William remarque tout cela à l'instant où il pénètre dans la chambre, ainsi que la présence de Clara en sentinelle à son chevet, garde d'honneur aux côtés de sa maîtresse.

« Très bien, Clara, dit William, vous pouvez disposer. »

La servante exécute une révérence négligente, inclinant le buste de manière quasi imperceptible.

« Mrs. Rackham dit que je dois rester, monsieur.

– C'est ma femme de chambre, William, lui rappelle Agnes. Je pense que j'ai droit à au moins une personne dans ma maison qui a mes intérêts à cœur. »

William carre les épaules. « Agnes… commence-t-il avant de se raviser. De quoi aimeriez-vous que nous parlions ? »

Agnes prend une longue inspiration. « Je viens d'essuyer une rebuffade extrêmement humiliante, dit-elle, de la part de mon propre cocher.

– Cheesman ?

– Je ne crois pas que nous ayons plus d'un cocher, William, à moins que vous n'en gardiez d'autres en réserve pour votre propre distraction. »

A-t-il cru voir un sourire narquois sur le visage de Clara ? Au diable l'impudence de cette petite morveuse. Il la jettera à la rue pour cette…

« Cheesman a-t-il été impertinent avec vous, ma chère ? s'enquiert William avec la *politesse** la plus exquise.

– Il est aussi bien élevé qu'un homme de son genre puisse l'être, objecte Mrs. Rackham. C'est *vous* qui m'avez humiliée.

– Moi ?

– Cheesman dit qu'il lui a été interdit de m'emmener à l'église.

– Nous sommes mardi, ma ch…

– *Mon* église, le coupe Agnes. À Cricklewood. »

William ferme les yeux un instant pour mieux s'imaginer Clara en haillons ou, mieux, se consumant spontanément sur place.

« Eh bien…, soupire-t-il, ce sont les ordres du docteur Curlew en fait. »

Agnes répète les mots, accordant à chacun l'attention précise et altière qu'ils méritent. « Les ordres. Du docteur. Curlew.

– Oui », dit William, se demandant comment il est possible que lui, William Rackham, qui n'éprouve aucune difficulté à détourner la colère d'un butor de docker, puisse ainsi perdre son sang-froid face au déplaisir de son lutin de femme. Comment le doux naturel qui jadis faisait son ravissement a-t-il pu s'aigrir à ce point ? « Le docteur Curlew pense qu'il n'est pas bon pour votre santé de poursuivre… euh… d'être d'une autre obédience que… euh…

– J'ai besoin d'un miracle, William, dit-elle très distinctement, comme si elle s'adressait à un enfant particulièrement obtus. Une guérison miraculeuse. Je dois prier dans une église reconnue par Dieu, et dont on sait qu'elle est fréquentée par Notre-Dame et Ses anges. Vous rappelez-vous avoir jamais été témoin d'un miracle dans *votre* église, William ? »

Les mains de Clara, jusqu'alors derrière son dos, passent devant elle – geste inoffensif dont William ne juge pas moins qu'il est plein d'impertinence.

« Je… (il cherche un mot d'esprit qui détournerait la conversation vers des eaux moins turbulentes). Je n'ai sans doute pas fait assez attention, je le confesse.

– Confesser ? siffle Agnes, ses yeux adoptant leur circonférence la plus grande. Oui, je vous accorde que vous devez vous confesser. Mais vous ne le ferez jamais, n'est-ce pas ?

– Agnes… » Une fois de plus il est prêt à exploser ; une fois de plus il se retient. « Ne pouvons-nous pas parler de cela une fois que vous serez remise ? Que votre église soit catholique ou anglicane, vous n'êtes en état d'aller dans aucune. Vos pauvres pieds ont besoin de repos et de tendres soins. » Il lui vient soudain à l'esprit un argument plein de ruse : « Et après tout, comment vous sentiriez-vous, Agnes, si vous étiez transportée à l'intérieur de l'église comme une grosse valise, sous les yeux de tout le monde ? »

Cet appel à la sensibilité sociale d'Agnes s'évapore dans l'air, soufflé par un regard indigné. « Je ne me sentirais pas comme un bagage, dit-elle d'une voix chevrotante. Je me sentirais… divine. De toute façon je ne suis pas grosse. Comment *osez-vous* dire une chose pareille ? »

William comprend que sa femme, malgré les apparences, est la proie du délire. Poursuivre la discussion est inutile, et ne ferait que prolonger le plaisir de Clara.

« Agnes, déclare-t-il avec brusquerie, je… je ne le permettrai pas. Vous seriez la risée de tout le monde, et moi avec vous. Vous devez rester chez vous, jusqu'à ce que… »

Avec un cri d'angoisse, elle rejette les draps et rampe jusqu'au pied du lit, agile comme une gosse des rues. Elle agrippe les fioritures en cuivre et se met à vagir, tandis que les larmes coulent sur ses joues :

« Vous m'aviez promis ! De m'aimer, me chérir et m'honorer ! Je me moque de ce que pense le monde, vous disiez. Les autres filles sont assommantes, vous disiez. Mon drôle de petit lutin, vous m'appeliez ! "Ce que craint votre société, elle le qualifie d'excentrique" – c'était une autre de vos belles phrases. "L'avenir ne peut être intéressant que si *nous* avons le courage d'être intéressants – et cela signifie défriser le monde !" »

William demeure bouche bée. Il avait pensé que la nuit passée était l'épreuve la plus bizarre qu'il avait endurée de sa vie, mais *cela*... cela est pire. Voir ses prétentions de jeunesse, ses déclarations les plus folles tirées de l'oubli et jetées à sa figure par sa femme !

« Je... je m'occupe de vous de mon mieux, allègue-t-il. Vous êtes malade et je veux prendre soin de vous.

– Prendre soin de moi ? s'exclame-t-elle. Quand avez-vous pris soin de moi ? Regardez ! Regardez ! Qu'est-ce que vous proposez de faire pour *ça* ? »

Elle se laisse tomber sur les fesses, relève sa chemise de nuit et commence à défaire frénétiquement les pansements qui enserrent ses pieds.

« Agnes ! Non ! » Il se précipite pour lui saisir les poignets, mais les mains d'Agnes continuent de se contorsionner autour de ses chevilles. Des tentacules de bandes tachées de sang se déploient, laissant apparaître un bout de chair bleue contusionnée et une occlusion gluante de rouge. Il ne peut s'empêcher d'apercevoir aussi, entre les cuisses maigres qu'Agnes a si étourdiment découvertes, les frisures blondes de son sexe.

« Je vous en prie, Agnes, murmure-t-il, tâchant de lui rappeler, par de furieux mouvements de tête, la muette présence de Clara derrière eux. Pas devant une domestique... ! »

Elle éclate d'un rire hystérique, un son terrible, bestial.

« Mon corps devient... de la viande crue, crie-t-elle, indignée et incrédule, mon âme est presque perdue, et vous vous préoccupez des *domestiques* ? » Elle se débat désespérément pour échapper à sa prise, tandis que ses pieds foulent les draps et que le sang commence à tacher le linge d'un blanc de neige. Sa poitrine se presse contre son bras ; il se rappelle l'abondance de ses seins comparée à ceux de Sugar ; la compacité angélique de son corps, avec quelle ferveur il attendait le jour béni où il pourrait enfin le tenir dans ses bras…

Soudain Agnes cesse le combat. Ils sont épaule contre épaule, presque nez à nez. Haletant, le visage rouge, de la bave au menton, elle le fixe d'un regard de dédain vertueux.

« Vous me faites mal, dit-elle à voix basse. Allez jouer avec quelqu'un d'autre. »

Il lâche ses poignets, et elle rampe vers la tête du lit, traînant des rubans de pansements rougis. En un éclair, elle est de retour sous les draps, la tête sur l'oreiller, la joue sur une paume. Elle émet un soupir stoïque, comme une enfant qu'on embête après l'heure du coucher.

« Je-je… » bégaie-t-il, mais les mots ne viennent pas. Il se tourne vers Clara, l'implorant, d'un geste d'impuissance, de ne pas faire mauvais usage du pouvoir que cet incident lui a mis entre les mains.

Elle hoche la tête, impénétrable.

« Je vais m'occuper d'elle, Mr. Rackham », le rassure-t-elle, et sur ces mots, il semble qu'il soit congédié.

Transi de tristesse, William retourne d'un pas traînant à son bureau. Il n'y a personne pour l'y recevoir. Sugar est évidemment retournée à la salle d'étude une fois qu'elle a compris qu'il ne reviendrait pas de sitôt. Eh bien, ainsi soit-il. Il renifle l'air. Fumée de cigare. Charbons ardents. Sexe de Sugar.

Il va se poster devant l'âtre rougeoyant, pose le front contre le mur, ouvre sa braguette, et se masturbe, gémissant de souffrance. En quelques secondes, sa semence jaillit, tombant directement sur les charbons qui grésillent. Son ventre est gras ; ses poils sont prématurément gris ; quelle créature ridicule il est; pas étonnant qu'on le méprise. L'orgasme passé, son sexe se ratatine à la taille d'un ver, et il le range.

Les épaules voûtées, il se tourne et, à la vue de son bureau jonché de papiers, il est encore plus découragé. Tant à faire, et sa vie qui va à vau-l'eau! Il s'assied lourdement sur son fauteuil et couvre son visage de ses mains.

Du calme, du calme. Il n'a rien à gagner en perdant son sang-froid.

À peine conscient de ses gestes, il ouvre le large tiroir inférieur de son bureau, où il garde la correspondance à laquelle il a été répondu mais qu'il se sent incapable de jeter. Il se trouve là également d'autres épaves – *Les Plaisirs de Londres*, par exemple – et... ceci. Il la sort, les doigts tremblants.

C'est une photographie d'Agnes très écornée – Agnes Unwin, comme elle s'appelait alors – prise par lui au cours d'un pique-nique d'été sur les bords de la Tamise. Une belle photographie, et bien tirée aussi, vu son inexpérience de la chambre noire à l'époque. Ce qu'il aime particulièrement c'est la façon dont Agnes (sur sa demande) s'est tenue absolument immobile, faisant en sorte que son beau visage serein soit capturé dans les moindres détails, tandis que ses compagnons – fils de l'aristocratie, tous des idiots – papotaient en tripotant le revers de leurs pantalons, condamnant leurs visages au flou de l'anonymat. Ce type-là, avec son œillet à la boutonnière, c'est peut-être cet imbécile d'Elton Fitzherbert, mais les autres sont des fantômes gris et troubles, qui ne servent qu'à rehausser la bien-aimée radieuse de William Rackham. Il a regardé cette photographie un nombre incalculable de fois, se remémorant qu'elle capture une vérité incontestable, une histoire qui ne peut être réécrite.

Ignorant qu'il pleure, il continue de chercher dans les papiers de son tiroir. Il y a là, à moins qu'il ne se trompe, une lettre parfumée qu'Agnes lui a écrite, quelques jours avant leur mariage. Elle lui dit combien elle l'adore, à quel point chaque jour qui la sépare de celui où elle doit être sa femme est une agonie de délicieuse attente – plus ou moins. Il fouille et fouille, rouvrant des programmes de pièces de théâtre oubliées, des invitations à des vernissages, des lettres de son frère citant les Écritures et qu'il n'a pas lues, des menaces de créanciers depuis longtemps payés. Mais la preuve odorante de la passion d'Agnes… lui échappe. Est-il possible que toute trace de sa dévotion ait disparu ? Il se penche pour renifler. Du vieux papier ; la terre à ses semelles ; le sexe de Sugar.

Accablé, il tire une feuille froissée du fond du tiroir, au cas où ce serait celle qu'il cherche. Mais elle porte son écriture ; c'est le brouillon abandonné, datant d'il y a quelques années, d'une lettre destinée à Henry Rackham Senior :

*Cher Père,*

*Dans la confusion occasionnée par la naissance de ma fille et les soins médicaux urgents nécessités par l'état de mon épouse, j'ai naturellement eu peu de temps à consacrer aux responsabilités qui m'attendent. Bien sûr j'ai l'intention de les assumer avec mon enthousiasme habituel à la première occasion ; entre-temps, toutefois, j'ai eu la désagréable surprise de recevoir une lettre de nos notaires…*

Avec un grognement de douleur, William froisse le papier dans sa main et le pousse de côté. Bon Dieu, il est deux fois l'homme qu'il était alors ! Comment le destin peut-il avoir la cruauté de lui retirer l'admiration d'Agnes alors qu'il était jadis un être mou et servile et qu'il est aujourd'hui le maître d'une grande entreprise ? N'y a-t-il pas de justice ?

Poussé à l'action, il se penche sur son bureau, pose une feuille de papier devant lui et plonge la plume dans l'encrier. William Rackham, directeur des Parfumeries Rackham, ne se vautre pas dans l'apitoiement sur soi-même : il fait son travail. Oui : son travail ! De quoi s'occupait-il, avant… ? Ah oui : l'affaire Woolworth…

*À Henry Rackham, Sr.*, écrit-il, pressant ses jointures contre son front pour se rappeler les détails qui étaient si clairs il y a douze heures, quand le cauchemar n'avait pas commencé.

*J'ai pris connaissance du fait que, en 1842, les Parfumeries Rackham avaient loué à un certain Thomas Woolworth une importante parcelle de terre arable à Patcham, Sussex, qui avait été jugée (par vous, je présume) trop difficile à cultiver. J'ai trouvé peu de documents concernant cette transaction et je suppose qu'il en existe d'autres. Je vous demande donc de me faire parvenir les documents relatifs à cette affaire ou toute autre, d'ailleurs, que vous pouvez avoir conservés…*

William fronce les sourcils lorsqu'il constate la répétition malvenue de *documents* dans les deux dernières phrases. C'est le genre de choses pour lequel Sugar lui serait utile, si elle était ici ; mais elle aussi a échappé à son emprise.

# 26

« Noël », prononce Sugar, puis elle attend.

Sophie se penche sur son cahier, dans la lumière grise du matin, et inscrit le mot exotique en haut d'une nouvelle page. Même à l'envers et du coin de l'œil, Sugar peut voir que le tréma manque.

« Houx. »

Le plume de Sophie gratte de nouveau. Correct cette fois-ci.

« Guirlande. »

Sophie cherche l'inspiration en regardant les brillants barbillons argent et rouge sur le manteau de la cheminée, puis trempe sa plume dans l'encrier et confie sa conjecture au papier : « Girlande ».

« Neige », dit Sugar, pour soulager un peu son élève. Sophie regarde par la fenêtre et oui, c'est vrai. Sa gouvernante doit avoir des yeux derrière la tête.

Sugar sourit, satisfaite. Ce Noël qu'elle doit bientôt passer chez les Rackham est, en un sens, son premier, car la maison de Mrs. Castaway n'a jamais été un foyer bien festif. L'idée qu'il approche un jour dont on peut être certain qu'il sera spécial, sans considération de ce que le destin nous réserve, est une nouveauté, et plus elle tente de se dire que le 25 décembre sera un jour comme les autres, plus elle est impatiente.

Il y a quelque chose de différent dans la maison Rackham dernièrement, quelque chose de plus que le houx, les guirlandes et les cloches qui la tapissent du sol au plafond ne suffisent pas à expliquer. Le fait que William l'aime toujours est un formidable réconfort, et l'idée qu'ils affronteront l'avenir ensemble, en tant que collaborateurs et confidents, l'aide à résister au murmure empoisonné du pressentiment. Mais ce n'est pas l'amour de William qui renforce son espoir ; elle détecte un changement d'esprit dans toute la maisonnée. Chacun est plus gentil et plus familier. Sugar n'a plus l'impression d'occuper deux pièces d'une grande maison mystérieuse, se hâtant de passer devant les portes fermées de peur de provoquer les mauvais esprits qui se cachent derrière. Maintenant, avec la venue de Noël, elle se déplace partout avec Sophie à la main, et elle est bien accueillie, partie intégrante de l'ensemble. Les domestiques sourient, William la salue de la tête de loin, et personne n'a besoin de mentionner ce qui est sous-entendu : que Mrs. Rackham est en lieu sûr au premier, passant ses journées dans une stupeur chloroformée.

« Eh bien ma petite Sophie, dit Rose, tandis que l'enfant tend fièrement un nouveau panier de banderoles en papier. Comme tu es intelligente ! »

Sophie est radieuse. De sa vie, elle n'aurait jamais cru qu'on puisse autant l'admirer, et tout cela pour des bandes de papier coloré qu'elle découpe et colle les unes après les autres afin de former une chaîne, exactement comme sa gouvernante le lui a appris ! Peut-être qu'il n'est pas aussi ardu et ingrat de faire son chemin dans le monde que sa nurse lui laissait croire...

« Où est-ce qu'on va les accrocher, Letty ? » demande Rose à sa contrepartie en haut de l'escalier, et les domestiques soutiennent à l'envi qu'elles ont encore un urgent besoin de banderoles, en dépit du fait qu'il y en a partout, y compris sur les rampes de l'escalier, dans le fumoir (pourvu que ces hommes soient vigilants avec leurs cigares !), l'arrière-cuisine (la vapeur les a déjà toutes déformées, mais Janey était terriblement contente qu'on ait pensé à elle), sur le piano et dans cette curieuse petite pièce qui sentait vaguement le linge et l'urine évaporée, mais est maintenant vide. Bientôt les écuries et les serres de Shears y auront droit elles aussi.

Le vendeur de houx est passé hier et a été délesté de trois gros sacs, deux de plus que n'en avait pris la maison Rackham l'année dernière. (« C'est des bons clients ici, mon gars », dit-il avec un clin d'œil à un jeune vendeur de gui qu'il a croisé dans l'allée en sortant.) Et de fait la maison Rackham ne recule devant aucune dépense pour effacer le souvenir de Noël 1874, qui avait été « célébré » – si ce mot veut bien se laisser à ce point mal employer – sous un nuage. Cette année, que chacun soit assuré – depuis les lords et ladies jusqu'à la plus humble des filles d'arrière-cuisine – que les provisions festives de William Rackham sont sans pareilles ! Du houx ? Trois sacs ! Des victuailles ? La cuisine en est pleine à craquer ! Des banderoles ? Que la petite en produise autant qu'elle veut !

Quand elle n'est pas ainsi occupée, Sophie adore fabriquer des cartes de vœux. Sugar lui en a acheté de luxueuses à un vendeur ambulant que William a autorisé, après quelque hésitation, à franchir le seuil de la maison pour étaler ses articles afin que les domestiques puissent faire leur choix. Excepté les illustrations habituelles de bonheur domestique et de charité aux miséreux en haillons, il y avait des scènes comiques représentant des grenouilles dansant avec des cafards, et des hobereaux pompeux qui se faisaient mordre le cul par des rennes – grande favorite des filles de cuisine, qui avaient regretté de ne pouvoir se les offrir. Sugar avait acheté les cartes les plus chères : celles avec des parties qu'on peut enlever et des panneaux qui s'ouvrent, dans l'espoir d'insuffler à Sophie l'idée d'inventions similaires.

Et tel fut le cas. Sophie, à en juger par son ravissement, n'avait jamais possédé de jouet plus somptueux et fascinant que la carte de vœux en forme d'austère maison géorgienne qui, quand on tire un onglet en papier, ouvre ses rideaux pour révéler une famille colorée en train de banqueter. N'ayant pas à sa disposition le mot « génie », elle qualifie de « très intelligent » le créateur de cette chose extraordinaire, et elle tire fréquemment l'onglet, pour se rappeler comme elle fonctionne bien. Ses efforts pour dessiner, peindre et assembler des cartes de vœux sont rudimentaires, mais elle persévère et fait une série de maisons en carton avec de minuscules familles cachées à l'intérieur. Chacune est plus réussie que la précédente, et elle les offre à qui veut bien les accepter.

« Merci, Sophie, dit la cuisinière. Je vais l'envoyer à ma sœur à Croydon. »

Ou : « Merci, Sophie, dit Rose. Elle va faire très plaisir à ma mère, j'en suis sûre. »

Même William est content de les recevoir, car, en dépit de son habituelle pénurie d'amis, il ne manque pas d'associés et d'employés qui seront charmés par un tel geste, surtout s'il semble unique.

« Encore une ! dit-il, feignant l'étonnement quand Sugar escorte Sophie jusqu'à son bureau pour lui livrer la dernière carte en date. Tu es une véritable industrie à toi toute seule, n'est-ce pas ? » Et il fait un clin d'œil à Sugar, bien qu'elle ne puisse deviner exactement ce que signifie ce clin d'œil.

Après ces brèves rencontres avec son père, auxquelles l'incapacité de William à trouver une deuxième phrase met toujours fin, Sophie a tendance à être d'humeur changeante, passant du bavardage excité aux pleurnicheries en un éclair ; mais, en général, Sugar a décidé qu'il était bon pour Sophie d'être remarquée par l'homme qui l'a faite.

« Mon père est riche, miss, lui annonce l'enfant un après-midi, juste avant de commencer l'histoire d'Australie. Son argent est dans une banque et il grossit tous les jours. »

Encore du savoir dont Beatrice Cleave est la source, sans doute.

« Il y a beaucoup d'hommes plus riches que ton père, mon chou, suggère Sugar avec douceur.

– Il les battra tous, miss. »

Sugar soupire, s'imaginant assise en compagnie de William sous un parasol géant au sommet de Whetstone Hill, buvant de la limonade, parcourant d'un regard endormi les champs de lavande mûre. « S'il est sage, dit-elle, il se satisfera de ce qu'il a et il profitera de sa vie sans travailler tant. »

Sophie avale cette grosse bouchée de morale mais il est clair qu'elle ne pourra pas la digérer. Elle a déjà conclu que la raison pour laquelle son père ressemble si peu aux papas gâteaux des contes d'Andersen est que le Tout-Puissant lui a ordonné de conquérir le monde.

« Où est votre papa à vous, miss ? » demande-t-elle.

*En Enfer, ma poupée.* La réponse de Mrs. Castaway, jadis.

« Je ne sais pas, Sophie. » Sugar tâche de se rappeler quelque chose sur son père hormis la haine que sa mère lui portait. Mais dans l'histoire telle que contée par Mrs. Castaway, l'homme qui, d'une unique poussée du bassin, a transformé la femme respectable qu'elle était en paria, n'a pas attendu pour savoir ce qui se passerait ensuite. « Je crois qu'il est mort.

– Est-ce qu'il a eu un accident, miss, ou il est allé à la guerre ? » Les mâles ont tendance à être tués par balles, ou brûlés dans l'incendie de leurs maisons : Sophie n'ignore pas cela.

« Je ne sais pas, Sophie. Je ne le connais pas. »

Sophie lève la tête, le visage empreint de compassion. Une telle chose peut facilement se produire si un père est suffisamment occupé.

« Et où est votre maman, miss ? »

La colonne vertébrale de Sugar est parcourue d'un frisson glacé. « Elle est… chez elle. Dans sa maison à elle.

– Toute seule ? » Sophie, que ses livres d'histoire sentimentaux ont accoutumée à ces sujets, semble à la fois inquiète et pleine d'espoir.

« Non, dit Sugar, qui aimerait bien que l'enfant change de conversation. Elle a des… visites. »

Sophie jette un regard résolu aux ciseaux, à la colle et aux divers matériaux qui ont été mis de côté jusqu'à ce que le problème de l'Australie soit réglé.

« La prochaine carte que je fais sera pour elle, miss », promet-elle.

Sugar sourit du mieux qu'elle peut, et se détourne avant que Sophie puisse voir les larmes de colère briller dans ses yeux. Elle feuillette le livre d'histoire, dans un sens puis dans l'autre, passant plusieurs fois l'Australie.

Elle se demande si elle devrait dire la vérité à Sophie. Pas sur le bordel de sa mère, bien sûr, mais sur Noël. Sur la façon dont il était célébré dans la maison Castaway ; sur le fait que Sugar n'a pas compris avant l'âge de sept ans qu'il y avait une *occasion* commune qui rassemblait les musiciens des rues, inspirait ces airs particuliers à l'approche de la fin de ce qu'elle ignorait être le mois de décembre. Oui, elle avait sept ans, quand elle a finalement eu le courage de demander à sa mère ce qu'était Noël, et que Mrs. Castaway a répondu (une fois seulement, après quoi le sujet fut à jamais tabou) : « C'est le jour où Jésus-Christ est mort pour racheter nos péchés. Évidemment sans succès, puisque nous continuons à les payer. »

« Miss ? »

Sugar est arrachée à son rêve ; elle serre fort le livre d'histoire, et les dernières pages ont commencé à se déchirer sous la pression de ses ongles.

« Excuse-moi, Sophie, dit-elle en relâchant précipitamment sa prise. Je crois que j'ai mangé quelque chose qui ne passe pas. Ou peut-être… (elle remarque l'expression perturbée de l'enfant, et a honte d'en être la cause) peut-être que je suis simplement trop excitée par la venue de Noël. Parce que, tu sais (elle respire profondément et prend un ton aussi léger que possible sans pour autant crier), Noël est l'époque la plus heureuse de l'année ! »

« Ma chère lady Bridgelow, lâche Bodley, bien que chacun sache que dans quelques jours, on va faire toute une histoire du *prétendu* anniversaire d'un paysan juif, votre merveilleuse soirée est le *véritable* événement du calendrier de décembre. »

Il se tourne vers les autres invités qui le gratifient de quelques rires nerveux. *Si* amusant, ce Philip Bodley, mais il dit des choses tellement scandaleuses ! Et si son associé plus sobre ne le retenait pas, il serait encore pire ! Mais tout va bien : lady Bridgelow l'a entraîné vers Fergus Macleod, qui est tout à fait de taille à lutter contre lui – avec quelle facilité elle conserve la mainmise sur ses *soirées** !

William évite Bodley, se demandant comment ce type peut être mal élevé au point d'arriver à un dîner déjà ivre. Constance maîtrise la situation avec une bonne grâce qui n'a d'égale que sa légèreté, mais quand même… William tourne sur ses talons, et remarque qu'une domestique est occupée à étouffer le feu, pour compenser la hausse de température provoquée par le nombre de personnes dans la pièce. Comme c'est extraordinaire que cette fille fasse cela sans qu'on ait eu besoin de le lui ordonner ! Ce sont les petits détails qui impressionnent le plus chez Constance – la manière dont sa maison tourne comme une machine bien huilée. Dieu, elle pourrait apprendre une ou deux choses à ses domestiques à lui… Elles sont pleines de bonne volonté, bien sûr, la plupart, mais il leur manque une maîtresse ferme…

Cette soirée est une petite affaire de douze personnes seulement, que William n'a rencontrées pour la plupart que la Saison passée, ou jamais auparavant. Mais comme toujours Constance a agencé un mélange intéressant. Elle se spécialise en personnes qui sont légèrement en porte-à-faux avec le vieux monde rassis, mais pas tout à fait infréquentables : « les occupants de l'Âge à venir », comme elle aime les appeler.

Il y a Jessie Sharpleton, tout juste arrivé de Zanzibar, la peau couleur de cannelle et la tête farcie d'horribles histoires de paganisme barbare. Il y a aussi Edwin et Rachel Mumford, les éleveurs de chiens ; Clarence Ferry, l'auteur de *Un regrettable faux pas,* une pièce en deux actes qui ne marche pas mal en ce moment ; Alice et Victoria Barbauld, deux sœurs très utiles dans les dîners avec leurs visages décoratifs et le talent qu'elles ont de jouer des airs courts et mélodieux aux violon et hautbois. (Comme lady Bridgelow le dit souvent, c'est *si* difficile de trouver des gens « musiciens » qui ne soient pas assommants. Ceux qui savent jouer ont tendance à ne pas savoir quand s'arrêter, et ceux qui savent s'arrêter ont tendance à n'être que piètrement mélodieux.) La présence de Philip Bodley pourrait avoir été gênante pour William, étant donné la brouille causée entre eux par Agnes mais, Dieu merci, Bodley est en pleine conversation avec Fergus Macleod, un juge de la Cour suprême grand spécialiste de la sédition, la diffamation et la trahison, à qui il est en train de tirer les vers du nez.

C'est une soirée amusante et conviviale, et l'odeur du dîner qui approche, convoyé dans les couloirs en direction de la salle à manger, met l'eau à la bouche. Pourtant William n'est pas tout à fait à son aise. Il est parti de chez lui plein d'espoir pour la guérison d'Agnes (elle a l'air si angélique quand elle sommeille, et quand il lui embrasse la joue elle murmure de doux appels à l'indulgence... Certainement ce qu'une femme dit dans son sommeil est plus près de la vérité que ce qu'elle dit lorsqu'elle est éveillée, et en colère!). Mais ici, chez lady Bridgelow, chaque fois que sa femme est évoquée, on le regarde avec pitié. Comment est-ce possible? Il croyait Agnes si populaire cette Saison! Certes, elle a eu quelques moments de faiblesse, mais dans l'ensemble elle s'est magnifiquement comportée – n'est-ce pas?

« La plus grande exposition de jouets au monde, dites-vous? » Il retourne à la conversation, s'efforçant de suivre la recension faite par Edwin Mumford des plus grands triomphes de la Saison. « Je n'en avais jamais entendu parler!

– C'était dans tous les journaux.

– Étrange que cela ait pu m'échapper... Êtes-vous sûr que vous ne voulez pas parler du spectacle au Théâtre Royal, ce petit homme mécanique, comment s'appelait-il – Psycho?

– Psycho était une imposture, un pantin pour enfants, répond Mumford avec dédain. Ce dont je parle était plutôt comme l'Exposition universelle, sauf qu'il n'y avait que des automates. »

William secoue la tête pour exprimer son étonnement d'avoir pu rater une telle merveille.

« Peut-être, Mr. Rackham, intervient Rachel Mumford de sa voix flûtée, avez-vous été distrait à l'époque par la maladie de votre pauvre épouse. »

Le majordome annonce que le dîner est servi. Hébété, William s'assied et choisit la soupe à la rhubarbe et au jambon, bien qu'il y ait un consommé qu'il aurait peut-être préféré. Mais il est trop confus pour prendre de telles décisions. Alors que le repas se met en train et que sur la table arrivent des bols de bouillon, le voilà déjà remâchant quelque chose de plus solide : l'idée que ses pairs, loin de le rendre responsable de l'état de sa femme, pourraient en fait s'attendre à ce qu'il lève la main et déclare : « Ça suffit. »

Il regarde discrètement chacun des invités tandis qu'ils mangent leur soupe : ils sont parfaitement à l'aise, offrant le spectacle idéal du compagnonnage civilisé. Lui aussi pourrait être parfaitement à son aise, il pourrait trouver sa place dans leur spectacle – si seulement il ne voyait pas devant lui le spectre d'Agnes, à un dîner tel que celui-ci deux ans auparavant, accusant l'hôtesse de servir un poulet encore vivant.

Plongé dans sa rêverie tandis qu'il avale tout ce qu'on pose sous son nez, William se rappelle les premiers temps de leur mariage, le jour de la cérémonie, et même la rédaction du contrat avec lord Unwin. Il se rappelle particulièrement bien lord Unwin – mais c'est peu surprenant, attendu que lord et lady Unwin sont assis, en ce moment même, en diagonale face à lui.

« Ah oui ! pouffe lord Unwin, quand lady Bridgelow remarque à quel point son domaine s'est développé. J'essaie de le garder dans des limites raisonnables, mais mes voisins continuent à me vendre du terrain et c'est ainsi que cette damnée propriété n'arrête pas de prendre de l'importance – comme mon ventre ! »

De fait la vieillesse l'a engraissé et son ancienne expression de loup s'est effacée sous des bajoues gonflées par la pâtisserie continentale et des pommettes rougies par l'alcool et le soleil.

« Qu'est-ce que c'est ? De l'aloyau ? Comment pouvez-vous me faire une chose pareille, Constance ? Il va falloir me sortir sur une brouette ! »

Il ne semble pas pour autant avoir des difficultés à engloutir son steak, le sorbet *à l'impériale**, du lièvre rôti (il décline l'offre de légumes avec un tapotement explicatif sur son ventre gravide), un deuxième morceau de lièvre rôti (« Eh bien, s'il en reste ! »), une montagne flageolante de gelée, d'appétissantes quenelles, un bol de poires à la crème et, sous le regard exaspéré de sa femme, une poignée de fruits confits et de noix dans un bol près de la porte.

Puis il laisse les dames à leur conversation et se dirige en boitant avec les hommes vers le fumoir, où les attendent une carafe en cristal de porto et six verres.

« Ah, Rackham, s'exclame-t-il. (Avant le dîner il était trop monopolisé par les Mumford pour faire plus que d'échanger des plaisanteries avec son gendre ; maintenant ils ont une seconde chance.) Quand j'ai dit que ça faisait des années que je ne vous avais pas vu, je mentais : je vous vois partout où je vais ! Même dans les pharmacies de Venise je tombe sur votre bobine, imprimée sur des petits flacons et des petites bouteilles ! »

William incline la tête d'un air solennel, ignorant si l'on vient de lui servir des compliments ou des moqueries. (Quand même, ce type, Bagnini, à Milan, a l'air d'être aussi efficace qu'il le prétend…)

« C'est quand même très bizarre, poursuit lord Unwin, de se trouver dans une boutique à l'étranger, de prendre un savon et de se dire : "Tiens, William Rackham s'est fait pousser la barbe !" Vous ne trouvez pas que c'est bizarre, William ?

– Les merveilles du monde moderne, monsieur : je peux me rendre ridicule à Venise et à Paris, tout en faisant de même ici.

– Ha ha ! s'esclaffe lord Unwin. Très drôle ! » Et il plonge son cigare dans la flamme de l'allumette de son gendre, enveloppant son visage de fumée. Il ne fait qu'un mètre soixante-dix, remarque William ; soixante-treize au maximum. Lorsqu'il lui avait demandé la main d'Agnes, il était impressionné au point de lui attribuer un mètre quatre-vingts.

« Bien sûr, en province, déclare Clarence Ferry d'un ton

railleur à l'autre bout de la pièce, ils ne savent même pas *épeler* le titre, comment voudriez-vous qu'ils la comprennent?

– Mais elle leur plaît, n'est-ce pas? suggère avec lassitude Edwin Mumford, qui laisse traîner un œil du côté de William, dans l'espoir qu'il vienne à son aide.

– Oh oui, à leur façon à eux. »

Bien plus tard dans la soirée, alors que la plupart des invités sont rentrés chez eux, et que le fumoir est plein d'un brouillard aux senteurs d'alcool, lord Unwin met fin à ses anecdotes de la vie continentale et, ainsi que les gens pris de boisson sont portés à le faire, devient brusquement sérieux.

« Eh bien Bill, dit-il, se penchant sur son fauteuil qu'il fait grincer. J'ai eu des nouvelles d'Agnes, et elles ne me surprennent pas, je peux vous assurer. Elle a toujours eu une araignée au plafond, même enfant. Je pourrais compter sur les doigts d'une main les choses sensées qu'elle a jamais dites. Vous me comprenez?

– Je le crains », répond William. Dans son esprit apparaît un souvenir d'Agnes vieux d'à peine quelques heures, les cheveux défaits sur ses oreillers, les lèvres gonflées par la drogue, les paupières battantes, donnant des coups de pied sous les draps en murmurant: « Trop chaud… trop chaud… »

« Vous savez, lui confie le vieillard, quand vous m'avez demandé sa main, j'ai vaguement pensé que vous seriez déçu par l'affaire… J'aurais dû vous prévenir, d'homme à homme, mais… Eh bien, j'espérais, je suppose, qu'enfanter la remettrait sur pied. Mais ça n'a pas été le cas, n'est-ce pas?

– Non », concède William d'un air lugubre. S'il y a quelque chose qui n'a pas fait de bien du tout à l'esprit de sa femme, ce fut de donner naissance à Sophie.

« Mais écoutez, Bill, lui conseille lord Unwin, fermant à demi les paupières. Ne la laissez pas continuer à vous causer des ennuis. Cela peut vous surprendre, mais les nouvelles de ses exploits ont traversé le Channel. Oui! J'ai entendu parler de ses crises jusqu'en Tunisie, vous croyez ça? En Tunisie! Et quant à ses idées pour recevoir, eh bien, elles sont peut-être terriblement nouvelles ici, mais pour une Française, elles ne sont pas si brillantes, je peux vous le dire. Et cette affaire de sang dans les verres de vin: tout le monde en parle! C'est quasiment une légende!»

William se tortille, tirant si fort sur son cigare qu'il en tousse. Combien impitoyable est la mauvaise réputation! Cet incident auquel lord Unwin fait allusion est arrivé il y a si longtemps... durant la Saison 1873, peut-être, ou 1872 même! Comme le monde est injuste: un homme peut dépenser une fortune à faire de la publicité pour ses parfums en Suède sans qu'un mois après un seul Suédois ait entendu parler de lui, tandis qu'une indiscrétion momentanée commise à huis clos par une infortunée un certain soir de 1872 traverse sans efforts les mers et les frontières, et reste pendant des années sur les lèvres de tous!

«Croyez-moi, Bill, reprend lord Unwin, je n'ai pas l'intention de vous dire ce que vous devez faire avec votre propre femme. C'est *votre* affaire. Mais laissez-moi vous raconter encore une histoire...» Il termine son porto et se penche davantage vers William.

«J'ai un petit appartement à Paris, murmure-t-il, et mes voisins sont foutrement curieux. Ils ont entendu dire que j'étais le père d'Agnes, mais ils ignoraient que je n'étais pas son père *naturel*. Alors, quand ils ont appris que j'avais deux autres enfants avec Prunella, ils m'ont pris à part pour me demander s'ils étaient "normaux". J'ai dit: "Qu'est-ce que vous voulez dire, 'normaux' – bien sûr qu'ils sont normaux." Ils ont dit: "Alors ils n'ont pas de symptômes?" J'ai dit: "Symptômes de *quoi*?"» Le ton de sa voix monte tandis qu'il revit son exaspération d'alors. « Ils pensent que j'ai fait des enfants fous, Bill ! Est-il juste que moi et mes enfants soyons suspectés de… de *dégénérescence*, rien que parce que la fille de John Pigott est encore en liberté ? Non… » Il se tasse, le nez livide. « Si son état ne s'améliore pas, Bill, enfermez-la. C'est mieux pour tout le monde. »

La pendule sonne dix heures et demie. La pièce est vide, hormis William et son beau-père. Le majordome de lady Bridgelow entre à pas feutrés, se penche vers le vieillard et dit :

« Je vous demande pardon, monsieur, mais milady m'a demandé de vous faire savoir que votre épouse s'est endormie. »

Lord Unwin adresse à William un clin d'œil appuyé et plonge ses mains tachées par l'âge dans le capitonnage de son fauteuil, se préparant à se hisser.

« Les femmes, hein ? » grogne-t-il.

Une rencontre des plus perturbantes que celle-ci, et à laquelle William songe des jours durant. Mais, en fin de compte, ce qui l'incite le plus à prendre une décision quant à Agnes, ce sont pas le conseil de ses amis, ni les exhortations du docteur Curlew, ni même les mots corrosifs déversés dans son oreille par lord Unwin. Non, c'est quelque chose d'absolument inattendu, qui n'aurait pas dû avoir la moindre conséquence : les talents de graveur sur bois d'un ouvrier agricole anonyme.

Le 22 décembre, William se rend à sa lavanderaie de Mitcham pour superviser l'installation d'un pressoir qui, l'été prochain, éliminera – du moins pour une étape du raffinement – le besoin de main-d'œuvre. Cela fait longtemps qu'il est mécontent des garçons qui foulent la lavande pieds nus lorsqu'elle est chargée pour la distillation. Mis à part la question de l'hygiène, il n'est pas convaincu que les garçons soient aussi bon marché ou efficaces que le croit son père, car ils ne cessent de quitter leur travail, sous prétexte qu'ils sont piqués par les abeilles. La machine, William en est sûr, se révélera supérieure à long terme, et il considère le pressoir avec fierté, bien qu'il n'y ait pas encore de lavande pour l'essayer.

« Splendide, splendide, déclare-t-il au régisseur, tout en inspectant l'intérieur d'une cavité en fonte dont la fonction lui demeure inconnue.

– Le meilleur, monsieur, l'assure l'intendant. Il n'y a pas mieux. »

Mitcham, ainsi que la plus grande partie du Surrey, est couvert d'une épaisse couche de neige, et William en profite pour aller se promener dans les champs, savourant la blancheur immaculée sous laquelle dort la prochaine récolte. Il lui paraît incroyable que jadis son avenir ait été investi dans des poèmes abscons et des essais impubliables au lieu de cette vaste et réconfortante étendue de terre, cette fondation irréductible, fertile et ferme sous le pas. Il se dirige vers la rangée d'arbres qui protège sa lavande du vent, ses caoutchoucs s'enfonçant profondément dans la neige. Arrivé à destination, il transpire abondamment dans son manteau en peau de phoque et ses gants fourrés. Il s'appuie à un arbre, soufflant des nuages de vapeur dans l'air glacé.

Ce n'est qu'après une ou deux minutes que, reprenant souffle, il jette un coup d'œil au tronc qui le supporte et remarque l'inscription grossièrement gravée sur l'écorce givrée :

AU SECOURS
JE SUIS COINSÉ
DANS CET ARBRE
AGNES R

Il lit et relit ces mots, sidéré. Il n'a aucune envie de découvrir lequel de ses employés est fainéant au point de gâcher un temps précieux à graver cette blague. Tout ce qu'il a en tête est le fait que la folie de sa femme est connue du moindre cul-terreux. Même les ouvriers agricoles en parlent entre eux. Il pourrait tout aussi bien être cocu, avec tous les ricanements qu'il soulève autour de lui !

Une brise agite les vestiges en papier crépon du feuillage de l'arbre, et William, tout en sachant qu'il est ridicule, est incapable de résister, et il regarde au-dessus de lui au cas où Agnes s'y trouverait après tout.

Dans la maison Rackham, il y a un surplus d'anges, bien trop pour les accrocher tous dans l'arbre de Noël. Sugar, Rose et Sophie ont écumé le rez-de-chaussée à la recherche d'endroits qui auraient échappé à la décoration. Ne voulant pas s'avouer vaincues, elles ont suspendu leurs fées aux ailes fragiles aux surfaces les plus improbables : rebords de fenêtres, pendules, le nouveau portemanteau, les cadres des gravures, les andouillers de la tête de cerf empaillée, le couvercle du piano, les appuie-tête des fauteuils les moins utilisés.

Au matin du 24 décembre, le temps est venu d'effectuer les dernières retouches. Dehors, la neige tourbillonne, tempête silencieuse. Le courrier vient d'être livré et on peut encore apercevoir, à travers la fenêtre embuée et givrée du salon, la silhouette voûtée du facteur qui disparaît dans le demi-jour laiteux.

À l'intérieur, les âtres rougeoient et émettent des craquements, et il a fallu pousser l'arbre de Noël à l'autre bout du salon de peur qu'il ne prenne feu. Sugar, Rose et Sophie sont accroupies autour de la base en X, les jupes modestement enroulées autour des chevilles, occupées à glaner les décorations qui sont tombées. Rose chante à mi-voix :

*« Noël approche,*
*La dinde engraisse*

*Un penny dans la poche*
*Pour une nuit d'ivresse…* »

Il n'y a quasiment pas une touffe d'aiguilles de pin qui ne ploie sous le poids du fil coloré, des boules en argent et des sculptures en bois d'allumettes, mais le *coup de grâce** est encore à venir : Rose, lectrice avide de magazines féminins, et, suivant une recette qu'elle a trouvée dans l'un d'eux, a empli des vaporisateurs vides de parfum Rackham d'un mélange d'eau et de miel, décrit comme *une « colle » inoffensive et efficace pour faire tenir une légère couche de farine et donner ainsi l'illusion parfaite de la neige.* Armées chacune d'une bouteille, Rose, Sugar et Sophie sont occupées à pulvériser ce fluide gluant sur les extrémités de l'arbre.

« Oh mon Dieu, s'exclame Rose avec un petit rire nerveux, nous aurions dû faire ça avant de décorer l'arbre.

– Il va falloir faire très attention en saupoudrant la farine, reconnaît Sugar, si nous ne voulons pas faire un beau gâchis. » Comme il est délicieux d'entendre ces *nous.* Sugar embrasserait Rose pour avoir pris l'initiative de l'utiliser !

« Je ne referai pas la bêtise l'année prochaine », dit Rose. Elle vient de voir Miss Rackham qui pulvérisait de l'eau et du miel directement sur le tapis et se demande si elle a autorité pour défendre à l'enfant de participer à l'enfarinage. Certes elle est flattée que Miss Sugar veuille bien travailler côte à côte avec une femme de chambre, mais il y a toujours un risque qu'une erreur anodine vienne soudain gâcher leurs relations.

« Recule, Sophie, et guide-nous », dit Sugar.

Les deux femmes versent tour à tour la farine dans leurs mains en coupe puis elles la laissent se déposer sur les branches poisseuses. Sugar a la tête qui lui tourne : faire partie de la maisonnée Rackham, être quasiment de la famille, partager un sourire piteux avec Rose alors qu'elles commettent ensemble cette bêtise. Jamais aucun acte entre elle et une autre femme ne lui a semblé aussi intime, et Sugar a fait beaucoup de choses. Rose lui fait confiance; elle fait confiance à Rose; du regard seul elles se sont juré de mener à bien cette affaire; elles se versent de la farine dans les mains l'une de l'autre en espérant qu'elle restera leur petit secret.

« Nous sommes folles », s'inquiète Rose, tandis que la poudre tamisée commence à s'élever dans l'air et les fait éternuer.

Sugar tend ses mains, dans la peau sèche desquelles la moindre crevasse est clairement soulignée de farine. Mais il n'y a rien à dire; chaque femme a ses imperfections, et Rose, maintenant que Sugar la voit de près, louche très légèrement. Elles sont égales, donc.

*« Si vous n'avez pas un penny,*
*Un demi-penny suffira*
*Si vous n'avez pas un demi-penny,*
*Eh bien Dieu vous bénisse ! »*

Quelques aspersions supplémentaires, et c'est bouclé. Il y a de la farine partout, mais la portion qui adhère aux branches évoque la neige tout à fait comme l'a promis le magazine, et on peut facilement balayer ce qui est tombé par terre. Mais cela, Rose est catégorique, n'est pas un travail pour une gouvernante.

Tout en balayant, Rose chante « Les Douze Jours de Noël », se limitant aux répétitions du premier. Sa voix est grossière et chevrotante comparée à celle d'Agnes, mais le chant est réconfortant, et à part elle personne ici ne haussera la voix. Sophie et Sugar se regardent timidement, chacune brûlant d'envie d'accompagner Rose en chantonnant.

« Le premier jour de Noël, mon amour m'a donné… »

Sans crier gare, William entre dans le salon, une feuille de papier à la main, une expression préoccupée sur le visage. Il s'arrête court, comme s'il s'était trompé de pièce. Le sapin, maintenant sorte d'édifice rococo de colifichets, de farine et de serpentins, semble à peine attirer son attention, et s'il remarque que les deux femmes sont poudrées jusqu'au coude, il ne le laisse pas paraître.

« Ah… splendide », dit-il avant de battre promptement en retraite. Se balançant au bout de son bras se trouve une lettre qui, si l'écriture du docteur Curlew était dix fois plus grosse, aurait pu être lisible de l'autre côté de la pièce – non que Sugar ait pu trouver grand sens à un message qui ne disait que : *Comme convenu, j'ai tout préparé pour le 28 décembre. Vous ne le regretterez pas, croyez-moi.*

Rose pousse un soupir de soulagement. Le maître a eu l'occasion de se mettre en colère, et ne l'a pas saisie. Elle se penche sur sa pelle et sa brosse, et reprend sa chanson.

Une fois ramassée la farine, Rose, Sugar et Sophie replacent les cadeaux gaiement empaquetés sous l'arbre. Tant de boîtes et de paquets, entourés de ruban rouge ou de ficelle argentée – que peut-il bien y avoir dedans ? Le seul paquet dont Sugar connaisse le contenu est le cadeau de Sophie à son père ; le reste est mystère. Tandis qu'elle aide à les disposer artistement, enfouissant les plus petits sous les plus grands, les paquets informes sur les boîtes bien carrées, elle affecte de ne pas s'intéresser aux minuscules étiquettes portant le nom du destinataire. Les rares qu'elle parvient à lire ne lui donnent pas satisfaction (Harriet ? Qui diable est Harriet ?), et devant Rose et Sophie elle ne peut quand même pas se mettre à les examiner les unes après les autres, non ?

*Je T'en prie, mon Dieu*, pense-t-elle. *Fais qu'il y en ait un pour moi.*

Au premier, William ouvre la porte de la chambre de sa femme aussi silencieusement que possible, et se glisse à l'intérieur. Bien qu'il ait persuadé Clara de quitter la maison pendant quelques heures, il tourne la clef dans la serrure, juste au cas où son instinct de renarde la ramènerait plus tôt que prévu.

À l'intérieur des quatre murs de la chambre d'Agnes, il n'y a pas d'indice des festivités en cours. En fait il y a très peu d'indices de quoi que ce soit, car tout le fatras d'Agnes – en réalité tout objet qui pourrait gêner Clara dans sa tâche d'infirmière – a été mis à l'écart pour laisser place à un vide scrupuleusement balayé. Quant aux murs, ils étaient nus même avant cette pitoyable affaire, car Agnes n'a jamais eu un rapport facile avec les images. La dernière gravure en date a été bannie quand un magazine féminin a décrété que les poneys étaient vulgaires; celle d'avant avait dû être retirée parce qu'Agnes s'était plainte qu'elle suintait l'ectoplasme.

Maintenant Agnes dort, insensible à tout, même à l'extraordinaire spectacle de la tempête de neige derrière sa fenêtre, même à l'approche de son mari. William soulève doucement une chaise, la pose près du chevet et s'assied. L'air sent le sirop narcotique, le bouillon de bœuf, l'œuf brouillé, et le savon – La Crème d'Œillet Rackham, s'il ne se trompe pas. On transporte beaucoup d'eau savonneuse dans cette pièce dernièrement; Clara, plutôt que de risquer un accident – chute, noyade – dans un tub, lave sa maîtresse au lit, puis échange simplement le linge sale contre du linge sec. Il le sait parce qu'elle le lui a dit, rien que pour refuser, avec un air pincé de stoïcisme injurié, la proposition qu'il lui faisait d'une seconde femme de chambre.

Les pieds d'Agnes guérissent lentement, lui a-t-on dit. Il pourrait y avoir une lésion irrémédiable au pied gauche, qui la ferait boiter, d'après le docteur Curlew. Mais peut-être se déplacera-t-elle aussi gracieusement qu'elle l'a toujours fait. C'est difficile à prédire, avant qu'elle ne soit de nouveau capable de marcher.

« Bientôt, murmure-t-il près de la tête de la dormeuse, tu seras dans un endroit où tu te remettras. Nous ne savons plus quoi faire de toi, n'est-ce pas, Agnes ? Tu nous en as fait voir de toutes les couleurs, oh que oui. »

Une mèche de cheveux dorés chatouille le nez d'Agnes, qui frémit. Il la repousse du bout des doigts.

« 'Erci », répond-elle, des profondeurs de son anesthésie.

Ses lèvres ont perdu leur roseur naturelle ; elles sont aussi sèches et pâles que celles de Sugar, mais luisantes de baume médicinal. Son haleine est fétide, ce qui le dérange plus que tout ; elle avait toujours eu une si douce haleine ! Se peut-il que ce que dit Curlew soit vrai, que des femmes bien plus dégénérées qu'Agnes sont sorties comme neuves du sanatorium Labaube ?

« Tu *veux* être sage, n'est-ce pas ? murmure-t-il à l'oreille d'Agnes tout en lui caressant les cheveux. Je le sais.

– Prê… Prêre… Scanlon… », murmure-t-elle en réponse.

Il soulève le drap et le repousse au pied du lit. La nécessité de forcer… non, de persuader Agnes de mieux manger n'est que trop évidente ; ses bras et ses jambes sont terriblement maigres. Quel dilemme cruel : quand elle est maîtresse d'elle-même elle s'affame volontairement, et lorsqu'elle est réduite à l'impuissance, elle parvient inconsciemment au même résultat ! Quelles que soient ses inquiétudes quant aux soins qu'elle recevra des mains de médecins et infirmières inconnus, il doit reconnaître que Clara et sa cuillère à porridge ne sont pas de taille.

Les pieds d'Agnes sont soigneusement bandés, deux doux sabots de coton blanc. Ses mains aussi sont bandées, avec un lien aux poignets, pour l'empêcher de défaire ses pansements dans son sommeil.

« Ou-ou-oui », dit-elle, s'étendant pour accueillir l'air frais.

Avec précaution, William caresse la ligne de sa hanche, qui maintenant est aussi décharnée que celle de Sugar. Cela ne lui va pas : il faut qu'elle soit plus enveloppée là. Ce qui est élégant sur une femme grande peut paraître désagréablement maigre sur une petite.

« Je n'ai jamais voulu te faire mal, cette première nuit, l'assure-t-il, la caressant tendrement. J'ai été… rendu trop hâtif par l'urgence. L'urgence de l'amour. »

Elle émet par le nez un son encourageant, et quand il hisse son corps à côté du sien, elle fait entendre un « Ouu » musical et étouffé.

« Et j'ai pensé, poursuit-il, la voix tremblante d'émotion, qu'une fois que nous… une fois que nous serions en train, tu commencerais à aimer ça.

– Umf… soulevez-moi… vous qui êtes des hommes forts… »

Il se pelotonne contre elle par-derrière, serrant ses membres osseux, sa douce poitrine.

« Ça te plaît maintenant, n'est-ce pas ? lui demande-t-il avec ferveur.

– Attention… de ne pas me laisser tomber…

– N'aie pas peur, cher cœur, murmure-t-il à son oreille. Je vais… t'étreindre maintenant. Tu voudras bien, n'est-ce pas ? Ça ne fera pas mal. Tu me diras si je te fais mal, n'est-ce pas ? Je ne voudrais pas te faire mal pour tout l'or du monde. »

Le bruit qu'elle fait entendre alors qu'il la pénètre est un son étrange, lubrique, à mi-chemin entre un halètement et un roucoulement de consentement. Il pose sa joue barbue contre son cou.

« Araignées… », elle frissonne.

Il bouge lentement, plus lentement qu'il a jamais bougé à l'intérieur d'une femme. C'est du grésil qui fait maintenant entendre son crépitement contre la fenêtre de la chambre, projetant un chatoiement marbré sur les murs nus. Quand vient le plaisir, il réprime, avec la plus grande difficulté, le besoin qu'il éprouve de cambrer les reins, et demeure au contraire parfaitement immobile tandis que le sperme sort de lui sans contractions en un flot continu.

« Com… compté tous mes os… », marmonne Agnes, alors que William se laisse aller à un gémissement solitaire de plaisir.

Une minute plus tard, il est de nouveau debout près de son lit, occupé à l'essuyer avec un mouchoir.

« Clara ? geint-elle, tâtonnant dans le vide d'une main bandée à la recherche des draps. Froid… ! » (Il a ouvert la fenêtre un tout petit peu, juste au cas où le nez de la servante serait aussi fin d'odorat qu'il l'est de forme.)

« Ça ne sera pas long », dit-il, se penchant pour l'essuyer encore une fois. Soudain, à sa consternation, elle se met à faire pipi : un filet puant, jaune d'ambre, coule sur les draps blancs.

« Sale… sale…, se plaint-elle, sa voix distante et ensommeillée se teintant maintenant de crainte et de dégoût.

– Ça… ça ne fait rien, Agnes, l'assure-t-il, la recouvrant des draps. Clara va revenir très vite. Elle va s'occuper de toi. »

Mais Agnes se tortille sous les draps, gémissant et secouant la tête. « Comment est-ce que je vais rentrer à la maison ? s'écrie-t-elle, tandis que ses yeux aveugles et fous s'ouvrent brusquement et qu'elle lèche ses lèvres enduites de baume. Au secours ! »

Malade de tristesse et de regret, William se détourne d'elle, ferme la fenêtre et se hâte de quitter la chambre.

« La prochaine fois que je me réveillerai, remarque Sophie ce soir-là pendant qu'on la borde, ce sera Noël. »

D'un index, Sugar tapote doucement le nez de l'enfant.

« Si tu ne t'endors pas bientôt, dit-elle, Noël viendra à minuit, et tu verras ce que tu verras. »

Oh, comme il est doux d'avoir gagné la confiance de Sophie au point qu'elle puisse faire mine de la frapper sans causer un cillement. Elle remonte les couvertures ; le menton de Sophie est encore un peu humide, et les mains de Sugar chaudes et roses de l'eau du bain.

« Et tu sais ce qui arrive, n'est-ce pas, la taquine Sugar, aux petites filles qui sont encore réveillées à minuit la nuit de Noël ?

– Quoi ? » Sophie est inquiète maintenant, de ne pouvoir s'endormir malgré ses efforts.

Sugar n'avait pas prévu cela ; sa menace n'était que rhétorique vide. Elle se creuse la cervelle et, un instant plus tard, elle ouvre la bouche pour dire : *Un ogre horrible entre tout à coup dans ta chambre, te saisit les jambes et te déchire en deux comme un poulet cru.*

« Un o... », commence-t-elle d'une voix durcie par une jubilation malicieuse, avant de parvenir à fermer la bouche. Son estomac se soulève brusquement, son visage s'empourpre. Il lui a fallu dix-neuf ans pour comprendre qu'elle est la fille de Mrs. Castaway – que le cerveau qui se trouve dans son crâne et le cœur qui bat dans sa poitrine sont des répliques des mêmes organes qui suppurent à l'intérieur de sa mère.

« Il-il ne-ne se passe rien, bégaie-t-elle, caressant l'épaule de Sophie d'une main tremblante. Rien du tout. Et tu vas t'endormir en un clin d'œil, ma chérie, si seulement tu fermes les yeux. »

Sur quoi elle éteint la lampe de Sophie et, encore brûlante de la honte de ce qu'elle a failli faire, se retire dans sa chambre.

Dans le journal d'Agnes Unwin, le matin de son mariage, la jeune fille âgée de dix-sept ans semble être d'humeur excellente sinon quelque peu exaltée. Certainement, pour autant que Sugar puisse en juger, les craintes et les doutes qu'Agnes pouvait entretenir sur le bien-fondé de se donner à William Rackham ont disparu, ou ont été repoussés. Seule la cérémonie suscite maintenant son inquiétude – mais c'est l'inquiétude d'une adolescente excitée :

*Oh, pourquoi, cher Journal, bien qu'il y ait eu des millions de Mariages dans l'histoire du monde et donc un million d'occasions d'apprendre comment faire pour qu'ils se passent bien, faut-il que mon Mariage se soit mué en une telle folie ! Me voici à quatre heures seulement du Grand Événement, à moitié vêtue de ma robe de mariée et sans être coiffée ! Où est cette fille ? Que peut-elle bien faire qui soit plus important que de me coiffer en ce Jour Des Jours ? Et elle a mis les fleurs d'oranger trop tôt sur mon voile, et elles sont en train de se faner ! Elle ferait bien d'en trouver de fraîches, ou je serai très fâchée !!*

*Mais je dois arrêter d'écrire maintenant, de peur, dans ma hâte à rapporter le moindre de ces précieux événements, que je ne me casse un ongle ou ne renverse de l'encre sur moi. Imagine cela, cher Journal : tachée d'encre à l'Autel !*

*À demain donc – ou (si je trouve un instant) peut-être même à ce soir –*

*alors je ne serai plus,*

*Agnes Unwin,*

*mais à jamais ton,*

*Agnes Rackham !!!*

Sugar tourne la page et la trouve vide. Elle en tourne une autre : vide encore. Elle feuillette le reste du cahier et juste alors qu'elle est convaincue qu'Agnes a commencé un nouveau journal pour chroniquer sa vie de femme mariée, elle repère quelques entrées supplémentaires – sans date, pleines de pâtés, petites à faire peur.

*Énigme : je mange moins que jamais avant d'être installée dans cette maison maudite, et pourtant je grossis.*
*Explication : je suis nourrie de force dans mon sommeil.*

Et, sur la page suivante :

*Maintenant je sais que c'est vrai. Un démon assis sur ma poitrine me fait manger du gruau à la cuillère. Je tourne la tête, sa cuillère suit. Son bol de gruau est grand comme un seau à glace. Ouvre grand, dit-il, où nous allons y passer la nuit.*

Après quelques pages blanches, enfin :

*Les vieillards soulèvent la civière sur laquelle je suis allongée & m'emportent à travers les arbres nimbés de soleil jusqu'au Sentier Caché. J'entends le train qui m'a amenée qui siffle en repartant. Une des Religieuses, Celle qui m'a prise tout spécialement sous Son aile, attend à la Grille, Ses mains croisées sous Son menton. Oh ma chère Agnes, dit-elle, te revoilà ? Que va-t-on faire de toi ? Mais alors Elle sourit.*
*Je suis portée à l'intérieur du Couvent, dans une cellule bien chauffée en son centre, qui est toute bariolée des couleurs projetées par ses vitraux. Je suis soulevée de ma civière & allongée sur une sorte de haut lit – comme un piédestal avec un matelas par-dessus. La terrible douleur dans mon ventre gonflé, les vertiges nauséeux dont j'ai souffert chaque jour, reviennent décuplés. C'est comme si un démon à l'intérieur de moi craignait les pouvoirs de la Sainte Sœur & cherchait à raffermir son emprise.*
*Ma Sainte Sœur se penche sur moi ; Elle est de toutes les couleurs dans la lumière des vitraux. Son visage est jaune bouton-d'or, Sa poitrine est rouge, Ses mains sont bleues. Elle les pose doucement sur mon ventre, et à l'intérieur le démon gigote. Je le sens qui se débat de terreur, mais par l'opération de ma Sœur mon ventre*

*s'ouvre sans blessure permettant au démon de s'échapper. J'aperçois la vile créature juste un instant : elle est nue et noire, elle est composée de sang & de bave collés ensemble ; mais dès qu'elle a été exposée à la lumière, elle se change en vapeur entre les mains de ma Sainte Sœur.*

*Lorsque je retombe sur le dos, exténuée, je vois mon ventre se dégonfler.*

*« Et voilà, me dit ma Sainte Sœur avec un sourire, c'est fini. »*

Sugar feuillette le volume jusqu'au bout, espérant en trouver plus ; il n'y a rien. Mais... Mais il doit y avoir quelque chose ! Sa curiosité est éveillée, elle est prise par l'histoire d'Agnes comme jamais auparavant, et de plus elle est arrivée à la période qu'elle désire ardemment connaître : les débuts de leur vie maritale. Haletant d'impatience, elle saisit, au sommet de la pile posée contre sa cuisse, le journal suivant dans l'ordre chronologique. Elle l'a déjà regardé. Il ne révèle rien. Elle prend le suivant.

Il commence :

*Réflexions « Saison-nières », par Agnes Rackham*

*Mesdames, je vous demande : qu'y a-t-il de plus contrariant que des épingles à chapeau qui sont trop émoussées pour pénétrer dans un chapeau parfaitement ordinaire ? Bien sûr, quand je dis « ordinaire », cela n'implique pas que mes chapeaux ne soient pas « extra-ordinaires » au sens où*

Sugar interrompt sa lecture et pose le journal, confuse et déçue. Doit-elle poursuivre ? Non, elle n'en a tout simplement pas le courage, particulièrement le soir qui précède Noël. De plus, il est tard : minuit moins le quart. Soudain submergée par cette catégorie particulière de fatigue qui attend la permission de l'heure pour frapper, elle trouve à peine l'énergie de replacer les journaux sous son lit ; il lui faut la vision de Rose la découvrant en train de ronfler sous une montagne de ces volumes demain matin pour l'obliger à agir. Son secret bien à l'abri, Sugar pisse une dernière fois dans le pot, se glisse sous les draps, et souffle la chandelle.

Dans le noir, elle tend l'oreille, le visage tourné vers la fenêtre que ses yeux ne distinguent pas encore. Neige-t-il toujours ? Cela expliquerait qu'elle ne perçoive que si peu de bruit. Ou n'y a-t-il pas de fêtards ? Dans Silver Street, la veille de Noël était toujours une affaire bruyante, avec les musiciens des rues rivalisant de générosité festive, une cacophonie d'accordéons, d'orgues de Barbarie, de violons, de flûtes et de tambours – tous intriqués dans une toile de bavardage inintelligible et de grands éclats de rire, une toile qui montait jusqu'aux étages supérieurs des maisons les plus hautes. Aucun espoir de trouver le sommeil avec un tel vacarme – non que quiconque chez Mrs. Castaway essayât de dormir, chacun étant occupé à des jeux d'une nature autre que musicale.

Ici à Notting Hill, les bruits sont vagues et mystérieux. Sont-ce là des voix humaines, ou un cheval qui s'ébroue dans son écurie ? Est-ce là le fragment d'un air apporté par le vent depuis Chepstow Villas, ou le grincement d'une grille, bien plus proche ? Le vent gémit sous les avant-toits, jouant de la flûte entre les tuyaux de cheminées ; les chevrons craquent. Ou est-ce le craquement d'un lit, dans la maison ? Et ce gémissement est-il celui d'Agnes, alors qu'elle s'agite dans son sommeil empoisonné ?

*Tu devrais l'aider. Va l'aider. Pourquoi tu ne l'aides pas ?* la harcèle la conscience de Sugar, ou quel que soit le nom qu'elle donne à cet esprit indiscipliné dont le seul plaisir est de l'importuner alors qu'elle aspire au repos. *Ils la droguent parce qu'elle dit des choses qu'ils ne veulent pas entendre. Comment peux-tu les laisser faire? Tu as promis de l'aider.*

C'est un coup bas, cette promesse récupérée dans la boue de Bow Street, quand Agnes s'était évanouie, et que son ange gardien était venu à son secours.

*Ce qui s'est passé c'est que… je lui ai promis de l'aider à rentrer chez elle, pas plus, proteste-t-elle.*

*Tu n'as pas dit: «Je vous surveillerai pour m'assurer qu'il ne vous arrivera rien»?*

*Je voulais dire seulement jusqu'au bout de la rue.*

*Oooh, tu es une sacrée salope, une trouillarde sur qui on ne peut pas compter, non?*

Le vent souffle plus fort maintenant, roucoulant et mugissant tout autour de la maison. Une colonne blanchâtre passe en voletant devant la fenêtre de Sugar. Agnes en chemise de nuit? Non, de la neige qui tombe du toit.

*Pourquoi m'inquiéterais-je de ce qui arrive à Agnes*? elle boude, enfouissant son visage dans l'oreiller. *Elle est gâtée, écervelée, mauvaise mère, et… et elle cracherait sur une prostituée dans la rue, si cracher était à la mode.*

Son malicieux opposant ne daigne pas répondre; il sait qu'elle est en train de se rappeler le tremblement des épaules d'Agnes sous ses mains, là dans la ruelle, tandis qu'elle murmurait dans l'oreille de la malheureuse: «Que ceci soit notre secret.»

*Je suis dans la maison de William. Je pourrais m'attirer les pires ennuis.*

L'esprit indiscipliné ne trouve rien à rétorquer à cela – ou du moins elle le croit, pendant une ou deux minutes. Puis: *Et Christopher?* jette-t-il.

Sugar serre les poings sous les draps et plonge le front dans l'oreiller. *Christopher peut se débrouiller tout seul. Suis-je censée venir au secours de tout un chacun dans ce damné monde?*

*Oh, pauvre bébé* est la réponse moqueuse qu'elle s'attire. *Pauvre trouillarde de salope. Pauvre pute, pauvpute, pauuuv-pute...*

Quelque part dans les rues de Notting Hill balayées par le vent, quelqu'un souffle dans un cor et quelqu'un d'autre pousse une joyeuse acclamation, mais Sugar n'entend pas ; elle a manqué de peu d'apprendre ce qui arrive vraiment la veille de Noël aux petites filles qui restent éveillées trop tard.

# 27

« Joyeux Noël ! Joyeux Noël à tous ! »

Ainsi fanfaronne Henry Calder Rackham alors qu'il pénètre dans la maison de son fils, comme s'il était le Père Noël en personne, ou Charles Dickens à tout le moins, beuglant du haut d'une tribune. « Heureux Noël à *vous*, Père », répond William, déjà gêné, non seulement par les débordements de jovialité de son père, mais aussi à cause de la difficulté qu'éprouve la femme de chambre à débarrasser le vieillard de son manteau. Comme lord Unwin, Henry Rackham semble être brusquement passé de la corpulence à l'embonpoint, au cours de la période pendant laquelle William s'est métamorphosé, de mollasson bon à rien, en capitaine d'industrie.

« Ah, cette *odeur*, s'extasie Rackham aîné. Je peux déjà affirmer que cette visite sera ma perte ! » Sur quoi il se laisse mener jusqu'au salon de son fils, où il est chaleureusement accueilli par les domestiques. « Hrrmph ! Est-ce que je vous ai déjà vue, vous ? » dit-il aux nouvelles, et : « Ah, *vous êtes* – non, ne me dites pas ! » déclare-t-il aux anciennes, mais elles ne se vexent pas pour autant, et bientôt le voilà en Monsieur Loyal, dirigeant les rituels de réjouissances et d'effusions sentimentales. « Où sont les pétards ? » demande-t-il en se frottant les mains et voilà qu'aussitôt arrivent les pétards.

Le passage du temps, qui avait plutôt ralenti depuis l'ouverture des paquets ce matin, s'accélère de nouveau, alors que le père de William se voue tout entier aux jeux de société. « Splendide ! Splendide ! Et ensuite ? » s'écrie-t-il sous le regard médusé de William, incapable de reconnaître en ce bouffon bonhomme le vieux tyran têtu qui pendant si longtemps a rendu cette maison si malheureuse.

Malgré la gêne, William est d'humeur très tolérante envers la vulgarité de son père ; il lui en est même reconnaissant. Elle est utile pour maintenir à flot l'esprit de Noël que la terrible affaire d'Agnes eût sinon coulé. Chacun ici a pleine conscience (enfin, chacun hormis les pareilles de Janey) que la maîtresse de la maison est cloîtrée, sans connaissance, dans sa chambre, et que le maître de maison est malheureux comme les pierres. Il a fait de son mieux pour ne pas broyer du noir, mais de temps à autre le calvaire d'Agnes l'assaille rageusement, et un voile de silence menace de descendre sur les réjouissances. On pourrait croire qu'un essaim de femmes suffirait à faire bourdonner gaiement une maison pendant toute une journée, mais non : il faut un mâle, et William est fatigué d'être ce mâle.

D'accord, il est vrai que le jardinier a fait une apparition ce matin, qui a soulagé un moment le fardeau de William, mais ce fut un très court moment. Dix minutes, et Shears avait déjà fui ce qu'il considérait évidemment comme une surabondance de féminité pour l'abri de sa serre. Cheesman eût été de plus d'utilité, mais il n'est pas là – soi-disant chez sa mère.

Donc, avec un salon plein des membres du beau sexe, toutes contraintes, pour respecter les bonnes manières, de faire ribote avec autant de réserve que possible, l'arrivée d'Henry Calder Rackham – vieillard rondouillard boursouflé de faconde – sauve tout simplement William. Fanfaronne, mon vieux !

C'est exactement ce qu'il faut pour abréger les longues heures qui nous séparent du dîner.

Mais bon, tout ne s'est pas mal passé jusqu'à maintenant. Plutôt mieux, pour être franc, que les années précédentes, lorsque Agnes (quelque invariablement belle qu'elle fût) glaçait l'atmosphère par ses remarques foutrement bizarres – remarques dont l'objet, ne pouvait-il que présumer, était de relever Noël de son nadir de mercantilisme et lui rendre sa signification proprement religieuse.

« Vous êtes-vous jamais demandé pourquoi on ne célèbre plus la fête des Innocents ? avait-elle sorti une année, oubliant le cadeau de William tout enveloppé sur ses genoux.

– La fête des Innocents, ma chère ?

– Oui : le jour où le roi Hérode a massacré les Innocents. »

Cette année, Dieu merci, il n'y eut pas de telle conversation. Et, quelque regrettables que soient les circonstances, l'absence d'Agnes a eu une conséquence heureuse : la présence de sa fille au rez-de-chaussée. Oui, après des années de Noëls strictement séparés, où Sophie se voyait donner à la sauvette cadeaux et parts tièdes de dîner dans la nursery tandis que le restant de la famille était rassemblé autour de la maîtresse au rez-de-chaussée, la petite a enfin sa chance. Ce qui est une sacrée bonne chose, songe William, et pas trop tôt ! C'est une charmante petite créature au sourire tout à fait séduisant, et bien trop grande maintenant pour être traitée comme un bébé. De plus, même s'il a paru partager l'idée d'Agnes que Noël était une fête pour adultes, il a toujours pensé qu'il y avait quelque chose de mélancolique dans la vision d'un arbre de Noël sans enfant pour gambader autour.

L'année précédente, l'ouverture des cadeaux avait été ternie par toutes sortes de freins – d'odieuses économies, le nuage sombre de la méfiance d'Henry Rackham envers son fils, le mépris hautain affiché par Agnes pour tout ce qui sent le bon marché et l'expédient, et les signes d'agitation et d'ingratitude donnés par les domestiques.

Cette année, la même cérémonie, menée avec toutes les servantes agenouillées devant l'arbre de Noël dans une écume toujours plus bouillonnante de papier coloré, s'est révélée des plus satisfaisantes. Libéré des fers de ses dettes, William avait décidé de se faire corne d'abondance. (À lady Bridgelow, qui l'avertissait du danger qu'il y avait à gâter son personnel, il avait répondu : « Vous avez trop peu de foi en la nature humaine, Constance ! ») Ainsi, tandis que lady Bridgelow a sans doute sacrifié aux conventions en donnant à ses servantes un paquet contenant le tissu pour une nouvelle tenue, ses servantes à lui ont reçu un paquet contenant leur nouvelle tenue toute faite (sincèrement, pourquoi obliger les pauvres vieilles à coudre leurs vêtements, quand l'avenir est au prêt-à-porter ?). Non seulement cela, mais chaque domestique a reçu un autre paquet qui, au lieu de contenir le genre d'objets utilitaires auxquels elles auraient pu s'attendre – ustensiles de cuisine pour la cuisinière, une brosse en chiendent pour la fille de cuisine et ainsi de suite –, ne contenait que du superflu. Dieu tout-puissant, il est riche maintenant : a-t-il *vraiment* besoin de solliciter un « merci monsieur » aigre et réticent en remerciement d'une passoire ou d'un baquet, quand il peut s'offrir le luxe du spectacle d'un plaisir authentique et non feint ?

C'est ainsi que ce matin, chaque fille a reçu (à son grand étonnement) une boîte de chocolats, une paire de gants en chevreau, un tire-bouton plaqué bronze, et un délicat éventail oriental. Les gants étaient, d'après lui, particulièrement bien trouvés ; ils prouvent que William Rackham est un maître qui comprend que ses domestiques ne sont pas de simples instruments, mais des femmes qui pourraient aspirer à profiter de la vie en quelque sorte au cours de leurs après-midi de liberté, dans le monde extérieur.

Ce fut foutrement intéressant d'observer comment la nature de chacune reprit le dessus une fois passée la première bouffée de surprise. L'œil de Clara retrouva rapidement son éclat soupçonneux, sa bouche son pli obstiné et elle demanda la permission d'aller retrouver Mrs. Rackham. Rose empila soigneusement ses cadeaux à côté d'elle et se remit à surveiller la fête, au cas où quelque chose irait mal. La pauvre Janey continua à caresser et fixer ses cadeaux, confondue par leur exotisme et l'idée qu'une lourdaude comme elle pourrait en faire quelque usage. Letty, âme simple et placide comme toujours, serra ses trésors dans son giron et jeta autour d'elle un regard étonné, comme s'il venait de lui être révélé qu'elle n'aurait plus jamais besoin de s'inquiéter de rien. La nouvelle fille de cuisine, Harriet, et la laveuse, dont il ne peut ni écrire ni prononcer le nom irlandais, trahirent toutes deux une sournoise impatience de profiter de sa manne, un désir de gober les chocolats ou d'aller courir le guilledou parées de leurs gants de chevreau. La cuisinière (qui n'est plus une jeune fille, il faut le reconnaître) afficha au contraire une incompréhension bon enfant, comme pour dire : « Mon Dieu, qu'est-ce qu'une dame de mon âge pourrait bien faire de telles choses ? » Mais elle était flattée, cela se voyait… sinon elle n'aurait pas été femme.

Sugar fut une autre affaire. Comment la remercier de tout ce qu'elle avait fait sans éveiller le soupçon des autres ? Pendant un moment il avait pensé à la possibilité de célébrer un second Noël clandestin, seul avec elle dans sa chambre, mais à mesure que le jour approchait il décida que c'était courir un trop grand risque – non d'être découvert, mais de ne pas pouvoir faire face à toutes ses responsabilités qui exigeaient de lui tout son temps.

Non, mieux valait l'honorer publiquement. Mais comment ? Évidemment, pour les apparences, elle devait elle aussi recevoir des gants en chevreau, des chocolats, un tire-bouton et un éventail, mais que pouvait-il lui donner de plus qui ne ferait pas jaser les autres, tout en rendant justice à ses qualités uniques ? Ce matin, devant le sapin de Noël, aux yeux de toute la maisonnée, il était fier de voir confirmée la sagesse de son choix.

Sugar, quand Letty lui tendit la boîte mystérieuse, fut déjà surprise de sa taille et de son poids, mais quand elle eut défait son papier d'emballage rouge et révélé son contenu, ses yeux se firent encore plus grands, et elle resta bouche bée. *Ah*, pensa William, *une réaction pareille ne peut être simulée !* Tâchant de demeurer lui-même impassible, il la regarda qui considérait, yeux ronds, les volumes de Shakespeare reliés en cuir, dont chacun avait été travaillé avec le plus grand soin – les tragédies en brun sombre aux fers dorés, les comédies terre de Sienne aux fers noirs, et les drames historiques noirs aux fers argent. Les autres domestiques avaient elles aussi l'œil rond, bien sûr – les illettrées d'étonnement, les autres de quelque chose qui se rapprochait de l'envie. Mais pas *tout à fait* de l'envie – car quelle joie auraient-elles pu tirer d'un Shakespeare ? Et quel cadeau plus réfléchi, plus *défendable* que des livres qu'une gouvernante partagerait avec son élève ?

Sugar, bien sûr, avait compris. Suffoquée par l'émotion, elle fut à peine capable d'articuler quelques mots de remerciement.

Quant aux cadeaux de Sophie… c'était un problème encore plus épineux. Après bien des réflexions, William avait décidé que cette année, on se passerait de la convention qui voulait qu'on lui fasse un cadeau « de la part de Maman ». Les années précédentes, Beatrice Cleave se chargeait de ce petit subterfuge, à Noël et aux anniversaires, et l'enfant n'y voyait que du feu. Cette année, plusieurs choses conspiraient contre ce procédé : la répugnance de William à charger Sugar d'une tâche supplémentaire, le fait que la coutume était grandement désapprouvée par le docteur Curlew, l'absence d'Agnes, et le sentiment que Sophie était maintenant trop grande pour croire à un mensonge aussi flagrant.

Donc : pas de cadeau « de Maman ». Le docteur Curlew lui avait assuré que le temps viendrait où, guérie de ses illusions, Agnes donnerait à sa fille une chose bien plus précieuse que tous les paquets enrubannés. Peut-être, peut-être... Mais ce matin, William fit en sorte que Sophie ne manque pas de paquets enrubannés.

Puisqu'elle avait tant grandi, il lui avait donné des gants à elle, de délicates miniatures en peau de porc pour qu'elle se sente une petite dame. Une brosse à cheveux en écaille, aussi, il lui avait donnée, et une pince à cheveux en fanons de baleine, un miroir à manche d'ivoire et une bourse en chamois pour contenir tout cela.

Elle avait reçu toutes ces choses avec un émerveillement et un plaisir évidents. Sa plus grande surprise, toutefois, vint quand elle défit le paquet le plus volumineux, et découvrit qu'il contenait une poupée d'une beauté insurpassable. Chacun dans la pièce s'exclama en la voyant. Fabriquée en France, elle est habillée pour le théâtre, avec une tête en biscuit albâtre et une magnifique perruque en mohair surmontée d'un chapeau en duvet d'autruche. Dans une main elle tient un éventail bleu, dans l'autre, rien. Sa robe en satin (au corsage plus long que ses pareilles anglaises) ballonnant sous sa taille de guêpe est rose pâle bordée de cygne blanc. Le plus extraordinaire est que la poupée se trouve fixée par les semelles de ses chaussures à un chariot qui permet de la faire aller et venir.

Sophie joue encore avec, quelque peu éberluée par le privilège de posséder une chose si coûteuse, quand Henry Calder Rackham vient se joindre aux festivités. « Dites donc, s'exclame-t-il d'un air piteux, c'est autre chose que le petit nègre minable que je lui ai donné il y a quelques années, non ? » Mais Henry Calder Rackham a une surprise dans sa manche – ou plutôt, sous sa chaise –, et il exhibe un cylindre enveloppé de papier brun retenu par de la ficelle, que William avait pris pour une bouteille de vin, et qu'il tend à Sophie. Elle lève les yeux, étonnée, car elle vient juste de se remettre du choc causé par la générosité de son père et la voilà maintenant obligée de recevoir un second présent de la part d'un homme qui ressemble beaucoup à ce dernier.

« Tiens, ma petite, dit le vieillard. Je crois que tu trouveras ça mieux qu'un paquet de vieux chiffons tirés d'une boîte à thé. » Et, satisfait, il se carre dans son fauteuil tandis que Sophie déballe une lunette d'approche gris acier. De nouveau, des murmures et des interjections s'élèvent parmi les domestiques, d'émerveillement et d'incrédulité. Qu'est-ce que cela peut bien être ? Un porte-bouteilles ? Un kaléidoscope ? Une boîte à aiguilles à tricoter ? William, qui n'a pas eu de mal à identifier la chose, pense qu'une lunette d'approche n'est pas un cadeau à faire à une jeune miss. Et, tandis que Sophie, saisie d'admiration et d'effroi, tourne et retourne l'objet entre ses mains, il remarque également que le métal est quelque peu piqué et rayé.

« Ce n'est pas un jouet, Sophie, dit le vieillard. C'est un instrument qui m'a été confié par un explorateur que j'ai connu dans le temps. Je vais te montrer comment il marche ! » Et, se mettant à quatre pattes, il progresse sur le tapis jonché de rubans jusqu'à Sophie à qui il démontre le fonctionnement de la lunette d'approche. Il ne faut que quelques secondes à l'enfant pour faire jouer l'instrument d'avant en arrière et d'arrière en avant, son expression oscillant entre la joie radieuse et la frustration alors qu'elle le braque sur un papier peint follement flou et des yeux monstrueusement dénués de visage.

Et William ? Qu'a-t-il reçu de cette longue journée pleine de présents ? Il tâche de se le rappeler... Ah oui : un ouvrage en dentelle pour recouvrir sa boîte à cigares, brodé par Sophie (à moins que sa gouvernante ne l'ait aidée, auquel cas les talents de brodeuse de Sugar laissent beaucoup à désirer !) d'un fac-similé de son propre visage, copié sur un emballage de savon Rackham. Oh, et aussi : une quantité de cigares de médiocre qualité, avec les compliments de son père. Voici la somme totale de ce qu'il a récolté pour Noël ! Pitoyable, tel est le sort d'un homme doté d'une flopée de servantes, d'une fille unique, d'un frère trop tôt disparu, d'une mère répudiée, d'un père sans une once de générosité, de deux vieux copains qu'il a offensés, et d'une femme à qui on ne peut faire confiance tant qu'elle est éveillée. Citez-moi un autre homme en Angleterre se trouvant dans pareille situation ? Si Dieu le veut, cela ne durera pas éternellement.

« Les chaises musicales ! s'exclame Henry Calder Rackham, battant des mains avec un *whup-whup-whup* charnu. Qui veut jouer aux chaises musicales ? »

À quelque distance de là, dans une maison modeste pleine à craquer de choses inutiles et de meubles en surplus, Emmeline Fox est occupée à manger une compote de fruits tandis que son chat ronronne à ses pieds nus.

Avant que vous ne concluiez hâtivement : ce ne sont que ses pieds qui sont nus aujourd'hui ; le reste de sa personne est totalement, impeccablement vêtu – elle porte même encore le bonnet avec lequel elle est sortie. Elle est allée chez son père, lui donner son cadeau de Noël – exercice inutile, du fait qu'il ne célèbre rien et ne désire rien, mais c'est son père, et elle est sa fille, donc voilà. Chaque année l'un l'autre s'offrent un livre, destiné à ne pas être lu, et se souhaitent joyeux Noël, bien que le docteur Curlew ne croie pas au Christ, et qu'Emmeline ne croie pas que son Sauveur soit né le 25 décembre. Tels sont les stupides compromis auxquels nous nous plions, pour rester en paix avec ceux qui sont de notre sang.

Depuis son retour de chez son père, elle n'a pas pris la peine de rien enlever hormis ses bottines, qui lui faisaient mal aux pieds. Jadis elle n'arrivait pas à comprendre comment les miséreux pouvaient aller nus pieds par tous temps sans paraître en souffrir – et comment les efforts incessants de Mrs. Timperley pour collecter des chaussures auprès des plus fortunés afin de les distribuer aux va-nu-pieds ne semblaient jamais réduire d'une seule paire le nombre de pieds nus arpentant la ville de Londres. Maintenant elle sait : les pieds qui se sont habitués à la nudité ne peuvent pas se refaire aux chaussures. Autant forcer un chat à en porter.

« Tu aimerais une paire de jolies bottes noires, Minet ? demande-t-elle à son compagnon en chatouillant sa joue. Comme dans le conte ? »

Ils sont assis à son endroit préféré – au milieu de l'escalier. Le jour de Noël est passé, et son bien-aimé Henry est mort depuis trois mois. Trois mois selon le calendrier, trois battements de la paupière de Dieu, trois éternités à l'intérieur de la maison d'Emmeline aux rideaux tirés, où personne n'a plus le droit d'entrer. *Trois poules françaises, Quatre oiseaux colley, Cinq anneaux d'or…* des preuves improbables d'amour vrai, chantées avec exubérance dans la maison voisine. Comment se fait-il qu'elle entende ces voix aujourd'hui ? Elle ne les a jamais entendues avant… Une voix de femme aiguë et, en parfait contrepoint, le baryton sonore d'un homme…

Il y a trois mois de cela Henry foulait cette terre, il y a trois mois qu'il y a été enseveli. Plus s'éloigne la date de sa mort, plus elle pense à lui, plus ses pensées se chargent d'émotions. Comparés à lui, tous les hommes sont égoïstes et sournois ; comparés au corps droit et musclé d'Henry, tous les hommes semblent difformes. Combien elle souffre – comme si une serre pressait son tendre cœur d'une étreinte calleuse – de l'imaginer se liquéfiant dans la tombe, son cher visage se mêlant à la glaise, son crâne, qui naguère abritait tant de passion et de sincérité, devenu un coquillage vide abandonné aux vers pour qu'ils y pullulent. Elle sait qu'elle est stupide d'évoquer des images aussi brutales, de se torturer ainsi, quand elle devrait attendre le jour heureux où ils se retrouveront… Mais le Christ reviendra-t-Il sur terre durant sa vie ? Elle en doute fort. Mille ans peuvent passer avant qu'elle ne revoie son visage.

Le dernier Noël, ils avaient marché dans les rues, côte à côte, en parlant des Évangiles tandis que tout le monde était chez soi, en train de jouer à des jeux de société. Henry venait de lire… que venait-il de lire ? Il venait toujours de lire quelque chose et brûlait de le lui faire partager avant qu'il ne l'oublie… Oh oui, l'essai d'un philologue helléniste qui réglait une fois pour toutes (disait Henry) la dispute vieille de plusieurs siècles concernant le sens de Matthieu I, 25. Les catholiques avaient évidemment tort : la nouvelle lecture confirmait que quand saint Matthieu disait « jusqu'à ce que », il voulait dire « jusqu'à ce que » ; et Henry aurait aimé que les journaux aient le courage de faire connaître ces découvertes importantes, au lieu de remplir leurs pages de descriptions de meurtres sensationnelles et de publicités pour les teintures.

Et elle ? Comment avait-elle réagi à son idéalisme si sincère ? Eh bien, comme toujours ! En le contredisant, pauvre homme. Elle avait dit que la dispute ne cesserait jamais, du fait que tous ceux qui croyaient qu'une vierge pouvait enfanter ne s'intéresseraient jamais aux travaux d'un philologue et que de toute façon cela n'avait pour elle aucune importance, car, quant aux Évangiles, elle préférait de beaucoup Marc et Jean, des hommes sensés qui avaient autre chose à faire que de gloser sur l'état des organes génitaux de Marie.

« Mais vous croyez bien, n'est-ce pas, avait dit Henry, avec cet adorable plissement inquiet du front, que notre Sauveur a été conçu par l'opération du Saint-Esprit ? »

En réponse à quoi elle avait effrontément changé de sujet, comme elle faisait souvent. « Pour moi, avait-elle affirmé, la vraie histoire ne commence que plus tard, au bord du Jourdain.

– Seigneur ! » Comme Henry fronçait les sourcils à pareils moments ! Avec quelle ferveur il tâchait de se rassurer qu'elle ne blasphémait pas contre la foi qui les avait rapprochés. Aimait-elle le taquiner ? Oui, elle doit avoir aimé cela. Tant d'après-midi ensoleillés elle l'a laissé repartir plongé dans la perplexité, alors qu'elle aurait dû l'embrasser, jeter ses bras autour de lui, presser sa joue contre la sienne, lui dire qu'elle le vénérait…

Elle s'essuie le visage sur sa manche, et espère que Dieu comprendra.

« Maintenant ? » demande son chat, donnant des coups de tête contre sa cheville nue. Elle ne l'a pas nourri depuis ce matin, et les rideaux tirés du rez-de-chaussée sont embrasés par un soleil prêt à disparaître dans le crépuscule.

« Tu manges de la compote de fruits, Minet ? » lui demande-t-elle, lui proposant une cuillerée gluante tirée du grand bocal en verre qu'elle tient sur ses genoux. Il la renifle, la touche même du bout du nez, mais… non.

« Dommage, murmure-t-elle. Il y en a beaucoup. »

C'est la compote de fruits de Mrs. Borlais ; chaque membre de la Société de Secours en a reçu un bocal, pour en faire des tartes de Noël. Nul doute que ses consœurs ont relevé le défi, soit de leurs propres mains soit par l'intermédiaire de leurs domestiques, mais l'époque où Emmeline faisait de la pâtisserie est perdue dans les brumes de son mariage avec Bertie. Telle quelle, elle est excellente, pourtant. Elle ne cesse d'en engloutir de grosses cuillerées, sachant qu'elle risque certainement des nausées ou la courante, mais n'en appréciant pas moins le goût sucré et épicé.

Son père va bientôt passer à table pour son dîner de Noël avec ses amis médecins. Par politesse ou peut-être parce qu'il a idée de la façon dont elle vit depuis quelque temps, il l'a invitée à plusieurs reprises, mais elle a refusé. Et elle a bien fait ! La dernière fois qu'elle a dîné avec les amis de son père, elle lui a fait terriblement honte en leur expliquant pourquoi les prostituées ne vont pas voir les médecins, pour finir par les engager à soigner *gratuitement* ces malheureuses à un rythme hebdomadaire. Si elle y avait pris part aujourd'hui, elle aurait sans doute marmonné « ravie de faire votre connaissance » deux ou trois fois, enduré les bavardages pendant à peu près dix minutes, puis le naturel serait revenu au galop. Elle se connaît trop bien.

Elle n'aurait pourtant pas dédaigné la nourriture. Rien qu'à penser à tous ces plats d'argent couverts de délicieuses choses fumantes et grésillantes… Non qu'elle excuse la gloutonnerie à laquelle les classes privilégiées s'adonnent à l'occasion de cette fête jadis sacrée ; non qu'elle manque d'apprécier l'importance du gouffre qui sépare ceux qui s'emplissent la panse d'une montagne de viande de ceux qui font la queue en grelottant de froid pour une assiette de soupe claire. Son appétit est modeste : asseyez-la à un banquet de Noël, et elle prendrait une tranche de poulet ou de dinde et des légumes rôtis, puis rien d'autre jusqu'au pudding. Elle n'est certainement pas gourmande. C'est seulement que les repas chauds – particulièrement les plats rôtis – sont colossalement ennuyeux à préparer pour soi-même.

« Pauvre Minet, roucoule-t-elle, le caressant de la tête à la queue. Tu serais très content d'avaler deux bons pigeons rôtis, n'est-ce pas ? Ou une perdrix aux navets ? Voyons voir ce que je peux te trouver. »

Elle fouille dans la cuisine, mais il n'y a rien. La planche à découper est recouverte d'une mince couche brillante d'huile de poisson qui l'occupe deux minutes, mais elle n'arrive pas à dénicher le reste de hachis de jambon, puis se rappelle soudain qu'il se trouve dans son estomac. Henry a dit un jour : « Il est effrayant de penser avec quelle facilité on peut passer sa vie à satisfaire des appétits animaux. » Quant à elle, peut-être passera-t-elle le restant de sa vie à se rappeler tout ce qu'Henry a dit.

« Maintenant ! » déclare son chat, et, forcée de reconnaître que les bonnes intentions ne remplacent pas les actions, elle saisit ses bottines pour se préparer à ressortir. Noël ou pas, il y aura sans doute de la viande à vendre quelque part, si elle est prête à descendre les strates de la société pour l'obtenir. Les braves gens ont peut-être fermé leurs boutiques en l'honneur de l'Enfant Jésus, mais les pauvres ont des bouches affamées à nourrir, et pour eux tous les jours se ressemblent. Emmeline boutonne ses bottines et chasse d'une tape la poussière de l'ourlet de sa jupe, provoquant la fuite de Minet sous une pile de chaises. Elle prend sa bourse et regarde ce qui lui reste d'argent. Plein.

La lettre de Mrs. Rackham est toujours au fond de sa bourse, parmi les pièces et les miettes de biscuits. Répondra-t-elle, après ce que son père lui a dit ce matin ? Elle en doute.

Elle se demande si elle a trahi Mrs. Rackham en abordant son cas avec l'homme dont celle-ci se méfie tant. Pour sa défense, elle ne peut que plaider qu'elle a fait de son mieux pour ne pas trahir la confiance de la malheureuse, lorsqu'elle a sollicité l'avis professionnel de son père sur les hallucinations des folles en général.

Naturellement il a immédiatement demandé: « Pourquoi veux-tu savoir ? » Direct et peu diplomate comme toujours! Mais elle ne pouvait pas s'attendre à ce qu'il tourne autour du pot, quand elle-même est si peu douée pour ce faire.

« Oh, par pure curiosité, avait-elle répondu, visant à affecter, et ratant probablement de beaucoup, la manière insouciante des femmes qu'elle connaît. Je n'aime pas demeurer dans l'ignorance.

– Et que veux-tu savoir *précisément*? »

Mais elle avait gardé le secret de Mrs. Rackham. « Eh bien... par exemple: quelle est la meilleure façon de convaincre une folle que son idée est folle ?

– On ne peut pas la convaincre, avait-il répondu du tac au tac.

– Oh. » Jadis cela eût pu être la fin de la conversation, mais son père est moins brusque dernièrement, depuis qu'il a failli la perdre. Le stimulus de sa maladie a fait ressurgir l'amour qu'il a pour elle (et dont Emmeline n'a jamais douté) plus près de la surface de sa peau, comme la rougeur d'une infection, et il n'est pas totalement parvenu à recouvrer sa froideur depuis lors.

« Il n'y a rien à y gagner, ma petite, lui avait-il expliqué ce matin. Quelle utilité y a-t-il à amener quelqu'un qui est malade d'esprit à dire: "Oui, j'admets que je souffre d'hallucinations" ? Une heure plus tard il ne fera qu'affirmer le contraire. C'est son cerveau malade *lui-même* qui doit être guéri, afin qu'il ne soit plus *capable* de souffrir d'hallucinations. Pense à un homme qui a le bras cassé: qu'il nie ou reconnaisse que son bras est cassé ne fait aucune différence quant au traitement à appliquer.

– Alors quelles sont les chances de guérison ?

– Assez nombreuses si la femme est d'âge mûr, et jouissait d'une certaine raison jusqu'à ce que – par exemple –

la douleur causée par une perte tragique ait attaqué son esprit. Si elle a des hallucinations depuis l'enfance, minces, je dirais.

– Je vois, avait-elle répondu. Je pense que ma curiosité a été satisfaite. Merci. »

Il avait dû être piqué par la déception qu'elle affichait quant à l'efficacité de la science car il avait ajouté : « Un jour, j'espère que la pharmaceutique offrira un remède même aux maladies mentales les plus graves. Comme un vaccin, si tu préfères. Nous assisterons à toutes sortes de merveilles au siècle prochain, j'en suis tout à fait persuadé.

– Maigre réconfort, pour ceux qui souffrent.

– Ah, avait-il souri, c'est là que tu te trompes, ma fille. Les fous inguérissables sont inguérissables précisément parce que cela les arrange. Ils ne veulent pas être secourus ! Ce en quoi – si tu me permets – ils ressemblent beaucoup à tes femmes déchues.

– *Pax*, Père, l'avait-elle prévenu. Il faut que j'y aille. Merci pour le cadeau. Joyeux Noël. »

Mais, ne voulant pas qu'ils se séparent sur une note aigre, il avait fait un dernier geste d'apaisement.

« Je t'en prie, dis-moi Emmeline : pourquoi ces questions ? J'aurais peut-être mieux à t'offrir si j'en savais un peu plus… »

Elle avait hésité, et réfléchi prudemment avant de répondre – bien que, comme toujours, pas assez prudemment.

« Une dame m'a écrit pour me demander le secret de la vie éternelle. La vie éternelle physique, c'est-à-dire. Elle semble convaincue que je sais où se trouve l'endroit où son… euh… corps immortel l'attend.

– C'est très gentil à toi, avait dit alors son père, à voix basse et d'un ton confidentiel, de t'inquiéter pour Mrs. Rackham. Je peux seulement t'assurer qu'elle se trouvera bientôt entre d'excellentes mains. »

« Maintenant ! hulule Minet, plantant ses griffes dans ses jupes.
– Oui, oui, j'y vais », répond Emmeline.

La nuit est tombée sur la maison Rackham et, en ce qui concerne William, Noël continue à se dérouler de la manière la plus agréable possible, vu les circonstances.

L'invite lancée par son père à jouer aux chaises musicales a provoqué un instant de gêne quand les volontaires se sont soudain souvenus que personne ne jouait du piano – du moins personne qui fût présent. Mais Sugar sauve la situation – Dieu la bénisse – en suggérant – idée géniale – de recourir à une boîte à musique. Soupirs de soulagement à la ronde, et la machine fonctionne à merveille ! William choisit Clara pour lever et baisser le couvercle, jugeant que cette activité lui conviendra mieux que de se battre avec ses consœurs pour trouver une chaise – et il ne s'est pas trompé. Est-ce un *sourire* qu'il voit voleter sur ses lèvres au moment où Letty manque de tomber ? Elle a vraiment le don, lorsqu'elle ferme la boîte, de couper une note juste au milieu, trompant ainsi les oreilles les plus rapides. L'unique personne qui trouve un siège à chaque fois, en dépit de ses jointures raides, est Henry Calder Rackham, car il ne craint pas d'effleurer, et même de heurter les hanches de quiconque.

Le vieux est aussi excellent à la gueule-de-loup, le jeu suivant. Une fois les lumières éteintes et la coupe de cognac enflammée, trois générations de Rackham se préparent à plonger les mains dans les flammes. Henry Calder Rackham est le premier, ses doigts courts et ridés s'immergeant en un clin d'œil dans les vapeurs d'alcool vacillantes et portant presque aussi rapidement le raisin sec à sa bouche.

« N'aie pas peur, mon enfant, encourage-t-il sa petite-fille. Si tu es assez rapide, tu ne te brûleras pas. »

Mais Sophie hésite, fixant d'un regard fasciné le grand plat creux de flammes bleues, et William, craignant que les vapeurs ne s'éteignent pendant qu'elle temporise, pêche un raisin pour lui.

« Allez, petite Sophie », lui ordonne-t-il avec douceur, tandis que Rackham Senior saisit l'occasion de récolter un autre raisin sec.

Sophie finit par s'exécuter, poussant des petits cris de frayeur et d'excitation tout en arrachant un raisin aux flammes. Elle examine furtivement le minuscule fruit qu'elle tient entre ses doigts et, ne voyant pas de flammes sur sa peau sombre et ridée, le transfère avec précaution dans sa bouche, tandis que les Rackham aînés s'emparent du reste.

Le jeu suivant est le dîner, et le père de William s'y attaque avec le même enthousiasme. À mesure que les plats se succèdent, il mange autant que lord Unwin chez lady Bridgelow, si on tient compte des différences de cuisine. (La cuisinière des Rackham n'est pas partisane de ce qu'elle appelle « les recettes de sauvages », mais ce qu'elle sait faire est délicieux, et Henry Calder Rackham est un consommateur idéal.) Dinde, cailles, rôti de bœuf, feuilleté d'huîtres, tartelettes de Noël, pudding, gelée au porto, pommes fourrées – tout cela, une fois posé devant lui, disparaît dans sa panse agitée de soubresauts de rire.

Peu étonnant, donc, que, le dîner terminé, alors qu'il insère les plaques de verre peintes dans la fente en cuivre de la lanterne magique, il profite de l'obscurité et du fait que l'attention de chacun est détournée pour déboutonner son gilet et son pantalon.

« *Je suis une petite marchande de fleurs* », récite-t-il d'un souffle court, lisant à l'intention de Sophie les sous-titres de l'image projetée sur le mur du salon : une poupée aux joues rondes, vêtue de haillons, piquée au coin d'une rue de Londres embellie avec amour par les minuscules pinceaux des ouvriers de la fabrique de lanternes magiques.

*« Je vous vends de jolis petits bouquets*
*De boutons-d'or et de jonquilles*
*Rien de cher comme les roses.* »

L'enfant meurt, bien sûr, à la huitième plaque. Déjà angélique quand elle vend ses jonquilles, elle est à peine plus radieuse quand une paire de séraphins s'emparent de son corps inerte pour l'emporter au Paradis.

William, plus accoutumé aux projections pornographiques de Bodley et Ashwell, s'ennuie ferme, mais n'en laisse rien paraître, car son père est allé jusqu'à acheter trois séries, et s'en est déjà excusé auprès de lui à mi-voix (« Il y en a si peu qui soient pour les enfants, tu sais : presque toutes racontent des histoires de meurtres et d'adultères. »).

Une deuxième histoire, d'actes héroïques au cours d'un naufrage, suit de près la première ; elle est bien reçue par la famille, en dépit du fait qu'elle ne contient pas de rôles pour les femmes. La troisième et dernière, qui conte le tragique destin d'une jeune vendeuse de cresson qui meurt en tentant de sauver son père alcoolique, provoque des sanglots irrépressibles chez Letty et Janey, et se termine sur le mot « TEMPÉRANCE ! » embrasant le mur du salon – conclusion un peu gênante, dans la mesure où William et son père attendent maintenant avec impatience le moment réservé à la consommation d'alcools forts.

« Bonne nuit, petite Sophie », dit William, tandis que Rose rallume les lampes et que la lanterne magique est éteinte. Pendant un instant Sugar hésite avant de comprendre que les réjouissances touchent à leur fin – pour l'enfant et la gouvernante, tout au moins.

« Oui, bonne nuit, petite Sophie, dit Henry Calder Rackham, en étalant une serviette propre sur ses genoux. Cours retrouver tes beaux jouets tout neufs – avant qu'un voleur ne te les prenne ! »

Sugar jette un coup d'œil circulaire au salon et remarque que les cadeaux ont été emportés, le moindre bout de papier d'emballage évacué, et jusqu'au plus minuscule tortillon de fer-blanc a été ramassé. Excepté Rose, qui débouche les liqueurs, les domestiques se sont de nouveau fondues dans les coins reculés de la maison Rackham, chacune à ses fonctions. Les Rackham mâles sont affaissés, la paupière lourde, dans leurs fauteuils, épuisés d'avoir administré tant de plaisirs.

S'attardant un instant au seuil de la pièce, la main de Sophie dans la sienne, Sugar regarde dans la direction de Rose et parvient à attirer son attention, mais la domestique reste sans réaction ; elle baisse la tête pour se concentrer sur le dévoilement d'un plateau où sont disposées des tranches de cake au rhum. Quelle que soit l'intimité qu'elle et Sugar ont partagée, quelles que soient les bêtises qu'elles ont faites ensemble, une frontière est maintenant délimitée entre elles.

« Bonne nuit », dit Sugar, trop bas pour qu'on l'entende, et elle escorte Sophie dans l'escalier, puis les parties silencieuses de la maison, où leurs cadeaux les attendent, appuyés contre la porte de leurs chambres dans l'obscurité.

Il est hors de question de mettre Sophie au lit ; l'enfant est trop excitée, et il y a de nouveaux jouets miraculeux avec lesquels jouer. Tandis que Sugar la regarde, ne sachant comment se comporter, Sophie s'agenouille par terre, face à face avec la poupée française, et fait lentement aller et venir la créature sur ses roues. Dans la pâle lumière jaunâtre de sa chambre, elle paraît plus mystérieuse que dans le salon ; plus mystérieuse et aussi plus réaliste, comme une vraie dame qui vient de quitter un bal ou un théâtre, s'aventurant sur le trottoir recouvert d'un tapis à la recherche de sa voiture.

« Mais où est donc passé ce type ? murmure Sophie d'une voix affectée et éperdue, faisant faire à la poupée un tour de trois cent soixante degrés. Je lui ai pourtant dit de m'attendre ici... »

Elle saisit la lunette d'approche, la tire au maximum, la porte à son œil droit.

« Je vais le trouver avec ça, déclare-t-elle d'un ton plus mâle et assuré. Même s'il est très, très loin. » Et elle inspecte les environs, faisant le point sur les perspectives plausibles – un nœud dans le bois de la plinthe, un cordon de rideau qui pend, les jupes floues de sa gouvernante.

Soudain sérieuse, elle lève les yeux sur Sugar et demande :

« Vous pensez que je pourrais être exploratrice, miss ?

– Exploratrice ?

– Quand je serai plus grande, miss.

– Pour... pourquoi pas. » Sugar aimerait que Sophie évoque – ou même fasse juste une *petite* allusion au livre qui gît négligé par terre, avec sur sa page de garde la dédicace : *À Sophie, de la part de Miss Sugar, Noël 1875.*

« Ce n'est peut-être pas permis, miss, songe l'enfant en plissant le front, une dame explorateur.

– Nous vivons à une époque moderne, Sophie chérie, soupire Sugar. Les femmes peuvent faire toutes sortes de choses aujourd'hui. »

Le front de Sophie se ride encore plus profondément, tandis que les opinions irréconciliables de sa nurse et de sa gouvernante se heurtent dans son cerveau surmené.

« Peut-être, rêve-t-elle, je pourrais explorer des endroits que les messieurs explorateurs ne veulent pas explorer. »

Un chahut leur parvient à l'extérieur de la maison : une procession d'inconnus monte à pas lourds l'allée Rackham en chantant : « Nous vous souhaitons joyeux Noël », leurs voix rocailleuses indistinctes dans la nuit venteuse. Sophie va à la fenêtre, se dresse sur la pointe des pieds, et tâche de regarder dans le noir, mais ne voit rien.

« *Encore* des gens », déclare-t-elle, d'un ton exagérément surpris, comme une hôtesse de conte de fées qui a invité une demi-douzaine de personnes et se retrouve avec un millier. Sugar se rend compte que l'enfant est terriblement fatiguée et devrait en fait être mise au lit.

« Viens, Sophie, dit-elle. Il est temps de se coucher. Ton bain attendra demain. Et je suis sûre que tu auras besoin de tout un nouveau jour pour faire connaissance comme il faut avec tous tes jouets. »

Sophie quitte la fenêtre à pas chancelants et s'abandonne aux mains de Sugar. Bien qu'elle ne résiste pas au déshabillage, elle est moins coopérante que d'habitude et regarde dans le vague tandis que ses membres raides sont dépouillés de leurs vêtements. Il y a une étrange expression hantée sur son visage, l'allusion à la blessure d'un affront fait à son corps nu tandis que Sugar la pousse doucement afin qu'elle lève les bras pour qu'elle lui enfile sa chemise de nuit.

*« Maintenant qu'on nous apporte un pudding fumant*
*Qu'on nous apporte un pudding fumant*
*Et une cuillère de bonne humeur… »* entonne le groupe des chanteurs.

« Ça ne sert à rien de réveiller ma maman maintenant, n'est-ce pas, miss ? lâche Sophie. Elle a tout raté. »

Sugar défait le lit, retire la bassinoire que Letty y a déposée, et tapote le matelas à l'endroit tiède.

*« Nous ne partirons pas avant*
*Nous ne partirons pas avant… »*

« Elle n'est pas très bien, Sophie, dit Sugar.

– Je pense qu'elle va bientôt mourir, décide Sophie tout en se mettant au lit. Et après on la mettra dans la terre. »

Au rez-de-chaussée, une porte claque, et les voix se taisent

– probablement satisfaites. Sugar, tâchant de ne pas trahir le frisson nauséeux que les paroles de l'enfant ont déclenché en elle, borde Sophie et redresse son oreiller. Afin qu'elle se réveille sur un spectacle réconfortant, elle dispose soigneusement les cadeaux sur la commode, mettant la royale poupée à côté de la forme affaissée du petit nègre souriant. Elle aligne la bourse, la brosse, la pince à cheveux et le miroir en un rang que ponctue la lunette posée verticalement. Enfin elle cale, droit, le livre.

*Les Aventures d'Alice au pays des merveilles*, est-il écrit sur la couverture. Mais Sophie est déjà tombée dans le terrier de l'inconscience, allant rejoindre un pays des merveilles confus bien à elle.

Tap-tap.

« Miss Sugar ? »

Tap-tap-tap.

« Miss Sugar ? »

Tap-tap-tap-tap.

« Miss Sugar ! »

Elle se dresse d'un coup, haletant de frayeur et de confusion tandis que la brute qui est « venue lui tenir chaud » est chassée de son corps d'enfant et qu'elle se retrouve seule une fois de plus – plus vieille, plus grande, ailleurs, dans le noir.

« Qu-qui est là ? appelle-t-elle dans la nuit.

– Clara, miss. »

Sugar se frotte les yeux de ses paumes rêches, pensant que si elle cligne suffisamment fort des paupières, elle verra le jour. « Est-ce que j'ai dormi si longtemps ?

– S'il vous plaît, Miss Sugar, Mr. Rackham a dit que je devais entrer. »

La porte s'ouvre, et la servante entre, tenant haut sa lampe, son uniforme froissé, la tête auréolée de cheveux fous. Le visage de Clara, généralement impénétrable ou suffisant, est déformé par les ombres vacillantes et une expression de terreur non déguisée.

« Je dois m'assurer que personne n'est entré dans votre chambre, miss. »

Sugar bat stupidement des cils à travers le brouillard de ses cheveux tout aussi décoiffés. Elle fait signe à Clara d'inspecter sa petite chambre, et celle-ci dirige immédiatement sa lampe vers les quatre coins, ici, là, ici, là, faisant danser ombres et lumières. L'application solennelle qui empreint ses gestes lui donne l'air d'une papiste balançant l'encensoir.

« Pardonnez-moi, miss, marmonne-t-elle, entrebâillant la porte de l'armoire.

– Est-ce que Sophie va bien ? » demande Sugar, qui a maintenant allumé sa lampe de chevet. Elle voit qu'il est trois heures du matin.

Clara ne répond pas, sinon par une révérence extravagante, si basse qu'on la dirait exécutée pour une reine. Ce n'est qu'au dernier moment que Sugar comprend que ce n'est pas une révérence du tout, mais que la domestique se prépare à regarder sous le lit.

« Je vais vous aider ! » déclare-t-elle hâtivement et elle se penche de côté, la masse de ses cheveux défaits se déversant jusqu'au sol. Dressée sur un coude, elle balaie d'un grand geste de la main l'espace ombreux sous le lit, heurtant brutalement les journaux pour bien montrer qu'ils ne sont pas des débris humains.

« Mes excuses, miss », marmonne Clara avant de sortir en hâte.

Dès qu'elle a disparu, Sugar saute du lit et s'habille. La maison, d'après ce qu'elle entend, est en état de choc, pleine de murmures et d'allers et venues. Des portes s'ouvrent et se ferment et, par l'entrebâillement de la sienne, elle voit des lumières se faire soudain plus vives. Vite, vite : ses cheveux sont impossibles, elle aurait dû les faire couper il y a des semaines de cela, mais par qui ? Toute trace de la frange frisottée d'origine a disparu, et seuls une douzaine d'épingles et un taillis de pinces parviennent à les domestiquer. Où sont ses chaussures ? Pourquoi son corsage est-il si difficile à boutonner ? Sa chemise doit faire des plis en dessous.

« La chambre noire ! crie William de quelque part à l'étage inférieur. Vous êtes sourde ? »

Une voix de femme, non identifiable et petite, répond que *toutes* les chambres sont noires.

« Non, non, s'écrie William, visiblement très agité. La pièce qui était... Ah, c'était avant que vous n'arriviez ! » Et ses pas lourds s'éloignent dans le couloir.

Sugar est présentable maintenant, plus ou moins, et se précipite dans le couloir, chandelle en main. Sa première destination est la chambre de Sophie, mais quand elle s'aventure à l'intérieur, elle trouve l'enfant profondément endormie, ou du moins en apparence.

Ce n'est que lorsque Sugar revient sur ses pas le long du couloir qu'elle remarque à quel point il est bizarre et inhabituel de voir la porte de la chambre d'Agnes entrouverte. Elle se rue au rez-de-chaussée, guidée par les voix.

« Oh, Mr. Rackham, par une nuit pareille ! » s'écrie Rose, les mots se répercutant étrangement à travers le labyrinthe des passages menant à l'arrière de la maison.

Le point de rendez-vous est la cuisine ; une compagnie lugubre, à peine réveillée, s'est rassemblée dans un froid de mausolée. Mais toute la maisonnée n'est pas là. On a laissé la cuisinière ronfler à l'étage et les domestiques les plus récentes, à qui on peut moins se fier, quelle que soit leur curiosité, ont reçu ordre de retourner au lit s'occuper de leurs affaires : ne se trouvent ici, entièrement vêtus et frissonnants, que William, Letty, Rose et Clara. Oh oui, et il y a aussi Janey qui se tient à la porte de l'arrière-cuisine, en pleurs, humiliée d'avoir échoué à localiser Mrs. Rackham dans la glacière ou le garde-manger, malgré l'espoir courroucé que Miss Tillotson mettait dans sa quête.

Letty croise les bras et serre ses dents de cheval pour les empêcher de claquer. Le bavoir blanc de son uniforme brille d'humidité : elle a bravé les éléments une fois déjà, pour aller frapper à la porte du petit bungalow de Shears. Mais Shears était trop soûl pour se laisser tirer du sommeil, et Cheesman a évidemment été persuadé par sa « mère » de passer la nuit chez elle, et encore une fois William Rackham est le seul mâle présent pour affronter la crise.

Il salue l'arrivée de Sugar d'une mine renfrognée ; son visage est livide dans la lumière réfléchie par la table à découper et le sol en pierre, qui tous deux brillent encore des généreux coups d'éponge qu'ils ont reçus il y a quelques heures.

« C'est dehors qu'elle est, monsieur, assure Rose d'une voix que fait trembler le désir de dire ce qu'elle n'ose pas signifier à son maître : qu'il est en train de perdre un temps précieux – peut-être même de condamner sa femme à mort – en ne la faisant pas chercher à l'extérieur.

– Et la cave ? demande William. Letty, vous y êtes passée à toute vitesse.

– Elle était *vide*, Mr. Rackham », insiste la fille, son geignement indigné résonnant dans les casseroles en cuivre pendues le long des murs.

William se passe les mains dans les cheveux et fixe les fenêtres, dont les carreaux noirs d'encre sont éclaboussés de grésil et enguirlandés de neige. Il n'est pas possible qu'une chose pareille lui arrive !

« Rose, allez chercher les lampes tempête, dit-il d'une voix rauque, après un silence insupportable. Il faut aller fouiller le jardin. » Ses yeux s'illuminent soudain, comme si une flamme – ou une fièvre – les éclairait par-derrière. « Mettez des manteaux chauds, toutes ! Et des gants ! »

Une inspection rapide du jardin confirme le pire : une trace de pas dans la neige menant de la porte d'entrée à la grille, et la grille grande ouverte. Les réverbères de Chepstow Villas luisent faiblement dans la nuit bruineuse, chacun n'illuminant rien de plus qu'une sphère de vide gris en suspension à quatre mètres du sol. La rue est noir d'encre, avec un soupçon, dans les ténèbres au-delà, de bâtisses sombres et d'allées sinueuses. Une femme vêtue de noir pourrait être rapidement perdue dans une telle obscurité.

« Est-ce que vous savez si elle est en blanc ? » demande William à Clara, quand le groupe de chercheurs est prêt à quitter la maison. Elle le regarde comme s'il était un imbécile, comme s'il venait de lui demander laquelle de ses robes de bal elle avait choisi de faire porter à Mrs. Rackham en cette importante occasion.

« Je veux dire que si elle est en chemise de nuit, que Dieu lui vienne en aide ! dit-il d'un ton cassant.

– Je ne sais pas, monsieur », répond la femme de chambre, grimaçant tandis qu'elle réprime le désir de lui dire que si Mrs. Rackham est morte de froid, la chose s'est probablement produite pendant qu'elle-même était envoyée la chercher dans les placards à balais et sous le lit de la gouvernante.

Les membres raides dans son gros pardessus, William avance en trébuchant dans le brouillard de son haleine et, derrière lui, deux femmes suivent. Comme on n'a trouvé que trois lampes tempête en état de fonctionner, celles-ci ont été réparties entre William, Clara et Rose. Letty et Janey sont si troublées qu'elles ne sont bonnes à rien de toute façon, et feraient mieux de retourner au lit, tandis que Miss Sugar n'aurait pas dû prendre la peine de se lever.

Sugar les regarde s'éloigner depuis le seuil. Alors qu'ils franchissent la grille et prennent chacun une direction, un fiacre passe, suggérant que, malgré l'heure très tardive, Agnes ait pu en héler un et soit maintenant à des kilomètres de là, perdue dans une grande ville labyrinthique, trébuchant dans des rues inconnues bordées de sombres maisons pleines de gens inconnus. Un rire aviné se fait entendre au passage du fiacre, rappelant que la mort par refroidissement n'est que l'un des nombreux périls qui attendent une femme sans défense dans le vaste monde.

Sugar se rend compte, tandis qu'elle se tient, frissonnante, sur le pas de la porte, que la maison Rackham est laissée sans surveillance et que si les domestiques retournent au lit ainsi qu'on le leur a ordonné, il n'y a personne pour la voir ouvrir des portes interdites, personne pour l'empêcher de fouiner où bon lui semble. Ne voulant pas manquer une telle occasion, elle se voit déjà devant le bureau de William en train de lire quelque document secret. Oui ; elle doit se dépêcher de monter pour donner réalité à ce fantasme de lanterne magique… Mais non ; la volonté lui fait défaut ; elle est tellement fatiguée de feindre ; il n'y a rien de plus qu'elle désire découvrir ; elle n'aspire qu'à faire partie de la famille, libre de tout soupçon, chaudement accueillie, pour toujours.

Soudain, elle est assaillie par l'intuition, tombée du ciel, ou plutôt des ténèbres, qu'Agnes n'est pas loin. Cette certitude se répand dans son cerveau comme une croyance religieuse, une conversion sur le chemin de Damas. William et les autres sont des idiots de suivre les traces laissées par des chanteurs qui n'ont pas pris la peine de fermer la grille ! Bien *sûr* Agnes n'est pas dans les rues, elle est *ici*, cachée près de la maison – *tout* près !

Sugar se précipite à l'intérieur pour s'armer d'une lampe, et émerge deux minutes plus tard munie d'un spécimen plutôt chétif, davantage conçu pour éclairer quelques mètres de tapis entre une chambre et l'autre. Avec précaution, elle la sort dans le vent et l'humidité, tenant la paume au-dessus du bulbe ouvert afin de protéger la flamme tremblante. La neige fondue lui mord les joues, ses petits crachats tranchants sont si froids qu'ils semblent chauds, comme des cendres brûlantes dans le vent. Elle doit sûrement être folle, et pourtant elle ne peut pas faire demi-tour avant d'avoir trouvé Agnes.

Où chercher en premier, dans ce jeu de cache-cache mortellement sérieux ? Elle s'engage dans l'allée, ses bottines faisant *krift,krift, krift* dans la neige caillouteuse. *Non, non,* dit une voix dans sa tête tandis qu'elle progresse le long du flanc de la maison Rackham, passant les fenêtres en saillie du salon et de la salle à manger – *Non, pas* ici *; tu ne « chauffes » même pas. Plus loin de la maison : oui : plus loin dans le noir. Tu chauffes, oui, tu chauffes !*

Elle s'aventure dans des parties inconnues du jardin, au-delà des serres à légumes dont les carapaces couvertes de neige scintillent comme des sarcophages de marbre dans le noir. Tous les quelques pas, l'attention qu'elle doit porter à la lampe lui fait quitter ses pieds des yeux et elle manque de trébucher, ici sur un outil de jardinage, là sur un sac de charbon, mais elle atteint l'écurie sans être tombée.

*Tu brûles,* l'avertit la voix dans sa tête.

La porte de la remise est fermée mais pas cadenassée ; si puissant est l'instinct qui l'a menée ici qu'elle présume ce fait avant que ses yeux l'aient confirmé. Elle soulève le loquet, entrouvre les battants et lève sa lampe dans l'ouverture.

« Agnes ? »

Pas de réponse, hormis l'intuition brûlante dans sa poitrine.

Elle ouvre les portes un peu plus grand et se glisse à l'intérieur de la remise. La voiture des Rackham est immobile dans l'obscurité, plus large et plus haute qu'elle ne se rappelait, bizarrement dérangeante dans sa corpulence polie et cloutée d'acier. Sa proue laisse goutter une flaque de chaînes et de courroies de cuir.

Sugar se dirige vers la vitre et lève sa lampe contre le verre sombre. Quelque chose de pâle bouge à l'intérieur.

« Agnes ?

– Ma… Sainte Sœur… »

Sugar ouvre la portière, et trouve Agnes pelotonnée sur le plancher, les genoux relevés contre son menton. Ce menton est barbouillé de vomi et les paupières d'Agnes sont lourdes, ses yeux clignent trop faiblement pour exposer plus qu'une fente de blanc laiteux. Dans sa léthargie frigide, elle a dépassé le stade du frissonnement, mais au moins elle n'est pas mortellement bleue : ses lèvres, maculées de baume, sont toujours d'un rose de bouton. Dieu merci elle n'est pas vêtue que de sa chemise de nuit – pas assez pour avoir chaud, mais assez pour décourager le froid de lui percer le cœur. Une robe de chambre magenta, d'une lourde soie de style oriental, recouvre en partie la chemise de coton blanc, bien que le devant ait été maladroitement boutonné, la plupart des boutons fichés dans les mauvaises boutonnières. Les pieds d'Agnes sont bandés jusqu'aux chevilles et en plus chaussés de pantoufles tricotées dont la laine est tachée de neige fondue et hérissée de fragments de feuilles et de brindilles.

« Je vous en prie, dit Agnes, à peine capable de lever la tête de ses genoux. Dites-moi que le moment est venu.

– Le moment ?

– D'aller… au couvent avec vous. » Et elle se lèche les lèvres, tâchant sans succès de déloger, de sa langue amorphe, un petit grumeau de vomi englué dans le baume.

« Pas encore, dit Sugar, faisant de son mieux, en dépit de sa répugnance, pour parler avec l'autorité d'un ange.

– Ils sont en train de m'empoisonner », geint Agnes. Son visage retombe de nouveau et des mèches humides de fins cheveux blonds glissent de ses épaules, une par une. « Clara est leur complice. Elle me donne du pain et du lait… trempés dans du poison.

– Sortez de là, Agnes, dit Sugar, tendant la main pour caresser le bras d'Agnes comme si c'était un petit animal blessé. Vous pouvez marcher ? »

Mais il semble qu'Agnes n'a pas entendu. « Ils sont en train de m'engraisser en vue du sacrifice, poursuit-elle dans un murmure anxieux et aigu. Un sacrifice lent… qui doit durer toute une vie. Chaque jour un démon différent doit venir manger ma chair.

– Ne dites pas de sottises, Agnes, répond Sugar. Vous allez vous remettre. »

La tête d'Agnes pivote vers la lumière. À travers un voile de cheveux, un œil cligne largement, bleu injecté de sang.

« Vous avez vu mes pieds ? demande-t-elle, la diction soudain claire et courroucée. Des fruits blets. Et les fruits blets ne se remettent pas.

– N'ayez pas peur, Agnes », dit Sugar, bien qu'en vérité elle-même craigne que le regard furieux de l'œil d'Agnes et l'acuité de sa douleur ne fassent craquer ses nerfs. Elle respire profondément, avec la discrétion d'un ange, et déclare, d'une voix séductrice dont elle espère qu'elle inspire confiance et sérénité : « Tout ira bien, je vous le promets. Tout finira pour le mieux. »

Mais cette affirmation n'impressionne pas Agnes, malgré sa saveur de conte de fées ; elle ne fait que lui rappeler d'autres malheurs.

« Les vers ont mangé mes journaux, gémit-elle. Mes précieux souvenirs de Maman et Papa…

– Les vers n'ont pas mangé vos journaux, Agnes. Ils sont en sûreté avec moi. » Sugar se penche de nouveau pour caresser le bras d'Agnes. « Même ceux d'Abbots Langley, ajoute-t-elle d'un ton apaisant, avec toutes leurs dictées de français. Tous en sûreté. »

Agnes lève haut la tête, et pousse un cri de soulagement. Sa gorge pâle tremble du souffle de ce cri, et ses cheveux retombent sur ses épaules, révélant des larmes sur ses joues.

« Prenez-moi, supplie-t-elle. Je vous en prie, prenez-moi, avant qu'ils ne le fassent.

– Pas encore, Agnes. Il n'est pas encore temps. » Sugar a posé la lampe par terre et se hisse avec lenteur et précaution dans la voiture. « Bientôt je vous aiderai à sortir d'ici. Bientôt, je vous le promets. Mais d'abord il faut vous réchauffer, dans votre bon lit bien chaud, et vous reposer. »

Elle passe un bras dans le dos d'Agnes avant de glisser les doigts sous ses aisselles, qui sont chaudes et moites de fièvre.

« Venez », dit-elle, et elle soulève Mrs. Rackham.

Le chemin de retour n'est pas tout à fait le cauchemar que Sugar redoutait. Certes, elles doivent marcher sans lumière, car Sugar ne peut pas à la fois supporter Agnes et tenir une lanterne. Mais le grésil et le vent ont cessé, laissant l'air silencieux et inquiet sous de lourds nuages menaçants. Puis Agnes n'est pas un poids mort : elle s'est quelque peu reprise et elle boite et trébuche aux côtés de Sugar sans se plaindre – comme une catin ivre. Et, maintenant que l'objectif se résume à la silhouette monumentale de la maison, dont les fenêtres du rez-de-chaussée sont éclairées, il est plus facile d'avancer que lorsque Sugar tâtonnait dans l'inconnu d'un noir d'encre.

« William va être fâché après moi, dit Agnes, alors qu'elles remontent l'allée, leurs pieds faisant respectivement *krift, krift, krift* et *fro, fro, fro.*

– Il n'est pas là, dit Sugar. Ni Clara. »

Agnes pose sur sa sauveuse un regard émerveillé, imaginant William et Clara poussés de côté comme les deux moitiés de la mer Rouge, agitant des membres impuissants tandis que la force irrésistible de la magie les propulse dans le néant. Puis elle s'arrête net, et jette un regard critique sur la maison dont son ange gardien s'apprête à lui faire franchir le seuil.

« Vous savez, je n'ai jamais aimé cet endroit, remarque-t-elle, d'un ton distant et pensif, tandis que les flocons de neige se remettent à tomber, scintillant sur sa tête et ses épaules. Elle a une odeur… une odeur de gens qui essaient terriblement fort d'être heureux, sans le moindre succès. »

# 28

*Mais maintenant, mes chers Enfants – car c'est ainsi que je pense à vous, lecteurs bénis de mon Livre à travers le monde –, je vous ai appris tout ce que je savais. Et pourtant j'entends vos voix, d'aussi loin que l'Afrique et l'Amérique, et d'aussi longtemps que les Siècles à venir qui me crient: Racontez-Nous, Racontez-Nous, Racontez -Nous <u>Votre</u> Histoire!*

*Oh, Hommes de peu d'intelligence! Ne vous ai-je pas dit que les détails de mon propre cas n'ont pas d'intérêt? Ne vous ai-je pas dit que ce Livre n'est pas un Journal? Et vous continuez à vouloir en savoir plus sur <u>moi</u>!*

*Très bien, alors. Je vais vous raconter une histoire. Je suppose, si vous avez lu <u>toutes</u> mes Leçons et que vous les avez méditées, que vous l'avez mérité. Et peut-être un livre a-t-il meilleure mine quand il n'est pas aussi mince – bien que je pense qu'il y a plus de substance dans ce petit volume que dans les tomes les plus épais écrits par des âmes privées de lumière. Mais passons. Je vais vous raconter l'histoire d'une chose à laquelle j'ai assisté et qu'il n'est permis de voir à aucun de nous avant la Résurrection – mais je l'ai vue, parce que j'ai mal agi!*

*C'était une fois où j'avais été transportée au Couvent de la Santé pour être soignée. J'étais arrivée dans un piteux état, mais après une heure ou deux des douces attentions de mes Saintes Sœurs, j'allais beaucoup mieux, et j'étais follement curieuse d'explorer les autres cellules du couvent, ce qui était interdit. Mais je me sentais si bien que je m'ennuyais. La curiosité, qui est le nom désobligeant que les hommes donnent à la soif de Savoir des femmes, a toujours été mon plus grand défaut, je l'avoue. Et c'est ainsi, chers lecteurs, que je quittai le confinement de ma cellule.*

*J'avançai à pas furtifs, ainsi que font les Malfaiteurs, et regardai par le trou de la serrure de la cellule suivante. Quelle surprise! J'avais toujours cru que seul notre sexe pouvait être reçu au Couvent de la Santé, mais voici que je voyais Henry, mon beau-frère! (Cela ne me gêna absolument pas, car Henry était le meilleur homme du monde!) Mais je jure que je n'aurais jamais regardé par le trou de cette serrure si j'avais su qu'il ne portait aucun vêtement! Toutefois – je l'ai aperçu en un éclair. Une des Sœurs bénies était à ses côtés, soignant ses brûlures. Je détournai immédiatement les yeux.*

*Dans le couloir derrière moi j'entendis soudain des pas, mais, plutôt que de rentrer précipitamment dans ma cellule, je pris peur et me hâtai de poursuivre mon chemin. Je tombai directement sur la Pièce la Plus Interdite, celle marquée d'un A doré, et y pénétrai!*

*Comment puis-je prétendre me repentir de mon péché de désobéissance? Je pourrais dire un millier de Je Vous salue Marie et continuer à sourire de félicité au souvenir de ce moment. Je me tenais là, émerveillée par l'Apparition au milieu de la pièce. Une colonne de flammes géante, dont je ne voyais pas la source: elle semblait sortir du vide à quelque distance du sol et se terminer en pointe bien au-dessus. J'estime – bien que je n'aie jamais été bonne en calcul – qu'elle faisait bien six mètres de haut, et un de large. La flamme était orange vif, et ne dégageait ni chaleur ni fumée. À son cœur, suspendu à l'intérieur comme un oiseau flottant dans le vent, se trouvait le corps sans voiles d'une fille. Je ne pouvais pas voir son visage, car elle flottait dos à moi, mais sa peau était si blanche et immaculée que je supposai qu'elle avait peut-être treize ans. La flamme était si transparente que je la voyais respirer, et sus ainsi qu'elle était vivante, mais endormie. La flamme ne lui faisait aucun mal, elle se contentait de la supporter et de soulever doucement ses cheveux, tout autour de son cou et de ses épaules. Je me forçai à étendre une main en direction du feu, supposant que la flamme devait être comparable à celle qu'émet le cognac chauffé. Mais il était encore plus particulier que cela : je pus y plonger les doigts, car il était frais comme de l'eau ; et de fait j'eus exactement l'impression que de l'eau me coulait sur la main. Je ne sais pas pourquoi cela me surprit plus que si j'avais été brûlée, mais je poussai un cri et retirai vivement la main. L'immense flamme fut dérangée par mon mouvement, se mit à osciller irrégulièrement et, à ma grande peur, la corps de la fille commença à pivoter ! J'étais trop stupéfaite pour bouger d'un pouce, jusqu'à ce que le corps flottant se soit complètement retourné et que je constate que c'était – le mien !*

*Oui, chers lecteurs, c'était mon Second Corps, mon Corps Solaire – absolument parfait – exempt de chaque marque que la Souffrance m'avait jamais infligée. J'étais si impatiente de voir à quel point il était sans tache que je penchai le visage dans la flamme, sensation des plus délicieuses.*

*J'étais particulièrement ravie de ma poitrine, si petite et ferme, de mes parties inférieures, sans poils grossiers, et*

*bien sûr de mon visage, duquel tous les soucis étaient effacés. Je dois dire que j'étais soulagée qu'elle soit endormie, car je ne pense pas que j'aurais eu le courage de me regarder dans les yeux.*
*Submergée enfin par la crainte – ou la satisfaction –, je quittai la pièce et courus à ma cellule aussi vite que mes pieds purent me porter !*

Sugar tourne la page, mais cet épisode extatique est évidemment tout ce qu'Agnes était parvenue à écrire des *Pensées Illuminées & Réflexions Surnaturelles d'Agnes Pigott* avant de prendre la décision fatidique de déterrer ses vieux journaux.

« Eh bien, qu'en penses-tu ? demande William, car il est perché sur le bord de son bureau, et Sugar se tient debout devant lui, le cahier ouvert dans les mains.

– Je – je ne sais pas », répond-elle, tâchant encore de deviner pourquoi il l'a convoquée ce matin dans son bureau. Tous deux sont mortellement fatigués, et ont sûrement mieux à faire de leurs cerveaux éreintés que de disséquer les délires d'Agnes. « Elle… elle raconte bien les histoires, non ? »

William la regarde, déconcerté, les yeux rouges d'épuisement. Alors qu'il ouvre la bouche pour parler, son estomac émet un grognement, car il a donné aux domestiques – celles qui ont passé une mauvaise nuit – la permission de se lever tard.

« Tu plaisantes ? » demande-t-il.

Sugar referme le cahier et le presse contre sa poitrine. « Non… non, bien sûr que non, mais… Ce récit, c'est… c'est un rêve, n'est-ce pas ? Le compte rendu d'un rêve… »

William fait une grimace irritée. « Et le reste ? La première partie ? Les… (il cite le mot avec un dégoût exagéré) "leçons" ?

– Eh bien… tu sais que je ne suis pas la plus religieuse des femmes, soupire-t-elle, donc je ne peux pas vraiment juger…

– *Folie!* explose-t-il, frappant le bureau du plat de la main. Démence totale! Tu ne le vois donc pas?»

Elle bat des paupières, fait instinctivement un pas en arrière. Lui a-t-il jamais parlé si durement? Elle se demande si elle devrait éclater en sanglots et dire: «Tu-tu m'as fait p-peur» d'une voix tremblante afin qu'il s'excuse en la prenant dans ses bras. Un regard rapide à ces bras, et les poings qui les terminent, l'en dissuade.

«Regarde – regarde ça!» s'exclame-t-il d'un ton rageur, désignant une pile de livres et de brochures en équilibre précaire sur son bureau, dont les couvertures sont toutes cachées par des jaquettes de papier peint ou de tissu faites à la main. Il attrape le premier, l'ouvre brutalement à la première page et lit d'une voix forte et railleuse: «*De la matière à l'esprit: le résultat de dix ans de manifestations spirites, avec des conseils aux néophytes*, de Celia E. De Foy!» Il s'en débarrasse comme d'un mouchoir irrémédiablement souillé et en saisit un autre. «*Un doigt dans la blessure du Christ: enquête au cœur des arcanes des Écritures*, par le docteur Tibet!» Il rejette également celui-là. «J'ai fouillé la chambre d'Agnes pour confisquer tout ce qu'elle pourrait utiliser afin de se faire du mal. Et qu'est-ce que j'ai trouvé? Deux douzaines de ces ignobles objets, cachés à l'intérieur des boîtes à couture d'Agnes, qu'elle faisait venir d'aussi loin que d'Amérique ou qu'elle volait – oui, *volait* – à une bibliothèque de prêt spiritualiste de Southampton Row! Des livres qu'aucun homme sensé ne publierait, et qu'aucune femme sensée ne lirait!»

Sugar cligne des yeux d'un air stupide, incapable de saisir le sens de sa tirade, mais secouée par la véhémence de celle-ci. La pile de livres et de brochures, comme si elle aussi était ébranlée, s'écroule soudain, se répandant sur le bureau de William. Un opuscule tombe sur le tapis, une petite chose de la taille d'un missel proprement vêtu de dentelle.

« William – que veux-tu de moi ? demande-t-elle, tâchant de conserver sa voix vierge de toute exaspération. Tu m'as fait venir ici, alors que Sophie est désœuvrée dans la salle d'étude, pour regarder ces choses que tu as… retirées à Agnes. Je suis d'accord qu'elles sont la preuve d'un… d'un esprit sévèrement embrouillé. Mais comment puis-je t'aider ? »

William passe la main dans ses cheveux, puis en saisit une poignée qu'il presse fort contre son crâne, geste d'énervement qu'elle a déjà observé durant sa dispute avec les marchands de jute de Dundee.

« Clara m'a dit, déclare-t-il d'une voix rauque, qu'elle refuse absolument de continuer à donner son… médicament à Agnes. »

Sugar se mord la langue sur plusieurs réponses, dont aucune n'est très respectueuse envers les hommes qui veulent garder leurs femmes droguées jusqu'à la moelle ; elle prend une grande respiration, et parvient à dire : « Est-ce si grave, William ? Agnes marchait plutôt bien, j'ai pensé, quand je l'ai raccompagnée à la maison. Le plus gros du danger est probablement passé, tu ne crois pas ?

– Un incident tel que celui de la nuit dernière, et tu suggères que le danger est *passé* ?

– Je voulais parler des blessures à ses pieds. »

William baisse le regard. Ce n'est qu'alors que Sugar détecte une certaine furtivité dans son attitude, une honte de chien qu'elle ne lui avait pas vue depuis la première fois qu'il avait soulevé ses jupes chez Mrs. Castaway et cherché à la soumettre à ce que d'autres putains avaient refusé. Que veut-il d'elle aujourd'hui ?

« Quand bien même, marmonne-t-il, Clara, une domestique que j'emploie, m'a ouvertement défié. Je lui ai dit d'administrer ce médicament jusqu'à… jusqu'à nouvel ordre, et elle refuse de le faire. »

Sugar sent que le reproche commence à tordre son visage et elle se hâte de lisser ses traits autant que possible. « Clara est la femme de chambre d'Agnes, lui rappelle-t-elle. Tu dois te demander : comment peut-elle remplir cette fonction si Agnes n'a pas confiance en elle ?

– Une excellente question, remarque William avec un hochement de tête de mauvais augure, comme s'il n'était que trop clair à quel point il lui était impossible de garder Clara. Elle a *aussi* refusé, catégoriquement, de fermer à clef la porte d'Agnes.

– Pendant qu'elle la sert ?

– Non, après. »

Sugar tâche de faire entrer ce segment d'information dans son esprit, mais il est juste un peu trop important pour passer par l'ouverture. « Tu veux dire que tu veux – euh, qu'il est prévu que… Agnes sera euh… (elle avale un grand coup) enfermée dans sa chambre ? »

Le visage brûlant, William se détourne d'elle ; il agite un bras indigné en direction de la fenêtre, son index tendu poignardant l'air. « Est-ce que nous devons aller la chercher dans la remise, ou Dieu sait où, toutes les nuits de la semaine ? »

Sugar serre le cahier plus fort contre elle ; elle aimerait le poser mais elle juge imprudent de quitter William ne fût-ce qu'un instant des yeux. Que veut-il *vraiment* ? Quel acte de soumission extravagante soulagerait-il la colère qui fait gonfler sa carrure ? Lui faut-il la frapper à coups de poing, avant d'exercer son remords entre ses cuisses ?

« Agnes me semble… très calme en ce moment, tu ne trouves pas ? suggère-t-elle d'une voix douce. Quand je l'ai ramenée du froid, elle ne parlait que de l'envie qu'elle avait d'un bain chaud et d'une tasse de thé. “Chez soi c'est son foyer”, elle a dit. »

Il lui jette un regard furieux et plein de défiance. Il a avalé une centaine de mensonges ; des mensonges à propos de la taille de sa queue, supérieure à celle des autres, sur le potentiel érotique des poils de sa poitrine, sur le fait que Rackham devait inévitablement devenir le premier parfumeur d'Angleterre ; mais cela – cela il ne peut pas le croire.

Pendant un instant elle craint qu'il ne la prenne par les épaules pour la secouer et obtenir d'elle la vérité, mais alors il s'affaisse de nouveau contre son bureau et se passe les mains sur le visage.

« Comment est-ce que tu l'as trouvée, d'abord ? » lui demande-t-il d'un ton plus calme. C'est une question qu'il n'a pas eu l'occasion de lui poser il y a plusieurs heures de cela, quand il est rentré à l'aube, trempé jusqu'aux os, fou d'inquiétude, pour trouver sa femme somnolant, bien bordée dans son lit. (« Mon Dieu, William, dans quel état vous êtes ! » avait été le seul commentaire d'Agnes avant qu'elle ne laisse retomber ses paupières.)

« Je… je l'ai entendue appeler », répond Sugar. Combien de temps encore William a-t-il l'intention de la retenir ici ? Sophie attend dans la salle d'étude, plutôt distraite et maussade aujourd'hui ; elle a besoin de la routine familière des leçons et pourtant elle y résiste… Il va y avoir des problèmes – des larmes, à tout le moins – si la normalité n'est pas bientôt restaurée…

« Il est… *excessivement* important, déclare William, qu'elle ne se sauve pas dans les jours qui viennent. »

Le self-control de Sugar ne peut plus supporter le poids de la conversation, et elle craque. « William, pourquoi me dis-tu cela ? Je croyais que tu voulais que je n'aie rien à voir avec Agnes. Dois-je être sa gardienne maintenant ? Doit-elle rester assise dans un coin de la salle d'étude pendant que je fais la leçon à Sophie, pour s'assurer qu'elle se conduit bien ? » Alors même que les mots lui échappent, elle les regrette ; il faut à l'homme une flatterie constante et infatigable si l'on ne veut pas qu'il devienne mauvais; une remarque négligente peut mettre fin à sa fragile patience. Si une fille veut avoir la langue acérée, elle ferait bien d'en faire un métier, comme Amy Howlett.

« Oh, William, je t'en prie excuse-moi, l'implore-t-elle, se couvrant le visage de ses mains. Je suis si fatiguée. Et toi aussi, j'en suis sûre. »

Enfin il s'avance vers elle pour la prendre dans ses bras : dure étreinte. Le cahier d'Agnes tombe par terre; leurs joues s'entrechoquent, os contre os. Chacun d'eux presse plus fort tandis que l'autre réagit de même, jusqu'à ce qu'ils soient au bord de l'étouffement. En bas, on entend la sonnette de la porte d'entrée.

« Qui est-ce? demande Sugar avec un sursaut.

– Oh, des commerçants et des pique-assiette, répond-il, qui viennent chercher leurs cadeaux de Noël. Il leur faudra repasser, quand Rose sera prête à affronter le monde.

– Tu es sûr...? demande-t-elle, tandis que la sonnerie persiste.

– Mais oui, rétorque-t-il d'un ton irrité. Clara surveille Agnes en ce moment, d'aussi près que je te surveille.

– Mais je croyais que tu avais dit que tu avais donné permission à toutes les domestiques...

– Toutes sauf Clara, bien sûr! Si la petite friponne refuse de faire ce qu'il faut pour qu'Agnes dorme, et refuse aussi de l'enfermer, le moins qu'elle puisse faire est de rester avec elle dans sa chambre! » La dureté de ses propres mots lui arrache une grimace de mortification, et il ajoute : « Mais ne vois-tu pas que ce n'est pas ainsi que marche une maison!

– Je suis désolée, William, dit-elle en lui caressant les épaules. Je ne peux que tenir mon rôle de mon mieux. »

À son soulagement, ça marche. Il la serre fort, laissant échapper des petits grognements de détresse, jusqu'à ce que la tension commence à quitter son corps, et qu'il soit prêt à avouer.

« J'ai besoin de ton avis, murmure-t-il à son oreille d'un ton précipité de conspirateur. J'ai une décision à prendre. La décision la plus difficile de toute ma vie.

– Oui, mon amour ? »

Il presse sa taille, s'éclaircit la gorge, puis les mots sortent en un flot si précipité qu'ils sont presque incompréhensibles. « Agnes est folle, elle est folle depuis des années, et la situation est ingérable, et pour tout dire… eh bien, je pense qu'il faudrait la mettre en sûreté.

– En sûreté ?

– Dans un asile.

– Oh. » Elle se remet à caresser ses épaules, mais la culpabilité l'a rendu si sensible que ce bref arrêt l'a déjà frappé comme une gifle.

« On pourra la *soigner*, plaide-t-il avec l'intensité de qui n'est pas convaincu. Ils ont des médecins et des infirmières en permanence. Elle sortira de là une femme neuve.

– Et… quand est-ce que tu as décidé… ?

– Cela fait des années que j'aurais dû faire ça ! Le 28, bon Dieu ! Le docteur Curlew m'a proposé de… euh… l'escorter là-bas. Ça s'appelle le sanatorium Labaube. » D'un ton bizarrement mièvre, il ajoute : « Dans le Wiltshire », comme si la mention de la localité devait suffire à bannir tout doute quant aux références de l'asile.

« J'ai besoin de savoir… » Il gémit, enfouit son visage dans son cou. « J'ai besoin de savoir… que c'est… que je ne suis pas un… » Elle sent son front se plisser contre sa peau, sa mâchoire trembler à travers le tissu de sa robe. « J'ai besoin de savoir que je ne suis pas un monstre ! » s'écrie-t-il, terrassé par un spasme d'angoisse.

Avec une légèreté et une tendresse infinies, Sugar lui caresse les cheveux et pose des baisers sur sa tête. « Allons, allons, roucoule-t-elle. Tu as fait de ton mieux, mon amour. Tu as toujours fait de ton mieux depuis le jour où tu l'as rencontrée, j'en suis sûre. Tu… tu es un homme *bon.* »

Il laisse échapper un grognement sonore, de douleur et de soulagement. C'est cela qu'il voulait d'elle depuis le début ; voilà pourquoi il l'avait fait venir. Sugar l'étreint tandis qu'il s'effondre contre elle, et son cœur s'emplit de honte ; elle sait qu'il n'y a pas une dégradation à laquelle elle a consenti, pas un avilissement qu'elle a jamais feint de goûter qui puisse se comparer en bassesse à cela.

« Et si Clara révèle tes plans à Agnes ? » C'est une question répugnante, mais elle doit la poser, et elle est déjà si loin dans la perfidie que ça ne fait pas vraiment de différence. Il y a un goût bilieux de complot sur sa langue – la salive empoisonnée d'une lady Macbeth.

« Elle ne sait rien, murmure William contre ses cheveux. Je ne lui ai rien dit.

– Mais, le 28… ? »

Il rompt leur étreinte, et se met immédiatement à faire les cent pas, les yeux vitreux, les épaules voûtées, se tordant les mains de nervosité.

« Je donne quelques jours de congé à Clara, dit-il. Je lui dois Dieu sait combien d'après-midi, sans parler de bonnes nuits de sommeil. » Il regarde vers la fenêtre et cligne fortement des yeux. « Et – je serai absent moi aussi, le 28. Dieu me pardonne, Sugar, je ne peux pas supporter d'être là quand on viendra prendre Agnes. Donc, je… j'irai travailler. Je pars demain matin. Il y a un homme dans le Somerset qui prétend avoir inventé une méthode d'enfleurage qui n'exige pas d'alcool. Cela fait des mois qu'il m'envoie des lettres me demandant de venir voir la preuve par moi-même. Il est très probable que ce soit un charlatan, mais… Ah, je lui donnerai une heure de mon temps. Et quand je reviendrai… Eh bien… nous serons le 29 décembre. »

Dans l'imagination de Sugar deux images resplendissent côte à côte. Dans l'une, William est accueilli dans l'antre sinistrement éclairé d'un imposteur au regard mauvais entouré d'alambics fumants et bouillonnants. Dans l'autre, Agnes est bras dessus bras dessous avec le docteur Curlew, l'homme que ses journaux qualifient de suppôt de Satan, d'Inquisiteur Démoniaque et de Maître des Sangsues ; ravisseur et captive marchent tels une mariée et son père en direction d'une voiture prête à les emmener…

« Mais… si Agnes *résistait* au docteur ? »

William se tord les mains d'autant plus nerveusement. « Ce serait tellement mieux, se lamente-t-il, si Clara n'avait pas fait de difficultés avec le laudanum. Agnes est éveillée et sur la défensive maintenant. Elle goûte tout ce qu'on lui donne du bout de la langue, comme un chat… » Et il jette au plafond un regard accusateur à l'adresse de la puissance fatale qui se cache là-haut et qui sème tant de mal. « Mais Curlew aura des hommes avec lui. Quatre hommes forts.

– Quatre ? » La vision du petit corps malingre d'Agnes attaqué par cinq gros balèzes donne la chair de poule à Sugar.

William cesse de marcher et la regarde droit en face, ses yeux injectés de sang l'implorant de pardonner un scandale supplémentaire, de lui donner, par son silence, par sa complaisance, juste une bénédiction de plus.

« S'il devait se passer quelque chose de désagréable, persiste-t-il, cherchant un mouchoir pour s'éponger le front, les hommes ne feront que s'assurer que l'on procède avec… dignité.

– Bien sûr », s'entend dire Sugar. La sonnette ne cesse de tinter au rez-de-chaussée.

« Bon Dieu, aboie William. Quand j'ai dit à Rose qu'elle pouvait dormir, je ne voulais pas dire toute la journée ! »

Deux minutes plus tard, quand Sugar rentre dans la salle d'étude, tout ne va pas bien. Elle savait qu'il en serait ainsi.

Sophie a quitté son bureau et se tient maintenant debout sur un tabouret face à la fenêtre, immobile, apparemment inconsciente de la présence de sa gouvernante. Elle regarde le monde dans sa lunette d'approche – un monde qui ne consiste en rien de très spectaculaire, rien qu'un ciel plombé et quelques allusions vacillantes de piétons et de véhicules à travers le camouflage du lierre de Shears sur les palissades Rackham. Pour une petite fille munie d'une lunette d'approche, cependant, même ces phénomènes indistincts peuvent être fascinants, si elle n'a rien de mieux à faire ; car qui sait combien de temps sa gouvernante – en dépit des déclarations solennelles touchant la quantité de choses à apprendre avant la nouvelle année – a l'intention de la laisser ainsi ?

Donc, Sophie a tourné le dos aux promesses des adultes, et conduit sa propre enquête. Plusieurs hommes à l'air bizarre sont entrés dans le jardin ce matin, ont sonné à la porte et sont repartis. Rose ne semble pas travailler du tout aujourd'hui ! Le jardinier est sorti pour fumer un de ces drôles de petits tubes blancs qui ne sont pas des cigares ; puis il a quitté la propriété et a disparu au coin de la rue, en marchant extrêmement lentement et prudemment. Cheesman est rentré de chez sa maman, marchant de la même façon étrange que Shears – en fait, les deux hommes ont bien failli se rentrer dedans au portail. La fille de cuisine aux vilains bras rouges n'est pas encore sortie pour vider ses seaux. Il n'y a pas eu de vrai petit déjeuner ce matin – ni porridge ni cacao –, que du pain beurré, de l'eau et du Christmas pudding. Et que d'histoires pour les cadeaux ! D'abord Miss Sugar a dit que les cadeaux devaient rester dans la chambre, afin de ne pas la distraire pendant les leçons, puis elle a changé d'avis – pourquoi ? Qu'est-ce qui est juste : les cadeaux dans la chambre, ou les cadeaux dans la salle d'étude ? Et l'Australie ? Miss Sugar devait parler de la Nouvelle-Galles du Sud mais il n'en a rien été.

Bref, l'univers est totalement chamboulé. Sophie ajuste les lentilles de la lunette d'approche, presse fortement les lèvres l'une contre l'autre, et poursuit sa surveillance. Il se peut qu'à cet instant l'univers se remette en place – ou explose pour n'être plus que chaos.

À l'instant où elle pénètre dans la pièce, Sugar perçoit l'insatisfaction qui émane de la petite fille, bien que Sophie ait le dos tourné. Le trouble d'un enfant est aussi puissant qu'un pet silencieux. Mais Sugar sent quelque chose d'autre aussi : une *vraie* odeur, âcre et alarmante, quelque chose est en train de brûler !

Elle va à la cheminée et là, se consumant sur le lit livide du charbon, se trouve le nègre de Sophie, les jambes déjà réduites en cendres, sa tunique flétrie comme un morceau de bacon trop grillé, ses dents toujours blanches tandis que les flammes paresseuses lèchent le pourtour de sa tête grésillante.

« Sophie ! » s'écrie Sugar, trop épuisée pour adoucir l'éclat de sa voix. L'effort qu'elle a fait pour se comporter selon les usages avec William lui a sucé tout ce qu'elle avait de tact. « Qu'as-tu fait ! »

Sophie se raidit, abaisse la lunette d'approche et se tourne lentement sur son tabouret. Son visage est défiguré par l'appréhension et la culpabilité, mais dans sa moue il y a aussi du défi.

« Je brûle le nègre, miss », dit-elle. Puis, anticipant l'appel que sa gouvernante ne peut manquer de faire à sa crédulité enfantine, elle ajoute : « Il n'est pas vivant, miss. C'est que des vieux chiffons et du biscuit. »

Sugar baisse les yeux sur la petite carcasse en train de se désintégrer et se trouve déchirée entre le désir de sauver et le désir de tisonner l'horrible chose afin qu'elle cesse de se consumer et brûle correctement. Elle se retourne vers Sophie et ouvre la bouche pour parler, mais elle aperçoit la belle poupée française qui assiste à la scène depuis l'autre bout de la pièce, dominant l'arche de Noé avec son chapeau à plumes, son visage suffisant et impassible tourné droit vers la chemine, et les mots meurent dans sa gorge.

« Il vient d'une boîte à thé, miss, poursuit Sophie. Et il devait y avoir un éléphant sous lui, miss, qui manque, c'est pour ça qu'il ne tient pas debout, et de toute façon il est noir et les poupées comme il faut ne sont pas noires n'est-ce pas, miss ? Et il était tout sale et taché, miss, du jour où il a reçu du sang. »

La pièce s'emplit de fumée, et l'enfant et sa gouvernante se frottent les yeux, près de pleurer.

« Mais Sophie, le jeter dans le feu comme ça... », commence Sugar, mais elle est incapable de continuer. Le mot « mal » refuse de sortir. Il brûle dans son esprit, marqué au fer rouge par Mrs. Castaway : *Le mal est ce que nous ne pouvons nous empêcher de faire, mon petit. Le mot a été inventé pour nous décrire. Les hommes aiment se vautrer dans le péché ; c'est nous qui sommes le péché dans lequel ils se vautrent.*

« Tu aurais dû me demander », marmonne-t-elle, saisissant enfin le tisonnier. Elles vont bientôt tousser, et si la fumée se répand dans la maison, elle va avoir des ennuis.

Sophie regarde les formes familières de sa poupée disparaître dans la fournaise de l'oubli. « Il était bien à moi, miss ? demande-t-elle, sa lèvre inférieure tremblante, les paupières battant sur ses yeux brillants. Je pouvais en faire ce que je voulais, n'est-ce pas ?

– Oui Sophie, soupire Sugar tandis que les flammes se font

plus vives et que la tête au grand sourire s'effondre lentement sur les cendres du corps. Il était à toi. » Elle sait qu'elle devrait oublier cet incident sans délai pour revenir à la leçon, mais une riposte lui vient dans un éclair à retardement, et elle est trop faible pour y résister.

« Une enfant *pauvre* en aurait peut-être voulu, dit-elle, tisonnant les cendres avec une brutale emphase. Une malheureuse petite pauvre qui n'a pas *une seule* poupée pour jouer. »

Sur-le-champ, Sophie est prise d'une crise de larmes si bruyante que les cheveux se dressent sur la nuque de Sugar. L'enfant saute de son tabouret et tombe droit sur le derrière, hurlant à tue-tête, impuissante dans une mare de jupons. Il ne faut que quelques secondes pour que son visage se métamorphose en un morceau de viande rouge tuméfiée, visqueux de larmes, de morve et de salive.

Sugar la contemple, soufflée par la violence du chagrin de l'enfant. Elle chancelle ; ah ! si tout cela n'était qu'un rêve, auquel elle puisse échapper en se retournant simplement dans son lit. Elle voudrait avoir le courage de prendre Sophie dans ses bras, maintenant qu'elle est la plus laide et détestable possible, et qu'un tel geste puisse effacer du corps convulsé de l'enfant toute la douleur et les vilaines pensées. Mais elle n'en a pas le courage ; cette figure rouge et beuglante est effrayante tout autant que répugnante ; et s'il y a une chose qui mettrait à mal les nerfs de Sugar aujourd'hui, ce serait une rebuffade de Sophie. Elle demeure donc là en silence, les oreilles tintant, les dents serrées.

Il se passe plusieurs minutes, avant que la porte de la salle d'étude s'ouvre – probablement après un coup inaudible – et que Clara pointe son museau de fouine.

« Je peux vous être utile, Miss Sugar ? crie-t-elle par-dessus le vacarme.

– J'en doute, Clara, dit Sugar, alors même que le volume

des plaintes de Sophie baisse brusquement. Trop d'excitation à Noël, je pense... »

Le raffut se réduit progressivement à un sanglot haché, et le visage de Clara se durcit en un masque blanc d'indignation et de désapprobation – comment cette petite brute ose-t-elle faire un tel bruit pour si peu de chose ?

« Dites à Maman que je suis désolée », pleurniche Sophie.

Clara jette à Sugar un regard qui semble dire *Est-ce vous qui lui mettez une idée aussi stupide en tête ?* puis elle se hâte de retourner à sa maîtresse. La porte se referme, et la salle d'étude est de nouveau pleine de fumée et de reniflements.

« Lève-toi Sophie s'il te plaît », dit Sugar, priant pour que l'enfant obéisse sans protestation. Ce qu'elle fait.

La longue suite du lendemain de Noël, jour d'inexplicables tourterelles et d'invisibles préparatifs au voyage, passe comme un rêve qui a, dans sa sagesse impénétrable, décidé de s'arrêter net au moment où il risquait de tourner au cauchemar, préférant sombrer dans une confusion bénigne.

Après sa crise, Sophie est calme et accommodante. Elle voue son attention à la Nouvelle-Galles du Sud et aux différentes races de moutons ; elle apprend par cœur les noms des océans entre sa maison en Angleterre et le continent de l'Australie. Elle remarque que l'Australie ressemble à une broche épinglée sur les océans Indien et Pacifique ; Sugar suggère qu'elle ressemble plus à la tête d'un scotch-terrier, avec un col à pointes. Sophie confesse qu'elle n'a jamais vu un terrier. Une leçon pour l'avenir.

La maison Rackham se remet à fonctionner normalement à mesure que ses domestiques se lèvent et reprennent le travail. Le déjeuner est livré à la salle d'étude – tranches chaudes de rosbif, navets et pommes de terre, servis à une heure pile – et bien que le dessert soit de nouveau du Christmas pudding, au lieu de quelque chose de rassurant par sa normalité tel que le gâteau de riz, au moins il est chaud cette fois-ci, avec de la sauce et une bonne pincée de cannelle. Il est clair que l'univers recule du bord du précipice où il menaçait de se dissoudre.

Rose est revenue à la normale, elle aussi, répondant à la sonnette, qui n'arrête pas de sonner, tandis que ces hommes bizarrement accoutrés qui ont été déçus auparavant tentent de nouveau d'obtenir leur cadeau de Noël. Chaque fois, Sophie et Sugar vont regarder à la fenêtre, et chaque fois l'enfant dit : « Qui est-ce, s'il vous plaît, miss ? » tâchant humblement de se faire pardonner ses précédents manquements.

« Je ne sais pas, Sophie », répond chaque fois Sugar. L'impression est en train de se former, d'après ces aveux d'ignorance, que Miss Sugar en sait peut-être beaucoup sur l'histoire ancienne et la géographie de terres lointaines, mais pour ce qui est des affaires de la maison Rackham, elle n'y connaît quasiment rien.

« Quand mes leçons seront terminées, ce soir, annonce Sophie, au cours d'une pause dans l'après-midi où la tête de sa gouvernante s'incline en direction de sa poitrine, je lirai mon nouveau livre, miss. J'ai regardé les images, et elle m'ont rendue… très curieuse. »

Elle lève les yeux sur le visage de sa gouvernante, espérant y trouver de l'approbation. Elle ne voit qu'un pâle sourire sur des lèvres sèches et pelées, et des yeux dont de petites lignes rouges éraflent le blanc. Est-ce que ces lignes disparaîtront d'elles-mêmes, ou sont-elles tracées là pour toujours ? Et est-ce mal de regarder les illustrations d'un livre d'histoire avant de lire le texte ? Quoi d'autre peut-elle offrir à Miss Sugar, pour que tout redevienne comme avant ?

« L'Australie est un pays très intéressant, miss. »

Seule dans son lit ce soir-là, Sugar demeure éveillée, rongée par la crainte qu'elle ne puisse pas, en plus de tout, s'endormir. Ce serait la fin des fins. Avec un juron étouffé, elle ferme fort les yeux, mais ils se rouvrent tout seuls avec perversité, fixant l'obscurité. Il y a un ordre naturel du sommeil et de la veille, et elle a péché contre, et il est en train de se venger.

Et si William venait, pour une dernière débauche de réconfort avant de partir demain matin ? Ou peut-être lui demandera-t-il, avec cette expression de chien battu, si elle voudrait bien faire avaler de force une dose de laudanum à Agnes. Ou peut-être il désirera seulement enfouir son visage dans la poitrine de sa Sugar qui l'aime. Pour la première fois depuis bien des mois, Sugar ressent du dégoût à l'idée d'être touchée par William Rackham.

Elle reste étendue, éveillée, pendant ce qui lui paraît une heure ou plus, puis elle allume une lampe et prend un journal sous le lit. Elle parcourt une page, deux pages, deux pages et demie, mais l'Agnes Rackham qui s'y révèle est une cause d'irritation intolérable, une créature vaine et inutile qui ne manquerait pas un instant au monde si elle devait y être soustraite.

*Alors que feras-tu quand le bon docteur viendra avec ses quatre joyeux compères ?* se demande Sugar. *Emmener Sophie se promener dans le jardin pendant qu'Agnes est jetée, hurlant au secours, dans une voiture noire ?*

Dans le journal, Agnes est mariée depuis deux ans et se plaint de son mari. Il ne fait rien de la journée, prétend-elle, sinon écrire des articles pour *The Cornhill* que *The Cornhill* ne publie pas, et des lettres au *Times* que le *Times* n'imprime pas. Il n'est pas aussi intéressant dans sa propre maison qu'il l'était dans la sienne. Et son menton n'est pas aussi ferme que celui de son frère, a-t-elle remarqué, ni ses épaules aussi larges – en fait, son frère Henry est le plus beau des deux, et terriblement sincère avec ça, si seulement il ne s'habillait pas comme un mercier de province…

Sugar abandonne. Elle replace le journal sous le lit, éteint la lampe, et essaie une fois de plus de dormir. Ses yeux lui font mal et la piquent – qu'a-t-elle fait pour mériter… ? Ah, oui. Le repos ne visite pas facilement la tête qui conspire à la trahison d'une femme sans défense…

Et William ? Dort-il maintenant ? Il mérite de s'agiter en tous sens et de suer d'angoisse et pourtant elle espère qu'il ronfle paisiblement. Peut-être alors, quand il s'éveillera, parfaitement reposé, il reverra ses plans concernant Agnes. Peu probable, peu probable. Sugar connaît d'expérience le visage et l'étreinte d'un homme qui a passé le point de non-retour.

*Tout ira bien, je vous le promets. Tout finira pour le mieux.*

C'est ce qu'elle a promis à Agnes. Et tout n'ira-t-il pas mieux si Agnes va à l'asile ? Sa cervelle est brouillée, sans aucun doute – ne pourraient-ils la débrouiller, en la soignant bien ? Cette vision qui hante Sugar, d'une femme enchaînée, poussant des plaintes pitoyables sur la paille humide d'un cachot – pur fantasme, tiré de romans à deux pence ! Ce sera un endroit propre et accueillant, ce Labaube, avec des médecins et des infirmières qui ne cesseront de s'occuper d'elle. Et c'est dans le Wiltshire… Et qui peut dire que cette pauvre Mrs. Rackham ne croira pas qu'elle est dans le Couvent de la Santé et que les infirmières sont des nonnes ?

*Bientôt je vous aiderai à sortir d'ici. Bientôt, je vous le promets.*

C'est ce qu'elle a dit à Agnes, tandis qu'elle offrait à la femme terrifiée un bras auquel s'agripper. Ah, mais que sont les promesses dans la bouche d'une putain ? Rien de plus que de la salive pour lubrifier la soumission. Sugar se frotte les yeux dans l'obscurité, tout en s'abreuvant d'injures. Elle est une menteuse, une ratée, elle invente des faits sur l'Australie… et grand Dieu, l'horrible sourire de ce nègre, tandis que les flammes dévoraient sa tête… !

*Une femme neuve*, se dit-elle. *Agnes sortira de là une femme neuve.* C'est ce qu'a dit William, et pourquoi cela ne serait-il pas vrai ? Agnes sera guérie au sanatorium ; le jour de son départ elle embrassera les infirmières et serrera la main des médecins avec la larme à l'œil. Puis elle rentrera chez elle et reconnaîtra Sophie pour sa fille…

Cette pensée, conçue pour la rassurer, a un effet contraire – elle envoie un frisson glacé dans tout son corps. Au cours des derniers instants de conscience qui précèdent la chute dans le sommeil, Sugar sait, enfin, ce qu'elle doit faire.

C'est le soir du 27 décembre, et William Rackham est assis devant un verre de whisky dans un pub de Frome, Somerset, pensant qu'il aimerait être déjà au surlendemain.

Il a voyagé bien loin, et a tenté de se divertir de bien des façons (qui eût cru qu'une visite de la vieille lainerie de la ville manquerait à ce point de le fasciner !) et pourtant il y a encore treize, quatorze heures à attendre avant que le docteur Curlew ne se présente à Chepstow Villas… *Tout* pourrait arriver entre-temps – et surtout sa propre désintégration nerveuse… Et avec Clara absente et seulement Rose et cette idiote de Letty pour veiller au grain, il y a un risque terrible qu'Agnes n'échappe… c'est-à-dire, qu'elle s'expose au danger…

Si seulement il pouvait contacter sa maison, pour s'assurer de l'état d'Agnes. Rien que la semaine dernière, il a lu un article dans *Hogg's Review*, à propos d'une invention qui doit bientôt être produite en Amérique, un dispositif d'aimants et de diaphragmes, qui convertit la voix humaine en vibrations électriques, rendant ainsi possible la transmission de la parole sur de vastes distances. Si seulement ce mécanisme était déjà en usage ! Imaginez : il pourrait dire quelques mots dans un fil, recevoir la réponse : « Oui, elle est ici, elle dort » et se voir épargner les tourments de l'incertitude.

D'un autre côté, peut-être que ce n'est que du baratin, ce merveilleux télégraphe vocal, une histoire pour remplir des colonnes à défaut de nouvelles intéressantes. Après tout, pensez à ce qui l'a amené ici à Frome ! Le type qui avait une nouvelle méthode d'enfleurage était un imposteur, évidemment, et pas même un imposteur intéressant. William avait espéré jouir au moins du spectacle de gaz bouillonnants, de parfums malodorants et d'exclamations étouffées de « Regardez ! », alors qu'il avait été invité à étudier les carnets de notes d'un étudiant à la recherche d'un bienfaiteur pour financer ses recherches. Dieu nous préserve des jeunes hommes à la tête embrouillée qui ont besoin d'argent pour bâtir des châteaux dans les nuages !

« Mais je ne comprends pas, avait dit William tout en tâchant de garder son calme. Si le procédé fonctionne, pourquoi ne pouvez-vous pas le démontrer en action ? Sur une échelle plus petite, plus simple, avec quelques bourgeons dans une terrine ? »

À quoi le jeune homme avait répondu par un geste d'impuissance pour désigner la misère de son logis – laissant entendre que dans de telles conditions, même les miracles les plus modestes sont impossibles. Balivernes ! Mais laissons ce pauvre type mariner dans son apitoiement sur lui-même ; il est impossible de le désabuser de toute façon. William avait promis de ne pas l'oublier, lui avait souhaité bonne chance pour ses études, et avait pris la fuite.

Après cette triste rencontre, et un tour décevant des attractions de la ville, il était retourné à sa pension et avait traîné un moment dans sa chambre. Allongé sur un lit inconnu et trop mou, il avait essayé de lire un traité sur la civette et les difficultés, du point de vue du parfumeur, rencontrées dans son élevage en pays froids, mais il l'avait trouvé incompréhensible et regretté de n'avoir pas apporté un roman.

De plus la pension avait eu un effet des plus démoralisants sur lui. Sa propriétaire lui avait demandé de lui épeler son nom tandis qu'elle l'écrivait sur le registre et l'avait regardé bien en face sans se rappeler le moins du monde avoir vu ce visage quelque part. Et de fait, dans la salle de bains, tous les savons étaient de chez Pears. Nul d'entre eux pour être frappé du « R » ornemental. Perché au bord de cette vilaine baignoire veinée de bleu, William avait manqué pleurer.

C'est clair maintenant. Depuis qu'il a pris les rênes de la société Rackham, il a été mû par un moteur d'optimisme ; chaque mois sa fortune croissait, et au cours de ces conversations passionnées et tardives avec Sugar à Priory Close, il avait été encouragé à croire que l'avenir s'ouvrait devant lui, que l'ascension de Rackham au pinacle de la célébrité était historiquement inévitable. Ce n'est que maintenant qu'il aperçoit la vérité qui lui lance un clin d'œil depuis les brumes de l'avenir. Il va bâtir son empire sans héritier, devenir vieux et, dans sa vieillesse, le regarder s'écrouler. Nouvel Ozymandias, le désespoir au cœur, il regardera son affaire se transformer en une ruine colossale – ou (pire) se faire chiper par un rival. Quoi qu'il en soit, dans un siècle ou deux, le nom de Rackham ne signifiera plus rien. Et la semence de cette humiliation se trouve là, dans un porte-savon à Frome, Somerset.

Incapable de supporter plus longtemps sa misère, il avait fui sa pension à la recherche d'une taverne – *cette* taverne, La Gaie Bergère, où il se trouve maintenant devant son verre de whisky. Loin d'être le sanctuaire convivial qu'il avait espéré, c'est un endroit mélancolique et sombre, au parquet d'une couleur caramel nauséeuse, équipé d'un bar renforcé de faux marbre. Il y a un grand feu dans la cheminée mais c'est là tout ce qu'il a de commun avec le Fireside ; un vieux chien aux yeux chassieux est allongé près de l'âtre, gémissant et plissant la peau du front chaque fois qu'une cendre saute. Les clients humains ne sont certainement pas les provinciaux chaleureux dont il avait espéré que la conversation le distrairait ; ils boivent en silence, seuls ou par groupes de trois, levant de temps à autre leurs mentons engourdis pour demander un autre verre. Deux vieilles matrones sont occupées à d'obscures tâches derrière le bar – trop occupées, évidemment, pour accompagner le nouveau venu à sa table. William a donc choisi la sienne, dans une enclave ombreuse près de la porte des toilettes.

La pendule au-dessus du bar s'est arrêtée à minuit – Dieu seul sait lequel, dans quel lointain passé –, épuisée par l'effort d'avoir à sonner douze coups une fois de trop. William sort sa montre pour voir combien d'heures il lui reste à attendre avant d'aller au lit avec quelque chance de dormir, et il est promptement abordé par un type à l'allure louche qui lui propose une montre en or pour remplacer la sienne qui est en argent. William ne manifestant aucun intérêt, le type lui jette un regard mauvais et demande :

« Vot' dame aime bien les bagues ou les colliers, monsieur ? »

William serre les poings de part et d'autre de son verre de whisky et menace le type d'appeler la police. Il obtient l'effet désiré, bien que ses mains tremblent après que l'homme a décampé. Fronçant les sourcils, il vide son verre et fait signe qu'on lui en apporte un autre.

En tout cas, il ne se passe que quelques minutes avant qu'il soit de nouveau accosté – non par un voleur cette fois-ci, mais par un importun. Le type – un être lugubre au front de scarabée vêtu d'un manteau en tweed – demande à William s'ils ne se sont pas déjà rencontrés – à une vente de chevaux, peut-être, ou de vieux meubles – et suggère lourdement que si William a besoin de quoi que ce soit de ce genre, il ne perdra pas son temps à le lui dire. William demeure silencieux. Dans son esprit, une Agnes de dix-sept ans court sur une pelouse inondée de soleil, dans la propriété de son beau-père, après un cerceau, dans le tourbillon de ses jupes blanches. « Oh mon Dieu, il faut que je grandisse maintenant, n'est-ce pas ? » est ce qu'elle lui avait alors lancé d'une voix haletante, faisant allusion à sa prochaine entrée dans les rangs des femmes mariées. Ah Dieu ! La roseur translucide sur son visage alors ! Et qu'avait-il répondu ?

« Et vous, vous êtes dans quoi alors ?

– Hein ? Quoi ? » grogne-t-il tandis que la vision de sa fiancée s'évanouit.

L'importun se penche au-dessus de la table, révélant un subtil saupoudrage de pellicules dans ses cheveux généreusement huilés. « Vous êtes dans quoi ? » dit-il.

William ouvre la bouche pour dire la vérité, mais craint soudain que l'homme ne le prenne pour un menteur ; qu'il ne passe son nez graisseux à la porte d'une boutique de Frome demain matin et se trouve confirmé dans l'idée qu'il n'existe rien de tel que les produits Rackham.

« Je suis écrivain, dit William. Critique, pour les meilleures revues mensuelles.

– Ça rapporte bien ça ? »

William soupire. « De quoi faire bouillir la marmite.

– Vous vous appelez comment ?

– Hunt. George W. Hunt. »

L'homme acquiesce, jetant le nom dans un puits sans fond sans un instant d'hésitation. « Moi c'est Wray. William Wray. Rappelez-vous ce nom, si vous avez besoin d'un cheval. » Et il s'en va.

William jette un regard furtif autour de lui, craignant qu'il ne lui échoue d'autres importuns, mais il semble qu'il ait fait le tour des nuisances de la taverne. Ce n'est qu'alors qu'il remarque que, mis à part les serveuses et l'huile exécrable représentant la bergère au-dessus de la porte, il n'y a pas un visage féminin alentour. Les serveuses sont laides comme les sept péchés et la bergère a les yeux qui se croisent – sans doute est-ce involontaire de la part de l'artiste – et un sourire vulgaire plein de dents. Ah, la bouche d'Agnes est si petite et parfaite, son sourire est l'incarnat d'un bouton de rose sur sa peau de pêche… bien que la dernière fois qu'il l'a embrassée sur la bouche, il y a cinq ans ou plus, ses lèvres étaient froides, comme des quartiers d'une orange glacée…

Il lève son verre, pour commander un autre whisky. Il n'a jamais été porté sur les alcools forts, mais la bière ici est d'une qualité qui amènerait les semblables de Bodley et Ashwell à la cracher avec un *pshaw* de mépris. De plus, s'il pouvait seulement calmer le bouillonnement de son esprit grâce à l'opium de l'alcool, il pourrait rentrer dans sa chambre et, malgré l'heure peu avancée, s'enfoncer dans l'oubli du sommeil. Une horrible migraine le lendemain matin serait un prix léger à payer pour une nuit d'inconscience sans rêves.

Après deux whiskys supplémentaires, il juge que l'alcool a fait son effet sur son cerveau et qu'il est temps de partir. La pendule au-dessus du bar marque toujours minuit, et sa montre est trop difficile à extraire de son gilet, mais il sent que s'il posait maintenant la tête sur son oreiller il ne le regretterait pas. Il se lève… et se trouve soudainement convaincu de la nécessité de vomir et d'uriner aussi rapidement que possible. Il se dirige d'un pas vacillant en direction des toilettes, décide que l'anonymat d'une ruelle serait préférable, et sort en titubant de La Gaie Bergère dans les rues sombres de Frome.

Quelques secondes plus tard il a trouvé une ruelle étroite qui sent déjà les déjections humaines : l'endroit idéal pour ce qu'il a besoin de faire. Oscillant sous l'effet de la nausée, il délivre son pénis et pisse dans l'ordure ; malheureusement, il n'a pas vraiment terminé quand il est vaincu par la nausée et qu'il est obligé de se pencher en avant pour laisser sortir un jet de vomi de sa bouche.

« Oh là là ! » s'écrie une voix féminine.

Tout en vomissant il lève le regard et à travers le voile scintillant de ses yeux larmoyants il voit une femme se diriger vers lui – une jeune femme aux cheveux noirs, sans bonnet, avec une robe gris ardoise rayée de noir.

« Mon pauvre homme », dit-elle, s'avançant en balançant les hanches.

William lui fait signe de s'éloigner, tout en continuant de vomir, ahuri par la rapidité avec laquelle les charognards s'agglutinent autour d'un homme vulnérable.

« Il lui faut un bon lit pour se reposer, à ce pauvre bébé », roucoule-t-elle, assez près maintenant pour qu'il voie le masque de la poudre et le grain de beauté dessiné à l'encre sur sa joue osseuse.

De nouveau il balaie l'air nauséabond d'un grand mouvement furieux.

« Laissez-moi tranquille », braille-t-il, sur quoi – Dieu merci – elle bat en retraite.

Mais trente secondes plus tard, plusieurs paires de mains puissantes et poilues saisissent William Rackham par les épaules et les poches de son manteau et, quand il tâche de s'en débarrasser, un coup terrible à la tête l'envoie dégringoler dans l'abîme de l'inconscience.

« Tout le monde descend ! »

Vibrant de toute part, un train s'arrête, ouvre ses portières et répand son contenu humain dans le tumulte de la gare de Paddington. Le sifflement de la vapeur est presque aussitôt couvert par le brouhaha des voix, tandis que ceux qui veulent descendre leur bagage du toit du train luttent pour ne pas être emportés par la foule qui ne désire que s'en aller.

L'épaisse multitude est composée de toutes les catégories humaines : les jupes de couleur vive de ses femmes, gonflées comme des ballons, tourbillonnent sur le fond des tons funèbres des hommes, tandis que les enfants avancent tant bien que mal, bousculés parmi les sacs et les valises. Comme les enfants peuvent être jolis, s'ils sont bien habillés et bien soignés ! Quel dommage qu'ils fassent tant de bruit, quand ils sont mal élevés ! Regardez : en voilà un qui braille déjà, ignorant les supplications de sa maman. Écoute ta maman, petite diablesse ; elle sait ce qui est bien pour toi, et tu dois être courageuse, ramasse ton panier, et marche !

La femme qui regarde cette scène, pensant ces pensées, semble appartenir à la myriade de malheureuses qu'abrite Londres – pauvrement vêtue, seule, et boiteuse. Elle porte une robe froissée de coton bleu sombre avec un tablier gris – un style qui a passé de mode depuis au moins dix ans –, un bonnet élimé qui paraît écru mais a commencé sa carrière dans le blanc, et un manteau bleu pâle si maltraité par les ans qu'on dirait la toison du mouton qui a fourni sa matière. Elle tourne le dos à la scène, et se joint à la queue au guichet.

« Je voudrais me rendre à Lostwithiel », dit-elle à l'homme au guichet quand vient son tour de parler. Le préposé la toise.

« Pas de compartiment de troisième sur la ligne de Penzance », la prévient-il.

Elle sort un billet de banque tout neuf d'une fente de sa pauvre robe. « Je vais prendre une seconde. » Et elle sourit timidement, en réalité très excitée par l'aventure que représente une telle nouveauté.

Pendant un instant, le préposé hésite, se demandant s'il doit appeler la police, qui saurait dire comment une femme de si piètre apparence en est venue à posséder un billet de banque. Mais il y a du monde dans la queue, et quelque chose de séduisant dans le visage affamé de cette pauvresse, comme si, à condition d'avoir été davantage épargnée par le sort, elle eût pu devenir la plus gentille petite femme qu'un homme ait jamais eue, au lieu d'être obligée de vivre d'expédients. Et de toute façon, qui peut juger si une femme pauvrement vêtue ne peut être la propriétaire légitime d'un billet de banque? Il faut de tout pour faire un monde. Rien que la semaine dernière, il a servi une femme en redingote et pantalon.

« Retour ? » demande-t-il.

La femme hésite, puis sourit de nouveau. « Oui, pourquoi pas ? On ne sait jamais… »

L'homme se mâche la lèvre supérieure tout en préparant le billet.

« Sept heures dix-sept, quai numéro sept, dit-il. Changement à Bodmin. »

La pauvresse saisit le bout de papier de ses petites mains et s'éloigne en claudiquant. Elle regarde autour d'elle, oubliant à moitié qu'elle est seule, espérant à moitié que sa femme de chambre la suit, chargée d'une valise de vêtements. Puis elle se rappelle qu'elle n'aura plus jamais besoin de femme de chambre; ces pauvres haillons qu'elle porte sont ses derniers oripeaux dans cette vie, et n'ont d'autre utilité que de couvrir sa nudité pendant qu'elle emmène son vieux corps à sa dernière destination.

Une profonde inspiration pour se donner du courage, et elle commence à se tracer un chemin parmi la foule, avec précaution, de peur que quelqu'un lui marche sur les pieds. Elle n'a guère avancé lorsqu'une femme à l'apparence digne lui barre la route. Elles font un petit pas de deux, ainsi que feraient deux dames se croisant dans une porte étroite, puis elles s'arrêtent. Le visage de la femme exsude la compassion.

« Puis-je vous aider, mon petit ?

– Je ne crois pas », dit Agnes. Elle a reçu la consigne stricte d'ignorer les propositions de personnes inconnues.

« Nouvelle à Londres ? »

Agnes ne répond pas. Soit, le souvenir de son départ ce matin est un peu vague, vu l'heure matinale et l'obscurité qu'il faisait quand le murmure de sa Sainte Sœur l'a réveillée, mais s'il y a quelque chose qu'elle se rappelle clairement, c'est l'ordre de sa Sainte Sœur de ne rien révéler à personne au cours de son voyage, quelque aimable que cette personne puisse paraître.

« J'ai une pension pour les dames chrétiennes qui sont nouvelles à Londres, poursuit l'inconnue à l'air digne. Pardonnez-moi de prendre cette liberté, mais n'avez-vous pas récemment perdu votre mari… ? »

Encore une fois Agnes ne répond pas.

« Été abandonnée… ? »

Agnes secoue la tête. Un signe de tête est permis, du moins l'espère-t-elle. Elle a obéi à sa Sainte Sœur en chaque détail tout du long des épreuves de sa fuite : la terrible nouvelle de ce qui l'attendait ; son déguisement, la douleur causée par les chaussures à ses pieds blessés ; la descente des escaliers, comme une vulgaire voleuse dans sa propre maison, l'adieu digne et muet à la porte, rien d'autre qu'un signe de la main tandis qu'elle s'engageait en boitant dans l'obscurité neigeuse – oui, toutes ces étapes elle les a affrontées avec autant de bravoure que le lui avait demandé sa Sainte Sœur. Ce serait une tragédie si elle faiblissait pour pécher contre Elle maintenant.

« Vous avez l'air affamée, mon petit, remarque l'opiniâtre Samaritaine. Nous avons toute la nourriture qu'il faut dans notre maison, trois repas par jour, et un grand feu. Et vous n'avez pas besoin d'argent ; vous pourrez gagner votre entretien en faisant des travaux d'aiguille ou autre chose. »

Agnes, très offensée par la suggestion que sa forme physique puisse bénéficier d'une gloutonnerie telle que celle qui a gonflé la bulbeuse créature qui l'a accostée, se dresse de toute sa hauteur. Avec une politesse glaciale, elle dit : « Vous êtes très bonne, madame, mais vous faites fausse route. Je ne désire rien de vous, sinon que vous vous poussiez. J'ai un train à prendre. » Le masque de la femme tombe, son air de compassion disparaissant dans de vilaines rides, mais elle se pousse, et Agnes poursuit sa route, se forçant à marcher aussi gracieusement que si elle traversait une salle de bal. La douleur est terrible, mais elle a sa fierté.

Sur le quai sept, le chef de gare guide les passagers le long du train pour Penzance, tenant sa cloche par le battant et indiquant de la poignée les différents wagons. « Tout le monde à bord », crie-t-il avant de bâiller.

Agnes entre dans son wagon, sans la moindre aide, et trouve un siège. Les banquettes sont en bois, comme à l'église, dépourvues des somptueux rembourrages auxquels elle est habituée, mais tout est très propre et aucunement l'étable sur roues qu'elle avait toujours imaginé que devait être un wagon de seconde classe. Ses compagnons de voyage sont un vieil homme barbu, une jeune mère avec un bébé dans les bras et un garçon à l'air boudeur avec un bleu à la joue et un cartable. Agnes, obéissant scrupuleusement aux instructions de sa Sainte Sœur, s'assied à sa place à côté de la vitre et ferme immédiatement les yeux, afin de décourager quiconque d'engager la conversation avec elle.

En vérité, elle est soudain si épuisée qu'elle doute d'avoir la force de parler. Ses pieds souffrent de leur punition – la longue marche à travers Notting Hill avant d'avoir été recueillie, à l'aube, par un fiacre ; la longue attente devant la gare de Paddington jusqu'à ce qu'elle ouvre ; l'humiliation d'avoir reçu d'un policier l'ordre de circuler et des propositions d'un homme que l'alcool faisait délirer. Toutes ces épreuves qu'elle a endurées, et maintenant elle en paie le prix. Sa tête lui fait terriblement mal, à l'endroit habituel derrière l'œil gauche. Dieu merci c'est le dernier jour où elle devra l'endurer.

« Toutes les personnes qui ne voyagent pas sont priées de descendre immédiatement ! »

La voix du chef de gare pénètre à peine le battement de sang dans sa tête ; mais elle n'a pas besoin de l'entendre, l'ayant déjà entendue tant de fois dans ses rêves. C'est en fait la voix de sa Sainte Sœur qui résonne dans son cerveau enfiévré, murmurant : « Rappelez-vous, quand vous arriverez à votre destination, ne parlez à personne. Marchez jusqu'à ce que vous soyez loin dans la campagne. Frappez à la porte d'une ferme ou d'une église, et dites que vous cherchez le couvent. Ne l'appelez pas le Couvent de la Santé, parce qu'ils ne le connaissent pas sous ce nom. Dites seulement que vous voulez qu'on vous indique le chemin du couvent. N'acceptez rien de moins, ne dites à personne qui vous êtes, et ne bougez pas avant d'avoir obtenu une réponse. Promettez-le-moi, Agnes, promettez-le-moi. »

Le train siffle, vibre puis se met en branle. Agnes ouvre un œil – celui dont elle n'a pas la sensation qu'il est sur le point d'exploser – et regarde subrepticement par la vitre, espérant contre tout espoir que son ange gardien soit là sur le quai pour lui signifier, d'un hochement de tête solennel, qu'elle a été une fille courageuse. Mais non, elle est occupée autre part à sauver des âmes et soigner des corps. Agnes la verra bien assez tôt, à la fin de son voyage.

CINQUIÈME PARTIE

# LE VASTE MONDE

# 29

Baignant dans la chaleur du Paradis, elle flotte, libérée de la pesanteur, nue, loin, loin au-dessus des cheminées des usines et des flèches des églises du monde, dans les régions supérieures d'un ciel étouffant. C'est une atmosphère au parfum enivrant, qui gonfle et tourbillonne en une houle soyeuse de vent et de nuages mousseux comme des oreillers – rien de ce néant statique et transparent qu'elle avait toujours imaginé être le Paradis. C'est plus comme un océan respirable, et elle fend l'air lourd, réduisant la distance entre son corps et celui de son homme qui vole à ses côtés. Quand elle est suffisamment près, elle écarte ses ailes, l'entoure de ses bras et de ses jambes, et ouvre les lèvres pour recevoir l'incarnation de son amour.

« Oui, oh oui », murmure-t-elle, et elle étreint le bas de son dos pour l'attirer plus profond en elle ; elle l'embrasse tendrement ; leurs sexes sont collés l'un à l'autre ; ils ne font qu'une seule chair. Une volute de nuages bas s'enroule autour de leurs corps joints comme une couverture tandis qu'ils dérivent à travers les vagues parfumées de l'éternité, portés, comme des nageurs, par des courants rythmiques et les mouvements passionnés qui les joignent l'un à l'autre.

« Qui aurait jamais cru que ce serait comme ça ? dit-elle.

– Ne parle pas, soupire-t-il, tandis que ses mains quittent

ses omoplates pour se poser sur ses fesses. Tu n'arrêtes pas de parler. »

Elle rit, sachant que c'est vrai. La pression de sa poitrine contre la sienne est à la fois réconfortante et excitante ; ses tétons sont gonflés, la faim qu'elle a de sa semence anime son antre d'amour de mouvements de succion et déglutition. Sur le flanc d'un nuage ils roulent, entrelacés, jusqu'à ce que sa passion monte dans son corps comme un feu et qu'elle agite violemment la tête d'un côté et de l'autre, haletant de joie…

« Emmeline ! »

Malgré ses convulsions de plaisir, elle a encore la présence d'esprit de reconnaître que la voix ne provient pas d'Henry, dont le souffle inarticulé chauffe ses cheveux, mais d'une autre source, invisible.

« Emmeline, es-tu là ? »

*Comme c'est étrange*, pense-t-elle, tandis que les nuages se déploient et qu'elle tombe à la renverse, dégringolant vers la terre. *Si c'est Dieu qui m'appelle, Il doit quand même savoir où je suis ?*

« Emmeline, est-ce que tu m'entends ? »

Elle atterrit sur son lit – un atterrissage remarquablement doux, vu la vitesse vertigineuse de sa descente – et se dresse sur son séant, le souffle court, tandis que le bruit à sa porte continue.

« Emmeline ! »

Grand Dieu, c'est son père. Elle bondit hors du lit, envoyant Minet rouler sur le dos, ses quatre pattes battant l'air. Elle regarde autour d'elle à la recherche de quelque chose pour couvrir sa nudité, mais elle ne voit que la veste et la chemise d'Henry avec lesquelles, ainsi que d'autres vêtements à lui tirés du sac *Tuttle & Son*, elle couche dernièrement, pour se consoler. Elle jette la veste chaude et froissée sur ses épaules comme une écharpe, attache les bras de la chemise autour de sa taille pour en faire une sorte de tablier, et descend l'escalier quatre à quatre.

« Oui, me voilà, Père, dit-elle à travers l'oblongue barrière de bois et de verre dépoli. Je – je suis désolée de ne pas avoir entendu, je... travaillais. » Le soleil est puissant ; elle suppose qu'il doit être onze heures au moins – bien trop tard pour avouer qu'elle dormait.

« Emmeline, pardonne-moi de te déranger, dit son père, mais l'affaire est urgente.

– Je... je suis désolée, Père, mais je ne peux pas t'ouvrir. » Qu'est-ce qui lui prend ! Elle ne reçoit plus de visites – il le sait parfaitement ! « Je ne pourrais pas venir te voir un peu plus tard ce matin ? Ou cet après-midi ? »

Les contours déformés de sa tête, couronnés du sombre chapeau haut de forme, s'approchent du verre. « Emmeline... ! » Son ton suggère qu'il n'est pas du tout content de se donner en spectacle, cognant ainsi à la porte de sa fille sous le regard des passants. « Il y va peut-être de la vie d'une femme. »

Emmeline réfléchit un instant. Le mélodrame, elle le sait, n'est pas dans la nature de son père, il est donc probable que la vie d'une femme soit effectivement en danger.

« Euh... s'il te plaît, si tu pouvais attendre quelques minutes, je... je vais sortir... »

Elle se précipite au premier et s'habille plus vite qu'elle l'a jamais fait – mettant pantalons, camisole, robe, jaquette, bas, jarretières, chaussures, gants et bonnet en autant de temps qu'il faut à lady Bridgelow pour délibérer sur l'emplacement d'une seule épingle à cheveux.

« Je suis prête, Père, dit-elle en haletant à la porte, à partir avec toi. » Sa silhouette recule, et elle se glisse hors de chez elle, refermant soigneusement derrière elle son chaos poussiéreux, prenant une grande bouffée d'air froid et frais. Elle sent les yeux de son père sur elle tandis qu'elle tourne la clef, mais il s'abstient de tout commentaire.

« Voilà ! dit-elle d'un ton enjoué. Nous sommes partis. »

Elle se tourne pour lui faire face ; il est immaculé, comme toujours, mais son froncement de sourcils lui dit qu'elle, en revanche, ne l'est pas. C'est un bel homme digne, certes, bien que son visage soit ridé par les soucis. Tant de maladies dans le monde, et rien qu'un vieil homme armé d'une trousse pour les combattre... S'il y avait une chose dans cette lettre pitoyable de Mrs. Rackham qui avait convaincu Emmeline que l'esprit de la pauvre femme s'était brisé net comme une clavicule, c'était la référence à la mauvaise nature du docteur Curlew ; aux yeux d'Emmeline, son père est l'archétype de la bienveillance, réducteur de fractures et guérisseur de plaies, tandis que le mieux qu'elle puisse faire, encouragée par son exemple, est d'écrire des lettres aux hommes politiques et discuter avec les prostituées.

Elle pense tout cela en un instant, tandis qu'il se dresse au-dessus d'elle sur le sentier devant la porte ; puis elle voit le petit spasme d'impatience qui agite son corps, et la manière nerveuse qu'il a de regarder d'un bout à l'autre de la rue, et elle se rend compte qu'il y a un véritable problème.

« Qu'est-ce qui se passe, Père ? Qu'est-ce qu'il y a ? »

Il lui fait signe de se mettre en marche, afin de s'éloigner d'une apparition à quelques portes de là – une vieille commère fouineuse aux nénés bleus rembourrés parée d'une étole de renard.

« Emmeline, déclare-t-il tandis qu'ils avancent rapidement, semant leur poursuivante, ce que je vais te dire est secret, mais ce ne pourra pas le demeurer bien longtemps : Mrs. Rackham a disparu. Elle devait être emmenée hier matin dans un sanatorium. Je suis arrivé chez elle pour l'accompagner – et elle avait disparu. Envolée. »

Emmeline, bien qu'elle écoute attentivement, cherche aussi des indices dans le ciel et le comportement des autres passants qui lui indiqueraient l'heure qu'il pourrait bien être. « Elle est allée voir une amie, peut-être ? suggère-t-elle.

– Hors de question.

– Pourquoi ? N'a-t-elle pas d'amis ? » Le ciel s'assombrit : ce n'est pas déjà le crépuscule quand même ? Non, ce sont des nuages de pluie qui se rassemblent pour se défaire de leur fardeau.

« Je crois que tu ne saisis pas. Elle a fui sa maison en plein milieu de la nuit, dans un état de dérangement total. Tous ses vêtements – chaque robe, veste, manteau et chemisier – sont là, excepté une paire de chaussures et quelques sous-vêtements ; en d'autres termes, elle est descendue dans la rue quasiment nue. Tout à fait possible qu'elle soit morte de froid. »

Emmeline sait que la compassion devrait la laisser muette, mais son sens du débat prend le dessus. « Descendre dans la rue quasiment nue en hiver, remarque-t-elle, est une chose que beaucoup de femmes font sans en mourir, Père. »

De nouveau il jette un regard par-dessus chacune de ses épaules, pour vérifier que balayeurs de rue, garçons de course, chiens en laisse et bourgeoises sont hors de portée de voix. « Emmeline, je vais aller droit au but. Dans la lettre qu'elle t'a envoyée, Mrs. Rackham a parlé d'un endroit où elle avait grande envie d'aller. A-t-elle donné la moindre indication d'où elle pourrait imaginer que cet endroit se situe ? Géographiquement parlant ? »

Emmeline ne sait si elle doit trouver ça drôle ou désolant. « Eh bien, tu sais, Père, c'est plutôt elle qui attendait que je le lui dise.

– Et que lui as-tu conseillé ?

– Je n'ai pas répondu, dit Emmeline. Tu m'en as dissuadée. »

Le docteur Curlew hoche la tête, visiblement déçu. « Dieu lui vienne en aide », marmonne-t-il tandis qu'un haquet passe, déversant une longue traînée de crottin.

« Je ne savais pas que Mrs. Rackham était allée si loin, dit Emmeline. Dans sa tête, je veux dire. »

Curlew essaie de localiser le balayeur, mais ce dernier n'a pas bougé, ayant fixé son attention sur un autre couple à l'air plus généreux, approchant un tas d'ordures différent.

« Elle s'est enfuie la nuit de Noël, explique-t-il. La moitié de la maisonnée était dehors dans la neige à la chercher jusqu'à l'aube. C'est la gouvernante, Miss Sugar, qui a fini par la trouver dans la remise. »

L'oreille d'Emmeline se dresse : quelque inhabituel que soit ce nom, elle jurerait l'avoir vu imprimé il y a peu de temps. Mais où ?

« Quelle lamentable affaire – je n'en savais rien ! dit-elle. Et son mari, William – n'a-t-il pas une idée de là où sa femme pourrait être ? »

Le docteur Curlew secoue la tête.

« Notre champion d'industrie, dit-il avec un ton de cynisme fatigué, ne rentre que ce matin d'un hôpital dans le Somerset. Il a été attaqué par des entomologistes à Frome. »

Emmeline fait entendre un rire peu convenable. « Attaqué par… quoi ?

– Des entomologistes. Des voleurs qui s'en prennent aux hommes ivres sans défense à la sortie des pubs. Vraiment, Emmeline, toi qui as passé tant de temps dans les bas-fonds de Londres avec la Société de Secours, tu ne connais pas cette expression ?

– Je connais d'autres expressions que tu ne connais peut-être pas, Père, rétorque-t-elle. Mais comment va Mr. Rackham ? »

Le docteur Curlew pousse un soupir irrité. « Il a été soulagé d'une montre en argent, d'un manteau et d'une certaine somme d'argent ; il est aussi couvert de bleus, il a la vue trouble et deux doigts cassés. Il semble qu'un voyou ait sauté sur sa main droite. Il a eu une sacrée chance de ne pas se faire poignarder. »

Emmeline aperçoit la boucherie non loin, un endroit où elle est très connue depuis peu. Si elle avait pensé à prendre sa bourse, elle aurait pu rapporter de la viande à Minet. Peut-être que le boucher lui fera crédit…

« Il faudrait alerter la police », dit-elle, ralentissant le pas, se demandant combien de temps encore son père a l'intention de marcher avec elle avant d'accepter l'idée qu'elle ne peut pas lui être utile et la laisser vaquer à ses affaires. Si seulement elle pouvait voir le boucher, en privé…

« Rackham ne veut pas en entendre parler. Le pauvre sot a peur du scandale.

– Mais, si sa femme a disparu depuis deux jours…

– Oui, oui, bien sûr il faudra bien qu'il appelle la police, et assez vite. Mais pour lui c'est le dernier recours. »

Emmeline s'arrête devant une vitrine pleine d'agneaux tête en bas et de carcasses de porcelet, dont les abdomens fendus sont ornés de chapelets de saucisses.

« Ce qui signifie, je suppose, dit-elle, que j'étais l'avant-dernier ? »

Le docteur Curlew jette un regard dur à la femme qui se tient à ses côtés ; ce paquet de chair et d'os mal fagoté, négligemment apprêté, qu'il a créé, trente ans auparavant. Elle est devenue grande entre-temps, et pas très belle – combinaison bien peu heureuse de son propre visage tout en longueur et du crâne bosselé et irrégulier de sa femme. En un éclair il se rappelle la date de sa naissance et de la mort de sa mère – sanglants événements qui eurent lieu dans le même lit, la même nuit – et prend soudain conscience qu'en dépit de sa mauvaise santé Emmeline a vécu bien plus longtemps que sa propre mère. Sa mère a péri alors qu'elle avait encore les joues roses et ne savait rien de la vie, sans ces rides d'inquiétude au front et ces pattes-d'oie au coin des yeux, cette expression de sagesse fatiguée et de douleur stoïquement endurée.

Il baisse la tête tandis que les cieux s'ouvrent et que de lourdes gouttes de pluie commencent à s'abattre sur eux.

« *Pax*, ma fille », soupire-t-il.

« La police, dit William. Il va falloir que je le d-dise à la po-police. » Et le maudit bégaiement que le coup qu'il a reçu sur le crâne a infligé à sa langue lui arrache une grimace d'exaspération. Comme s'il n'avait pas eu sa part de calamités !

Lui et Sugar se trouvent dans son bureau, alors que la soirée du 30 décembre est déjà très avancée. Si les domestiques ont envie de cancaner, nul doute qu'elles ne se gêneront pas, mais il n'y a là rien de malséant, bon Dieu : sa gouvernante ne fait que lui prêter ses services après les heures de travail en tant que secrétaire, tant que les blessures de son maître l'empêchent de rédiger lui-même ses lettres. Dieu tout-puissant, pourquoi ne peut-il recourir à la seule femme qui sache correctement écrire dans sa maison sans qu'une mouche du coche comme Clara ne le soupçonne de débauche ? Qu'elle fourre son vilain nez ici si elle l'ose : il n'y a rien à voir que des papiers qu'on manie !

« Qu'est-ce que tu en penses, hmm ? » lui demande-t-il, de l'autre bout de la pièce. (Il est allongé sur un divan, la tête couronnée de pansements, son visage boursouflé et violacé brodé de noirs motifs de sang séché, sa main droite en écharpe, tandis que Sugar est assise, raide, à son bureau, la plume suspendue au-dessus d'une lettre qui reste à dicter.) « Tu es foutrement silencieuse. »

Sugar réfléchit soigneusement avant de répondre. Elle le trouve horriblement maussade depuis son retour du Somerset; le coup sur la tête ne lui a pas fait de bien. L'allégresse qu'a d'abord suscitée le fait d'être installée dans son fauteuil, au gouvernail de chêne ciré des Parfumeries Rackham, a été gâchée par son humeur terriblement volatile. Même son enthousiasme lorsqu'elle a reçu sa bénédiction pour imiter la signature Rackham, après qu'ils furent tombés d'accord que ce serait préférable au pâté infantile qu'il avait réalisé de la main gauche, avait perdu en exaltation lorsqu'elle fut réprimandée de mettre trop de temps à l'exécuter.

« La police? C'est à toi de voir, William, dit-elle. Bien que je doive avouer que je ne vois pas comment Agnes aurait pu aller très loin. Une femme qui claudique sur des pieds blessés, sans même une robe sur elle, si nous devons en croire Clara...

– Ça fait tr-trois jours! » s'exclame-t-il, comme si cela prouvait, ou réfutait, quoi que ce soit.

Sugar songe à plusieurs méthodes qu'elle pourrait lui recommander, mais malheureusement la plupart comportent certains risques, grands ou petits, de retrouver Agnes.

« Eh bien..., suggère-t-elle, au lieu de hordes de bobbies, et d'avis dans les journaux, tu ne pourrais pas, peut-être, engager un détective? » (Elle ne sait rien des détectives sinon ce qu'elle en a lu dans *The Moonstone*, mais elle espère que les empotés de Seegrave sont plus nombreux que les rusés Cuff.)

« Je serais fou de le faire, et fou de ne pas le faire! s'écrie William, sa main gauche cherchant une mèche de cheveux à presser, et ne trouvant que des pansements.

– Pardon, mon amour?

– Si je révèle la délicate position d'Agnes au public, le déshonneur sera inin-m-maginable. Son nom – et le mien – sera l'objet des railleries d'ici à... à... la Tunisie! Mais si je suis discret, et qu'un autre jour passe, et qu'elle se trouve en danger mortel...!

– Mais dans quel danger pourrait-elle être? avance Sugar de

son ton le plus doux, le plus raisonnable. Si elle a succombé au froid la nuit de sa fuite, elle… eh bien, il ne peut plus rien lui arriver maintenant, et il ne reste plus qu'à trouver son corps. Et si elle est vivante, cela veut dire que quelqu'un l'a recueillie. Ce qui signifie qu'elle sera en sûreté pendant un certain temps jusqu'à ce qu'une enquête discr…

– C'est ma f-f-femme, bon Dieu ! hurle-t-il. Ma *femme* ! »

Sugar baisse la tête immédiatement, espérant que sa fureur s'apaisera avant que les domestiques ou Sophie n'en perçoivent l'écho. La feuille de papier à lettres Rackham sous sa main porte ces mots : « Cher Mr. Woolworth » et rien de plus ; une gouttelette d'encre s'est évasée sans qu'elle s'en aperçoive sur l'en-tête.

« Tu ne comprends pas qu'A-Agnes a peut-être un urgent besoin d'être *secourue* ? tempête William, pointant sa main valide sur le monde extérieur d'un geste accusateur.

– Mais William, comme je viens de te dire…

– Ce n'est pas un simple ch-choix entre sa mort et sa vie – il y a des d-destins pires que la mort ! »

Sugar lève la tête, incrédule.

« Ne fais pas l'in-innocente avec moi, enrage-t-il. Au moment même où nous parlons, une horrible vieille bique comme ta Mrs. Castaway est peut-être en train de l'in-installer dans un bordel crasseux ! »

Sugar se mord la lèvre et se détourne, faisant face au papier peint taché par la fumée de cigare. Elle respire régulièrement et n'essuie pas ses larmes sur ses joues, mais les laisse couler sur son menton et dans le col de sa robe.

« Je suis sûre, dit-elle, quand elle sent que sa voix ne la trahira pas, qu'Agnes est trop frêle et malade pour… pour être utilisée comme tu le crains.

– Tu n'as jamais lu *Les Plaisirs de Londres* ? demande-t-il, rapide comme un coup de fouet. Le co-commerce des filles mourantes marche très gentiment – ou l'as-tu oublié ? » Et il émet un bref grognement de dégoût, comme si la coquille de son innocence venait à l'instant d'être brisée, laissant la puanteur de la dépravation humaine monter jusqu'à ses narines.

Sugar observe le silence, attendant qu'il reprenne la parole, mais cette crise semble avoir passé, ses épaules se sont voûtées, et après quelques minutes elle se demande s'il ne s'est pas endormi.

« William ? demande-t-elle timidement. Pouvons-nous répondre à Mr. Woolworth maintenant ? »

Adieu, donc, 1875.

S'il y a des rituels de célébration dans la maison Rackham, le 31 décembre, ils ont lieu en secret, et sans le maître. Les autres foyers partout dans la métropole – partout dans le monde civilisé, en fait – bourdonnent peut-être d'impatience dans l'attente de la nouvelle année, mais dans la demeure de Chepstow Villas l'inauguration d'un nouveau calendrier est de peu de sens comparée à l'événement que tout le monde attend. La vie est suspendue entre deux époques : celle qui précède la disparition de Mrs. Rackham, et celle – dont on ne sait quand elle commencera – où son sort sera connu, et où la maison pourra relâcher un souffle douloureusement retenu.

Le premier jour de janvier 1876, les domestiques sont occupées à leurs tâches comme si cette date n'avait rien de particulier. On graisse les moules pour des pains dont on aura peut-être besoin ; le linge est repassé et ajouté à des piles de draps superflus ; il a fallu donner à Shears du canard qui avait pourri pour qu'il l'ajoute à son fumier, mais autrement l'efficacité est maîtresse. Même Clara monte et descend les escaliers, entre et sort de la chambre de Mrs. Rackham d'un air affairé, prévenant les autres domestiques, d'une grimace de son visage revêche, qu'elles feraient mieux de s'abstenir de demander pourquoi.

Par contraste, personne ne pourrait accuser la gouvernante d'être en surnombre ; la première moitié du jour de l'an la trouve tout occupée par son nouvel emploi du temps : leçons avec Miss Sophie le matin, rapide déjeuner, et ensuite deux heures de travail avec le maître dans son bureau.

Sugar et William se mettent à l'œuvre sans chichis ni préambules. Les rouages de l'industrie ne s'arrêtent pour personne ; inutile d'invoquer des doigts cassés, un mal de tête ou la disparition de sa femme ; il faut payer les factures, relancer les fournisseurs en retard, regarder en face l'échec des Sachets Millefleurs Rackham.

Sugar écrit des lettres à un certain nombre de sieurs Untel, conseille avec douceur à William d'amender le ton souvent belliqueux et outragé de sa dictée, et fait de son mieux pour s'assurer que les lettres ne se perdent pas dans l'incohérence. Presque sans y penser, elle traduit des propositions telles que : « Prends ça, fripouille ! » par : « Je vous prie d'agréer l'assurance de mes sentiments distingués », et corrige son arithmétique chaque fois qu'il perd patience avec les chiffres. Aujourd'hui il s'est déjà laissé aller à un accès de rage contre un fabricant de noir de fumée de West Ham et il est maintenant avachi sur le divan, son nez gonflé et bouché par les caillots vibrant de sonores ronflements.

« William ? » dit doucement Sugar, mais il n'entend pas, et elle a appris que le réveiller en haussant la voix le met de très mauvaise humeur, tandis que si elle le laisse dormir elle s'en tire avec un léger reproche.

Pour faire passer le temps jusqu'à ce que l'inconfort le réveille, où jusqu'à ce qu'elle doive retrouver Sophie, Sugar lit l'*Illustrated London News*, tournant les pages en silence. Elle sait que la police est maintenant alertée, mais il a été tenu compte de la prière de William que tout se fasse avec la plus grande discrétion, car le journal ne mentionne pas Mrs. Rackham. La nouvelle sensationnelle de la journée est ce qu'on appelle (comme s'il était déjà légendaire) : Le Grand Désastre des Chemins de Fer du Nord. Une gravure « d'après un dessin hâtivement exécuté par un survivant de l'accident » montre un groupe d'hommes à la forte carrure rassemblés autour d'un wagon renversé du *Flying Scotsman.* Est-ce le manque de talent du graveur, ou par excès de délicatesse, mais les secouristes ressemblent à des postiers qui déchargent des sacs de courrier et la réalité de l'horreur de l'événement n'est en rien évoquée. Treize morts, vingt-quatre blessés graves, dans une terrible collision à Abbots Ripton, au nord de Peterborough. La faute en est à un signal gelé qui n'a pas fonctionné. Une calamité à faire bouillir le sang du colonel Leek !

Sugar pense à Agnes, évidemment ; voit son corps brisé et éviscéré extrait de l'épave. Est-il concevable qu'Agnes ait mis tant de temps pour se rendre de Notting Hill en ville, et qu'elle ait alors pris ce train en direction d'Édimbourg ? Sugar n'a aucune idée de la destination qu'elle a choisie une fois arrivée – *si* elle est arrivée – à la gare de Paddington. « Lisez les annonces et le nom se révélera à vous de lui-même » est l'unique conseil que lui avait donné sa « Sainte Sœur » – l'unique conseil qu'elle *pouvait* donner, vu l'ignorance de Sugar quant aux chemins de fer et l'endroit où aller. Et si Agnes avait été charmée par le tour ecclésiastique de « Abbots Ripton », et décidé de descendre là ?

Imprimée sous l'article se trouvait une note intitulée « La sûreté des voyages en train » :

> *En 1873, 17 246 personnes sont mortes de mort violente, une moyenne de 750 sur un million. Parmi celles-là, 1 290 sont dues aux chemins de fer, 990 à la*

*mine, et 6 070 à d'autres causes mécaniques ; 3 232 sont dues à la noyade, 1 519 personnes ont été tuées par des chevaux ou des véhicules, et 1 132 par des machines de tous genres ; le reste des morts a été causé par des chutes, brûlures, asphyxies et autres accidents auxquels nous sommes exposés quotidiennement.*

Tandis que William ronfle et gémit dans son sommeil, Sugar voit Agnes tombant dans un puits de mine, Agnes flottant sur le ventre dans une mare d'eau sale, Agnes hurlant, happée par une batteuse, Agnes disparaissant sous des sabots et des roues, Agnes tombant d'une falaise tête la première, Agnes se convulsant de douleur, le corps consumé par les flammes. Peut-être aurait-elle été mieux dans le sanatorium Labaube, après tout... Mais non. Agnes n'était pas dans ce train, pas plus qu'elle n'a été la victime d'aucun de ces horribles sorts. Elle a fait exactement ce que sa Sainte Sœur lui a dit. Le soir du 28, elle était déjà en sécurité dans un sanctuaire pastoral. Imaginez un paysan dans son champ, en train de faire... de faire ce que fait un paysan dans son champ. Il aperçoit une étrangère qui vient à lui à travers les blés, ou la luzerne ou autre chose ; une femme pauvrement vêtue, qui boite tant qu'elle est sur le point de s'écrouler. Que cherche-t-elle ? Le couvent, dit-elle, et elle s'évanouit à ses pieds. Le paysan la porte chez lui, où sa femme est occupée à tourner la soupe...

« Nff ! Nff ! » gémit William, repoussant des agresseurs fantasmagoriques de sa main valide.

Sugar imagine une autre histoire pour Agnes : une Mrs. Rackham déroutée sort d'une gare de campagne, à la lumière de la lune, débouche sur la place sinistre d'un village, et est instantanément assaillie par une bande de voyous, qui lui volent l'argent que Sugar lui a donné, puis déchirent ses vêtements, lui ouvrent les cuisses de force, et...

La pendule sonne deux heures. Il est temps d'aller donner ses leçons de l'après-midi à Sophie Rackham. « Excuse-moi, William », murmure-t-elle, sur quoi le corps tout entier de celui-ci sursaute.

À mesure que les jours passent, et que la nouvelle année qui n'ose pas dire son nom avance à pas inquiets, il semble que le seul membre de la maisonnée Rackham qui ne soit pas affecté par l'absence d'Agnes soit Sophie. Nul doute que l'enfant n'ait des sentiments, cachés quelque part à l'intérieur de son corps compact et bien boutonné, mais dans ses réactions apparentes, elle ne manifeste rien de plus que de la curiosité.

« Est-ce que Maman est toujours en fuite? demande-t-elle chaque matin, avec une expression impénétrable.

– Oui, Sophie », répond sa gouvernante, d'un air de catéchiste, en suite de quoi une journée studieuse commence.

En un contraste radical, qui n'échappe pas à Sugar, la conduite de Sophie est un modèle de calme discipliné, de patience et de maturité, tandis que William Rackham boude, bégaie, braille et s'endort au milieu de son travail, comme un enfant querelleur. Sophie s'applique à l'étude de l'Australie avec le soin de quelqu'un qui se préparerait à y vivre dans peu de temps, et elle apprend par cœur les préjugés des anciens monarques anglais comme si c'était l'information la plus utile pour une enfant de six ans.

Même lorsqu'elle joue, elle semble décidée à se faire pardonner ses excès de Noël. La magnifique poupée française, qui aurait pu s'attendre à un agenda mondain bien rempli, est obligée de passer le plus clair de son temps dans un coin à méditer sur sa propre vanité, tandis que Sophie, assise en silence à son bureau, dessine avec ses crayons de couleur d'innombrables portraits d'un boy à la peau brune monté sur un éléphant, chacun plus amoureusement léché que le précédent.

Elle s'est attaquée à *Alice au pays des merveilles* également, un chapitre à la fois, relisant chaque épisode jusqu'à ce qu'elle l'ait soit mémorisé soit compris, le premier des deux. C'est vraiment le conte le plus étrange qu'elle ait jamais lu, mais il doit y avoir une raison au fait que sa gouvernante le lui ait donné, et plus elle en lit, plus elle s'habitue à ses terreurs, au point que les animaux paraissent *presque* aussi gentils que ceux de Mr. Lear. D'après les illustrations des épisodes qu'elle n'a pas encore lus, l'histoire pourrait bien avoir une fin violente, mais elle le découvrira quand elle y sera, et les trois derniers mots sont « heureux jours d'été », ce qui ne peut être trop grave. Elle aime beaucoup certains dessins, comme celui d'Alice qui nage avec la souris (la seule fois qu'elle a l'air insouciant) et aussi celui qui la fait rire tout haut chaque fois qu'elle le voit, de l'homme extraordinairement gros qui virevolte dans les airs. Il a certainement dû être exécuté par un magicien, ce dessin – un entrelacs de lignes noires qui fonctionne comme un charme, agissant directement sur son ventre pour susciter un hoquet de rire quelle que soit la résistance qu'elle y oppose. Quant au passage où Alice dit : « Qui diable suis-je ? Ah, *voilà* la vraie énigme ! » Sophie doit respirer profondément chaque fois qu'elle le relit, tant cette citation de ses pensées les plus secrètes lui fait peur.

« Je suis si contente que ton cadeau de Noël te plaise, Sophie, dit Miss Sugar, alors qu'elle la surprend une fois de plus plongée dans sa lecture.

– Il me plaît beaucoup, miss, l'assure Sophie.

– C'est très bien, Sophie, de lire et de dessiner autant pendant que j'aide ton père. »

Sophie rougit et baisse la tête. Le désir de bien faire n'est pas ce qui l'incite à dessiner le pauvre nègre sur son éléphant, pas plus que ce n'est la raison pour laquelle elle lit les aventures d'Alice et articule « MANGE-MOI » et « BOIS-MOI » quand personne ne l'écoute. Elle fait cela parce qu'elle ne peut l'éviter ; une voix mystérieuse, dont elle se doute qu'elle est celle de Dieu, la pousse à agir ainsi.

« C'est bientôt le tour de la Nouvelle-Zélande, miss ? » demande-t-elle avec espoir.

Le huitième jour de l'absence d'Agnes, Sugar remarque que Sophie ne prend plus la peine de demander si sa maman est toujours en fuite. Une semaine, semble-t-il, est la durée maximale pendant laquelle une personne peut disparaître avant d'être retrouvée. Il n'y a pas de jeu de cache-cache qui puisse se prolonger aussi longtemps, pas de mauvaise action qui puisse échapper si longtemps à la punition. Mrs. Agnes Rackham est allée vivre dans une autre maison, et voilà tout.

À la place, Sophie demande : « Est-ce que Papa a toujours mal à la main ? » une fois qu'elle et Sugar ont terminé leur déjeuner et que Sugar s'apprête à se rendre dans le bureau.

– Oui, Sophie.

– Il devrait l'embrasser et la tenir comme *ça*, dit l'enfant, mimant la manœuvre avec sa main droite et son aisselle gauche. C'est ce que moi je fais. » Et elle lance à Sugar un drôle de regard suppliant, comme si elle espérait que sa gouvernante allait transmettre dûment le remède à son père reconnaissant.

Sugar n'en fait rien, bien sûr. Les blessures visibles de William guérissent sans doute rapidement, mais son humeur est pire que jamais, et son bégaiement – à sa grande fureur – ne semble pas devoir diminuer. Le conseil de sa fille n'est pas ce qu'il désire entendre.

Alors que la troisième et la quatrième poste n'ont pas encore été livrées, une intimidante pile de courrier s'est déjà accumulée, mais le travail n'avance quasiment pas aujourd'hui, car William ne cesse de digresser, se plaignant de la trahison et du manque de loyauté de ses associés. Il se rappelle également des souvenirs d'Agnes – affirmant un instant que la maison n'est qu'une coquille vide sans elle, et qu'il donnerait n'importe quoi pour entendre sa douce voix s'élever dans le salon ; le suivant qu'il a enduré ses longues années de souffrance et qu'il a bien droit à une réponse maintenant.

« Quelle réponse, mon amour ? demande Sugar.

– Est-ce que j'ai une f-f-femme ou non ? geint-il. Voilà sept ans que j-j-je me p-p-pose cette question. Tu ne peux pas savoir quelle douleur c'est de vouloir n'être qu'un époux, et d'être pris pour t-tout au monde sauf cela : un imposteur, un im-imbécile, un geôlier, un accessoire b-bien habillé à trimballer pendant la S-Saison – au *diable* ce bé-bégaiement !

– Il est pire quand tu t'énerves, William. Quand tu es calme, il est à peine là. » N'est-ce pas un mensonge trop éhonté ? Non, il semble l'avoir avalé.

Bégaiement mis à part, Rackham va définitivement beaucoup mieux. Son écharpe pend, vide, autour de son cou, et il n'est plus avachi sur le divan, mais bondit souvent sur ses pieds pour faire les cent pas. Sa vision est presque redevenue normale, et chaque fois qu'il essuie la sueur abondante qui couvre son visage avec son mouchoir, les croûtes de sang séché sont plus nombreuses à se détacher, révélant en dessous une chair rose.

« Veux-tu que nous nous remettions au travail, mon amour ? » suggère Sugar, et il grommelle son assentiment. Pendant quelques brèves minutes il est tranquille, chantonnant avec indulgence tout en relisant la lettre, acquiesçant aux chiffres, mais alors un malheureux tour de phrase l'offense, et le fragile barrage cède de nouveau à sa colère.

« Dis à ce voyou d'aller se pendre avec son l-lin ! s'exclame-t-il, et, dix minutes plus tard, à propos d'un autre commerçant : L'ignoble porc : il ne s'en tirera pas comme ça ! » À de telles sorties, Sugar a appris à réagir par une longue pause pleine de tact, avant de suggérer une formulation édulcorée.

Mais si la réaction de William à ses courriers d'affaires est disproportionnée, elle est le modèle même de la rationalité comparée à sa réaction aux cartes de visite déposées par les relations et connaissances d'Agnes.

« Mrs. Gooch ? On ne peut pas dire qu'elle soit blanche comme la colombe, celle-là ! Il y a plus de gin et d'opium dans sa graisse que dans une demi-douzaine de putes de Cheapside mises ensemble. Qu'est-ce qu'elle veut, cette vieille vache ? Inviter Agnes à l'une de ses séances ?

– Ce n'est qu'une carte de visite, William, dit Sugar. Déposée par courtoisie.

– Que le diable l'emporte ! Si elle est si clairvoyante, elle devrait savoir qu'il vaut mieux ne pas venir fouiner par ici ! »

Sugar attend. Il y a plusieurs autres cartes de visite sur le plateau d'argent que Rose a apporté. « Préférerais-tu, suggère-t-elle, que je n'aborde pas le courrier autre que celui concernant les Parfumeries Rackham ?

– Non ! hurle-t-il. Je-je veux tout savoir ! Dis-moi tout ce que tu entends ! »

Dix jours après la disparition d'Agnes, alors que le soleil perce les nuages, Sugar décide d'emmener Sophie dans le jardin pour ses leçons de l'après-midi.

Ce n'est pas un jardin très joli ni confortable pour le moment – plein de neige décolorée et de gadoue où seules percent les plantes les plus vigoureuses – mais cela change de la maison, dont l'intérieur est chargé de mauvaise humeur et d'appréhension, depuis les foudres jupitériennes du maître jusqu'aux bourrasques balayant le sous-sol.

Maintenant que l'espoir s'amincit de retrouver Mrs. Rackham vivante, les domestiques ont échangé une anxiété pour une autre: au lieu de s'inquiéter du brouhaha que causerait la maîtresse à son retour, elles ont contracté la crainte de leur propre renvoi. Car, si Mrs. Rackham ne revient pas, il y aura trop de personnel dans la maison. Clara sera la première victime, mais peut-être pas la seule; Mr. Rackham est constamment de mauvaise humeur et accable de menaces et d'accusations d'incompétence la première qui ne prévient pas ses lubies. Letty a déjà pleuré plusieurs fois, et la nouvelle fille de cuisine, qui est un peu sanguine, après avoir été poussée à rétorquer: « C'est pas moi qu'ai vot' bon Dieu de femme! » a reçu l'ordre de faire ses bagages hier, pour se voir accorder un sursis quelques heures plus tard en quelques mots marmonnés d'une rétractation bourrue.

Bref, c'est une maisonnée malheureuse, lourde de présages sinistres. Miss Sugar et Miss Rackham sortent donc dehors, bien emmitouflées dans leurs manteaux de serge, chaussées de bottines fourrées, et gantées. Il y a tout un monde au-delà des murs Rackham, il suffit de s'habiller chaudement.

D'abord elles visitent l'écurie, où Sugar endure les yeux insolents de Cheesman en échange du timide sourire de Sophie qui caresse le flanc d'un cheval.

« Surveillez bien votre gouvernante, Miss Sophie, qu'elle n'aille pas faire des bêtises! » s'écrie-t-il avec jovialité alors qu'elles sortent.

Puis elles vont dans la serre, sous le regard vigilant de Shears, qui ne les laisse toucher à rien. À l'intérieur des réceptacles de verre, obscurcis par une brume de condensation, des légumes hors saison sont cultivés – les premiers fruits du grandiose plan de Shears pour avoir « de tout toute l'année ».

« Qu'est-ce que vous apprenez aujourd'hui, Miss Sophie? demande-t-il, avec un signe de tête pour désigner le livre d'histoire que sa gouvernante tient contre sa poitrine.

– Henry VIII, répond l'enfant.

– Très bien, très bien, dit Shears, qui ne voit d'intérêt à l'éducation que la possibilité de lire les instructions sur les bouteilles de poison. Ça peut toujours servir. »

Les mondanités effectuées, Sugar et Sophie se dirigent vers la périphérie du jardin, et commencent à faire le tour de ses grilles, exactement comme le faisait Sugar quand elle espionnait la maison, sauf qu'elle est maintenant de l'autre côté. À voir ainsi la maison, sans être obligée de jeter des regards furtifs à travers une barrière de fer forgé, Sugar se rappelle qu'elle a jadis eu envie plus que tout de découvrir un jour ce qui se cachait derrière ces murs, et maintenant elle sait. Cheesman peut être aussi insolent qu'il le désire : elle est allée plus loin qu'elle eût jamais rêvé, et elle ira plus loin encore.

Tandis qu'elles avancent, Sugar raconte la vie d'Henry VIII, de manière aussi sensationnelle que possible, et sans le moindre scrupule quant aux embellissements qu'elle ajoute. De fait, elle doit se retenir pour ne pas reproduire les conversations des protagonistes dans toute leur extension, par crainte de mettre à trop rude épreuve la crédulité apparemment sans bornes de Sophie. L'histoire de ce dangereux monarque, avec son intrigue simple et ses six épisodes complémentaires, ressemble tant à un conte de fées que Catherine d'Aragon, Anne Boleyn et Anne de Clèves pourraient presque être les Trois Petits Cochons ou les Trois Ours.

« Si Henry VIII voulait tant un fils, miss, demande Sophie, pourquoi est-ce qu'il n'a pas épousé une dame qui en avait déjà un ?

– Parce que le fils devait être le sien.

– Mais le fils d'une dame ne serait pas à lui, miss, s'il épousait la dame ?

– Oui, mais pour être un véritable héritier, le fils doit être du sang du roi.

– C'est de ça que les bébés sont faits, miss ? demande

Sophie, à la limite du jardin Rackham, le 8 janvier 1876, à deux heures et demie de l'après-midi. De sang ? »

Sugar ouvre la bouche pour parler, puis la referme.

*L'homme lance une giclée de bave, la femme couve un œuf louche, et voici : ils l'appelleront du nom d'Emmanuel*, lui souffle Mrs. Castaway.

Sugar passe une main sur son front. « Euh… non, ma chérie, les bébés ne sont pas faits de sang.

– De quoi sont-ils faits alors, miss ? »

Pendant un instant Sugar songe à des opérations hautement fantaisistes effectuées par des elfes et des fées. Après les avoir rejetées, elle se rappelle Dieu, mais l'idée que Dieu soit responsable de l'incarnation d'enfants au bien-être desquels Il se montre par la suite si peu regardant lui semble encore plus absurde. « Eh bien, Sophie, dit-elle, ce qui se passe c'est que… euh… les bébés poussent.

– Comme des plantes ? dit Sophie, glissant un regard aux serres en forme de cercueil qui se trouvent de l'autre côté de la pelouse.

– Oui, un peu comme des plantes, je suppose.

– C'est pour ça qu'on a mis Oncle Henry dans la terre, miss, quand il a été mort ? Pour qu'il fasse pousser des bébés ?

– Non, non, Sophie chérie, se hâte de dire Sugar, abasourdie par le talent qu'a montré l'enfant pour faire sortir de leur lampe les génies de la mort, de la naissance et de la généalogie tout à la fois. Les bébés poussent dans… ils poussent… »

C'est inutile. Les mots ne viendront pas, et même s'ils venaient, ils ne signifieraient rien pour la petite. Sugar songe à toucher le ventre de Sophie ; se ravise.

*« Ici »,* dit-elle, posant une paume gantée sur son ventre. Sophie considère d'un œil stupide les cinq doigts écartés pendant quelques secondes avant de poser l'inévitable question.

« Comment, miss ?

– Si j'avais un mari, dit Sugar, progressant avec précaution, il pourrait… planter une graine en moi, et je pourrais faire pousser un bébé.

– Où est-ce que les maris trouvent les graines, miss ?

– Ils les font. Ils savent comment. Henry VIII ne savait pas trop, apparemment. » Sur quoi la conversation est détournée vers les eaux tranquilles de l'histoire des Tudors – du moins c'est ce que croit Sugar.

Mais, plusieurs heures plus tard, alors que Sophie a été baignée, talquée, couchée et que Sugar remonte la couverture sous son menton et dispose gaiement le halo de mèches blondes sur l'oreiller, tout autour d'un visage dont les yeux se ferment déjà, il reste un mystère à sonder avant l'extinction des feux.

« Je suis sortie de Maman, alors ? »

Sugar se raidit. « Oui, dit-elle prudemment.

– Et Maman est sortie de…

– *Sa* maman, concède Sugar.

– Et sa maman est sortie de sa maman, et sa maman est sortie de sa maman, et sa maman est sortie de sa maman… » L'enfant, au bord du sommeil, répète les mots comme les rimes d'une comptine dénuée de sens.

« Oui, Sophie. Jusqu'à l'origine des temps. »

Sans savoir pourquoi, Sugar éprouve un soudain désir de se glisser dans le lit de Sophie, de la serrer fort et d'être serrée fort en retour, d'embrasser le visage et les cheveux de Sophie, puis de poser la tête de l'enfant contre sa poitrine et la bercer doucement jusqu'à ce que toutes deux s'endorment.

« Jusqu'à Adam et Ève ? dit Sophie.

– Oui.

– Et qui était la mère d'Ève ? »

Sugar est trop fatiguée, à cette heure, pour trouver des solutions aux énigmes religieuses, surtout quand elle sait que

William l'attend dans son bureau avec une nouvelle pile de courrier et ses accès de colère. « Ève n'avait pas de mère », soupire-t-elle.

Sophie ne répond pas. Soit elle s'est endormie, soit elle juge l'explication crédible, vu ce qu'elle sait déjà du monde.

« Dis-moi, lui demande William sans préliminaires, alors que Sugar en est à la moitié de la rédaction d'une lettre à Grover Pankey, à propos de la fragilité de l'ivoire. Est-ce que toi et A-Agnes vous étiez… intimes ? »

Sugar lève le visage et pose précautionneusement la plume sur le buvard. « Intimes ?

– Oui, intimes, dit Rackham. Les inspecteurs de police, qu-quand ils ont parlé aux domestiques, s'intéressaient plus p-précisément aux amitiés p-particulières.

– La police ? Ici dans la maison ? Quand était-ce ? » Tandis qu'elle formule ces questions, elle se rappelle Sophie à la fenêtre de la salle d'étude avec sa lunette d'approche, commentant le départ de nouveaux « commerçants » sollicitant tardivement la charité à l'occasion de Noël. « Personne ne m'a parlé à moi.

– Non, dit William en détournant la tête. J-j'ai pensé qu'il valait mieux te laisser tranquille, parce que t-tu étais occupée avec Sophie et au cas où tu aurais été – pour une raison ou une autre – déjà connue de la police. »

Sugar le regarde fixement. Il a cessé de faire les cent pas pour la soirée et depuis une heure est allongé sur le canapé. Elle ne voit que son turban de pansements, son écharpe qui est maintenant plutôt sale, et ses jambes en réduction, qu'il ne cesse de croiser et décroiser. Il est difficile de croire qu'elle fut jamais sa maîtresse, qu'elle a passé tant d'heures et de soirées à Priory Close à se baigner et se parfumer spécialement pour lui.

« A-Agnes nouait des drôles de relations avec des femmes

qu'elle connaissait à peine. O-on a découvert qu'elle a écrit à Emmeline Fox pour la supplier de lui donner l'a-adresse du Paradis.

– Je ne connaissais pas du tout ta femme, dit Sugar d'une voix égale.

– Quand la p-police a interrogé Clara, elle a dit qu'A-Agnes était sûre que la personne qui l'avait ramenée de la remise était son ange gardien, toujours à ses côtés, sa seule amie au monde. »

Un frisson de culpabilité nauséeuse descend le long de la colonne vertébrale de Sugar, en même temps qu'elle éprouve un besoin incontrôlable de pouffer – une combinaison que, en dépit de sa longue expérience des sensations physiques anormales, elle doit avouer n'avoir jamais connue auparavant.

« Toute l'affaire a pris cinq minutes au plus, dit-elle. Je l'ai entendue appeler, je l'ai trouvée dans la remise, et je l'ai ramenée à la maison. Je n'ai pas dit qui j'étais et elle ne me l'a pas demandé.

– Pourtant elle t'a fait confiance?

– Je suppose qu'elle n'avait pas de raison de ne pas le faire, dit Sugar, puisqu'elle ne m'avait jamais vue. »

William se tourne pour la regarder dans les yeux. Elle soutient son regard, sans ciller, innocente, puisant dans les mêmes réserves qui lui ont permis par le passé de persuader des clients dangereux qu'elle leur serait plus utile en vie et obéissante qu'étranglée et réticente.

La pendule sonne la demie de dix heures, et William se laisse retomber dans le canapé.

« Il ne faut pas que je te retienne », soupire-t-il.

Le lendemain, s'étant rendue en hâte dans le bureau de William peu après le déjeuner comme d'habitude, Sugar trouve la pièce vide.

« William ? » appelle-t-elle à voix basse, comme s'il allait bondir, tel un diable à ressort, d'une boîte à cigares ou d'un classeur. Mais non : elle est seule.

Elle s'assied au gouvernail des Parfumeries Rackham et attend quelques minutes, arrangeant des piles de papiers, feuilletant le *Times*. Un nouveau vapeur propose un aller-retour pour l'Amérique en vingt-cinq jours, avec visites de New York et des chutes du Niagara incluses. Départ tous les jeudis. Sol Aurine vous confère la teinte dorée si admirée pour cinq shillings et six pence. Un article intitulé « Une multitude de mésaventures » rassemble les explosions, les incendies et autres calamités de la semaine pour l'instruction du colonel Leek. Il y a une guerre civile en Espagne, et une autre en Herzégovine. La France est dans une situation délicate. Sugar se prend à se demander ce que la victoire des républicains aux élections pourrait signifier pour la parfumerie française.

Sur le bureau se trouve aussi un petit tas de lettres encore cachetées. Devrait-elle commencer à ouvrir le courrier avant que William n'ait l'occasion de compliquer les choses avec sa mauvaise humeur ? Elle pourrait lire ce que ses associés ont à dire, préparer les réponses appropriées, puis, à l'arrivée de William, faire semblant d'ouvrir les enveloppes en en déchirant bruyamment un autre côté avec le coupe-papier…

La pendule tictaque. Après cinq minutes d'oisiveté, elle songe à la possibilité d'appeler une domestique pour savoir où se trouve William, mais elle n'arrive pas à rassembler assez de courage pour tirer le cordon. Elle préfère quitter le bureau pour descendre, chose qu'elle fait rarement sans Sophie à ses basques. Le tapis, sous ses chaussures, est par endroits décoloré ; elle ne l'avait pas remarqué jusqu'à maintenant. Des taches du sang d'Agnes. Non, pas des taches : l'*absence* vigoureusement frottée de taches, fardant de propreté des surfaces qui eussent été sinon subtilement ternies.

Avançant sur la pointe des pieds, Sugar entrouvre chaque porte jusqu'à ce qu'elle trouve Rose – une Rose plutôt surprise et coupable, attrapée à lire un livre d'histoires à deux pence, les pieds sur le coffre à charbon. En un instant, la familiarité qu'elles avaient partagée à Noël fond comme neige au soleil, et elles sont gouvernante et femme de chambre.

« Mr. Rackham n'avait pas de rendez-vous aujourd'hui, que je sache, dit Sugar d'un air guindé. Est-ce que par hasard vous sauriez… ?

– On est venu chercher Mr. Rackham tôt ce matin, Miss Sugar, dit Rose. La police.

– La… police, répète Sugar comme une demeurée.

– Oui Miss Sugar, dit Rose, serrant son livre contre sa poitrine, dont la couverture terrifiante est dissimulée en faveur du dos qui, au lieu d'une esclave tombant en pâmoison, proclame les bienfaits des pilules Beecham. Ils sont venus le chercher à environ neuf heures.

– Je vois, dit Sugar. Je présume que vous ne savez pas pourquoi, Rose ? »

Rose se lèche nerveusement les lèvres. « Je vous en prie, ne dites à personne que je vous l'ai dit, miss, mais je crois qu'on a trouvé Mrs. Rackham. »

William Rackham fait comprendre, d'un signe de tête accompagné de grognements distincts, que les policiers qui l'ont attrapé peuvent le lâcher sans danger. Il est en mesure, à nouveau, de se tenir debout ; son étourdissement a passé, et il n'a plus besoin d'être supporté sous les aisselles.

« Si vous pouvez, monsieur, lui conseille l'employé de la morgue, concentrez votre attention sur les parties qui sont le moins corrompues. »

William avance, regardant tout autour de lui, confirmant qu'il est en Enfer – une usine pleine d'échos, de sifflements et de lueurs phosphorescentes dont le but apparent est de fabriquer des morts. Respirant l'atmosphère ignoble – une concoction de vinaigre et de camphre conservée à température glaciale – moins profondément que lorsqu'il est entré, il force son menton à s'abaisser, et pose les yeux sur le cadavre nu allongé sur la dalle.

Il est de la taille d'Agnes, extrêmement maigre, et de sexe féminin : cela du moins il peut le jurer. Une douche récente lui a donné un éclat vitreux ; il brille et scintille sous les lampes d'une puissance impitoyable.

Le visage… le visage à la mâchoire pendante est à moitié décomposé, une approximation d'humanité, comme si on avait sculpté une figure dans du poulet cru, une épouvantable farce culinaire qui n'a pas été cuite. Trois trous bâillent dedans : une bouche sans lèvres ni langue et deux orbites dépourvues d'yeux ; chaque orifice est à moitié plein d'eau et luit des reflets de la lumière. William imagine Agnes flottant sous la mer, imagine des poissons tentant de grignoter la chair de prune de ses iris bleu de porcelaine – et il vacille sur ses pieds, aux cris bourrus de « Holà, holà ! » de part et d'autre.

Tâchant de suivre le conseil de l'employé, William cherche une partie du corps qui serait en état correct. Les cheveux de cette femme – ou de cette fille – sont assombris par l'eau, et ternis ; s'il les voyait secs et bien peignés, il serait capable de reconnaître leur couleur… Ses seins sont opulents, comme ceux d'Agnes, mais un rocher a déchiré la peau dans l'espace qui les sépare, laissant le sternum à nu et altérant les contours de la poitrine. Il semble qu'il n'y ait pas une partie du corps sur laquelle il puisse poser les yeux sans être révolté par le dévoilement d'un os sanglant à travers de la chair lacérée, ou d'une nielle aux teintes affreuses recouvrant ce qui aurait dû être une perfection d'albâtre. Sur les mains rongées, il y a quelques doigts plus complets que les autres, mais il n'y a pas d'anneau de mariage – l'inspecteur de police lui a cependant déjà signalé que cela ne signifie rien, du fait que tout cadavre sorti de la Tamise arrive dépouillé de tout bijou à la morgue de Pitchcott, même s'il en était couvert au moment où il est tombé.

Les yeux de William se troublent ; il a l'impression que sa tête va éclater. Que lui veulent ces gens ? Quelle réponse attendent-ils ? Face à un corps si déformé, quel mari serait capable de faire mieux ? Y a-t-il des hommes qui pourraient identifier leurs femmes à partir de trente centimètres carrés de chair intacte – la courbe épargnée d'une épaule, la forme précise d'une cheville ? Si tel est le cas, ces épouses ont sûrement offert à leurs maris plus d'occasions de relations intimes que ne l'a jamais fait Agnes ! Peut-être que si c'était Sugar qui se trouvait là…

« Nous comprendrions, monsieur, si… », dit l'inspecteur, et William gémit de panique : l'heure de vérité est arrivée, et il doit se montrer à la hauteur ! Une dernière fois il considère le cadavre, et cette fois-ci il se concentre sur le triangle de poils pubiens et le mont de Vénus sur lequel il pousse, petit havre de chair couleur de pêche et de délicate toison miraculeusement intact. Il ferme les yeux très fort, et évoque la vue d'Agnes au cours de sa nuit de noces, seule occasion avant celle-ci où elle est demeurée sous son regard dans cette pose et cet appareil.

« C-c'est elle, articule-t-il d'une voix rauque. C'est ma femme. »

Les mots, bien que prononcés par sa propre voix, lui portent un coup terrible : il chancelle tandis que le tissu de son présent et de son passé est brutalement déchiré. Les traits de la femme étendue se brouillent, puis se précisent d'une manière fantastique, comme une photographie émergeant du liquide de développement, jusqu'à ce que ce soit bien Agnes, et qu'il ne puisse supporter ce qu'elle est devenue. Son Agnes, morte ! Son exquise épouse à la voix angélique, saccagée, réduite à l'état d'un déchet de boucherie jeté sur un étal. Si elle était morte sept ans auparavant quand il lui faisait la cour, en cet après-midi ensoleillé où il lui avait demandé de poser immobile pour son appareil photographique et où elle l'avait regardé comme pour dire : *Oui, je suis à vous* ; et si elle était tombée dans la Tamise une heure plus tard, et qu'il l'eût cherchée désespérément pendant les sept années qui ont passé depuis, plongeant et replongeant dans la même partie du fleuve ; et s'il venait juste de sortir son corps sans vie de l'eau, il n'aurait pas pu être plus malheureux qu'il l'est maintenant.

Convulsé par les sanglots et les blasphèmes bégayés, il laisse des hommes aux bras solides aider le veuf qu'il est à quitter la morgue.

# 30

## LA TRAGÉDIE FRAPPE DE NOUVEAU LES RACKHAM

MRS. AGNES RACKHAM, épouse du fabricant de parfums dont les produits portent son nom, a été découverte noyée dans la Tamise ce vendredi. Bien qu'elle fût à peine remise d'une fièvre rhumatismale, elle avait quitté sa résidence de Notting Hill pour se rendre à un concert donné à l'école de musique de Lambeth Palace, et une méprise la sépara de ses compagnes. Des vents puissants, le pavé glissant du quai de Lambeth et la santé délicate de Mrs. Rackham sont les raisons données par la police pour expliquer le fatal accident. Cette tragédie survient seulement quatre mois après qu'Henry Rackham, beau-frère de Mrs. Rackham, a perdu la vie dans l'incendie d'une maison. Le service funèbre sera célébré à l'église St. Mark dans sa paroisse de Notting Hill, ce jeudi à onze heures.

Sugar se penche sur le pot de chambre, fixe son fond de porcelaine brillante, et insère trois doigts dans sa bouche. Il lui faut aller jusqu'à se gratter la glotte pour provoquer un haut-le-cœur. Mais rien ne sort, sinon de la salive.

Merde ! Depuis la semaine dernière, ou même plus longtemps – disons depuis la disparition d'Agnes –, elle est malade tous les matins, obligée de quitter la salle d'étude à peine les leçons commencées pour aller vomir son petit déjeuner. (C'est peu étonnant, vu la crainte qu'elle avait qu'Agnes soit arrêtée, sa peur que son rôle dans l'affaire ne soit découvert, les périls des humeurs effroyables de William, et la fatigue causée par le travail de l'aube à minuit!) Aujourd'hui elle craint que si elle ne se fait pas vomir maintenant, en privé, elle ne doive le faire plus tard, en public, où elle n'aura nulle part où se cacher.

Elle lève les yeux sur la pendule; les voitures commandées pour l'enterrement sont sur le point d'arriver; son petit déjeuner est décidé à demeurer où il est. Elle se relève et découvre avec consternation que le lourd crêpe de sa robe de deuil est déjà froissé. L'horrible tissu fait des plis à la moindre occasion, le corsage est si serré qu'il lui pince les côtes quand elle respire, et la couture renforcée qui joint le corsage aux jupes lui irrite les hanches. La couturière de Peter Robinson n'aurait-elle pas fait une erreur? Ses mesures étaient écrites au crayon sur le couvercle de la boîte dans laquelle les vêtements sont arrivés, telles qu'elle les a inscrites sur le bon de commande que William lui a donné à remplir, mais la robe ne lui va pas pour autant.

Sugar n'a jamais été à un enterrement, bien qu'elle en ait lu des descriptions. Dans son ancienne vie, les prostituées mortes disparaissaient tout simplement, sans histoires ni cérémonie; un beau jour il y avait un cadavre dans une chambre aux rideaux tirés, le lendemain le soleil brillait sur un matelas vide, et des draps pendaient à la corde tendue entre les maisons. Où allaient les corps? On ne l'a jamais dit à Sugar. Oh, il y a eu la fois où la pauvre petite Sarah McTigue a été vendue à un étudiant en médecine, mais ça n'était certainement pas fréquent. Peut-être que toutes les putes mortes étaient clandestinement jetées dans la Tamise. Une chose était sûre: elles n'avaient pas droit aux funérailles.

« Faut-il que Sophie y aille? avait-elle osé demander à William la première fois qu'il le lui avait ordonné. N'est-il pas inhabituel qu'un enfant...

– Je me fiche de faire j-jaser! rétorqua-t-il, rougissant d'un coup. A-Agnes était une Rackham. Nous ne sommes p-plus beaucoup, et il faut que nous soyons tous là pour l'accompagner.

– Peut-être pourrait-elle aller seulement à l'église et pas au cimetière ?

– Elle ira aux deux, aux deux. A-Agnes était ma femme, et Sophie est ma fille. On dit que les femmes risquent de faire p-pleurer aux enterrements. Qu'y a-t-il de mal à p-pleurer à un en-enterrement ? Quelqu'un est mort, pour l'amour de Dieu ! Maintenant cesse de m-marchander et écris tes me-mesures sur ce bon de commande… »

Sugar retient son souffle, nauséeuse et comprimée dans sa robe. Pour la douzième fois, elle ouvre la page qu'elle a déchirée au journal pour relire l'annonce de la mort d'Agnes. Chaque mot est gravé dans sa mémoire et pourtant la chose imprimée conserve une autorité quelque peu étrange et effrayante ; les mensonges sont frappés de manière indélébile dans les fibres même du papier. Des milliers d'exemplaires de cette petite histoire tragique d'une convalescente victime de son amour pour les divertissements musicaux ont quitté la presse pour être distribués dans des milliers de foyers. La plume est effectivement plus puissante que l'épée ; elle a tué Agnes Rackham et l'a confiée à l'Histoire.

Pour s'empêcher de relire encore une fois l'avis de décès d'Agnes Rackham, Sugar saisit un de ses splendides volumes de Shakespeare. À vrai dire, elle y a à peine jeté un œil depuis qu'elle les a reçus, tant elle a été accaparée par les manuels d'éducation et les journaux volés. Il est grand temps qu'elle fasse travailler les muscles les plus… *littéraires* de son cerveau.

Elle feuillette les pages à la recherche de *Titus Andronicus*, dont elle pensait qu'il était injustement sous-estimé – en fait elle se rappelle avoir défendu sa frénésie sanglante pour le bénéfice d'un certain George W. Hunt lorsqu'il l'a rencontrée au Fireside. Maintenant qu'elle a trouvé *Titus*, elle n'y comprend rien. William lui avait bien dit, ce premier soir, qu'elle en viendrait au *Roi Lear* – et il avait raison. Elle parcourt le volume, ne lisant pas plus d'un mot çà et là, ne s'arrêtant que pour regarder les illustrations. Qu'est-il arrivé à son intellect ? L'éducation de Sophie lui a-t-elle ramolli le cerveau ? Elle pour qui naguère le million de mots de *Clarissa* était un festin, et qui dévorait le dernier livre d'Elizabeth Eiloart ou de Mathilda Houston d'une seule traite... La voilà, fixant d'un œil stupide une gravure représentant lady Macbeth s'apprêtant à sauter d'un parapet, comme si cet abrégé de la littérature relié en cuir n'était qu'un livre d'images pour les tout petits.

On entend des sabots sur les graviers : les voitures sont arrivées. Elle devrait retourner immédiatement à la salle d'étude et s'y montrer prête à accompagner Miss Rackham, mais elle regarde par la vitre d'abord, se penchant aussi près qu'elle peut sans presser son nez contre le verre. Nul doute que Sophie est en train de faire la même chose.

Il y a deux voitures à quatre chevaux. L'un des chevaux est juste sous la fenêtre de sa chambre, s'ébrouant et renâclant. Dans un passé plus espiègle elle aurait peut-être lancé quelque chose sur sa tête emplumée, et même peut-être visé le haut-de-forme noir du cocher perché derrière. Elle distingue au moins six ordonnateurs dont le visage apparaît tour à tour aux rideaux des fenêtres des voitures. Tout est monochrome : hommes, chevaux et harnais, caisses, roues et sièges, même le gravier du sentier sur lequel la dernière neige a fondu : tout est noir. Sans y penser, Sugar essuie la vitre embuée par son haleine avec sa manche, puis s'arrête quand elle se rend brutalement compte de deux choses : que le crêpe n'est pas imperméable, mais laisse une tache grise sur le verre mouillé ; et que les hommes en bas pourraient penser qu'elle leur fait des signes de la main.

Elle recule, glisse le pot de chambre sous le lit, sort ses gants de la boîte Peter Robinson et se hâte d'aller rejoindre Sophie.

Sophie est à la fenêtre de la salle d'étude occupée à regarder les chevaux et les voitures avec sa lunette d'approche. La poupée française est dans son coin, sa robe de bal rose et ses bras nus plus ou moins cachés par une cape de papier de soie noir, son chapeau à plumes grossièrement camouflé sous un châle constitué d'un mouchoir noir. Les vêtements de deuil de Sophie ne sont pas aussi légers ; ils enferment son minuscule corps comme dans un cocon noir.

« Ils sont venus nous emmener, miss, dit-elle sans se retourner.

– J'ai un peu peur, Sophie, dit Sugar, sa main gantée de noir planant dans l'air près de l'épaule de Sophie, hésitant à la caresser. Est-ce que toi aussi tu as un peu peur ? » Depuis qu'elle a appris la mort de sa maman, la petite n'a ni pleuré ni commis de bêtises, faisant preuve d'un stoïcisme trop jovial pour être vrai. Il n'est pas possible de ne rien ressentir à la perte de sa mère.

« Nurse m'avait parlé des enterrements, miss », dit Sophie en pivotant sur son talon pour faire face à sa gouvernante. Elle abaisse la lunette d'approche et réduit sa membrane de métal strié, avec un cliquètement huilé, à sa taille la plus courte. « Nous n'aurons rien à faire, qu'à regarder. »

Sugar se penche pour resserrer le nœud du bonnet de Sophie, en espérant que la douceur avec laquelle ses doigts effleurent sa gorge assurera l'enfant qu'il suffira d'un signe – le plus petit signe – de détresse pour que Miss Sugar lui fournisse toute la sympathie et l'affection dont elle aura besoin. Mais serrer un nœud plus que gentiment ne communique pas pareille chose : cela donne seulement un nœud trop lâche, comme si la gouvernante était trop maladroite et avait les doigts trop faibles pour habiller un enfant correctement.

« Comme l'année débute tristement ! » soupire Sugar, mais Sophie ne mord pas à l'hameçon.

– Oui, miss », dit-elle, par égard pour l'autorité de sa tutrice.

Un trou d'un mètre vingt de large et d'un mètre quatre-vingts de long a été creusé dans la terre sombre et humide et c'est autour de cette cavité nette que la foule des connaissances d'Agnes Rackham est rassemblée, épaule contre épaule, ou presque, ne conservant que la distance minimum convenable entre les corps. Le docteur Crane est à la tête de la tombe, dirigeant la cérémonie d'une voix trompettante. Il a déjà fait un long sermon dans l'église ; maintenant il semble qu'il va le refaire, pour le bénéfice des nouveaux arrivants.

Le petit cercueil mince, enveloppé de velours noir et enguirlandé de bourgeons blancs, a été porté jusqu'au bord de la tombe par les assistants de l'entrepreneur des pompes funèbres (les porteurs de cercueils n'étant rien de plus qu'une escorte d'honneur) et attend maintenant les mots du pasteur. Il donne l'impression d'être enceint, comme s'il allait s'ouvrir brutalement d'un instant à l'autre pour laisser apparaître une personne vivante, ou le cadavre de quelqu'un d'autre que la défunte, ou même une coulée de patates. Tels sont les fantasmes macabres de quelques-unes des personnes dans l'assistance – pas seulement les deux qui ont des raisons de douter que le cercueil contienne Agnes Rackham.

(« C'était elle ? Tu es sûr ? avait demandé Sugar à William dès son retour de la morgue de Pitchcott.

– Je... oui, je suis sû-sû-sûr, avait-il répondu, l'œil vitreux, la barbe pleine de gouttelettes de sueur. Au-au-aussi sû-sû-sû... certain qu'on p-peut l'être.

– Qu'est-ce qu'elle portait ? » *Tout ce que tu voudras, s'il te plaît, sauf une robe bleu sombre avec un tablier gris, et une cape bleu pâle…*

« E-elle était n-nue.

– Mais on l'a *trouvée* nue ?

– Dieu tout-puissant, t-tu crois que je p-poserais une question pareille ? Ah, si tu avais p-pu v-v-voir ce que j'ai v-vu aujourd'hui… !

– Qu'est-ce que tu as vu, William ? Qu'est-ce que tu as vu ? »

Mais il se contenta de frissonner et de fermer fort les yeux pour laisser l'état du corps d'Agnes à l'imagination de Sugar. « Oh Dieu, pourvu que ce soit la fin de tout ça ! »

Sur quoi elle était allée le prendre dans ses bras, respirant l'ignoble odeur dont ses vêtements étaient imprégnés. Elle avait caressé son dos moite, avait murmuré à son oreille des paroles rassurantes, disant : oui, oui c'était bien la fin, et c'était bien Agnes qu'il avait vue, et des milliers de gens se noient chaque année, c'est la première cause de mortalité, ils l'ont dit dans le journal il y a une semaine, et pense au temps qu'il faisait cette nuit-là, et à son état de santé fragile. Ainsi avait-elle déblatéré à n'en plus finir, jusqu'à ce qu'il cesse de sangloter et de trembler, et qu'il fasse silence.)

Maintenant il se tient droit au bord de la tombe, figure de cire à l'air solennel, son visage, emblème instantanément identifiable des Parfumeries Rackham, posé sur la noire colonne de son costume de deuil. Ses cicatrices sont cachées sous une couche de poudre Rackham expertement appliquée par Sugar, et sa main droite – la seule partie de son corps qui ne peut être vêtue selon les strictes conventions – est gainée d'une moufle noire et suspendue à une écharpe noire. Sous la circonférence serrée de son chapeau, sa tête bat à un rythme douloureux.

Au contraire de l'enterrement d'Henry, qui s'était déroulé

sous la pluie, celui d'Agnes bénéficie d'un ciel clair, d'un soleil tiède et d'un vent léger. Deux oiseaux pépient dans les arbres nus, discutant de l'avancée de l'hiver et des chances qu'ils ont de survivre jusqu'au printemps. L'enterrement ne les intéresse pas ; cette assemblée de créatures noires qui se bousculent attire peut-être le regard attentif et affamé des corbeaux, et on en voit même qui sont emplumées, mais elles se sont rassemblées au mauvais endroit, les imbéciles : il n'y a rien à manger ici, pas une seule miette.

Juste par curiosité, qui est venu aujourd'hui ? Quels humains ont quitté leurs nids confortables pour assister à la mise en terre d'Agnes Rackham ?

Eh bien, lord Unwin bien sûr – même si l'on ne peut savoir ce qu'il aurait fait s'il ne s'était pas trouvé en Angleterre à ce moment-là, mais plutôt, comme il en a l'habitude, en Italie ou en Tunisie. Néanmoins il est ici, ainsi que sa belle épouse, bien qu'elle et Mrs. Rackham ne se soient malheureusement jamais rencontrées.

Henry Calder Rackham est le patriarche du côté de William, un spécimen d'allure moins distinguée que le beau-père d'Agnes, certes, mais pas mal pour son âge. Pauvre homme : plus il vieillit moins il a d'espoir d'avoir un petit-fils ; d'abord il a eu deux fils, dont l'un était décidé à devenir un pasteur célibataire et l'autre un débauché célibataire ; puis l'un des deux est mort et l'autre était marié à une femme dont les efforts pour enfanter s'arrêtèrent avant d'avoir produit un mâle ; maintenant même elle a disparu. Pas étonnant qu'il fasse triste mine.

Qui encore ? Eh bien, pour passer à l'autre sexe : lady Bridgelow, aussi bien que grand nombre de dames connues d'Agnes, parmi lesquelles Mrs. Canham, Mrs. Battersleigh, Mrs. Amphlett, Mrs. Maxwell, Mrs. Fitzhugh, Mrs. Gooch, Mrs. Marr – et ne serait-ce pas Mrs. Abernethy là-bas ? Oh mon Dieu il faut en avoir le cœur net. Cela ressemble bien à Mrs. Abernethy, mais est-ce que Mrs. Abernethy n'est pas censée être en Inde ? Ce n'est qu'une fois achevée cette cérémonie qu'il sera possible d'éclaircir ces petits mystères.

Et cette enfant ? Qui est cette enfant, debout devant son épouvantail au visage blafard de gouvernante ? Sophie Rackham, n'est-ce pas ? Certaines des dames ici rassemblées aujourd'hui savaient que Mrs. Rackham avait une fille, d'autres non. Elles regardent la petite fille d'un œil inquisiteur, notant la ressemblance avec la structure osseuse du père, bien qu'elle ait les yeux de sa mère.

Quel étrange enterrement que celui-ci ! Tant de femmes, et presque pas d'hommes ! Mrs. Rackham n'avait-elle pas de parents mâles ? Frères, cousins, neveux ? Apparemment pas. On dit qu'il y a plusieurs oncles mais ils sont… eh bien, ils sont catholiques, et pas du genre discret, plutôt des excités.

Et le docteur Curlew, le médecin de Mrs. Rackham ? N'aurait-il pas dû se trouver ici ? Ah, mais il est à Anvers, il assiste à un symposium sur le myxœdème. Là c'est sa fille, Mrs. Emmeline Fox, qui se tient discrètement au dernier rang. Encore une veuve ! Mon Dieu, avez-vous jamais été à un enterrement où se trouvent tant de veufs et de veuves ! Même lady Unwin n'est pas la première lady Unwin – pas plus que ne l'était la mère d'Agnes –, il y en a eu une *autre*, une *troisième*, c'est-à-dire une *première* lady Unwin, qui est morte presque devant l'autel, puis, quelques semaines plus tard, lord Unwin a fait la connaissance de Violet Pigott, vous savez, qui elle-même était veuve – vous suivez ? Vraiment, ce fut un fameux scandale qu'il vaut mieux laisser enfoui dans le passé, particulièrement en une occasion pareille, dont tout ragot devrait être banni, et de plus, Violet Pigott jouait de l'ombrelle pour lord Unwin alors que sa pauvre femme était à peine froide, et qui sait quelles erreurs de jugement un jeune veuf peut faire dans la folie de sa douleur ?

De toute façon c'est de l'histoire ancienne et nous n'en parlerons plus, d'autant qu'aucun de nous ne connaît tous les faits, pas même Mrs. Fitzhugh, dont la sœur aînée connaissait la première lady Unwin *intimement.* C'est celle qui porte le boa de plumes noires, et sera certainement à la réception de Mrs. Barr demain après-midi, quelque chose d'intime réservé aux dames.

Mais où en étions-nous ? Ah oui, Mrs. Fox. Elle a bonne mine, n'est-ce pas ? Il y a six mois, tout le monde pensait que le seul enterrement auquel elle assisterait dans l'avenir serait le sien ; et la voilà, ce qui prouve qu'on ne peut jamais être sûr de rien. Est-ce qu'elles se connaissaient bien, elle et Mrs. Rackham ? On ne les a jamais vues ensemble en public, pour autant qu'on sache. Peut-être représente-t-elle son père ? Elle a l'air triste, mais – osera-t-on le dire – légèrement désapprobateur. C'est une chaude partisane de la crémation, vous ne saviez pas ? Le docteur Crane ne la supporte pas ; elle s'est levée pendant l'un de ses sermons et a déclaré : « Je suis désolée, monsieur, mais ce n'est pas vrai ! » Pouvez-vous imaginer chose pareille ? J'aurais aimé être là…

Quoi qu'il en soit, elle est là, gardant ses opinions pour elle tandis que le docteur Crane parle. Elle a les yeux secs et l'air digne – de fait, toutes les dames ont les yeux secs et l'air digne, ce qui est tout à l'honneur de la cérémonie. Mrs. Gooch tente un reniflement, mais, voyant qu'elle est seule, se désiste instantanément.

Et les hommes ? Comment supportent-ils la chose ? Le visage de William Rackham exprime l'étonnement douloureux ; nul doute que la mort de sa femme est une blessure dont il n'a pas encore ressenti toute la sévérité. La douleur de lord Unwin est si bien contrôlée qu'elle ressemble presque à de l'ennui. Henry Calder Rackham se tient immobile et mélancolique, les yeux fixés sur le pasteur, sa poitrine soulevée par un profond soupir silencieux chaque fois qu'un arrêt dans l'oraison est brisé par une nouvelle salve.

Il semble que le monologue du docteur Crane atteigne son sommet : il vient d'évoquer les inévitables « cendre et poussière », ce qui signifie sûrement que le cercueil va bientôt être descendu dans la fosse. Cendre et poussière, rappelle-t-il à sa congrégation, sont nos seuls restes matériels, mais comparés à nos restes spirituels ils ne signifient rien. Sous le regard impitoyable de la mort, notre âme se révèle comme l'essence originelle de laquelle une particule minuscule, insignifiante – le corps – a été détachée. La forme corporelle de Mrs. Rackham n'est pas une perte pour elle, car elle vit toujours, non seulement dans la mémoire de son caractère et de ses actes, dont tous ceux ici présents peuvent indubitablement témoigner, mais, plus important, dans le sein de son Père éternel.

*Chérie dans la mémoire de tous ceux qui eurent le bonheur de la connaître – le Ciel a gagné ce que la Terre a perdu* est inscrit sur la pierre tombale en termes presque identiques à ceux qui ornent la pierre d'Henry non loin, car comment un homme accablé de douleur peut-il trouver des mots pénétrants et neufs ? Attendait-on de lui un poème métaphysique dans le genre d'Herbert ? Y a-t-il quelqu'un ici qui aurait fait mieux que lui, en pareilles conditions ? La mort est trop obscène pour qu'on en fasse de jolis vers.

William regarde le cercueil tandis qu'il est hissé dans les cordes. La mâchoire serrée, il résiste à la tentation d'éponger la sueur sur son front, craignant que la poudre Rackham ne reste sur son mouchoir, révélant les croûtes et les bleus. L'heure est venue : la mince boîte magnifiquement vernie est finalement descendue en terre, et le docteur Crane entonne l'incantation multiséculaire qui l'aidera dans son voyage.

William n'est pas réconforté: « la cendre redeviendra cendre, la poussière redeviendra poussière » est parfait pour un enterrement, mais d'un point de vue brutalement scientifique, la cendre est une affaire de crémation. Le cadavre contenu dans ce cercueil est déjà bien avancé dans sa métamorphose, ainsi que le sait William pour l'avoir vu à la morgue, mais son produit final ne sera pas de la cendre ; ce sera un liquide, ou au plus un onguent.

De fait, dans l'esprit de William, le cadavre est déjà dans un état plus détérioré que celui dans lequel il l'a contemplé la semaine dernière et, tandis que le cercueil descend sans à-coups, il se représente les chairs lacérées et putrides qui tremblent comme de la gelée à l'intérieur. Il avale un grand coup, pour réprimer un gémissement d'horreur. Comme c'est étrange, qu'il ne soit pas en mesure de croire que quoi que ce soit de solide puisse subsister d'Agnes, tandis que son frère Henry – qui a été enseveli il y a plusieurs mois et doit donc, logiquement, être en bien pire état –, il se le représente momifié, dur comme du bois. Même dans la tombe, son frère oppose une ferme résistance à la corruption, une raide intégrité, tandis que (dans l'imagination de William) la volatilité d'Agnes, son instabilité typiquement féminine la condamnent à la dissolution chimique.

Il détourne le regard ; il ne le supporte pas. Les larmes lui piquent les yeux ; y a-t-il quelqu'un ici aujourd'hui qui ne pense pas en secret qu'il a conduit sa femme au suicide ? On le méprise, toutes ces femmes, toutes ces « intimes » cancanières ; dans leurs cœurs, elles le condamnent : vers qui se tourner ? Il ne peut regarder Sugar, car elle est avec Sophie, et il ne peut affronter la question de ce qu'il doit advenir de l'enfant maintenant que tout espoir pour elle d'avoir une mère a disparu. Au lieu de quoi, en désespoir de cause, il regarde lady Bridgelow ; il est stupéfait – et profondément ému – de voir que ses yeux, eux aussi, sont brillants. *Quel homme courageux vous êtes*, dit-elle. Pas tout haut, bien sûr, mais de toutes les autres manières possibles. Il ferme fort les yeux et vacille sur ses pieds en entendant le bruit de la terre qui tombe sur la terre.

Enfin on le tire doucement par le bras. Il ouvre les yeux, s'attendant presque à voir un visage de femme, mais c'est l'un des croque-morts.

« Par ici, s'il vous plaît, monsieur. »

William le fixe, l'œil rond, la bouche ouverte.

Le croque-mort désigne le monde au-delà du cimetière d'une main gantée de noir. « Les voitures vous attendent, monsieur.

– Oui… Je… euh… » bégaie-t-il avant de fermer son clapet. Toute la journée il a craint d'avoir à parler, de s'expliquer et de bégayer les raisons pour lesquelles Agnes n'est pas vivante et en bonne santé. Soudain il apprécie le fait qu'on ne lui demande rien. Il est excusé. Il n'y a pas de questions. Il est temps de rentrer.

Le lendemain, Clara Tillotson est renvoyée. Ou, pour dire la chose de manière plus diplomatique, elle est envoyée, avec la bénédiction de Rackham, à la recherche d'une place dans une maison dont le maître n'est pas un veuf.

« Vu les circonstances » : c'est l'expression qu'a employée William, quand il lui a annoncé la nouvelle. Bien sûr, ce n'était pas vraiment une nouvelle, et elle savait à quoi s'attendre, alors pourquoi ne pas lui avoir épargné ce pensum et n'avoir pas disparu dans la nuit, en emportant sa taille de guêpe et son petit museau pointu avec elle ? Ah oui : parce qu'elle avait besoin d'une lettre de recommandation. N'aurait-il pas pu lui en laisser une dans l'entrée, accrochée par un ruban au portemanteau ? Non, bien sûr que non. Quelque mépris qu'il ait pour elle, il avait été obligé de supporter une dernière entrevue.

Vous aurez remarqué qu'en ce dernier jour de présence dans la maison Rackham, l'attitude de Clara subit une extraordinaire transformation : elle est douce comme une vendeuse de fleurs et servile comme un cireur de chaussures. Elle souriait presque ! Tôt le matin, elle a exercé ce savoir-faire si hautement apprécié chez une femme de chambre : plier vêtements et autres affaires dans une valise afin qu'ils en sortent sans plis ni dommages. La somme de ses possessions remplit moins de bagages qu'Agnes n'en a emporté à Folkestone ; pour être précis, une malle, une petite valise écossaise, et un carton à chapeau.

Rackham ne l'accompagne pas à la porte ; en fait, quand le fiacre arrive, pas un membre de la maisonnée n'a une minute pour venir lui dire au revoir. Seul Cheesman est là, serviable et bonhomme, s'occupant de son bagage, l'assurant que ce jour est le premier jour d'une nouvelle vie, posant sa patte musclée contre le bas de son dos tandis qu'elle monte dans la voiture. Tiraillée entre le désir de pleurer contre sa poitrine et celui de lui cracher au visage, Clara ne fait rien, le laisse rentrer sa jupe avant de fermer la porte, et garde un visage de marbre quand le véhicule se met en branle.

Dans son réticule posé sur ses genoux niche la lettre de recommandation de William Rackham, qu'elle n'a pas encore lue. L'étiquette en vigueur pour ce qui concerne les demandes d'emploi est telle qu'il y a un avantage subtil mais certain à tendre une enveloppe cachetée, vierge, suggérant ainsi que l'on ne peut douter qu'elle ne contienne que des éloges. Une fois Clara installée chez sa sœur, elle aura tout le temps d'ouvrir l'enveloppe à la vapeur – et découvrira alors que Rackham la décrit comme une personne d'intelligence moyenne, admirablement loyale envers sa maîtresse sinon envers son maître, une femme de chambre rusée et compétente dont le manque de douceur de caractère n'empêchera pas qu'elle serve loyalement l'employeur qui saura s'entendre avec elle. Puis Clara éclatera en imprécations et regrettera de ne pas avoir saisi l'occasion de dire à ce butor pompeux et vulgaire exactement ce qu'elle pense de lui, et sa sœur abondera avec tact en son sens, sachant bien que Clara n'aurait pas osé piper mot, de peur que Rackham ne reprenne sa lettre pour déchirer son avenir en petits morceaux sur le seuil de la maison.

« Maudite soit cette baraque ! s'exclamera Clara. J'espère que tous ceux qui l'habitent mourront et iront pourrir en Enfer ! »

Oui, c'est ce qu'elle dira plus tard. Mais pour le moment elle se mord la lèvre inférieure, compte les arbres tandis que son fiacre longe Kensington Gardens et se demande si le fantôme de Mrs. Rackham la hantera pour avoir volé quelques bijoux. Quel intérêt un fantôme pourrait-il accorder à quelques bracelets et boucles d'oreilles, qu'en plus elle ne portait presque jamais et qui ne lui auraient probablement pas manqué de son vivant ? S'il y a une justice en ce monde, ce vol sera sans conséquence, sinon un peu d'argent bien nécessaire. Ah, mais on dit que les morts aiment se venger... Clara espère que Mrs. Rackham, où qu'elle puisse être, se rappelle les longues années durant lesquelles sa femme de chambre était son unique alliée contre son détestable mari, et qu'elle déclare du fond de son cœur : « Bien joué, bonne et fidèle servante. »

Il fait exceptionnellement doux pour la saison, et le soleil brille autant qu'on puisse le désirer, le jour où Sugar a vingt ans.

En dépit du fait que le 19 janvier est au cœur de l'hiver, les derniers vestiges de neige fondue ont été balayés des rues, les oiseaux chantent dans les arbres, et haut au-dessus de la tête de Sugar le ciel est bleu lavande et les nuages blanc coquille d'œuf, comme une illustration dans un livre d'enfants. Sous ses pieds l'herbe du jardin public est humide, mais pas de neige ni de pluie, rien que du givre fondu, à peine assez pour mouiller ses bottines. Le seul indice hivernal est la longue langue de glace opaque qui pend de la bouche d'un dragon en pierre perché au centre de la fontaine vide du jardin, mais même ce glaçon scintille et transpire, se laissant lentement aller à fondre.

*C'est par un jour tout pareil à celui-ci,* pense Sugar, *que je suis née.*

Sophie regarde le dragon de pierre, puis sa gouvernante, demandant muettement la permission d'examiner le monstre de plus près. Sugar acquiesce et, avec quelque difficulté (car ses vêtements de deuil sont extrêmement serrés et raides), Sophie escalade le bord de la fontaine, retenue par sa gouvernante. L'enfant trouve son équilibre, une moufle posée contre le flanc gris du dragon. Pas très élégantes, ces vieilles moufles en laine, mais les minuscules gants en peau de porc que son père lui a donnés à Noël étaient trop petits pour elle, et quand Miss Sugar a essayé de les mettre sur un ouvre-gants pour adultes, l'un d'eux s'est déchiré.

Sophie avance le visage juste sous les mâchoires en pierre du dragon, et tire timidement une langue rose en direction de la pique de glace rutilante.

« Ne fais pas ça, Sophie ! C'est sale. »

L'enfant se recule aussi brusquement que si elle avait été giflée.

« Je vais te dire quoi faire : pourquoi ne pas la casser ? » Troublée par la facilité avec laquelle on effraie un enfant, Sugar s'empresse de redonner courage à Sophie. « Vas-y : donne-lui un bon coup ! »

Sophie tapote d'une moufle hésitante l'énorme crachat de glace, sans effet. Puis, après avoir été encouragée de nouveau par sa gouvernante, elle lui donne une claque, et il casse. Un faible filet d'eau teintée d'ocre sort en gargouillant du dégorgeoir en fer ainsi libéré.

« Bravo Sophie ! dit Sugar. Tu l'as fait repartir. »

Sous le regard vigilant de sa gouvernante, Sophie marche sur la corde raide imaginaire du bord de la fontaine. Les jupes bouffantes de sa tenue de deuil lui rendent difficile de voir ses pieds, mais elle avance lentement et solennellement, les bras tendus, telles des ailes, pour s'équilibrer.

Est-il permis par les règles du deuil de sortir une petite orpheline quelques jours après l'enterrement ? Sugar n'en a pas la moindre idée, mais qui va la réprimander ? Les domestiques se tiennent à carreau, et William s'est à ce point enfermé dans son bureau – veuf éploré aux yeux du monde ou plutôt à l'abri du regard du monde – qu'il n'est pas en position de savoir ce qu'elle fait quand elle n'est pas avec lui.

Et s'il découvrait la vérité, que se passerait-il ? Est-ce que Sophie et elle doivent se morfondre dans une maison aux fenêtres voilées, étouffant dans une atmosphère où le rire est oublié et l'ordre du jour est le noir du lever au coucher ? Non ! Elle refuse de se traîner à petits pas sous un dais mortuaire ! Les leçons de Sophie se feront dehors, dans les parcs et les jardins de Notting Hill. La pauvre enfant a passé assez de temps cachée comme un secret honteux.

« C'est l'heure de l'histoire, mon petit », annonce Sugar, et le visage de Sophie s'illumine. S'il y a une chose qu'elle préfère au jeu, c'est le travail. Elle regarde le sol, se préparant à sauter du bord de la fontaine ; il se trouve juste quelques centimètres trop bas pour qu'elle l'atteigne facilement dans ses vêtements raides. Que faire ?

Soudain, Sugar se précipite, attrape l'enfant dans ses bras et la pose par terre d'un seul mouvement. Tout est terminé en deux secondes au plus, le temps d'une respiration, mais dans ce long moment Sugar ressent plus de joie physique qu'elle n'en a ressenti dans une vie d'étreintes. Les semelles de Sophie effleurent l'herbe humide, et elle atterrit; Sugar la lâche, retient son souffle. Dieu merci, Dieu merci, la petite a l'air ravie: il est clair qu'elle ne verra pas d'inconvénient à ce que ce genre de choses arrive de nouveau.

Dernièrement, Sugar a été étonnée, déroutée même par l'intensité physique de ses sentiments pour Sophie. Ce qui a commencé, à son arrivée chez les Rackham, par la détermination de ne pas faire de mal à sa malheureuse élève, s'est propagé de sa tête à son sang et circule maintenant dans son corps, transmué en une impulsion complètement différente: le désir de remplir Sophie de bonheur.

Ce dix-neuvième jour de janvier, dans un parc, le matin de son vingtième anniversaire, tout son corps encore fourmillant de l'étreinte de Sophie, Sugar les imagine toutes deux au lit vêtues de chemises de nuit identiques, Sophie profondément endormie, la joue nichée dans le creux qui sépare les seins de Sugar – une vision qui eût été ridicule une année auparavant, d'autant qu'elle avait bien peu de poitrine. Mais ses seins sont plus gros aujourd'hui, comme si une adolescence prolongée s'était enfin terminée et qu'elle était maintenant une femme.

Sophie commence à faire lentement le tour de la fontaine à pas lourd et rythmés tout en récitant ses vers:

*« Guillaume I^er^ a fait le grand cadastre d'Angleterre*
*Son fils le Rouge avait très mauvais caractère*
*Henry I^er^ a traduit d'Ésope les Fables*
*Mais de couronner sa fille il fut incapable. »*

« Très bien, Sophie, dit Sugar en reculant. Récite toute seule et viens me voir si tu as des problèmes. »

Sophie poursuit sa marche cadencée tout en psalmodiant, ajoutant sa mélodie instinctive aux mots, de sorte que le poème devient une chanson. Ses bras raides de crêpe battent la mesure contre ses cuisses.

« *Stephen a fait la guerre à Matilda*
*Jusqu'en 1154.*
*Henry, surnommé Plantagenêt*
*N'aimait pas les enfants ni Thomas Beckett.* »

Sugar s'éloigne et va s'asseoir sur un banc en fonte à environ cinq mètres de la fontaine. La psalmodie l'emplit de fierté, car ces vers sont de sa propre invention ; elle les a écrits afin d'aider Sophie à différencier tous ces rois d'Angleterre comploteurs et assoiffés de sang, d'autant plus que la plupart s'appellent Guillaume ou Henry. Ces petits vers, quelque boiteux qu'ils soient, représentent le premier effort littéraire de Sugar depuis qu'elle a prononcé la mort de son roman. Ah, oui, elle sait qu'ils sont pitoyables, mais ils ont allumé en elle une lueur d'espoir d'être un écrivain. Et pourquoi pas écrire pour les enfants ? Prenez-les jeunes, et vous façonnez leur âme… A-t-elle jamais sérieusement pensé qu'il y aurait des adultes pour lire son roman, briser les chaînes des préjugés et partager sa juste colère ? Colère contre quoi, de toute façon ? Elle se le rappelle à peine…

« *Cœur de Lion aimait beaucoup la guerre*
*Il la fit même deux fois à son père*
*Jean était querelleur et d'humeur mauvaise*
*Mais la Charte fut signée en 1216.* »

Sugar s'adosse à son siège, étendant les jambes et tortillant les orteils à l'intérieur de ses bottines pour les empêcher de geler ; tout le reste de son corps est chaud. Elle laisse sa vision se troubler, de sorte que Sophie n'est qu'une vague tache noire lorsqu'elle passe devant elle en faisant le tour de la fontaine.

« *Très* bien… » murmure-t-elle, trop bas pour que Sophie l'entende. Comme il est délicieux d'entendre ses propres mots, même si ce sont des vers de mirliton, chantés par un autre être humain…

*« Henry III a régné très longtemps*
*Mais son esprit et sa santé ne durèrent pas autant.*
*Édouard Ier fut presque marié*
*Ce qui eût épargné beaucoup d'Écossais. »*

« Mais c'est la petite Sophie Rackham ! » s'écrie une voix féminine inconnue, et Sugar se secoue pour tâcher d'identifier la personne qui lui correspond. Là, à la grille du parc, se tient Emmeline Fox, gesticulant follement. Comme c'est bizarre, de voir une femme respectable faire de tels gestes ! Et, tandis qu'elle agite les bras, sa poitrine généreuse se balance librement à l'intérieur de son corsage, suggérant qu'elle n'a pas de corset. Sugar n'est pas une experte en détails de la respectabilité, mais elle se demande si tout cela est vraiment *comme il faut**…

« Miss Sugar, si je ne m'abuse ? demande Mrs. Fox, qui est déjà en train de parcourir la distance qui les sépare.

– Ou-i, dit Sugar, se levant de son banc. Vous êtes Mrs. Fox, je pense.

– Oui, absolument. Ravie de faire votre connaissance.

– O-oh, et moi de même », répond Sugar, deux ou trois secondes plus tard qu'elle n'aurait dû. Mrs. Fox, étant arrivée à un bras de distance de Sugar, semble satisfaite de demeurer là ; si elle a remarqué la gêne de Sugar, elle n'en laisse rien paraître. Elle se contente de désigner d'un signe de tête Sophie qui, après une brève pause, s'est remise à marcher et chanter.

« Une approche nouvelle de l'histoire. Peut-être que moi-même je ne l'aurais pas autant détestée, si on m'avait donné de tels vers à apprendre.

– C'est moi qui les ai écrits pour elle », lâche Sugar.

Sans se démonter, Mrs. Fox la regarde droit au visage,

fermant légèrement les yeux. « Eh bien, voilà qui n'est pas bête du tout », dit-elle avec un sourire étrange.

Sugar sent la sueur picoter et tremper les aisselles noires de sa robe. Qu'est-ce qui cloche avec cette femme ? Est-elle folle, ou méchante ?

« Je… je trouve que la plupart des livres qu'on donne aux enfants sont mortels, dit Sugar, se creusant la cervelle à la recherche de quelque chose à dire. Ils tuent le désir d'apprendre. Mais Sophie en a quelques-uns qui sont bons, maintenant, des livres modernes que Wi – oui, Mr. Rackham a achetés à ma demande. Bien que je doive dire (un souffle de soulagement rafraîchit la sueur sur son front, alors qu'un souvenir l'inspire soudain) que Sophie est toujours très attachée à un livre de contes de fées qui lui a été donné un Noël par son oncle Henry, qui, je crois, était un de vos amis chers. »

Mrs. Fox cligne des yeux et pâlit un peu, comme si elle venait de recevoir une gifle, ou un baiser. « Oui, dit-elle. C'est juste.

– Sur la page de garde, poursuit Sugar, il a signé *Ton barbon d'oncle Henry.* »

Mrs. Fox secoue la tête et soupire, comme si elle entendait une rumeur déformée par son passage de cancan en cancan. « Il n'était pas ennuyeux le moins du monde. C'était l'homme le plus délicieux qui soit. » Et elle s'assied lourdement sur le banc, sans préambule ni formalité.

Sugar s'assied à côté d'elle, plutôt excitée par la façon dont la conversation évolue – car elle semble, après un début difficile, avoir pris le dessus. Elle hésite un instant, puis décide de faire d'une pierre deux coups : montrer qu'elle connaît bien les livres de Sophie Rackham au cas où Mrs. Fox aurait des doutes quant à ses capacités de gouvernante – et fouiner.

« Dites-moi, Mrs. Fox, sans vouloir être indiscrète : ai-je raison de supposer que vous étiez la "bonne amie" d'Henry

Rackham à laquelle il se réfère dans sa dédicace ? L'amie qui lui a reproché d'avoir donné une bible à Sophie alors qu'elle n'avait que trois ans ? »

Mrs. Fox rit tristement, mais ses yeux étincellent, et ils fixent Sugar sans faillir. « Oui, je pensais qu'elle était un peu trop jeune pour le Deutéronome et les Lamentations, dit-elle. Et quant aux filles de Lot, Onan et toutes ces choses, eh bien… une enfant a droit à quelques années d'innocence, vous ne trouvez pas ?

– Oh si », dit Sugar, pas trop sûre des détails mais en accord total avec l'idée sous-jacente. Puis, au cas où son ignorance eût été visible sur son visage, elle assure à Mrs. Fox : « Je lis la Bible à Sophie quand même. Les histoires amusantes : Noé et le Déluge, le Fils prodigue, Daniel dans la fosse aux lions…

– Mais pas Sodome et Gomorrhe, dit Mrs. Fox, se penchant plus près, sans ciller.

– Non.

– Très bien, dit Mrs. Fox. J'arpente les rues de notre Sodome à nous plusieurs fois par semaine. Elle corrompt les enfants avec autant de plaisir qu'elle corrompt tout le monde. »

Quelle étrange personne cette Mrs. Fox, avec sa longue figure laide et ses yeux inquisiteurs ! N'est-elle pas malveillante ? Pourquoi la fixe-t-elle ainsi ? Sugar éprouve soudainement le désir que Sophie soit assise entre elles, afin que la conversation ne s'égare pas.

« Sophie peut venir avec nous, si vous le souhaitez, puisque vous la connaissez depuis longtemps. Je vais l'appeler, voulez-vous ?

– Non, non, répond aussitôt Mrs. Fox, d'un ton qui n'est pas inamical mais remarquablement ferme. Sophie et moi ne nous connaissons pas aussi bien que vous pensez. Quand Henry et moi allions chez les Rackham, elle n'était jamais là ; on aurait eu du mal à deviner qu'elle existait. Je ne la voyais qu'à l'église, et encore seulement aux services auxquels Mrs. Rackham n'assistait pas. La coïncidence – ou quel que soit le contraire de coïncidence, devrais-je plutôt dire – est devenue très étrange au bout d'un moment.

– Je ne suis pas sûre de comprendre ce que vous voulez dire.

– Je veux dire, Miss Sugar, qu'il était évident que Mrs. Rackham n'aimait pas les enfants. Ou, pour parler encore plus ouvertement, qu'elle ne semblait pas reconnaître l'existence de sa propre fille.

– Ce n'est pas à moi de juger ce qui se passait dans la tête de Mrs. Rackham, dit Sugar. Je la voyais peu ; elle n'était déjà pas bien quand je suis entrée en service. Mais... (le sourcil levé de Mrs. Fox est une chose intimidante : il suggère qu'une gouvernante qui avoue son ignorance de ces faits doit être soit stupide soit menteuse) mais je crois que vous avez raison.

– Et vous, Miss Sugar ? dit Mrs. Fox, posant ses mains sur ses genoux et se penchant en avant, dans l'attitude de qui en vient au sujet. Vous, vous aimez les enfants, je suppose ?

– Oh oui. J'aime certainement beaucoup Sophie.

– Oui, cela se voit sans peine. C'est votre première élève ?

– Non, répond Sugar, le visage impassible, l'esprit tourbillonnant comme une toupie. Avant Sophie je m'occupais d'un petit garçon. Qui s'appelait Christopher. À Dundee. »

(La longue bataille de William avec les marchands de jute a inscrit un tas de noms et d'événements touchant Dundee dans sa mémoire, au cas où elle en aurait besoin ; Dieu lui pardonne pour avoir prétendu avoir fait quelque chose pour Christopher, quand, loin d'éduquer le pauvre enfant, elle l'a laissé dans la fosse aux lions...)

« Dundee ? répète Mrs. Fox. Vous avez parcouru un bien long trajet. Bien que vous n'ayez pas l'accent écossais – plus londonien, je dirais.

– J'ai vécu dans pas mal d'endroits.

– Oui, je n'en doute pas. »

Suit un silence gêné, durant lequel Sugar se demande où a pu filer le dessus qu'elle croyait avoir pris. La seule manière de le reconquérir, décide-t-elle, est de passer à l'offensive.

« Je suis si contente que vous ayez décidé de sortir vous promener le même matin que Sophie et moi, dit-elle. Je crois que vous étiez en mauvaise santé dernièrement ? »

Mrs. Fox penche la tête de côté et sourit d'un air las. « Très mauvaise, très mauvaise, concède-t-elle, d'un ton chantant. Mais je suis sûre d'avoir moins souffert que ceux qui m'ont regardée souffrir. Ils étaient persuadés que j'allais mourir, voyez-vous, tandis que je savais que je ne mourrais pas. Et me voilà (elle agite une main ouverte, comme si elle signifiait à une invisible procession de la dépasser) à regarder une foule de malheureux se diriger vers leurs tombes. »

*Mais vous ne comprenez pas, Agnes est vivante!* pense Sugar, indignée. « Une foule ? reprend-elle. J'admets que c'est affreux, deux membres d'une même famille, mais enfin... !

– Oh non, je ne parlais pas des Rackham, dit Mrs. Fox. Oh mon Dieu non, je vous fais mes excuses. Je croyais que vous saviez que je travaille pour la Société de Secours.

– La Société de Secours ? J'avoue n'en avoir jamais entendu parler. »

Mrs. Fox rit, un étrange son de gorge. « Ah, Miss Sugar, comme certaines de mes collègues seraient déconfites, *mortifiées*, de vous entendre ! Laissez-moi vous éclairer : nous sommes une organisation de dames qui réforme, ou du moins *essaie* de réformer les prostituées. » De nouveau le regard direct et impitoyable. « Excusez-moi si ce mot vous choque.

– Non, non, pas du tout, dit Sugar, bien qu'elle sente la chaleur d'une rougeur sur ses joues. Continuez je vous prie ; j'aimerais en savoir plus. »

Mrs. Fox jette un regard théâtral aux cieux, et déclare (avec une ironie désabusée ou sincèrement, Sugar ne saurait dire) : « Ah ! la voix de l'avenir de notre sexe ! » Elle se penche encore plus près de Sugar, cherchant, semble-t-il, davantage d'intimité. « Je prie que vienne le jour où toutes les femmes éduquées voudront parler de ce sujet, sans hypocrisie ni faux-fuyants.

– Je-je l'espère aussi », bégaie Sugar, espérant éperdument que Sophie lui vienne en aide, même si ce doit être par un hurlement de détresse à la suite d'une chute. Mais Sophie continue à parader autour de la fontaine, loin d'en avoir fini avec les rois d'Angleterre.

*« ... Sous le règne de Richard II*
*Wat Tyler conduit la révolte des gueux. »*

« La prostitution est certainement un terrible problème, dit Sugar, gardant le visage tourné en direction de Sophie. Mais est-ce que vous – est-ce que la Société de Secours – peut vraiment escompter l'éradiquer ?

– Pas de mon vivant, réplique Mrs. Fox, mais peut-être du sien. »

Sugar est tentée de rire tant l'idée lui semble absurde, mais alors elle voit apparaître Sophie, qui chante :

*« Henry IV dormait, la couronne sur ses cheveux*
*Qu'il avait prise à Richard son neveu. »*

et hume soudain une telle bouffée d'innocence qu'elle est presque convaincue que le rêve de Mrs. Fox se réalisera.

« Le plus gros obstacle, déclare Mrs. Fox, est la persistance des mensonges. Principalement l'horrible et lâche mensonge que la racine de la prostitution est la nature corrompue des femmes. J'ai entendu cela un millier de fois, même de la bouche de prostituées !

– Quelle en est donc la racine, alors ? La nature corrompue des hommes ? »

Le teint gris de Mrs. Fox rosit à chaque seconde ; elle s'échauffe sur son sujet.

« Seulement dans la mesure où les hommes font les lois qui disent ce qu'une femme peut et ne peut pas faire. Et les lois ne se trouvent pas seulement dans les livres ! Le sermon d'un prêtre qui n'a pas d'amour dans le cœur, *ça aussi* fait loi ; la façon dont notre sexe est rabaissé et dévalorisé dans les journaux, dans les romans, même sur les étiquettes des plus petits articles de ménage, *ça aussi* fait loi. Et, par-dessus tout, *la pauvreté* fait loi. Si un homme déchoit, un billet de cinq livres et un nouveau costume peuvent lui rendre la respectabilité, mais si une femme déchoit… ! » Elle émet un souffle exaspéré, les joues rouges, très excitée maintenant. « Une femme doit rester dans le caniveau. Vous savez, Miss Sugar, je n'ai jamais rencontré de prostituée qui n'aurait pas préféré faire quelque chose d'autre. Si seulement elle *pouvait.*

– Mais comment, demande Sugar, perdant de nouveau courage sous ce regard, et rougissant de la racine des cheveux jusqu'au bord de son col, votre Société procède-t-elle pour… euh… secourir une prostituée ?

– Nous allons dans les bordels, les maisons de passe, les rues… les parcs… partout où l'on trouve des prostituées, et nous les prévenons – si nous en avons l'occasion – du sort qui les attend. »

Sugar acquiesce attentivement, plutôt contente, rétrospectivement, de n'avoir jamais été tirée de son lit un de ces matins où la Société de Secours venait voir Mrs. Castaway.

« Nous leur proposons un refuge, bien que malheureusement nous n'ayons pas beaucoup de maisons pour cela, poursuit Mrs. Fox. Si seulement les églises à moitié vides de ce pays étaient utilisées plus intelligemment ! Mais tant pis, nous faisons ce que nous pouvons avec les lits que nous avons…

Et ensuite ? Eh bien, si les filles connaissent un métier, nous faisons de notre mieux pour qu'elles le reprennent, avec des lettres de recommandation. J'en ai écrit beaucoup. Si elles ne savent rien faire, nous leur apprenons un travail utile, comme la couture ou la cuisine. Il y a des domestiques dans d'excellentes maisons qui y sont entrées par la Société de Secours.

– Mon Dieu. »

Mrs. Fox soupire. « Bien sûr, ce fait n'est pas à la gloire de notre société – la société anglaise, je veux dire – que le mieux que nous ayons à offrir à une jeune femme soit une servitude respectable. Mais on ne peut s'attaquer qu'à un mal à la fois. Et l'urgence est grande. Chaque jour, des prostituées meurent.

– Mais de *quoi* ? demande Sugar, curieuse, bien qu'elle connaisse déjà la réponse.

– La maladie, les couches, le meurtre, le suicide, répond Mrs. Fox, prononçant chaque mot avec soin. "Trop tard" : voilà la terrible phrase qui hante nos efforts. J'ai visité une maison de prostitution rien qu'hier, un endroit connu sous le nom de Chez Mrs. Castaway, à la recherche d'une fille dont j'avais lu le nom dans une publication intitulée *Les Plaisirs de Londres*. J'ai découvert que la fille était partie depuis longtemps et que Mrs. Castaway était morte. »

Les entrailles de Sugar se pétrifient ; seul le siège en fonte du banc empêche son corps de se vider.

« Morte ? murmure-t-elle.

– Morte, confirme Mrs. Fox, ses grands yeux gris guettant la moindre réaction de sa proie.

– Morte… de quoi ?

– La nouvelle patronne ne m'a pas dit. Notre conversation a été abrégée par la porte qui s'est refermée sur mon nez. »

Sugar ne peut plus supporter le regard de Mrs. Fox. Elle baisse la tête, étourdie, nauséeuse, et fixe le tissu noir de sa jupe.

Que faire ? Que dire ? Si la vie ressemblait à l'un des romans à deux pence de Rose, elle pourrait poignarder Mrs. Fox au cœur et se faire aider de Sophie pour enterrer le corps ; ou elle pourrait se jeter aux pieds de Mrs. Fox pour la supplier de ne pas divulguer son secret. Au lieu de quoi elle continue à fixer ses genoux, retenant son souffle, jusqu'à ce qu'elle prenne conscience que quelque chose bouillonne dans ses narines et que, s'essuyant le nez, elle voie son gant taché de sang.

Un mouchoir blanc apparaît devant ses yeux, tenu dans le gant plutôt miteux et froissé de Mrs. Fox. Surprise, Sugar le prend et se mouche. Immédiatement elle est prise de terribles vertiges, chancelle sur son siège et le mouchoir se métamorphose, avec une rapidité miraculeuse, de tiède carré de coton blanc qu'il était, en un chiffon imbibé d'un rouge glacé.

« Non, penchez-vous en arrière, dit Mrs. Fox, tandis que Sugar se laisse aller en avant. Il vaut mieux se pencher en arrière. » Et elle pose une main ferme et douce sur la poitrine de Sugar qu'elle pousse jusqu'à ce que la tête de Sugar soit aussi renversée que possible, basculant dans le vide, ses omoplates douloureusement pressées contre le banc, ses yeux clignant au ciel bleu. Le sang lui emplit la tête, coulant dans son gosier, lui picotant la trachée.

« Essayez de respirer normalement sinon vous allez vous évanouir, dit Mrs. Fox, quand Sugar se met à haleter et à suffoquer. Faites-moi confiance ; je sais. »

Sugar s'exécute, et continue à fixer le ciel, la main gauche pressant le mouchoir contre son nez, la droite – incroyable mais vrai – prise dans celle de Mrs. Fox. Ses doigts durs et osseux exercent une pression rassurante à travers les deux couches de chevreau qui séparent leurs peaux.

« Miss Sugar, pardonnez-moi, dit la voix à ses côtés. Je comprends maintenant que vous devez avoir beaucoup aimé votre vieille patronne. Dans mon arrogance, il y a beaucoup de choses qui m'échappent. »

La tête de Sugar est si renversée maintenant qu'elle voit les passants qui longent le parc sur Pembridge Square marcher la tête en bas. Une mère à l'envers, suspendue au plafond du monde, tire derrière elle un petit garçon en le grondant parce qu'il regarde la dame qui a du sang sur le visage.

« Sophie, murmure Sugar d'un ton anxieux. Je ne l'entends plus.

– Elle va bien, l'assure Mrs. Fox. Elle s'est endormie contre la fontaine. »

Sugar cligne des yeux. Des larmes chatouillent ses oreilles et mouillent les cheveux sur ses tempes. Elle lèche ses lèvres ensanglantées, rassemblant son courage pour demander quel sera son sort.

« Miss Sugar, je vous prie de m'excuser, dit Mrs. Fox. Je suis lâche. Si j'avais été assez valeureuse, je vous aurais épargné ce jeu du chat et de la souris, et je vous aurais dit immédiatement pour quel genre de personne je vous prenais. Et si par hasard je m'étais trompée, vous m'auriez prise pour une folle, et ç'aurait été la fin de l'histoire. »

Sugar relève la tête, avec précaution, tenant toujours le mouchoir trempé de sang pressé contre son nez. « Et alors... quelle est la fin de l'histoire ? Et pour qui me prenez-vous ? »

Mrs. Fox s'est détournée pour regarder Sophie. Son profil, à la mâchoire puissante, est très attirant, bien que Sugar ne puisse s'empêcher de remarquer une particule jaune vif de cérumen collée dans une circonvolution de son oreille. « Je vous prends, dit Mrs. Fox, pour une jeune femme qui a trouvé sa vocation, et qui est décidée à s'y tenir, quels que ses précédents moyens d'existence puissent avoir été. La Société de Secours ne peut espérer plus pour les filles qu'elle place dans les bonnes maisons, et il y en a beaucoup, malheureusement, qui retournent à la rue. Vous ne retournerez pas à la rue, n'est-ce pas, Miss Sugar ?

– Plutôt mourir.

– Je suis sûre que ce ne sera pas nécessaire, dit Mrs. Fox, qui a soudain l'air très fatigué. Dieu n'est pas aussi assoiffé de sang que cela.

– Oh ! Votre mouchoir…, s'écrie Sugar, se souvenant du bout de tissu inutilisable et gorgé de sang qui pend à son poing.

– J'en ai une grande boîte chez moi, soupire Mrs. Fox en se levant. C'est ce qui me reste d'avoir manqué de mourir de phtisie. Au revoir, Miss Sugar. Nous nous reverrons sans doute. » Elle s'est déjà mise en route.

« Je… je l'espère, répond Sugar, ne sachant quoi dire d'autre.

– Bien sûr, dit Mrs. Fox, se retournant pour lui faire signe de la main, bien plus joliment que la première fois. Le monde est petit. »

Mrs. Fox partie, Sugar s'essuie le visage, sentant le sang sécher sur ses joues, ses lèvres et son menton. Elle essaie d'absorber un peu d'humidité dans l'herbe, sans grand succès, car la rosée givrée s'est évaporée sous le soleil. Le mouchoir taché de sang lui rappelle une chose à laquelle elle s'est efforcée de ne pas penser ces dernières semaines : le fait que pas une goutte de sang menstruel n'est sortie d'elle depuis déjà plusieurs mois.

Elle se lève, et vacille, encore étourdie. *Elle est morte*, pense-t-elle. *Le diable l'emporte, elle est morte.*

Elle essaie de se représenter Mrs. Castaway morte, mais c'est impossible. Sa mère a toujours eu l'air d'un cadavre, ranimé et peint de couleurs criardes dans quelque but obscène ou sacrilège. Comment la mort pourrait-elle la changer ? Le mieux que Sugar puisse faire c'est de renverser l'image, faisant passer Mrs. Castaway de la position verticale à l'horizontale. Ses yeux roses sont ouverts ; sa main est tendue, paume en l'air, en attente des pièces. *« Venez, monsieur »*, dit-elle, prête à présenter à un nouveau gentleman la fille de ses rêves.

« Sophie, murmure-t-elle, après être allée jusqu'à la fontaine, Sophie, réveille-toi. »

L'enfant, affaissée comme une poupée de chiffon, la tête posée sur une épaule, se réveille immédiatement en sursaut, roulant des yeux sous l'étonnement d'avoir pu être surprise en plein somme. Sugar s'excuse en premier :

« Pardonne-moi, Sophie, j'ai beaucoup trop longtemps parlé avec cette dame. » Il doit être près de midi, d'après Sugar ; elles feraient bien de se dépêcher de rentrer, sinon William sera fâché de se trouver sans secrétaire, ou maîtresse, ou infirmière, ou quelle que soit la combinaison des trois dont il a besoin aujourd'hui. « Maintenant dis-moi, ma chérie, jusqu'à quel roi es-tu allée ? »

Sophie ouvre la bouche pour répondre puis ses yeux s'écarquillent.

« Quelqu'un vous a frappée, miss ? »

Les mains de Sugar se portent nerveusement à son visage. « N-non, Sophie. Mon nez s'est mis à saigner, c'est tout. »

Sophie est tout excitée par cette révélation. « À moi aussi c'est arrivé, miss, dit-elle d'un ton suggérant qu'un tel événement est une aventure exaltante et macabre.

– Vraiment, ma chérie ? dit Sugar, tâchant de se rappeler, dans le brouillard de ses propres préoccupations, l'incident auquel Sophie fait allusion. Quand ?

– C'était avant, dit l'enfant après un instant de réflexion.

– Avant quoi ? »

Sophie accepte la main de sa gouvernante pour l'aider à se lever ; là où elle s'est assise, sa robe noire est mouillée, froissée et constellée de terre, de brindilles et d'herbe.

« Avant que Papa vous achète pour moi, miss », dit-elle, et la main de Sugar, levée pour épousseter la robe de Sophie, s'immobilise dans sa course.

# 31

Il y a trop de gens ! Des millions de trop ! Et ils refusent de rester immobiles ! Dieu, fais qu'ils cessent de pousser et de se bousculer rien qu'une minute, fige-les comme un tableau vivant, pour qu'elle puisse passer !

Sugar se recroqueville devant la porte de la pharmacie Lamplough dans Regent Street, attendant une séparation des eaux de l'humanité qui ne vient pas. L'incessant vacarme de la circulation, les cris des marchands ambulants, les conversations des passants, les chevaux qui s'ébrouent, les chiens qui aboient : ce sont des bruits qui lui furent familiers jadis, mais plus aujourd'hui. Quelques mois de réclusion ont fait d'elle une étrangère.

Comment est-il possible que pendant des années elle ait arpenté ces rues perdue dans ses pensées, rêvant son roman tout éveillée, et n'ait pas une fois été renversée et piétinée ? Comment est-il possible qu'il y ait tant d'humains pressés les uns contre les autres au même endroit, tant de vies courant simultanément avec la sienne ? Ces femmes qui bavardent vêtues de robes violettes rayées de brun réglisse, ces gandins qui plastronnent, ces Juifs et ces Orientaux, ces hommes-sandwichs qui avancent à petits pas, ces mendiants et ces prostituées – chacun d'eux réclame son droit à partager un Destin tout aussi généreux que le sien. Il y a une quantité limitée de jus à extraire du monde, et une multitude avide se bagarre à grands cris pour avoir sa part.

Et les odeurs ! Sa chambre dans la maison Rackham et les rues propres de Notting Hill l'ont rendue délicate : maintenant elle a le souffle coupé et les yeux larmoyants de devoir humer le puissant mélange de parfum et de crottin, de gâteaux fraîchement cuits et de viande faisandée, de graisse de mouton brûlée et de chocolat, de marrons chauds et de pisse de chien. La maison Rackham, bien qu'elle appartienne à un parfumeur, ne sent pas grand-chose si ce n'est la fumée de cigare dans le bureau et le porridge dans la salle d'étude. Même ses vases de fleurs – énormes, prétentieuses copies d'urnes antiques – sont vides maintenant que les bouquets envoyés pour les funérailles ont connu le sort commun à tout ce qui est périssable.

Croyant deviner la pensée de Sugar, une jeune et jolie vendeuse de fleurs tire de sa voiture à bras un bouquet de vilaines roses qu'elle agite dans sa direction. Le fait qu'elle possède une voiture, et prenne la peine de faire des propositions à une femme, signifie probablement que c'est bien une vendeuse de fleurs et non une putain, mais Sugar n'en est pas moins déconcertée, et poussée à l'action. Une grande respiration, et elle se jette dans le courant humain, se joignant à la presse des corps en marche.

Elle évite prudemment de regarder les gens au visage et elle espère que la foule lui retournera le service. (Si elle n'avait pas si peur qu'on lui rentre dedans, elle abaisserait son voile noir.) Chaque boutique qu'elle dépasse, chaque ruelle peut à tout moment cracher quelqu'un qui la connaissait, quelqu'un qui peut la pointer du doigt et saluer bruyamment le retour de Sugar à son territoire de chasse.

Déjà elle ne peut s'empêcher de remarquer les habituées : là, devant le chocolatier Lockhart, se trouve l'organiste Hugh

Branton – l'a-t-il vue ? Oui, le vieux chien ! Mais il ne fait pas mine de reconnaître sa « Petite Friandise » tandis qu'elle le dépasse. Et là ! droit devant qui traîne les pieds : c'est Nadir, l'homme-sandwich ; mais il passe devant elle sans la regarder, jugeant sans doute qu'une dame en deuil n'a que faire, pour la première fois en Angleterre, d'un gorille vivant.

Dans les enfoncements des portes des boutiques et entre les fiacres arrêtés en file attendent des prostituées que Sugar ne connaît que de vue. Elles la considèrent avec une indifférence apathique : c'est une créature aussi étrangère à elles que le monstre dont Nadir fait la publicité, mais pas aussi intéressante. La seule chose qui retient leur attention pour plus que le temps d'un clin d'œil est sa démarche claudicante.

Ah, si seulement elles savaient pourquoi Sugar boite aujourd'hui ! Elle boite parce que, hier soir avant de se mettre au lit, elle s'est allongée, a cambré le dos comme pour se faire enculer et a versé une tasse d'eau tiède, de sulfate de zinc et de borax directement dans son vagin. Puis elle s'est enveloppée dans une couche-culotte improvisée et elle s'est étendue, espérant que la mixture, bien qu'elle soit restée inutilisée pendant si longtemps dans sa valise, était encore efficace. Ce matin, à défaut de la fausse couche attendue, elle s'est réveillée avec la vulve et l'intérieur des cuisses enflammés, et si douloureux qu'elle a eu du mal à s'habiller, sans parler de Sophie. À neuf heures, la mâchoire raidie par l'effort qu'elle doit faire pour paraître normale, elle s'est présentée dans le bureau de William afin de lui demander la permission, aussi nonchalamment que possible, de prendre son premier jour de congé.

« Pourquoi ? » lui a-t-il demandé – non par suspicion ; plus comme s'il ne pouvait imaginer quels désirs elle pouvait avoir qui n'étaient pas réalisables dans les confins de cette maison.

« J'ai besoin d'une paire de bottines neuves, d'un globe terrestre pour Sophie, et d'autres choses encore…

– Qui va s'occuper de la petite pendant ton absence?

– Elle peut parfaitement se débrouiller toute seule. Et Rose la surveillera. Et je serai de retour à cinq heures.»

William avait l'air plutôt déconcerté tandis qu'il tripotait à dessein les lettres sur son bureau qu'il avait décachetées et lues, mais auxquelles ses doigts bandés l'empêchaient encore de répondre. «Ce Brinsmead m'a écrit à propos de l'ambre gris; il veut ma réponse par la troisième poste.

– Tu ne gagneras rien à te plier à sa volonté, avait-elle dit, feignant de prendre ombrage pour lui. Pour qui se prend-il, William? Qui de vous deux est le plus important? Attendre quelques jours lui rappellera que c'est toi qui lui rends service, et pas lui.»

À son soulagement, ça avait marché et quelques minutes plus tard elle passait la porte, le visage blanc de la volonté de ne pas boiter avant qu'elle ne soit en sûreté dans l'omnibus.

La douleur a diminué maintenant, peut-être que la Crème de Jeunesse Rackham a eu un effet. Ce qu'elle ne parvient pas à faire pour les visages (en dépit des prétentions immodérées de l'étiquette), peut-être le fait-elle, modestement, pour des parties dont on ne peut parler. À tout prix elle doit guérir vite, sinon elle devra se refuser à William quand il aura besoin d'elle dans un but plus charnel que l'écriture de sa correspondance.

Sugar avance dans Silver Street, priant pour que personne ne l'appelle par son nom. Les prostituées ici sont d'un genre plus grossier que celles de Regent Street, s'offrant à des hommes qui ne peuvent se permettre les prix pratiqués sur le Stretch. Leur maquillage est effrayant, masque de blanc mortel et de rouge sang; elles pourraient tenir le rôle de sorcières destinées à effrayer les enfants dans une pantomime. Depuis combien de temps son propre visage n'est-il plus peinturluré ainsi? Elle se rappelle parfaitement le goût de farine de la poudre, la façon dont il emplissait l'air chaque fois qu'elle plongeait la houppette dans le pot… mais maintenant elle est nette comme un sou neuf et sa peau a la texture d'une orange bien pelée. Durant sa station quotidienne devant le miroir elle n'a plus à se lisser les cils, se peindre les joues, s'épiler les sourcils, inspecter sa langue et enlever les peaux mortes de ses lèvres ; maintenant, elle se confirme avec un juron qu'elle a l'air fatigué et soucieux, puis elle fourre quelques épingles dans ses cheveux et se met au travail.

La maison de Mrs. Castaway est maintenant en vue, mais Sugar ralentit, attendant que les parages soient dégagés. À quelques mètres de l'entrée se trouve un homme qui l'a vue bien souvent revenir du Fireside avec des clients. C'est un vendeur de partitions, et en ce moment il danse maladroitement, avec force trébuchements, tout en jouant de l'accordéon, grimaçant comme un fou tandis qu'il frappe les pavés du pied.

« "Le Quadrille du gorille" ! », explique-t-il d'une voix grinçante une fois qu'il a terminé et il brandit une partition. (De là où est Sugar, l'illustration en couverture ressemble étonnamment à la tête de William sur les étiquettes de ses produits.) Trois jeunes gandins se dirigent vers lui d'un pas nonchalant, applaudissent et l'encouragent à recommencer, mais il hausse les épaules ; il ne danse pas pour le plaisir.

« Vous connaissez des dames qui jouent du piano, mes princes ? gémit-il. Ma musique coûte presque rien.

– Voilà un shilling, déclare en riant le plus gandin des trois en fourrant du bout de ses doigts fins la pièce dans la poche du marchand. Et tu peux garder tes feuilles de papier crasseuses. Danse encore une fois pour nous. »

Le marchand se penche sur son instrument et refait le gorille, les dents découvertes par un sourire obséquieux. Sugar regarde jusqu'à ce que les gandins, lassés, repartent vers d'autres titillations d'une démarche majestueuse. Alors le marchand se précipite dans la direction opposée pour aller dépenser son shilling, et Sugar peut s'approcher de son ancienne maison.

Le cœur dans la gorge, elle monte les marches menant à la porte d'entrée et lève la main pour saisir le vieux marteau en fer et toquer le code : *Sugar, seule.* Mais le Cerbère familier a été enlevé, et les trous de ses vis soigneusement bouchés à la sciure et à la laque. Il n'y a pas non plus de cloche, et Sugar est obligée de frapper de ses jointures gantées contre le dur bois laqué.

L'attente est terrible, et le bruit du loquet est pire. Elle garde les yeux baissés, pensant voir Christopher, mais quand la porte s'ouvre, l'endroit où devrait se trouver le visage rose du garçon est occupé par l'entrejambe d'un élégant pantalon. Levant hâtivement le regard le long du gilet chic et de la cravate en soie, Sugar ouvre la bouche pour s'expliquer, mais s'arrête net, frappée par la révélation que le visage de cet homme est en fait celui d'une femme. Oh, certes, les cheveux sont courts, huilés et plaqués, mais il n'y a pas à se tromper.

Amelia Crozier – car c'est elle – accueille la confusion de la visiteuse d'un petit sourire satisfait de félin. « Je pense, suggère-t-elle, que vous vous êtes trompée d'endroit. » À chacun des mots qu'elle prononce, un brouillard de fumée de cigarette s'écoule de ses lèvres et de ses narines.

« Non… non… je…, Sugar bafouille. Je me demandais ce qu'est devenu le petit garçon qui ouvrait la porte. »

Miss Crozier lève un sourcil noir et soigneusement épilé. « Il n'y a pas de petit garçon ici, dit-elle, que des grands garçons. »

De l'intérieur – sans doute le salon – la voix de Jennifer Pearce se fait entendre. « C'est des petits garçons qu'il veut ? Donne-lui l'adresse de Mrs. Talbot ! »

Miss Crozier tourne le dos à Sugar, sereinement grossière.

Les cheveux coupés court sur sa nuque ressemblent à du duvet de canard graissé.

« Ce n'est pas un homme, ma chérie ! répond-elle. C'est une dame en noir.

– Oh, ce n'est pas encore la Société de Secours, j'espère, s'exclame Miss Pearce, d'un ton d'exaspération exagéré. Par pitié, épargnez-nous. »

Voyant que les deux lesbiennes sont capables de pratiquer ce sport aussi longtemps qu'elles s'en amuseront, et même bien décidées à ce faire, Sugar juge qu'il est temps de se présenter, quelque pénible qu'il lui soit de perdre l'auréole de vertu qu'elles lui ont prêtée sans hésitation.

« Je m'appelle Sugar, dit-elle à voix forte, à l'intention de Miss Crozier. J'ai vécu ici autrefois. Ma m…

– Sugar ! s'exclame Amelia, dont le visage s'éclaire d'une animation très féminine. Je n'aurais jamais deviné. Tu ne ressembles en rien à ce que tu étais la dernière fois que je t'ai vue !

– Ni toi, rétorque Sugar avec un sourire contraint.

– Ah oui, fait Miss Crozier, soulignant d'un geste les contours de son costume d'homme. L'habit fait bien le moine – ou la femme – n'est-ce pas ? Mais entre, ma chérie, entre. Il y a quelqu'un qui te cherchait il n'y a pas deux jours. Tu vois, la gloire dure ! »

D'un pas raide, Sugar enjambe le seuil et se dirige vers le salon de Mrs. Castaway, ou plutôt le salon qui jadis fut celui de Mrs. Castaway. Jennifer Pearce a transformé le bric-à-brac de vieille femme en un chef-d'œuvre de nudité, digne d'un luxueux journal féminin continental.

« Bienvenue, bienvenue ! »

Le bureau de Mrs. Castaway disparu, et les Madeleine décrochées des murs maintenant recouverts d'un papier peint rose pâle, la pièce semble beaucoup plus grande. À la place des images, il n'y a rien, sinon deux éventails en papier de riz peints de motifs orientaux. Une plante d'appartement trône à côté du canapé sur lequel Jennifer Pearce est allongée, et un délicat chiffonnier d'un bois couleur de miel sert probablement (en l'absence de tout autre réceptacle adéquat) de coffre-fort. La cigarette interrompue d'Amelia Crozier est posée sur un cendrier sur pied qui arrive à hauteur de la taille, émettant une cordelette de fumée qui frissonne quand la porte se referme en claquant.

« Assieds-toi, ma chérie », chante Jennifer Pearce, posant les pieds par terre dans un grand froufroutement de jupes en satin. Elle inspecte Sugar de bas en haut et tapote le canapé. « Tu vois ? Je t'ai fait une bonne petite place toute chaude.

– Je préfère rester debout, merci », dit Sugar. L'idée des moqueries grossières dont elle serait l'objet de la part des deux femmes si elle leur apprenait pourquoi elle ne peut pas s'asseoir lui est insupportable.

« Pour mieux apprécier tous les changements que nous avons faits, hein ? » dit Jennifer Pearce qui s'est rallongée sur le canapé.

Il est maintenant évident pour Sugar que Jennifer est passée du statut de première prostituée de la maison Castaway à celui de pourvoyeuse. Tout en elle suggère l'état de maquerelle, depuis sa robe recherchée dont on dirait qu'il ne faut pas moins d'une heure pour l'enlever, à son expression sourcilleuse et languide. Peut-être la preuve la plus criante réside-t-elle dans ses mains : les doigts sont épineux de bagues incrustées de pierres précieuses. La pornographie décrit peut-être le pénis comme un braquemart, une arbalète, une carabine, mais il n'y a rien de tel qu'une poignée de bijoux piquants pour transir de peur la chair fragile de l'homme.

« Puis-je dire un mot à Amy ? » demande Sugar.

Miss Pearce croise les doigts, tandis que ses bagues s'entrechoquent légèrement. « Hélas : comme Mrs. Castaway, elle nous a quittées. » Puis, voyant le choc sur le visage de Sugar, elle sourit et s'empresse de corriger la méprise. « Oh non, chérie, je ne voulais pas dire de la même façon que Mrs. Castaway. Je veux dire qu'elle est partie pour un endroit meilleur. »

Amelia rit – un horrible hennissement nasal. « De quelque manière que tu t'y prennes, Jen, on dirait qu'elle est morte. »

Jennifer Pearce fait une moue à sa compagne et poursuit : « Amy s'est dit que notre maison était devenue trop… *spécialisée* pour ses talents. Alors elle a emporté ses talents autre part. Le nom de l'endroit m'échappe… (elle soupire). Il y a tant de maisons aujourd'hui que c'est un travail rien que de les avoir toutes en tête. »

Soudain son expression se durcit, et elle se penche en avant, avec un murmure de jupes superposées. « Pour être franche avec toi, Sugar, le départ d'Amy, et le fait que je ne sois plus à ce qu'on pourrait appeler l'étage du travail à la chaîne, a pour conséquence que nous sommes toutes les deux au rez-de-chaussée. Toutes les deux prêtes à punir les hommes comme ils le méritent. Je présume que tu ne cherches pas une nouvelle maison ?

– J'en ai une, pour être franche, dit Sugar d'une voix égale. Je suis venue ici pour… pour savoir à propos de ma… de Mrs. Castaway. Comment est-elle morte ? »

Jennifer Pearce se laisse retomber dans les coussins et ses paupières se ferment à demi.

« Dans son sommeil, ma chérie. »

Sugar attend la suite, mais il n'y en a pas. Amelia Crozier saisit sa cigarette, la trouve trop courte pour être élégante, et la laisse tomber dans le tube du cendrier sur pied. La pièce est si silencieuse qu'on peut entendre le mégot heurter le métal du fond.

« Est-ce… est-ce qu'elle a laissé quelque chose pour moi ? Une lettre, un message ?

– Non, dit Jennifer Pearce d'un ton dégagé. Rien. »

Un nouveau silence se fait. Amelia sort d'une poche intérieure de sa veste un porte-cigarettes en argent, son élégant poignet effleurant le bombement de sa poitrine sous son gilet.

« Et… qu'est-ce qu'on a fait d'elle ? demande Sugar. Après qu'on l'a trouvée, je veux dire. »

Les yeux de Jennifer Pearce se voilent, comme si on l'interrogeait sur des événements qui ont eu lieu avant sa naissance, ou même avant l'invention de l'Histoire. « Les croque-morts l'ont emportée, dit-elle d'un air incertain. Ce n'est pas ça, mon amour ?

– Je crois, dit Amelia, et elle applique la flamme d'une allumette au bout d'une nouvelle cigarette. Rookes, Brookes, un nom comme ça… »

Sugar regarde l'une puis l'autre, et comprend qu'il est inutile de continuer à poser des questions.

« Il faut que j'y aille, dit-elle, tandis que ses doigts se resserrent sur l'anse de son sac contenant son fardeau de poisons.

– Désolées de n'avoir pu t'aider, dit la maquerelle aux yeux endormis qui, dans la prochaine édition des *Plaisirs de Londres*, sera sans doute mentionnée sous le nom de Mrs. Pearce. Et répand la bonne parole pour nous, s'il te plaît, si tu rencontres des filles qui ont envie de changement. »

Tout le long du chemin jusqu'à Regent Circus, Sugar récapitule la liste de ce qu'elle doit faire. Il est de la plus grande importance qu'elle ne quitte pas la ville sans avoir acheté des bottines, et un globe terrestre, et autres choses qui puissent convaincre William qu'elle a passé la journée à faire des courses. Pourtant l'idée d'entrer dans une boutique et de parler avec un marchand de la forme de ses pieds lui semble aussi fantastique que de sauter par-dessus la lune. Elle regarde les enseignes et les panneaux publicitaires et s'arrête de temps à autre devant une vitrine, essayant d'imaginer comment un fabricant de verreries vénitiennes ou un professeur de musique ou un spécialiste du cheveu pourraient l'aider à rentrer de son expédition avec quelque chose à montrer.

Les passants ne cessent de lui foncer dessus, faisant semblant de l'éviter au dernier moment, pour s'exclamer : « Oh ! Je vous prie de m'excuser ! » quand il est évident qu'ils veulent dire : « Vous ne pouvez pas vous décider à entrer, non ?! » Ses yeux sont pleins de larmes ; elle comptait pouvoir utiliser les toilettes chez Mrs. Castaway et maintenant elle brûle de se soulager.

« Ooh ! Prenez garde où vous posez les pieds ! » dit une grosse femme, que son demi-deuil rend maussade. Elle ressemble un peu à Mrs. Castaway. Un peu.

Sugar traîne devant la devanture d'un malletier dans laquelle une malle de voyage est exposée, grande ouverte au moyen de fils invisibles, afin de montrer son intérieur luxueusement capitonné. Niché dedans telle une énorme perle, signifiant que pour l'heureux possesseur d'une telle malle le monde a mille trésors à offrir, se trouve… un globe terrestre. Elle n'a qu'à entrer pour leur demander s'ils veulent bien lui vendre le globe ; ils peuvent facilement en acheter un autre, pour une fraction de ce qu'elle est prête à payer pour celui-ci ; la transaction ne devrait pas durer cinq minutes, ou cinq secondes s'ils disent non. Elle ferme les poings et avance le menton ; les semelles de ses bottines semblent collées au trottoir ; c'est inutile. Elle reprend son chemin.

Elle atteint Oxford Street juste comme part l'omnibus en direction de Bayswater. Même si elle est prête à offrir aux passants de Regent Circus l'étrange spectacle d'une femme en deuil courant après un omnibus, elle a bien trop mal pour courir. Elle aurait dû acheter le globe ; ou sinon elle n'aurait pas dû traîner comme une idiote devant les vitrines des importateurs de cigares et des tailleurs. Elle se trompera en tout aujourd'hui ; elle est vouée à prendre mauvaise décision sur mauvaise décision. Qu'a-t-elle fait depuis qu'elle a quitté la maison Rackham ? Rien, rien que d'acheter les médicaments chez Lamplough, et il est trop tard pour tout ça, trop tard. Et pendant qu'elle est absente, William sera fou de suspicion, et il fouillera sa chambre et trouvera les journaux d'Agnes… et oh mon Dieu : son roman. Oui, à ce moment même, William est probablement assis sur son lit, la mâchoire durcie par la rage tandis qu'il lit le manuscrit, une centaine de pages écrites par la main même qui transcrit ses réponses pleines de tact à ses correspondants en affaires, mais ici décrivant les supplications désespérées d'hommes voués à la mort tandis qu'une putain nommée Sugar leur coupe les couilles.

*Amy m'a dit que tu écrivais un roman, ma chérie.*

*Amy n'est pas très digne de confiance, Mère.*

*Tu sais que personne au monde ne le lira jamais, n'est-ce pas, mon poussin ?*

*Cela m'amuse, Mère.*

*Bien. Une fille a besoin de s'amuser. Va vite dans ta chambre maintenant, y mettre une fin heureuse pour moi, veux-tu ?*

La douleur qu'elle éprouve à la vessie est devenue intolérable. Elle traverse la place parce qu'il lui semble qu'il y a des toilettes publiques de l'autre côté ; mais elle découvre que c'est un urinoir. Elle regarde en direction d'Oxford Street et voit passer un autre omnibus. Entre ses jambes, la Crème de Jeunesse est devenue horriblement collante et sa chair palpite de douleur, comme si elle était abusée par des hommes qui refusent de s'arrêter, refusent de partir et refusent de payer. *Oh, ne pleurniche pas comme ça,* siffle Mrs. Castaway. *Tu ne sais pas ce que c'est de souffrir.*

Sugar pleure, sanglote et tremble en pleine rue. Une centaine de passants l'évitent, la considérant avec pitié et désapprobation, lui faisant savoir par l'expression de leur visage qu'elle a très mal choisi son endroit pour faire son numéro. La cathédrale d'All Souls n'est pas loin, ou elle aurait pu aller dans le parc, ou même s'installer sur une tombe à l'abandon, si elle avait été prête à faire un petit kilomètre.

Enfin, un homme s'approche – un homme exceptionnellement gros, à l'air clownesque, avec un nez bulbeux, des cheveux blancs crépus et de grands sourcils effrayants pareils à des souris écrasées. Il progresse avec timidité, se tordant les mains.

« Allons allons, dit-il. Ce n'est pas si terrible que ça, quand même ? »

À quoi Sugar répond par une hilarité incontrôlée qui lui fait jaillir la morve du nez et se développe rapidement, malgré ses efforts, en des sanglots de rire paroxystique.

« Voilà qui est mieux, dit le vieillard, clignant doucement des yeux. Je préfère entendre ça. » Et il disparaît dans la foule en hochant la tête.

Le directeur des Parfumeries Rackham, la tête lourde de sa sieste, fixe le piano, debout dans son salon, se demandant s'il l'entendra jamais de nouveau. Il soulève son couvercle mélancolique et caresse les touches de sa main valide, effleurant du bout des doigts les surfaces ivoirines que les bouts des doigts d'Agnes furent les derniers à toucher. Mais il a la main trop lourde, l'une des touches actionne le marteau caché et frappe une note solitaire et résonante, et il recule, gêné, au cas où une domestique viendrait voir ce qui se passe.

Il va à la fenêtre et tire le châssis, ouvrant les rideaux aussi grand que possible. Il pleut : comme c'est lugubre. Sugar est quelque part là-bas sans parapluie sans doute. Elle aurait mieux fait de rester à la maison pour l'aider avec sa correspondance ; la seconde poste est arrivée et il semble que Woolworth ait une preuve irréfutable qu'Henry Calder Rackham n'a jamais payé les cinq cents livres qu'il leur doit, acculant ainsi William dans un angle foutrement inconfortable.

Une vision de la femme nue sur la dalle de la morgue apparaît brièvement dans son esprit. Agnes, en d'autres termes. Elle repose en paix, maintenant, sans doute. La pluie s'intensifie, tombant à verse, se métamorphosant en grêle, gloussant contre les portes-fenêtres, soupirant dans l'herbe.

Il tâche d'allumer un cigare. Ses doigts cassés se remettent lentement, l'un d'eux s'est un peu recourbé, mais c'est une difformité que seuls lui et Sugar sont susceptibles de remarquer.

D'obscurs bruits émanent de la maison, qui ne sont ni des pas ni des voix, à peine audibles par-dessus l'averse. Écrira-t-il jamais cet article pour *Punch*, sur la pluie qui rend les domestiques ombrageuses ? Probablement pas : durant l'année passée il n'a pas écrit un seul mot qui ne fût pas directement lié aux affaires. Tout ce qui pouvait être philosophique ou humoristique a été reporté jusqu'à l'oubli. Il a gagné un empire, mais qu'a-t-il perdu ?

Un léger étourdissement l'oblige à s'asseoir dans le fauteuil le plus proche. Est-ce le choc ? Non, il a faim. Rose ne l'a pas réveillé à l'heure du déjeuner ; il lui suffit de la sonner et elle lui apportera quelque chose. Elle pourrait aller lui chercher le *Times* dans son bureau, aussi ; il n'a fait qu'y jeter un coup d'œil, pour vérifier que les nouvelles de la journée concernent un gorille, et non la découverte d'Agnes Rackham vivante.

Folie. Il saura que sa tête est guérie quand de telles idées ne viendront plus le harceler. Agnes est disparue pour toujours, elle n'existe que dans ses souvenirs ; il n'a même pas de photographie d'eux ensemble, quel dommage, sauf les portraits de mariage pris par ce vaurien d'Italien, dans lesquels le visage d'Agnes est flou. Panzetta, c'était son nom, et il avait eu l'impudence de lui faire payer une fortune en plus…

Il se laisse aller dans le fauteuil et regarde la pluie qui tombe. À travers le voile chatoyant des années il aperçoit Agnes surprise par une ondée d'été, se hâtant de gagner l'abri d'un pavillon, sa robe rose et son chapeau blanc faisant ressortir le teint éclatant de ses joues piquetées de pluie. Il se rappelle qu'il courait à ses côtés, et avait la tête qui lui tournait du plaisir d'avoir partagé ce moment avec elle, d'avoir été l'homme – de tous ses soupirants – qui l'avait vue ainsi, une jeune fille radieuse de beauté au bord de l'épanouissement, les joues empourprées, la peau scintillant de pluie, haletant comme une biche.

Jamais une fois elle ne l'a snobé, il se rappelle maintenant. Pas une fois! Pas même quand elle était entourée de ses autres soupirants, tous des types riches et bien nés, qui avaient du mal à se retenir de faire la grimace à la vue d'un fils d'industriel. Mais ils n'avaient pas la moindre chance avec Agnes, ces nigauds efféminés. Agnes ne semblait consciente de leur présence que de manière intermittente, comme si à tout instant elle pouvait disparaître et les laisser en plan, tels des animaux de compagnie qu'on aurait étourdiment confiés à sa garde.

Mais jamais elle ne s'était détournée de William Rackham. Il n'était pas ennuyeux: voilà la différence. Tous ces autres types n'aimaient rien tant que d'entendre le son de leurs propres voix; lui préférait le son de la sienne. Et ce n'était pas que la musique de cette voix qui le charmait; elle était moins stupide que les autres filles de sa connaissance. Oh, certes, elle ignorait tout des sujets dont les filles sont généralement ignorantes (en gros, à peu près tout ce qui importe), mais il voyait qu'elle avait un esprit atypique et fantasque. Chose étonnante, elle avait un instinct pour la métaphysique que son éducation rudimentaire avait totalement délaissée ; elle voyait vraiment « un Monde dans un grain de sable, et un Paradis dans une fleur sauvage ».

Alors qu'il se rappelle ces choses dans son salon, cependant que la pluie commence à se calmer et que sa tête s'abandonne sur un des repose-tête brodés par Agnes, William éternue soudain. Ceci, aussi, lui rappelle la radieuse Agnes Unwin – en particulier combien elle était insupportablement, merveilleusement superstitieuse. Quand il lui avait demandé pourquoi elle s'exclamait : « Dieu vous bénisse ! » si vite et si fort chaque fois que quelqu'un éternuait, elle lui avait expliqué que durant cette convulsion passagère, les démons invisibles qui volettent autour de nous peuvent saisir l'occasion d'entrer. Seulement si quelqu'un nous bénit au nom de Dieu, quand nous sommes trop occupés à nous écrier « Atchoum » pour nous bénir nous-mêmes, nous pouvons être assurés de n'avoir pas été envahis.

« Eh bien, je vois que je vous dois la vie, alors, l'avait-il remerciée.

– Vous vous moquez, avait-elle rétorqué, à moitié sérieuse. Mais Dieu *devrait* bénir les gens. C'est à ça qu'Il est censé servir, non ?

– Oh, Miss Unwin, il faut faire attention. On va vous accuser d'invoquer en vain le nom de Dieu.

– C'est déjà fait ! Mais… (un charmant sourire joua sur ses lèvres) ils parlent ainsi seulement à cause des démons qui sont en eux.

– À cause de tous les éternuements qui n'ont pas été bénis.

– Exactement. »

Sur quoi William éclata de rire : bon Dieu, cette fille était drôle ! Il suffisait d'être un homme hors du commun pour percevoir son tour d'esprit gentiment malicieux. Chaque fois qu'il la voyait, elle lui sortait quelque chose de nouveau, d'un ton taquin et solennel avant de se mettre à sourire derrière son éventail ; et sur les fondations emplumées de leur badinage, ils avaient fondé leurs fiançailles.

Il la désirait, bien sûr. Il rêvait d'elle, perdait de la semence en pensant à elle. Et pourtant au plus profond de son cœur, de ses entrailles, il n'était pas pressé de la posséder ; il y avait, après tout, une classe entière de femmes spécialement destinées à cela. Quand il s'imaginait marié avec elle, sa vision était à peine physique, il les voyait tous deux endormis dans les bras l'un de l'autre dans un lit pareil à un immense radeau blanc.

Au début de leurs fiançailles, elle lui avait confié combien elle avait peur de perdre sa silhouette – à cause de la grossesse, jugeait-il qu'elle sous-entendait. Il avait immédiatement décidé de prendre des précautions afin de lui épargner ce fardeau. « Des enfants ? avait-il déclaré, ravi à l'idée de rejeter une nouvelle convention, car à cette époque il ne partageait aucunement les espérances falotes des pères et autres mouches du coche. Il y en a déjà trop ! Les gens ont des enfants parce qu'ils désirent l'immortalité, mais ils se trompent, parce que les petits monstres sont quelque chose d'*autre*, pas soi-même. Si les gens désirent l'immortalité, qu'ils la cherchent pour eux-mêmes ! »

Il avait consulté son visage, alors, craignant qu'elle ne juge vaniteuse sa résolution de conquérir une gloire immortelle par ses écrits, mais elle avait paru extrêmement satisfaite.

Dans ses rêves, éveillés et nocturnes, il s'imaginait avec Agnes, non seulement en jeunes mariés, mais dans leur âge mûr, quand leur réputation aurait atteint son zénith.

« Ce sont les Rackham, diraient les badauds envieux, les voyant passer dans St. James's Park. Il vient de publier un nouveau livre.

– Oui, et elle revient de Paris, où on m'a dit qu'elle s'était fait faire trente robes par cinq couturiers différents ! »

Un jour typique, en ces années à venir, aurait commencé avec lui allongé sur une chaise longue dans son jardin ensoleillé, corrigeant les épreuves de sa dernière publication, et répondant au courrier de ses lecteurs (les admirateurs recevraient une réponse cordiale, les détracteurs se consumeraient instantanément sous le bout de son cigare). Et il ne manquerait pas de détracteurs, car ses idées audacieuses en caresseraient plus d'un à rebrousse-poil ! Sur la pelouse à côté de lui, un tas de cendres couverait, de tous les ennuyeux qui n'auraient pas dû s'ennuyer à lui envoyer leurs compliments. Agnes ferait son apparition aux environs de midi, resplendissante en lilas, et lui reprocherait d'une voix sereine de gâcher la vie du jardinier.

C'est un homme accablé qui en ce jour de janvier 1876 grimace de douleur au souvenir de ces rêves. Quel imbécile il était ! Combien peu il se comprenait ! Combien peu il comprenait Agnes ! Combien tragiquement il sous-estimait la dureté avec laquelle son père les humilierait tous deux durant les plus tendres années de leur mariage ! Dès le début, chaque présage désignait la morgue de Pitchcott, et la malheureuse étendue sur la dalle !

Tandis qu'il retombe dans le sommeil, il voit Agnes devant lui, telle qu'elle était le soir de leur nuit de noces. Il soulève sa chemise de nuit : elle est la plus belle chose qu'il ait jamais vue. Pourtant elle est raidie par la peur, et la chair de poule se forme sur cette peau parfaite. Il a passé tant de mois à louer la beauté des yeux d'Agnes, pour son plus grand plaisir ; mais s'il est certain qu'il aimerait passer deux cents ans à adorer chaque sein, et trente mille sur tout le reste, il a grande envie d'une union plus spontanée, une célébration mutuelle de leur amour. Devrait-il lui réciter des vers ? L'appeler son Amérique, sa terre nouvellement découverte ? La timidité et la gêne lui assèchent la langue ; l'horreur muette peinte sur le visage de sa femme l'oblige à poursuivre en silence. Avec sa respiration difficile pour seule compagnie, il continue, espérant que par quelque opération de communion magique, ou d'osmose émotionnelle, elle sera inspirée à partager son extase; que l'éruption de sa passion pourra être suivie par un tendre baume de soulagement mutuel.

« William ? »

Il se réveille en sursaut. Sugar est devant lui, les vêtements trempés, le bonnet dégouttant de pluie, un air d'excuse sur le visage.

« Je n'ai rien trouvé, avoue-t-elle. Je t'en prie ne m'en veux pas. »

Il se redresse sur son siège, se frottant les yeux avec les doigts de sa main valide. Il a le cou raide, sa tête lui fait mal et, dans son pantalon, sa queue est en train de ramollir dans son nid collant et humide de poils pubiens.

« Ça ne fait rien, grogne-t-il. Tu n'as qu'à me dire ce qu-qu-que tu veux, et je m'en chargerai. »

Trois jours plus tard, pendant la rédaction d'une lettre à Henry Calder Rackham, que Sugar a reçu l'ordre, après quelque hésitation, de commencer par les mots : « Cher Père », William lui demande soudain :

« Tu sais te servir d'une m-machine à coudre ? »

Elle lève les yeux. Elle se croyait prête à tout : ses parties génitales sont suffisamment guéries pour qu'elle puisse envisager l'acte d'amour, à condition qu'il soit accompli avec douceur ; ce matin même son estomac a cessé de se convulser sous l'effet de l'armoise et de la tanaisie, et elle accorde à son pauvre corps un repos bien mérité avant de tenter, en dernier ressort, le pouliot et la levure de bière.

« Je suis désolée, dit-elle. Je n'ai jamais essayé. »

Il hoche la tête, déçu. « Tu sais coudre ? »

Sugar pose la plume sur le buvard et essaie de voir à sa mine s'il est d'humeur à entendre une plaisanterie. « Ce n'est pas avec l'aiguille et le fil, dit-elle, que je suis le plus habile. »

Il ne sourit pas, mais il hoche de nouveau la tête. « Il ne te serait pas possible, alors, de re-reprendre une robe d'A-Agnes pour la mettre à ta taille ?

– Je ne pense pas, dit-elle, très inquiète. Même si j'étais couturière, je… eh bien, nos formes… elles sont très différentes… euh… elles l'étaient, non ?

– Dommage », dit-il, et il la laisse mijoter dans son embarras pendant quelques minutes. À quoi diable veut-il en venir ? La soupçonne-t-il de quelque chose ? Il s'est rendu en ville hier, pour la première fois depuis l'enterrement, et il n'a pas dit où il était allé… À la police, peut-être ?

Enfin il sort de sa rêverie et, d'une voix claire et autoritaire, sans presque aucun bégaiement, déclare : « J'ai organisé une p-petite sortie pour nous tous.

– Nous… tous ?

– Toi, moi et Sophie.

– Oh.

– Jeudi, nous allons en ville pour nous faire photographier. Il faudra que tu sois en deuil le temps du trajet mais je te prie de prendre une jolie robe gaie pour toi et une autre pour Sophie. Il y a un vestiaire chez le photographe, j'ai vérifié.

– Oh. » Elle attend une explication, mais il a déjà tourné la tête et le sujet est clos. Elle saisit la plume posée sur le buvard maculé. « Il y a une robe particulière que tu aimerais que je mette ?

– Une qui soit aussi attirante que possible, répond William, t-tout en étant parfaitement respectable. »

« Où est-ce que Papa nous emmène, miss ? demande Sophie le matin du grand jour.

– Je t'ai déjà dit : au studio du photographe, soupire Sugar, tâchant de cacher le déplaisir que lui cause l'excitation de la petite.

– Il est grand, miss ? »

*Oh, tais-toi : tu bavardes pour bavarder.* « Je ne sais pas Sophie, je n'y suis jamais allée.

– Est-ce que je peux mettre ma nouvelle barrette en os de baleine, miss ? »

*Ta seule voix, charmante enfant,* suggère Mrs. Castaway, *devient ennuyeuse à l'extrême.* « Je… Oui, je ne vois pas pourquoi pas. »

En tenue de deuil, leurs vêtements pliés dans une valise écossaise qui a appartenu à Mrs. Rackham, Sugar et Sophie s'aventurent dans l'allée, où la voiture les attend.

« Où est Papa ? demande Sophie tandis que Cheesman la soulève pour l'installer à l'intérieur.

– Il range ses jouets, je pense, Miss Sophie », dit le cocher avec un clin d'œil.

Sugar s'empresse de monter pendant que Cheesman est occupé avec la valise et avant qu'il ait une chance de poser les mains sur elle.

« Faites attention, Miss Sugar ! » dit-il, comme s'il chantait le refrain d'une chanson grivoise.

William émerge de la porte d'entrée, occupé à fermer un manteau gris sombre sur sa veste marron favorite. Une fois tous les boutons boutonnés, il faudrait être bien perspicace pour remarquer qu'il n'est pas strictement en deuil.

« Allons-y, Cheesman ! » dit-il une fois qu'il a rejoint Sophie et Miss Sugar – et, au grand plaisir de sa fille, ses mots deviennent instantanément des faits : les chevaux partent au trot, et la voiture roule sur le gravier en direction du vaste monde. L'aventure commence : nous sommes à la page un.

À l'intérieur les trois passagers s'examinent les uns les autres tout en affectant de ne pas se regarder : ce n'est pas chose aisée, étant donné qu'ils sont assis si près que leurs genoux se touchent presque, l'homme seul sur un siège, les deux femmes face à lui.

William remarque combien Sugar semble triste et mal à l'aise, les cernes bleu pâle sous ses yeux, le demi-sourire nerveux qui crispe sa bouche sensuelle, combien sa robe de deuil est peu flatteuse. Tant pis : il n'en sera plus question au moment de la photo.

Sugar constate que William, en apparence, est complètement remis de ses blessures. Deux cicatrices blanches lui barrent le front et la joue, et ses gants sont légèrement trop grands pour lui, mais sinon il est comme neuf – mieux encore, parce qu'il a perdu sa bedaine pendant sa convalescence, et son visage est plus fin aussi, on voit ses pommettes qui n'apparaissaient pas avant. Vraiment, ce n'était pas juste de sa part de comparer son visage à la caricature du singe sur la couverture du « Quadrille du gorille » ; il n'est peut-être pas le bel homme qu'était son frère, mais il a quelque chose de distingué maintenant, grâce à son malheur. Son humeur et son bégaiement eux aussi vont mieux, et il continue à tenir sa correspondance avec elle, en dépit du fait que ses doigts ont guéri suffisamment pour qu'il puisse le faire seul. Donc… Donc il n'y a vraiment aucune raison de le détester et de le craindre, n'est-ce pas ?

En apparence Sophie se tient parfaitement tranquille, parce que c'est ainsi que les enfants doivent se tenir, mais en vérité elle est hors d'elle-même tellement elle est excitée. La voilà dans la voiture familiale qui la conduit en ville pour la première fois, en compagnie de son père, avec qui elle n'est jamais sortie auparavant. La difficulté d'absorber toutes ces nouveautés est telle qu'elle sait à peine par où commencer. Le visage de son père lui semble vieux et sage, comme celui sur les étiquettes Rackham, mais quand il se tourne vers la vitre ou lèche ses lèvres rouges, il ressemble à quelqu'un de plus jeune avec une fausse barbe. Dans la rue les messieurs et les dames se promènent, chacun différent des autres, se comptant par centaines et centaines. Une voiture rutilante de bois et de métal pleine d'inconnus mystérieux passe de l'autre côté de la rue. Mais Sophie s'aperçoit que les deux voitures, au moment où elles se croisent, sont comme des reflets l'une de l'autre, c'est elle le sombre mystère, et eux sont les Sophie. Est-ce que son père comprend ça ? Et Miss Sugar ?

« Tu es devenue si grande, lui dit soudain William. Tu as poussé en un rien de temps. Co-comment as-tu fait, hein ? »

Sophie garde les yeux fixés sur les genoux de son père : cette question est pareille à celles d'*Alice au pays des merveilles* : impossible d'y répondre.

« Est-ce que Miss Sugar te fait bien travailler ?

– Oui, Papa.

– Bien, bien. »

De nouveau il la félicite, exactement comme ce jour où la dame avec la figure comme le Chat du Cheshire était à côté de lui !

« Il n'y a rien que Sophie aime autant qu'apprendre, déclare Miss Sugar.

– Très bien, dit William, serrant et desserrant les mains sur ses genoux. Peux-tu me dire où se trouve la baie de Biscaye, Sophie ? »

Sophie est paralysée. La seule chose qu'il fallait savoir, et elle ne la sait pas !

« Nous n'avons pas encore abordé l'Espagne, explique sa gouvernante. Sophie sait tout des colonies.

– Très bien, très bien », dit William, tournant son attention vers l'extérieur. Ils viennent de passer devant un immeuble sur lequel est peinte une grande publicité pour le savon Pears, qui lui fait froncer les sourcils.

Le studio du photographe est au dernier étage d'une maison de Conduit Street, pas très loin, à vol d'oiseau, de la maison de Mrs. Castaway. La plaque en bronze annonce *Tovey & Scholefield (A.R.S.A.), Photographes et Artistes.* À mi-chemin dans l'escalier lugubre est accroché le portrait photographique d'un jeune soldat aux lèvres de Cupidon, très retouché, tenant son fusil dans ses bras comme un bouquet de fleurs. *Mort en Crimée ; IMMORTEL dans le souvenir de ceux qui l'aiment,* explique l'inscription, avant d'ajouter, un peu plus loin, *S'ADRESSER À L'INTÉRIEUR.*

Là, ils sont accueillis par un individu moustachu, de haute taille, vêtu d'une redingote. « Bonjour, monsieur, madame », dit-il.

Il est clair que lui et William se connaissent déjà, et Sugar n'a plus qu'à essayer de deviner qui est Scholefield et qui est Tovey – celui-ci, qui ressemble à un imprésario, ou le frêle en manches de chemise qu'on voit, par l'entrebâillement de la porte, occupé à verser un liquide incolore d'une petite bouteille dans une grande. Les murs sont couverts de photographies encadrées d'hommes, de femmes et d'enfants, seuls ou en groupe, tous sans la moindre faute ni imperfection, ainsi qu'une peinture démesurée représentant une grosse dame vêtue à la mode de la Régence, accompagnée de chiens de chasse et d'un panier débordant des ingrédients habituels des natures mortes. Dans un coin, superposé à la queue d'un faisan mort, brille la signature *E. H. Scholefield, 1859.*

« Regarde, Sophie, dit Sugar. Ce tableau a été fait par le monsieur qui est devant toi.

– Certes, certes, déclare Scholefield. Mais j'ai abandonné mon premier amour – et de gros cachets offerts par des dames telles que celle-ci – pour servir l'Art de la photographie. Car je crois que tout nouvel Art, s'il doit être un Art, demande à être en quelque sorte… accouché. » Une seconde trop tard, il se rappelle qu'il débite son laïus à une personne du sexe faible. « Si vous me pardonnez l'expression. »

Sans retard, Sophie et Sugar sont conduites dans une petite pièce munie d'un lavabo, de deux miroirs en pied, et de cabinets. Les murs sont hérissés de patères et de porte-chapeaux. Une unique fenêtre dotée de barreaux donne sur la terrasse qui relie les établissements Tovey & Scholefield au cabinet voisin du dermatologue.

La valise est ouverte et son volumineux contenu somptueusement coloré et soyeux est tiré à la lumière. Sugar aide Sophie à se défaire de sa robe de deuil et à mettre sa plus jolie robe bleue à boutons en brocart doré. Ses cheveux sont de nouveau brossés et la barrette en os de baleine mise en place.

« Tourne-toi, maintenant, Sophie », dit Miss Sugar.

Sophie obéit, mais où qu'elle regarde, il y a un miroir. Pour ne pas voir Miss Sugar en sous-vêtements, Sophie fixe la valise de sa maman. Un prospectus froissé vantant *Psycho, la Sensation de la Saison Londonienne, en exclusivité au Folkestone Pavilion !* lui donne quelque chose sur quoi braquer son attention tandis qu'elle est encerclée par les reflets du corps dévêtu de sa gouvernante. Elle lit et relit le prix, les horaires, l'avertissement mettant en garde les dames fragiles des nerfs, tout en voyant malgré elle des moitiés d'aperçus des sous-vêtements de Miss Sugar, le renflement de la chair au-dessus du col de la chemise, des bras nus se battant avec une construction molle de soie vert sombre.

Sophie porte le prospectus à son nez, le reniflant au cas où il sentirait la mer. Elle se dit que oui, mais ce n'est peut-être que son imagination.

Le studio de Tovey et Scholefield, quand Sugar et Sophie y pénètrent, n'est pas très grand – pas plus grand, peut-être, que la salle à manger des Rackham – mais il utilise trois de ses murs de manière très ingénieuse, transformés en toiles de fond adaptées à toutes les fins. Un mur est un paysage en trompe-l'œil pour les hommes – forêts, montagnes, un ciel maussade et, selon le désir du client, des colonnes grecques escamotables. Un autre mur fait office de fond pour salon, avec un papier peint dernier cri. Le troisième a été subdivisé en trois fonds différents côte à côte ; à l'extrême gauche une bibliothèque du sol au plafond dans les rayons de laquelle le client peut sélectionner le volume relié en cuir qu'il fera semblant de lire – à condition de n'être pas trop à droite et de se retrouver ainsi devant la fenêtre d'une chaumière ornée de rideaux en dentelle. Cette idylle champêtre elle aussi est une tranche de vie très étroite, à peine plus large de trois centimètres que le diamètre d'une crinoline des temps anciens, et laisse place à une autre scène, celle d'une nursery au papier peint représentant des rouges-gorges et des croissants de lune.

C'est devant ce fond de nursery – évidemment le moins souvent utilisé – qu'on peut trouver la plus grande partie des accessoires du studio : pas seulement le cheval à bascule, la locomotive, le bureau miniature et le tabouret à haut dossier appartenant au décor, mais un fouillis d'autres ustensiles destinés aux autres fonds, tel qu'un alpenstock (pour les Artistes et les Philosophes), un grand vase en papier mâché collé à un piédestal en contreplaqué, plusieurs pendules sur leurs consoles en bronze, deux fusils, un énorme trousseau de clefs suspendu par une chaîne autour du cou d'un buste de Shakespeare, des bouquets de plumes d'autruche, des tabourets de diverses tailles, le cadran d'une vieille horloge, et bien d'autres choses moins aisément identifiables. Pour la fascination horrifiée de Sophie, il y a même un épagneul empaillé à l'œil tendre qu'on peut faire asseoir aux pieds de n'importe quel maître sans crainte qu'il bouge.

Du coin de l'œil, Sugar observe William occupé à jauger ses deux femmes. Il a l'air légèrement mal à l'aise, comme s'il craignait que des complications imprévues ne viennent gâcher la journée, mais il ne semble pas déçu par leurs toilettes, et s'il reconnaît qu'elle porte la robe qu'elle avait le jour de leur rencontre, il n'en laisse rien paraître. Tovey, qui était absent jusqu'alors, prend place derrière les pieds de l'appareil photographique et recouvre sa tête et ses épaules de l'épaisse cape noire du gros mécanisme pataud. Il demeure ainsi voilé durant tout le temps que dure la visite des Rackham, ses fesses se balançant de temps à autre, comme un chien qui remue la queue, sous le tissu imperméable à la lumière, les pieds aussi soigneusement plantés que ceux du trépied.

Les expositions ne prennent que quelques minutes. Scholefield a dissuadé William de ne faire qu'une seule photographie ; on peut en prendre quatre en une seule séance, et il n'est besoin ni de les payer ni de les tirer en grand si elles ne donnent pas toute satisfaction.

Donc, William se tient debout devant l'horizon peint et fixe ce que Scholefield appelle « le lointain », un point qui, dans les confins du studio, ne peut pas être plus éloigné que la grille de ventilation. Scholefield lève un poing, lentement, et psalmodie : « À l'horizon, apparaissant à travers les nuages, le soleil ! » Rackham cherche instinctivement des yeux, et Tovey saisit l'instant.

Puis William est persuadé de se tenir devant la bibliothèque, un exemplaire d'*Éléments d'optique* ouvert dans les mains. « Ah oui, ce fameux chapitre ! déclare Scholefield, jetant un œil au texte tandis qu'il rapproche doucement le livre du visage du client. Qui croirait qu'un volume aussi sec contiendrait des révélations aussi juteuses! » L'expression vitreuse de William devient soudain alerte tandis qu'il se met à lire, et, de nouveau, Tovey n'hésite pas à agir.

« Ah, ma petite plaisanterie », dit Scholefield, la tête baissée en signe de pénitence. À mesure que le temps passe ses manières se font de plus en plus extravagantes ; on dirait presque qu'il sirote du whisky en douce ou renifle de l'oxyde nitreux.

Assise de côté avec Sophie qui attend son tour, Sugar se demande s'il y a une autre pièce dans ce studio, une chambre secrète destinée aux photos pornographiques. Quand Tovey et Scholefield se retrouvent seuls à la fin d'une journée de travail, ne sont-ce que des dames et messieurs vêtus de manière respectable qu'ils développent, ou retirent-ils également des liquides malodorants des prostituées toutes nues qu'ils suspendent pour les faire sécher ? Quoi de plus artistique, après tout, qu'un jeu de photographies de la taille d'une carte de visite vendu dans un étui étiqueté : « À l'usage exclusif des artistes » ?

« Et maintenant, notre charmante petite fille », annonce Scholefield, et avec autant d'efficacité que d'élégance il débarrasse les ustensiles devant la fausse nursery jusqu'à ce que seuls demeurent les jouets. Après un instant d'hésitation, il enlève la locomotive ; puis, après avoir délibéré un peu plus longtemps, il juge que Mr. Rackham n'est pas le genre de père qui adorerait voir son enfant perchée en amazone sur un cheval à bascule, et il l'enlève aussi. Il conduit Sophie à une table grêle et lui montre comment poser à côté, considère la scène avec un petit pas en arrière, puis se précipite de nouveau en avant, pour retirer un tabouret superflu.

« Je vais maintenant faire descendre un éléphant du ciel, déclare-t-il en élevant les mains d'un geste solennel, et le faire tenir en équilibre au bout de mon nez! »

Sophie ne lève pas le menton ni n'écarquille les yeux ; elle pense seulement au passage d'*Alice au pays des merveilles* où le Chat dit : « Nous sommes tous fous ici. » Est-ce que Londres est pleine de photographes fous et d'hommes-sandwichs qui ressemblent aux courtisans cartes à jouer de la Reine de Cœur ?

« L'éléphant n'étant pas descendu, dit Scholefield, remarquant que Tovey n'a pas encore pris de photo, je vais, de dépit, me dévisser la tête. »

Cette promesse alarmante, accompagnée d'un geste stylisé en direction de sa réalisation, réussit à barrer le visage de Sophie d'un froncement de sourcils.

« Le monsieur veut que tu lèves le menton, Sophie, dit doucement Sugar et que tu gardes les yeux ouverts sans ciller. »

Sophie fait ce qu'on lui demande, et Mr. Tovey a tout de suite ce dont il a besoin.

Pour la photographie de groupe, William, Sugar et Sophie sont disposés dans le simulacre du parfait salon : Mr. Rackham est debout au centre, Miss Rackham se tient devant lui et légèrement à gauche, la tête à la hauteur de sa chaîne de montre, et la dame sans nom est assise à droite sur une chaise élégante. Ensemble ils forment une pyramide, plus ou moins, avec la tête de Mr. Rackham au sommet et les jupes de Miss Rackham et de la dame se combinant à la base.

« Idéal, idéal », dit Scholefield.

Sugar demeure immobile, les mains sagement croisées sur les genoux, raide comme un piquet, et elle fixe le doigt levé de Scholefield sans ciller. La créature encapuchonnée que forment Tovey et son bidule a maintenant l'œil ouvert ; des agents chimiques cachés sont en train de réagir, à cet instant même, à l'influx de lumière et à l'impression progressive de trois êtres humains soigneusement disposés. Elle a conscience que William retient son souffle au-dessus de sa tête. Il ne lui a toujours pas dit la raison de ceci ; elle avait pensé qu'il l'aurait fait à l'heure qu'il est, mais non. Ose-t-elle le lui demander, ou est-ce l'un de ces sujets susceptibles de le mettre en rage ? Comme il est étrange qu'une occasion qui devrait la remplir d'espoir pour leur avenir commun – un portrait de famille où elle tient la place de l'épouse – soulève en elle un tel pressentiment.

Quel usage peut-il avoir en tête de ce portrait ? Il ne peut pas le montrer, alors que veut-il en faire ? Rêvasser en le regardant tout seul ? Lui en faire cadeau ? Qu'est-ce qu'elle fait ici, et pourquoi se sent-elle plus mal que si on était en train de lui faire subir des indignités dénudées « à l'usage exclusif des artistes » ?

« Je pense, dit Scholefield, que nous avons terminé maintenant, et vous, Mr. Tovey ? »

À quoi son associé répond par un grognement.

Bien des heures plus tard, à Notting Hill, alors que la nuit est tombée et que l'excitation est passée, les membres de la maisonnée Rackham vont se coucher chacun dans son lit. Toutes les lumières de la maison sont éteintes, même celle du bureau de William.

William ronfle doucement sur son oreiller, déjà dans un rêve. La plus grande usine de Pears est en feu, et il regarde les pompiers s'efforcer en vain de la sauver. L'odeur de savon brûlé se répand dans tout son rêve, une odeur qu'il n'a jamais sentie dans la réalité, et que, bien qu'elle soit absolument unique, il oubliera à l'instant de son réveil.

Sa fille est profondément endormie elle aussi, épuisée par ses aventures et l'émoi causé par la semonce de Miss Sugar pour avoir été capricieuse, qui lui a fait rendre après le dîner non seulement le rôti de bœuf mais aussi le gâteau et le chocolat qu'elle avait pris chez Lockhart. Le monde est un endroit extrêmement étrange, plus grand et peuplé qu'elle l'aurait jamais imaginé, et plein de phénomènes que même sa gouvernante ne comprend pas parfaitement, mais son père a dit qu'elle était une gentille fille, et la baie de Biscaye est en Espagne, si jamais il le lui redemandait. Demain est un autre jour, et elle apprendra si bien ses leçons que Miss Sugar ne sera absolument pas fâchée.

Sugar est réveillée, serrant dans ses bras son pot de chambre, en train de vomir une horrible mixture de pouliot et de levure de bière. Pourtant, même en plein spasme, alors que le poison lui brûle la bouche et les narines, sa douleur physique n'est rien en comparaison de celle causée par les mots avec lesquels William l'a chassée de son bureau ce soir : *Mêle-toi de ce qui te regarde ! Si cela te concernait, tu ne crois pas que je te l'aurais dit ? Pour qui est-ce que tu te prends ?*

Elle se glisse dans son lit, se tenant le ventre, craignant de geindre et que cela ne s'entende de l'autre côté des cloisons. Les muscles de son ventre lui font mal de s'être tant convulsés ; il ne peut plus rien y avoir là-dedans. Sauf…

Pour la première fois depuis qu'elle est tombée enceinte, Sugar imagine le bébé comme… un bébé. Jusqu'à maintenant, elle a évité de le considérer ainsi. Il a commencé comme rien de plus qu'une légère inquiétude, une absence de menstruation ; puis il est devenu un ver dans le fruit, un parasite dont elle espérait qu'elle pourrait l'expulser. Même quand il a résisté, elle ne l'a pas imaginé telle une créature vivante qui s'accrochait à la vie ; c'était un objet mystérieux, qui grandissait tout en demeurant inerte, une boule de matière charnue qui se développait dans ses entrailles de manière inexplicable. Maintenant, alors qu'elle est allongée, seule et abandonnée de Dieu, se tenant l'abdomen des deux mains, elle se rend soudain compte que ses mains sont posées sur de la vie : elle héberge un être humain.

À quoi ressemble-t-il, ce bébé ? A-t-il un visage ? Oui, bien sûr qu'il doit avoir un visage. Est-ce un lui ou une elle ? A-t-il la moindre idée de la façon dont Sugar l'a traité jusqu'à maintenant ? Est-il déformé par la terreur, a-t-il la peau brûlée par le sulfate de zinc et le borax, la bouche béante à la recherche de quelque chose de sain à manger parmi les poisons qui tourbillonnent à l'intérieur d'elle ? Regrette-t-il le jour où il est né, même si ce jour est encore à venir ?

Sugar soulève les paumes de son ventre et les pose sur son front fiévreux. Elle doit résister à ces pensées. Ce bébé – cette créature – ce bout de chair tenace – ne doit pas vivre. Sa propre vie en dépend ; si William découvre qu'elle est en passe de devenir mère ce sera la fin, la fin de tout. *Vous ne retournerez pas dans la rue, n'est-ce pas, Miss Sugar ?* C'est cela que Mrs. Fox lui avait demandé. Et *je préférerais mourir* est ce qu'elle avait promis en réponse.

Sugar se couvre d'un drap en préparation au sommeil ; la nausée passe doucement et elle est capable de boire un peu d'eau pour rincer le pouliot et la bile qu'elle a sur la langue. Son abdomen est encore sensible de la cage thoracique à l'aine, comme si elle avait soumis des muscles rarement exercés à un terrible effort. Elle pose une paume sur son ventre ; il y a un battement de cœur là. Son propre cœur, sans doute ; c'est le même que celui dans sa poitrine et ses tempes. La chose à l'intérieur d'elle n'a probablement pas encore de cœur. N'est-ce pas ?

Scholefield et Tovey sont éveillés eux aussi ; en fait, malgré l'heure tardive, ils n'ont même pas encore quitté le studio de Conduit Street. Entre autres activités, ils ont travaillé sur les photos des Rackham, tâchant de faire des miracles.

« La tête est sortie trop petite, marmonne Tovey, fixant

un visage de femme qui vient juste de se matérialiser dans l'obscurité. Tu ne trouves pas que la tête est trop petite?

– Si, dit Scholefield, mais elle est inutile pour ce qu'on doit en faire de toute façon. Elle est trop éclairée; on dirait qu'elle a une lampe allumée dans le crâne.

– Est-ce que ça ne serait pas plus simple de les photographier de nouveau tous les trois en extérieur, en lumière naturelle?

– Oui mon amour, ce serait plus simple, soupire Scholefield, mais hors de question.»

Ils poursuivent leur travail jusqu'au cœur de la nuit. Ce que leur a demandé Rackham est beaucoup plus difficile que de superposer simplement la tête d'un jeune homme au corps d'un soldat, pour offrir aux parents éplorés un souvenir quasi authentique de la valeur militaire de leur fils disparu. La commande de Rackham réunit des incompatibilités insurmontables: un visage photographié dans le soleil, par un amateur qui se fait une idée très exagérée de ses talents, doit être photographié de nouveau, élargi plusieurs fois, et posé sur les épaules d'une femme prise en studio par des professionnels.

Il est trois heures du matin quand ils parviennent au meilleur résultat possible, vu la matière première. Rackham devra se satisfaire de cela et sinon, il paiera les trois photographies et oubliera le montage imparfait.

Les photographes vont se coucher dans une petite pièce jouxtant le studio; il est bien trop tard pour retourner chez eux à Clerkenwell. Suspendu à un fil dans la chambre noire se trouve leur travail de la journée: une magnifique photographie de William Rackham fixant l'éternité romantique d'un sommet enneigé, une magnifique photographie de Sophie Rackham rêvant dans sa nursery, et une photographie des plus étranges de la famille Rackham rassemblée, avec la tête d'Agnes transplantée d'un lointain été, anormalement radieuse, comme l'une de ces mystérieuses silhouettes dont les médiums prétendent qu'elles sont les fantômes capturés par l'émulsion de gélatine de la pellicule, et qui n'ont jamais été visibles à l'œil nu.

# 32

Sophie Rackham est debout sur un tabouret devant la fenêtre et remue légèrement le derrière pour voir si le tabouret vacille. Il vacille, un peu. Avec précaution, parce qu'elle ne voit pas sous sa jupe, elle bouge les pieds jusqu'à ce que son équilibre soit bien établi.

*Je serai plus grande que ma maman*, pense-t-elle, non par orgueil, ni par esprit de rivalité, mais parce qu'elle a compris que son corps est de nature différente de celui de sa mère, et n'est pas destiné à être menu. C'est comme si elle avait mangé un bout du gâteau du pays des merveilles d'Alice quand elle était bébé, et qu'au lieu de grandir d'un coup jusqu'au plafond, elle le faisait un petit peu à chaque minute de sa vie, jusqu'à ce qu'elle soit très grande – aussi grande que Miss Sugar, ou que son père.

Bientôt, elle n'aura pas besoin de ce tabouret pour contempler le monde extérieur. Bientôt, Miss Sugar – ou *quelqu'un* – devra lui acheter des chaussures neuves, des sous-vêtements neufs, tout de neuf, parce qu'elle grandit tant qu'elle ne se sent à l'aise dans presque aucun de ses habits. Peut-être qu'on l'emmènera de nouveau en ville, où il y a des magasins entiers voués à la vente d'un seul objet, et chaque jour ils arrivent à en vendre un, à cause de la merveilleuse abondance de personnes qui sortent interminablement des rues.

Sophie porte sa lunette d'approche à son œil. Elle la déploie entièrement et vise Chepstow Villas. Il y a peu de monde ; il ne se passe pas grand-chose. Pas comme en ville.

Derrière elle, la poignée de la salle d'étude grince. Est-ce que c'est déjà Miss Sugar qui revient, bien que cela fasse très peu de temps qu'elle est allée aider Papa à son courrier ? Sophie ne peut pas se retourner trop rapidement de peur de tomber du tabouret ; si sa lunette se cassait, elle aurait sept cent soixante-dix-sept ans de malheur, a-t-elle décidé.

« Bonjour, Sophie », dit une voix d'homme grave.

Sophie est stupéfaite de découvrir son père dans l'encadrement de la porte. La dernière fois qu'il est venu la voir ici, Beatrice était encore sa nurse, et Maman était à la mer. Elle se demande si elle ferait bonne impression en lui tirant la révérence, mais un vacillement du tabouret l'en dissuade.

« Bonjour, Papa. »

Il ferme la porte derrière lui, va jusqu'au pied de son perchoir et attend qu'elle en descende. Rien de tel n'est jamais arrivé. Elle cligne des yeux dans son ombre, levant le regard sur son visage plissé, souriant et barbu.

« J'ai quelque chose pour toi », lui annonce-t-il, les mains cachées dans le dos.

L'excitation de Sophie est tempérée par la peur ; elle ne peut s'empêcher de se demander si son père n'est pas venu pour lui apprendre qu'on l'emmène dans une pension pour vilaines filles, ainsi que sa nurse l'en menaçait.

« Tiens. » Il lui tend une photographie encadrée de la taille d'un grand livre. Sous le verre il y a la photographie prise par l'homme qui prétendait pouvoir faire tenir un éléphant en équilibre sur son nez. La Sophie Rackham saisie par lui est noble et terne, tout en gris et noir, comme une statue, mais elle a l'air terriblement digne et grande. Le faux fond s'est mué en pièce véritable et les yeux de la jeune dame sont beaux et vivants, avec de petites lumières qui brillent dedans. Quelle magnifique photo ! Si elle était en couleurs, ce serait un vrai tableau.

« Merci, Papa », dit-elle.

Son père lui sourit, ses lèvres prenant par à-coups la forme d'un croissant, comme s'il n'avait pas l'habitude de faire fonctionner les muscles nécessaires. Sans parler, il tire une autre photographie encadrée de derrière son dos : une photo de lui cette fois-ci, debout devant la montagne peinte et le ciel, fixant l'avenir.

« Qu'en penses-tu ? » lui demande-t-il.

Sophie en croit à peine ses oreilles. Son père ne lui a jamais demandé ce qu'elle pensait, de quoi que ce soit. Comment est-il possible que l'univers autorise pareille chose ? Il est vieux et elle est jeune, il est grand et elle est petite, c'est un homme et elle est une fille, c'est son père et elle n'est que son enfant.

« Elle est très belle, n'est-ce pas, Papa ? » dit-elle. Elle voudrait lui dire à quel point on croirait qu'il se tient devant de vraies montagnes, mais elle craint qu'aucun son ne sorte de sa bouche ou d'être trahie par son vocabulaire restreint. Il n'en semble pas moins deviner ses pensées.

« C'est bizarre, n'est-ce pas ; on sait bien que cette photographie a été prise dans une pièce et pourtant me voilà, en p-pleine nature. C'est ç-ça l'A-A-Art. Et l'Histoire aussi. » Son bégaiement s'accentue à mesure que sa capacité s'épuise de condescendre à son niveau de discours. Il va partir, elle le sent.

« Et l'autre photo, Papa ? ne peut-elle s'empêcher de demander tandis qu'il fait un pas en arrière. Celle de nous tous ?

– E-elle n'est pas réussie, dit-il, l'air peiné. P-peut-être que nous y retournerons un jour pour essayer d'en faire une autre. Mais je ne p-peux pas te le p-promettre. »

Et sans rien ajouter, il tourne les talons et sort de la pièce d'un pas raide.

Sophie fixe la porte fermée et serre le portrait contre sa poitrine. Elle a hâte de le montrer à Miss Sugar.

Tard ce soir-là, alors que Sophie dort depuis longtemps et que même les domestiques vont se coucher, Sugar et William parlent encore affaires à la lumière de la lampe dans le bureau du maître. C'est un sujet inépuisable, dont la complication ne cesse de s'amplifier alors même qu'ils sont trop éreintés pour en parler. Il y a un an, si quelqu'un avait demandé à Sugar en quoi consistait la direction d'une parfumerie, elle aurait répondu : on fait pousser des fleurs, on les récolte, on les écrase pour en tirer une essence qu'on instille dans des bouteilles d'eau ou des pains de savon, on met une étiquette sur les résultats ainsi obtenus et on les livre aux boutiques par chariots entiers. Mais d'abstruses questions – concernant la confiance que l'on peut accorder à cet escroc de Crawley quant à sa capacité à estimer le coût de la conversion des machines à balancier, passant de douze à seize chevaux-vapeur, ou la nécessité de dépenser toujours et encore pour amadouer les autorités portuaires de Hull – leur prennent facilement chacune vingt minutes de leur temps, avant même qu'on se mette à répondre au courrier. Sugar en est venue à croire que *toutes* les professions sont ainsi : simples vues de l'extérieur, inextricablement compliquées vues de l'intérieur. Même les putains, après tout, peuvent discuter de leur métier pendant des heures.

William est d'étrange humeur ce soir. Il n'est pas irascible comme d'habitude, plus raisonnable, et cependant mélancolique. Les difficultés des affaires, auxquelles il répondait au début par l'enthousiasme et plus récemment par une méfiance pugnace, semblent soudain lui avoir sapé le moral. « Inutile »,

« sans profit », « vain » sont des termes auxquels il a fréquemment recours, avec un gros soupir, chargeant Sugar de le regaillardir. « Tu le penses vraiment ? dit-il, quand elle lui affirme que Rackham est encore sur la pente ascendante. Quelle petite optimiste tu fais. »

Sugar, sachant qu'elle devrait se réjouir qu'il ne soit pas en colère contre elle, est malicieusement tentée de lui parler sèchement. Après ce qu'elle a enduré avec Sophie aujourd'hui, elle en a gros sur le cœur et n'est pas d'humeur à jouer les anges encourageants.

*Je porte ton enfant, William,* aimerait-elle lui dire. *Un garçon, j'en suis sûre. L'héritier que tu désires tant pour les Parfumeries Rackham. Personne n'a besoin de savoir qu'il est à toi, à part nous deux. Tu pourrais dire que tu m'as trouvée par la Société de Secours et que tu ne savais pas que j'étais enceinte. Tu pourrais dire que je suis une bonne gouvernante pour Sophie et que tu ne peux pas te résoudre à me condamner pour des péchés commis dans une autre vie. Tu as toujours dit que tu te moquais de ce que peuvent penser les autres. Et dans les années à venir, quand ton fils se sera mis à te ressembler, et que les mauvaises langues se seront tues, on pourrait se marier. C'est un cadeau du destin, tu ne comprends pas cela ?*

« Je crois que tu ne devrais rien changer, lui conseille-t-elle, retournant aux réalités des machines à balancier. Pour rentrer dans ton investissement, il te faudrait dix ans de bonnes récoltes et pas d'expansion de la part de tes concurrents. Les risques sont trop grands. »

Ce rappel de ses rivaux assombrit encore plus l'humeur de William.

« Ah, ils vont me laisser loin derrière, dit-il. Le vingtième siècle appartient à Pears et Yardley, je le sens intimement. »

Sugar se mord la lèvre inférieure pour réprimer un soupir d'irritation. Si seulement elle pouvait lui faire dessiner des kangourous, ou lui faire faire des additions ! La récompenserait-il alors d'un sourire ?

« Occupons-nous d'abord du reste de notre siècle à nous, William, suggère-t-elle. C'est celui dans lequel nous vivons, après tout. » Pour lui faire sentir l'importance de se pencher sur la correspondance lettre par lettre, dans l'ordre où elles se présentent, elle saisit l'enveloppe suivante sur la pile et lit tout haut le nom de l'expéditeur : « Philip Bodley.

– Laisse ça, grogne William, glissant peu à peu vers l'horizontale. Ça n'a rien à voir avec toi. Avec Rackham, je veux dire.

– Ça n'est pas des ennuis au moins, murmure-t-elle d'un ton de sympathie, tâchant de lui faire comprendre qu'il peut partager avec elle ses malheurs les plus secrets et qu'elle lui donnera des forces, comme la meilleure épouse au monde.

– Ennuis ou pas, ça ne te concerne pas, reprend-il, non pas de manière agressive, mais avec une morne résignation. Rappelle-toi que j'ai vaguement une autre vie en dehors de ce bureau, mon amour. »

Elle s'efforce de prendre la tendresse du terme pour argent comptant. Après tout, il suggère qu'elle est indispensable à ses affaires, n'est-ce pas ? Elle saisit l'enveloppe suivante.

« Finnegan & Co., Tynemouth. »

Il se couvre le visage des deux mains.

« Ne me cache rien », gémit-il.

Elle lit la lettre, ne s'interrompant que lorsque les grognements de mépris ou les murmures de scepticisme de William empêchent celui-ci d'entendre. Puis, tandis qu'il digère la missive, elle demeure assise en silence derrière le bureau, retenant son souffle, sentant une poussée de mauvais augure dans son estomac, sentant l'orgueil bafoué s'enfler lentement.

« Sophie a été impossible cet après-midi », éclate-t-elle enfin.

William, qui doit décider si c'est la paresse des dockers qui explique le retard dans le déchargement des marchandises à Tynemouth ou si son fournisseur lui ment encore une fois, cligne les yeux d'un air incrédule.

« Sophie ? Impossible ? »

Sugar prend une grande inspiration, et les coutures de sa robe tirent sur sa poitrine et son ventre gonflés. En un éclair, elle récapitule l'excitation de Sophie après la visite que son père lui a faite ; sa fierté devant la photographie, son bonheur babillard et son inattention désordonnée qui ont peu à peu laissé place, à mesure que l'après-midi avançait, aux pleurs à cause des erreurs de calcul et des noms de fleurs oubliés ; le peu d'appétit qu'elle a eu au dîner et la fringale qui l'a prise au moment de se coucher ; l'impression générale qu'elle donnait d'avoir été emplie d'une substance étrangère qu'elle n'arrivait pas à avaler.

« Elle prétend que tu lui as dit que nous retournerions chez les photographes, très bientôt, avance Sugar.

– Je... je n'ai pas dit ça, objecte William, fronçant les sourcils tandis qu'il arrive à la conclusion que la vie est un fatras de malentendus et de trahisons : même sa propre fille, dès qu'on a un geste généreux, vous attire des ennuis !

– Elle me dit que tu le lui as promis, répond Sugar.

– Eh bien, e-elle se t-trompe. »

Sugar frotte ses yeux fatigués. La peau de ses doigts est si rugueuse et celle de ses paupières si tendre qu'elle craint de se blesser.

« Je pense, dit-elle, que si tu as l'intention de t'occuper davantage de Sophie, ce serait mieux de le faire en ma présence. »

William se relève sur un coude et lui lance un regard furieux et incrédule. D'abord Sophie et maintenant Sugar ! Comme les femmes peuvent être fertiles en complications et en embarras !

« Est-ce que tu es en train de me dire, demande-t-il avec brusquerie, q-quand et d-dans q-quelles circonstances je de-devrais voir ma propre fille ? »

Sugar baisse la tête en signe de soumission et adoucit le ton autant que possible. « Oh non, William, ne crois pas ça je t'en prie. Tu t'en tires merveilleusement bien et je t'admire pour cela. » Il n'en continue pas moins à jeter des regards noirs ; grand Dieu, que peut-elle dire d'autre ? Devrait-elle garder la bouche close ou y a-t-il un autre moyen de la rendre utile ? *Eh bien, eh bien, tu as appris tout un dictionnaire plein de mots, n'est-ce pas, ma chérie ?* la raille Mrs. Castaway. *Et il n'y en a que deux qui te rendront service dans cette vie : « Oui » et « Argent ».*

Sugar prend de nouveau une grande inspiration. « Les exigences d'Agnes t'ont rendu les choses si difficiles, le plaint-elle, pendant *tant* d'années, et aujourd'hui ça te semble bizarre, je sais. Et Sophie est vraiment très reconnaissante du moindre intérêt que tu lui témoignes, et moi aussi. Je me demande seulement s'il te serait possible… s'il nous serait possible… d'être un peu plus souvent ensemble. En tant… que famille. Pour ainsi dire. »

Elle déglutit fort, craignant d'être allée trop loin. Mais n'est-ce pas *lui* qui voulait une photographie d'eux trois ensemble ? À quoi rimait cette photo, sinon à cela ?

« Je fais t-tout mon possible, l'assure-t-il, pour que f-fonctionne cette foutue maisonnée. »

Son apitoiement sur lui-même donne envie à Sugar de lui répondre de la même façon mais elle parvient à résister ; il serre les poings, ses articulations sont blanches, son visage est blanc, elle aurait dû s'en douter, leur avenir est sur le point de se briser comme un verre jeté contre un mur. Si Dieu lui permet de trouver les mots justes elle ne demandera plus jamais rien. Dans un froufroutement de jupes, elle se glisse de derrière le bureau et vient s'agenouiller à son côté, posant la main sur la sienne.

« Oh, William, *je t'en prie*, ne parle pas ainsi de la maisonnée. Tu as fait de grandes choses cette année, des choses *magnifiques.* » Le cœur battant, elle passe un bras autour de son cou, mais Dieu merci, il ne la repousse ni n'explose de rage. « Bien sûr ce qui est arrivé à Agnes est une tragédie, poursuit-elle, caressant son épaule, mais ça a été un soulagement aussi, d'une certaine façon, n'est-ce pas ? Tous ces soucis et… ce scandale, pendant toutes ces années, et maintenant t'en voilà enfin libéré. » Il s'adoucit ; d'abord une main, et maintenant l'autre enfin se posent sur sa taille. Elle l'a échappé belle ! « Et c'est une année *superbe* pour Rackham, poursuit-elle. La moitié des problèmes que nous avons sont causés par sa croissance, nous ne devons pas oublier cela. Et c'est une maisonnée *heureuse* que tu as là, sincèrement. Toutes les domestiques sont gentilles avec moi, William, et je peux t'assurer, d'après ce que j'ai entendu dire, qu'elles sont très satisfaites, et qu'elles pensent le plus grand bien de toi… »

Il la regarde dans les yeux, confus, triste, perdu comme un chien sans maître. Elle l'embrasse sur la bouche, lui caresse l'intérieur des cuisses, pousse son poing contre la molle excroissance que dessine son sexe sous son pantalon.

« Rappelle-toi ce que je t'ai dit la première fois que nous nous sommes rencontrés, mon amour, murmure-t-elle. Je ferai tout ce que tu me demanderas. *Tout.* »

Doucement, il retient son bras tandis qu'elle commence à rassembler ses jupes.

« Il est tard, soupire-t-il. Nous devrions être couchés. »

Elle prend sa main et la guide à travers les couches de coton tiède en direction de sa peau. « C'est exactement ce que je pense. » S'il glisse la main juste une seconde entre ses cuisses, elle l'aura. Ce qui l'excite le plus au monde ce sont les excrétions de la femme.

« Non, je suis sérieux, dit-il. Regarde l'heure. »

Obéissante, elle consulte la pendule et tandis que sa tête est tournée, il se délivre de son étreinte. Il est onze heures et demie. Chez Mrs. Castaway, onze heures et demie était l'heure de pointe. Même à Priory Close, il arrivait à William de lui rendre visite à minuit, apportant la vie et le tumulte dans son appartement endormi quand il déboulait de la rue, le manteau moucheté de pluie, la voix pleine de désir. Ils étaient alors si bien accordés qu'elle pouvait dire à la façon dont il la serrait contre lui sur quel orifice il jetterait son dévolu.

« Oh Dieu, je suis fatigué, gémit-il, tandis que la pendule sonne la demie. Plus de courrier, s'il te plaît. On s'y remet demain, d'accord ? »

Sugar l'embrasse sur le front.

« Tout ce que tu voudras, William », dit-elle.

Le lendemain matin, Sugar prépare Sophie comme d'habitude. Elle l'aide à s'habiller, prend le petit déjeuner avec elle, l'installe à son bureau dans la salle d'étude. Quelques minutes après le début de la leçon, la nausée et une atmosphère qui est soudain chargée de l'odeur du porridge trop sucré et du chloral forcent Sugar à se précipiter hors de la pièce. Elle s'arrête dans le couloir, si étourdie qu'elle craint de ne pouvoir atteindre la chambre avant d'avoir vomi, mais alors la constitution de l'air semble changer, et la nausée passe.

Elle se tient en équilibre au sommet de l'escalier. Les marches sont immobiles, bien que les murs et le plafond continuent de tourner lentement. Une illusion d'optique. Il fait sombre ce matin, et les traces du sang d'Agnes sont invisibles. Combien de marches a cet escalier ? Beaucoup, beaucoup. Le hall est loin, très loin au-dessous. Sugar se tient en équilibre. Ses mains sont posées l'une sur l'autre, protégeant la courbe de son ventre. Elle se force à les enlever. La maison respire. Elle veut l'aider ; elle compatit à ses ennuis ; elle sait ce qui est le mieux pour elle. Elle avance, puis remarque qu'elle protège de nouveau son ventre. Elle écarte les bras, comme des ailes, et le sang dans sa tête cogne si fort que les lampes à gaz se mettent à battre au même rythme.

Elle ferme les yeux et se laisse tomber.

« Mr. Rackham ! Mr. Rackham ! (*Bam, bam, bam* à la porte de son bureau.) Mr. Rackham ! Mr. Rackham ! *(Bam, bam, bam !)*

William bondit de derrière sa table de travail et ouvre si brusquement que Letty manque de frapper sa poitrine de son poing fermé.

« Oh, Mr. Rackham ! couine-t-elle frénétiquement. Miss Sugar est tombée dans l'escalier ! »

Il la pousse de côté, traverse le couloir et considère la longue suite de marches. Le corps de Sugar est étendu en contrebas, fouillis de jupes noires, dessous blancs, cheveux roux défaits et membres disposés en désordre. Elle est aussi immobile qu'une poupée.

Une main agrippant la rampe pour éviter un accident similaire, William descend l'escalier deux et trois marches à la fois.

Un peu plus tard, le plongeon de Sugar dans l'inconscience prend fin avec une petite tape sur sa joue. Elle est étendue sur son lit, William penché au-dessus d'elle. La dernière chose qu'elle se rappelle est d'avoir volé dans l'espace, prise d'une terreur extatique.

« Comment je suis arrivée ici ? »

Le visage de William, bien que soucieux, n'est pas courroucé. En fait, elle détecte une vague lueur d'inquiétude et d'amour – ou de fatigue.

« Rose et moi t'avons portée », dit-il.

Elle cherche Rose des yeux, mais non, elle est seule avec son amant… son employeur… qui que ce soit pour elle aujourd'hui.

« J'ai trébuché, s'excuse-t-elle.

– C'est une m-maison où il a-arrive b-beaucoup d'accidents », plaisante-t-il sans gaieté.

Sugar tâche de se soulever sur les coudes, mais en est empêchée par un coup de poignard dans les côtes. Elle hisse la tête en avant, le menton sur le sternum, et remarque deux choses : ses cheveux se sont défaits, et ses jupes sont remontées, révélant ses sous-vêtements.

« Les domestiques, s'enquiert-elle avec inquiétude. M'ont-elles vue dans cet état ? »

William rit malgré lui. « T-tu t'inquiètes de drôles de choses, Sugar. »

Elle rit elle aussi et les larmes lui montent aux yeux. C'est un tel soulagement de l'entendre dire son nom. Elle le voit tel qu'il était peut-être il y a quelques minutes, la portant dans ses bras au premier – puis se rappelle qu'il n'y est pas arrivé seul, et que la montée des marches a probablement été maladroite et peu digne.

« Je suis si désolée, William. J'ai… j'ai perdu…

– Le docteur Curlew va arriver. »

Sugar frissonne à l'idée du docteur Curlew, qu'elle ne connaît que par les journaux d'Agnes, se hâtant vers la maison Rackham. Elle l'imagine filant le long des rues, surnaturellement rapide, les yeux brillants comme des chandelles, les mains griffues cachées dans des gants, sa trousse noire grouillant d'asticots. Puisque Mrs. Rackham, la proie qu'il visait, lui a échappé, il se rattrapera en torturant Sugar à sa place.

« Est-ce nécessaire ? demande-t-elle. Regarde : je vais très bien. » Elle lève bras et jambes avant de les remuer légèrement, haletant de douleur, à quoi William réagit avec un regard de pitié et de dégoût, comme si elle était un cafard géant ou devenue folle à lier.

« Tu ne bouges pas de ce lit », lui ordonne-t-il, une pointe d'acier dans la voix.

Sugar attend, allongée, retenant son souffle pour ne pas attiser la douleur. Quels dégâts a-t-elle faits dans cet instant de folie ? Sa cheville droite est raide et douloureuse, et elle y sent les battements de son sang ; elle a l'impression d'avoir la cage thoracique brisée, comme si des échardes d'os acérées et blanches piquaient les membranes molles et rouges de ses organes. Et pour quoi ? A-t-elle jamais *connu* une femme qui avait provoqué une fausse couche en tombant dans l'escalier ? C'est encore une fiction, un conte de fées que les putains se racontent... Harriet Paley a fait une fausse couche après avoir reçu une raclée, mais c'était différent : William n'est pas du genre à lui donner des coups de poing et de pied dans le ventre, n'est-ce pas ? (Bien que parfois il ait un regard qui l'incite à se demander s'il n'y songe pas...)

On frappe à la porte, le bouton tourne, et un homme de haute taille entre dans sa chambre.

« Miss Sugar ? demande-t-il, d'un ton affable et professionnel. Je suis le docteur Curlew. Je vous prie de m'excuser... »

Tenant sa trousse devant lui comme un cadeau diplomatique, il s'avance vers elle ; ses chaussures en cuir éraflé ne sont pas fendues, ses yeux ne brillent pas, et on aperçoit des poils gris dans sa barbe. Loin de ressembler au Diable, il ressemble beaucoup à Emmeline Fox, bien que ce long visage lui aille mieux qu'à elle.

« Vous rappelez-vous, demande-t-il respectueusement tandis qu'il s'agenouille à son chevet, de quelle hauteur vous êtes tombée, et quelle partie de votre personne a subi le choc ?

– Non, je ne me rappelle pas, dit-elle, se rappelant la seconde étrange où son esprit a flotté librement hors de son corps tandis qu'une poupée de chair et de tissu sans vie commençait à dégringoler les marches. Tout s'est passé si soudainement. »

Le docteur Curlew ouvre sa trousse et en retire un instrument métallique pointu qui se révèle être un tire-bouton. « Si vous me permettez, miss », murmure-t-il et elle consent d'un signe de tête.

Avec des mains calleuses mais douces, le docteur Curlew se met à examiner sa patiente, manifestement intéressé par rien d'autre que l'état des os sous la chair. Il enlève ou relève ses vêtements un par un et les remet ensuite, excepté sa bottine droite. Quand il descend ses pantalons et pose les paumes sur son ventre nu, Sugar devient cramoisie, mais il se contente de l'ausculter des pouces, se satisfait qu'elle ne souffre pas, et passe à ses hanches, lui ordonnant, d'un ton neutre, de tâcher de faire divers mouvements.

« Vous avez de la chance, dit-il enfin. Il n'est pas rare que les gens se cassent le bras ou même le cou en tombant d'une chaise. Vous êtes tombée dans un escalier et tout ce que vous en retirez sont deux côtes fêlées qui se remettront d'elles-mêmes, et un certain nombre d'ecchymoses auxquelles vous n'êtes peut-être pas encore sensible. Vous avez aussi une cheville foulée, mais pas cassée. Demain matin elle aura gonflé pour atteindre la taille de mon poing… (il lui montre son poing lâchement fermé) et vous ne serez certainement pas en mesure de la bouger comme vous la bougez maintenant. Mais cela ne doit pas vous inquiéter. »

Curlew fouille dans sa trousse, en tire un gros rouleau d'un épais pansement blanc et arrache la bande de papier qui le retient.

« Je vais vous faire un bandage serré à la cheville, lui explique-t-il tandis qu'il soulève sa jambe pour la poser sur son genou, ignorant ses plaintes étouffées. Je vais vous demander de ne pas retirer le bandage, quoique tentée que vous soyez de le faire. Il deviendra plus serré à mesure que votre blessure enflera, et vous vous imaginerez qu'elle va éclater. Je vous assure que c'est impossible. »

Une fois le pansement terminé, le docteur Curlew tire sa robe vers le bas comme si c'était une couverture ou un suaire.

« Ne faites pas d'imprudence, dit-il en se levant, gardez le lit autant que possible et vous vous rétablirez rapidement.

– Mais… mais j'ai des devoirs à accomplir », proteste faiblement Sugar tout en se redressant.

Il fixe sur elle un regard pétillant, comme s'il soupçonnait que les devoirs pour lesquels William Rackham l'avait engagée pouvaient tous être remplis à l'horizontale.

« Je ferai en sorte, la rassure-t-il avec solennité, que vous ayez une béquille.

– Merci. Merci beaucoup.

– Je vous en prie. »

Et, avec un clic de sa sacoche, l'homme qui est appelé, dans les journaux cachés sous le lit de Sugar, l'Inquisiteur Démoniaque, la Grande Sangsue, Bélial, et le Roi des Mouches lui souhaite le bon jour et, ne s'arrêtant que le temps d'agiter un doigt en signe de : *Rappelez-vous : pas de bêtises,* la laisse en paix.

Exactement ainsi que prédit par le docteur Curlew, Sugar se réveille le matin suivant sa chute fortement tentée d'ôter le pansement de son pied. Elle le fait aussitôt, et se sent beaucoup mieux.

Bien vite, cependant, son pied libéré enfle jusqu'à être le double de l'autre, et elle est incapable de le poser par terre sans avoir très mal, encore moins de marcher. Il lui est impossible d'avancer en clopinant et sautiller est hors de question car, l'indignité mise à part, l'effort avive la douleur de ses contusions. Alors qu'elle traîne son corps dans la chambre par la seule force de la volonté, elle doit admettre que dans cet état elle ne peut pas être une gouvernante pour Sophie.

Avant que sa peur ne tourne à la panique, elle est étouffée par l'arrivée d'un cadeau de son maître, apporté par Rose : une béquille en bois de pin laqué noir. Elle n'ose demander si William la possédait déjà ou s'il l'a achetée spécialement pour elle. Mais elle va et vient en clopinant sur trois jambes et s'émerveille qu'un simple outil puisse changer le monde, illuminant les sombres perspectives et changeant les calamités en commodités. Un bâton en bois muni d'une poignée et la voilà de nouveau debout ! Un miracle. Peu après le déjeuner, n'ayant perdu qu'une demi-journée des leçons de Sophie, elle sort de sa chambre avec ses livres sous un bras et la béquille sous l'autre, prête à s'acquitter de ses devoirs.

Elle connaît suffisamment Sophie pour ne pas être étonnée de la trouver en train d'écrire à son bureau dans la salle d'étude, aussi patiemment que s'il y avait quatre minutes et non quatre heures que Rose l'avait déposée là. La marque du travail de Rose est évidente : une certaine façon de brosser et d'épingler les cheveux, différente de celle de Sugar, qui fait que Sophie ressemble davantage à Agnes. Sur la table devant elle se trouve *le* seul indice de l'oisiveté de sa matinée : des dessins de maisons, une demi-douzaine, au crayon bleu avec des fenêtres rouges et de la fumée grise. Sophie les couvre de sa paume, comme si elle était surprise à faire une bêtise, au lieu d'être profondément plongée dans les guerres puniques.

« Je suis désolée, miss.

– Il n'y a pas de quoi, Sophie », soupire Sugar, qui s'affaisse de déception sur sa béquille. Quelque fou qu'ait été cet espoir, elle aurait préféré être reçue avec un jappement de soulagement et une explosion de baisers enfantins. « Tiens Sophie, dit-elle en tordant une épaule, prends ces livres de sous mon bras. J'ai peur de les laisser tomber. »

Sophie bondit de sa chaise pour obéir, sans révéler le moindre signe qu'elle a remarqué l'état de sa gouvernante. Elle tend les bras pour extraire les livres coincés sous l'aisselle de Sugar, et ses doigts s'égarent sur le sein de celle-ci, effleurant le téton sous le tissu. Sugar ajuste son centre de gravité et geint sous le coup de la douleur qui envahit son pied.

« Merci », dit-elle.

De retour à sa place, Sophie attend les ordres. Il est évident qu'elle est décidée à faire comme si rien n'avait changé chez sa gouvernante ; quand Sugar tangue sur sa béquille et s'assied maladroitement dans un fauteuil, l'enfant détourne les yeux afin de n'être pas témoin de l'inélégant spectacle.

« Pour l'amour de Dieu, Sophie, s'écrie Sugar, tu n'es pas *un petit peu* curieuse de savoir ce qui m'est arrivé ?

– Si, miss.

– Alors si tu es effectivement curieuse, pourquoi tu ne poses pas de questions ?

– Je... » Sophie fronce les sourcils et regarde ses genoux. C'est comme si elle avait été jouée par une adversaire plus intelligente, attirée dans un piège logique au nom de l'éducation. « Rose m'a dit que vous étiez tombée dans l'escalier, miss, et que je ne devais pas vous regarder avec curiosité... »

Sugar ferme fort les yeux, et tâche de se rappeler le programme de l'après-midi. *Je t'en prie serre-moi, Sophie,* pense-t-elle. *Je t'en prie serre-moi.*

Mais au lieu de quoi elle dit : « Le médecin dit que je vais me remettre très rapidement.

– Oui, miss. »

Sugar regarde les dessins sur le bureau de Sophie. Chacune des maisons rudimentaires est flanquée de trois personnages humains : un petit et deux grands. Même vu à l'envers depuis la place de Sugar, l'homme en costume sombre coiffé d'un chapeau haut de forme ne peut être que William, et la petite fille de la taille d'une poupée munie de deux doigts est Sophie. Mais qui est la femme ? Elle a un visage en forme de cœur et des yeux bleus comme Agnes, mais elle est grande, aussi grande que William, et ses cheveux abondants sont dessinés au crayon rouge. Pendant un instant le cœur de Sugar bat fort, puis elle remarque que Sophie n'a pas de crayon jaune sur la table, rien que du bleu, du gris et du rouge. Et qui sait si pour elle tous les adultes n'ont pas la même taille ?

« Très bien, déclare Miss Sugar en joignant les mains. Arithmétique. »

L'après-midi, William répond tout seul à son courrier. Il le fait d'une écriture laborieuse et plutôt maladroite mais il s'en tire. En posant l'annulaire sur le médius, il empêche le bout de celui-ci de toucher l'encre et en tenant la plume presque verticale entre le pouce et l'index, il parvient à une certaine maîtrise.

*J'ai lu votre lettre,* écrit-il. *Et maintenant tu vas voir comme j'y réponds,* pense-t-il. La relation directe entre son cerveau et sa plume a été rétablie, même si c'est de manière un peu tortueuse.

Mais la gêne est sans importance. Quelle bénédiction d'être

indépendant – et quel soulagement d'être capable de dire son fait à ce voyou de Pankey sans que Sugar arrondisse les angles. Il y a des gens qui méritent qu'on leur dise leur fait ! Particulièrement Grover Pankey ! Si les Parfumeries Rackham doivent passer le cap du prochain siècle et aller au-delà, il leur faudra une main puissante à la barre – une main qui ne se laisse pas embobiner. Comment Pankey ose-t-il suggérer que l'ivoire craquelle forcément s'il est gravé aussi finement que sur les pots Rackham ?

*Peut-être avez-vous dernièrement engagé les services d'une classe d'éléphants inférieure*, griffonne-t-il. *Les pots que vous m'aviez montrés à Yarmouth était assez robustes. Je vous suggère de revenir à ce pedigree.*

*Vôtre…*

Ah eh bien, peut-être plus « vôtre » pour très longtemps. Il y a plus d'un marchand d'ivoire au monde, Mr. Grover Pankey !

William signe, et fronce les sourcils. La signature a l'air d'une imitation enfantine de l'ancienne, inférieure même au faux le plus endormi de Sugar. Eh bien, et alors ? La façon dont il signait avant d'avoir pris la tête des Parfumeries Rackham était différente de celle dont il signait ensuite, et la signature au bas des lettres qu'il écrivait enfant n'a rien à voir avec celle qui figure sur son certificat de mariage. La vie continue. Le changement, ainsi que l'a dit le Premier Ministre lui-même, est constant.

Il scelle la lettre, et se trouve pris par le besoin de la poster immédiatement, d'aller à Portobello Road la glisser dans la boîte la plus proche, de peur que Sugar n'entre dans la pièce et n'y aperçoive la missive. L'air frais lui fera du bien, de toute façon. Depuis l'affaire d'hier il est nerveux, à la recherche d'une bonne raison de quitter la tristesse de sa maison, de marcher dans la rue d'un pas élastique. Doit-il ou non rester ?

Il tergiverse encore un moment, et la satisfaction de traiter Pankey comme il le mérite s'évapore telle l'essence de tubéreuse quittant un mouchoir. Il songe au long et dur parcours accompli depuis qu'il a pris les rênes de cette parfumerie. De nouveau la vision de William Rackham l'auteur et critique revient le hanter, et il éprouve du regret pour l'homme qu'il n'a jamais été, l'homme dont la plume était crainte et admirée et qui mettait le feu aux correspondants ennuyeux du bout de son cigare. Cet homme avait des doigts parfaitement formés, une longue chevelure d'or, une femme radieuse, le nez fin non pour le jasmin gâté mais pour le grand Art et la grande Littérature de demain. Au lieu de quoi le voici là, veuf, bégayant, soufflant d'effort quand il s'agit de signer des lettres destinées à des marchands qu'il abhorre. Les liens qu'il avait jadis avec sa famille, ses amis, ses compagnons de route : tous altérés au point d'être méconnaissables. Déjà irrécupérables ? S'il ne se rachète pas maintenant qu'il en a encore la possibilité, une relation jadis intime tournera à l'indifférence ou même l'hostilité.

Il ravale donc son orgueil, quitte la maison, réquisitionne Cheesman pour l'emmener en ville, et se rend droit à Torrington Mews, Bloomsbury, dans l'espoir de trouver Mr. Philip Bodley chez lui.

Cinq heures plus tard, William Rackham est un homme heureux. Oui, pour la première fois depuis la mort d'Agnes, ou même – oui, pourquoi ne pas le reconnaître ? – depuis bien plus longtemps, il est vraiment heureux. Le passage de cinq petites heures l'a porté de l'orée de l'abattement aux rives de la satisfaction.

Il déambule dans une étroite rue de Soho, à la nuit tombée, légèrement ivre, accosté de tous côtés par les marchands ambulants, les gamins et les putains qui veulent échanger son argent contre des marchandises malpropres qui ne valent pas deux pence. Leurs visages aux regards concupiscents, aux bouches ébréchées, leurs manches gesticulantes devraient le remplir d'inquiétude, du fait qu'il a récemment été battu quasiment à mort par de tels voyous dans les sombres rues de Frome. Mais non, il n'a pas peur d'être attaqué ; il est sans crainte, car il a ses amis avec lui. Oui, pas juste Bodley, mais Ashwell aussi ! Il n'y a vraiment rien, rien au monde qui soit aussi réconfortant que la compagnie d'hommes qu'on connaît depuis l'enfance.

« Nous sommes en train de fonder notre propre maison d'édition, Bill », dit Ashwell, tournant la tête au passage d'un marchand coiffé de douze chapeaux, deux autres tournoyant au bout de ses doigts.

Bodley porte un coup de pointe de sa canne en manière de plaisanterie à l'une des prostituées qui leur font signe depuis le pas de leurs portes. Un petit garçon à moitié endormi, devant une voiture à bras pleine de pichets et de pots sans valeur qu'il est chargé de vendre, tressaille de peur que la canne n'aille dans l'instant s'écraser sur son nez morveux.

« Nous n'avons trouvé personne pour publier notre prochain livre, explique Bodley.

– *L'Art tel que le travailleur le comprend*...

– Alors on va le publier nous-mêmes, bordel.

– *L'Art tel*... ? Le publier vous-mêmes... ? Mais pourquoi... ? demande William, secouant sa tête embrouillée par l'alcool. D'après le titre on dirait que c'est un livre... moins polémique que les précédents...

– Ne crois pas ça ! croasse Ashwell.

– C'est une idée brillamment simple ! déclare Bodley. Nous avons mis la main sur une grande variété de rudes travailleurs – ramoneurs, poissonniers, filles de cuisine, buralistes, marchandes d'allumettes et ainsi de suite – et nous leur avons lu des passages des *Notes académiques* de Ruskin…

– … et montré des gravures de tableaux…

– … puis nous leur avons demandé leur opinion ! » Bodley grimace comme un idiot en faisant mine d'examiner une gravure tenue à bout de bras. « C'est quoi le nom qu'vous avez dit ? Affreux-Dite ?

– Une dame grecque, monsieur, fait mine d'expliquer Ashwell, donnant la réplique à Bodley. Une déesse.

– Grecque ? Eh ben. Où qu'est sa moustache noire alors ? »

Sur quoi Bodley prend le masque d'un autre personnage, plus songeur, qui se gratte la tête d'un air de doute. « P'têt' ben qu'suis ignorant – mais cette Affreux-Dite elle a des drôles de mamelles, d'après moi. Elle les a où que j'en ai jamais vu sur aucune femme dans ma rue à moi – et j'en ai vu un paquet ! »

Rackham éclate de rire – un bon rire franc tel qu'il n'en a pas eu depuis… eh bien, depuis la dernière fois qu'il est sorti avec ses amis.

« Mais pourquoi diable, demande-t-il, vos éditeurs habituels refusent-ils de publier celui-ci ? Ils en tireront tout autant d'argent, j'en suis sûr !

– C'est précisément le problème, dit Bodley avec un petit sourire satisfait.

– Tous nos livres ont été une perte d'argent ! déclare Ashwell avec fierté.

– Non ! proteste William.

– Si ! s'écrie Ashwell. Un affreux gâchis ! » Et il éclate d'un rire de hyène.

William, ratant un pavé, manque de tomber et Bodley le rattrape. Il est un peu plus soûl qu'il ne pensait.

« Perte d'argent ? Mais c'est impossible ! insiste-t-il. J'ai rencontré tant de gens qui avaient lu vos livres…

– Oh, nul doute que tu les as rencontrés tous », dit Ashwell d'un ton jovial. À moins de six mètres de là, une vieille femme grise de gin donne de grandes claques sur la tête quasi chauve de son mari, petit homme à la poitrine de pigeon. Il tombe comme une mouche, suscitant un chœur de gros rires.

« *Le Grand Fléau Social* finira par rentrer dans ses frais, à la longue, déclare Bodley, grâce aux étudiants masturbateurs et aux veuves frustrées comme Emmeline Fox...

– Mais personne n'a acheté *L'Efficacité de la prière* sinon les misérables vieux cornichons que nous y citons. »

William sourit toujours, mais son esprit, affûté par sa longue année d'expérience en tant qu'homme d'affaires, a des difficultés avec les chiffres.

« Voyons voir si je vous comprends, dit-il. Au lieu de laisser un éditeur perdre de l'argent, vous voulez perdre de l'argent vous-mêmes... »

Bodley et Ashwell font d'identiques gestes de dénégation de la main, pour montrer qu'ils ont soigneusement étudié la question.

« Nous allons publier de la pornographie aussi, déclare Ashwell, pour couvrir les pertes dues à nos meilleurs livres. De la pornographie de la plus basse espèce. La demande est immense, Bill ; l'Angleterre entière est avide de sodomie !

– Oui, le tout du cul ! plaisante Bodley.

– Nous allons publier un guide pour les célibataires occasionnels qui sera mis à jour tous les mois ! poursuit Ashwell, les joues enflammées par l'enthousiasme. Pas comme ces foutus *Plaisirs* inutiles, qui vous donnent la trique rien qu'à lire certaines descriptions de filles et tu vas à la maison close pour découvrir qu'elle est morte, ou que la maison a fait faillite, ou qu'elle est pleine de pentecôtistes ! »

Le sourire de William s'efface. La référence aux *Plaisirs* lui rappelle une autre des raisons qui font que lui et ses copains ont cessé de se voir : Bodley et Ashwell connaissaient l'existence d'une prostituée nommée Sugar, une prostituée qui a brusquement disparu de la circulation. Que penseraient-ils si, en visite chez William, ils entendaient prononcer par une domestique le nom de « Miss Sugar » ? Très peu probable, mais William n'en préfère pas moins changer de sujet.

« Vous savez, dit-il, j'ai été si longtemps enchaîné à mon bureau que c'est le Paradis de se retrouver en ville avec ses vieux amis. » (Son bégaiement, remarque-t-il, a complètement disparu : il n'est besoin que de quelques verres et d'une bonne compagnie !)

« *Fidus Achates* ! s'exclame Bodley, donnant une claque dans le dos de William. Tu te souviens du jour où les flics nous ont coursés depuis Parker's Piece jusqu'à chez nous ?

– Tu te souviens du jour où le surveillant général a trouvé cette jolie salope de Lizzie endormie dans le pavillon du directeur ?

– C'était le bon temps, dit William, bien qu'il n'ait aucun souvenir de l'incident.

– Exactement, rayonne Ashwell. Mais le temps présent peut être tout aussi heureux, Bill, si tu fais ce qu'il faut. Ton affaire de parfum marche du tonnerre, j'ai entendu dire. Tu n'as pas besoin de t'en occuper à chaque minute de la journée, hein ?

– Ah, vous seriez surpris, soupire William. Tout menace de s'écrouler constamment. Tout ! Constamment ! Rien dans ce foutu monde ne marche tout seul.

– Allons, allons, mon vieux. Il y a des choses qui sont merveilleusement simples. Fourre n'importe quelle bite dans n'importe quel con et le reste se fait tout seul. »

William grommelle son assentiment, mais dans son cœur il est loin d'en être sûr. Dernièrement, il en est venu à craindre les avances de Sugar, car sa queue reste flasque lorsqu'il en aurait le plus besoin. Marche-t-elle toujours ? Elle durcit quand il ne faut pas, particulièrement dans son sommeil, mais le laisse tomber au bon moment. Combien de temps encore Sugar pourra-t-elle ignorer le fait qu'il a cessé, semble-t-il, d'être totalement homme ? Combien de nuits encore pourra-t-il plaider la fatigue ou l'heure tardive ?

« Si je ne garde pas la tête froide, se plaint-il, les Parfumeries Rackham auront disparu à l'heure où le siècle aura passé. Et je n'ai personne à qui les léguer. »

Ashwell s'arrête pour acheter une pomme à une fille qui lui plaît. Il lui donne six pence, bien plus que ce qu'elle demande, et elle s'incline, manquant de renverser les pommes qu'il reste dans son panier.

« Merci, mon chou, lui dit-il avec un clin d'œil, avant de croquer la chair ferme en reprenant sa route. Alors... fait-il à William, la bouche pleine de pulpe, alors tu ne veux pas épouser Constance, c'est ça ? »

William s'arrête net, éberlué.

« Constance ?

– Notre chère lady Bridgelow », dit Ashwell, faisant effort pour prononcer clairement, comme si l'étonnement de Rackham pouvait n'être dû qu'à un défaut de prononciation.

William vacille vers l'avant, contemple le sol, sa vision se brouillant et redevenant claire tour à tour. Les pavés sont marqués de croisillons d'une matière à l'aspect pelucheux, soit du crottin de cheval avec beaucoup de chardons soit les vestiges très dispersés de la peau d'un chien écrasé.

« Je... je ne savais pas que Constance avait le désir de m'épouser. »

Bodley et Ashwell font entendre des grognements bonhommes, et Bodley l'attrape par l'épaulette de son manteau, la secouant d'un air exaspéré.

« Allons, Bill, tu attends qu'elle se mette à genoux pour te demander ta main ? Elle a sa fierté. »

William digère cela alors qu'ils poursuivent leur route. Ils ont tourné l'angle de King Street, une rue plus large. Les prostituées leur font signe des deux côtés, assurées que le policier de service a été amplement persuadé de dépenser son énergie sur les pickpockets et les ivrognes.

« La meilleure baise de Londres, ici », crie une putain éméchée.

« Chauds les marrons, chauds ! » braille un homme sur le trottoir opposé.

Bodley s'arrête, pas pour les marrons ni la putain, mais parce qu'il vient de marcher sur quelque chose de gluant. Il lève le pied gauche et regarde la semelle, essayant de savoir si la chose – maintenant mêlée à la boue huileuse d'entre les pavés – était une crotte ou seulement un bout de fruit pourri.

« Qu'est-ce que tu penses, Philip ? demande Ashwell, souriant par-dessus son épaule à la fille soûle qui continue à lui envoyer des baisers. Tu es prêt à t'amuser ?

– Toujours, Edward, toujours. Que dirais-tu de la ravissante Apollonia ? » En aparté à William il explique : « On a découvert un vrai bijou, Bill, un vrai bijou – une Africaine aux cheveux crépus. Elle travaille chez Mrs. Jardine. Son con est violet sombre, comme un fruit de la passion, et elle a appris à parler comme une débutante de Belgravia : c'est la chose la plus comique du monde !

– Essaie-la tant qu'il est temps, Bill : elle va bientôt se faire enlever par un diplomate ou un ambassadeur et disparaître dans les entrailles de Westminster ! »

Bodley et Ashwell font halte, leurs chapeaux hauts de forme se touchant, pour consulter leurs montres de gousset, conférant brièvement sur la possibilité d'aller chez Mrs. Jardine, mais ils tombent bientôt d'accord qu'il y a peu de chances qu'Apollonia soit libre à cette heure. Quoi qu'il en soit, William a l'impression que, bien qu'ils en chantent les louanges, ils ont goûté trop récemment à son charme exotique et ont soif d'autre chose.

« Alors qu'est-ce qu'on fait ? demande Ashwell. Mrs. Terence n'est pas loin…

– Il est neuf heures et demie, dit Bodley. Bess et… comment s'appelle-t-elle – la Galloise – seront prises, et les autres ne me plaisent pas trop. Et tu connais Mrs. Terence : elle ne te laisse pas partir une fois que tu es entré.

– Mrs. Ford ?

– Cher, dit Bodley en reniflant, pour ce qu'on te donne.

– Oui, mais rapide.

– Oui, mais elle est dans Panton Street. Si ce que nous cherchons c'est le service rapide, on pourrait aller chez Madame Audrey juste au coin. »

À les entendre, William prend conscience que ses craintes sont vaines : ces hommes ont déjà oublié Sugar, complètement. C'est de l'histoire ancienne, son nom a été effacé par une centaine d'autres noms depuis ; la fille qui naguère semblait resplendir comme un phare dans l'obscurité de Londres a été réduite à une piqûre d'épingle de lueur vacillante perdue parmi d'innombrables lueurs semblables. La vie continue, et il n'y a jamais de fin aux êtres qui y surgissent.

« Et ces trois-là ? dit Bodley. Elles ont l'air gai. » Il désigne de la tête un trio de putains qui pouffent dans la lumière de la vitrine d'un vendeur de chandelles. « Je ne suis ni d'humeur à prendre des grands airs ni à pleurer ce soir. »

Les deux hommes se dirigent vers les femmes qui leur font de grands signes, et William, craignant de se retrouver seul et sans protection, suit. Il essaie de visser son regard sur l'obscurité de la rue de part et d'autre des femmes, mais il est irrésistiblement attiré par leur étalage vulgaire de taffetas et de poitrine rose. C'est un trio effronté, un peu trop bien habillé, avec des masses de cheveux débordant de leurs bonnets trop recherchés. William a le sentiment désagréable de les avoir déjà vues.

« Il fait beau, s'pas, minaude la première.

– Vous n'en avez jamais eu une comme moi les gars, déclare la seconde.

– Ni comme moi », ajoute la troisième.

Sont-ce les trois femmes qui l'avaient importuné au Fireside, lorsqu'il a rencontré Sugar ? Elles semblent plus jeunes et plus minces, et leurs robes sont moins surchargées, mais il y a quelque chose… Grand Dieu, la Fortune pourrait-elle vraiment produire une si hideuse coïncidence ? Est-ce qu'une de ces catins poudrées est sur le point de le saluer d'un « Mr. Hunt » et de lui demander comment vont ses livres, ou comment s'est terminé son rendez-vous avec Sugar ?

« Dans la bouche, combien ? » demande Bodley à la femme aux lèvres les plus pleines. Elle se penche pour murmurer à son oreille, posant avec aisance ses avant-bras sur ses épaules.

En quelques secondes, le marché est conclu. Ashwell, Bodley et un William peu convaincu ont pénétré dans un cul-de-sac sombre tout juste assez large pour contenir une femme accroupie et un homme debout. Ashwell regarde Bodley se faire servir et fouille sous les jupes d'une autre femme qui caresse sa queue exposée, dont la taille et la fermeté impressionnent William, même s'il n'y jette qu'un coup d'œil, comme terriblement supérieures à la sienne. La troisième prostituée, face à la rue, le dos tourné à William, fait le guet. Maintenant William est sûr – aussi sûr qu'il peut l'être – qu'il n'a jamais vu ces femmes. Il fixe le dos de la sentinelle et essaie de s'imaginer en train de soulever sa tournure, de baisser sa culotte et de la fourrer, mais elle lui paraît dénuée de charme érotique, sorte de mannequin mal fichu avec un buste en crin, un cou trop épais, une colonne vertébrale de boutons brillants dont l'un d'eux est défait. Sa virilité est molle et moite ; il a laissé ses meilleures années derrière lui ; il va passer le restant de ses jours à s'inquiéter pour les Parfumeries Rackham ; sa fille sera laide, vieille fille et ingrate, la risée de son cercle de plus en plus restreint de connaissances ; et puis, un beau jour, alors qu'il sera en train d'écrire une lettre inutile d'une main infirme, il la portera à son cœur et mourra. Quand est-ce que tout a commencé à mal tourner ? Tout a commencé à mal tourner quand il a épousé Agnes. Tout a commencé à mal tourner quand…

Soudain il s'aperçoit que Bodley est en train de gémir de satisfaction. La femme en a presque fini avec lui ; tandis qu'il approche de l'orgasme, il agite une main tremblante dans l'air, faisant mine de saisir sa nuque. Elle l'intercepte à mi-course, l'attrapant d'abord par le poignet, puis insérant ses doigts entre les siens, de sorte qu'elle et Bodley se tiennent la main. C'est un étrange geste de contrôle, de forces s'annulant l'une l'autre, qui a l'apparence de la tendresse extrême et du désir mutuel. William est instantanément, puissamment excité, et ce qui lui semblait impossible il y a une minute s'impose maintenant à lui comme un impératif.

« Oh Dieu ! » s'écrie Bodley en jouissant. La fille le retient, pressant sa main, le front contre son ventre. Ce n'est que lorsque Bodley s'affaisse contre le mur de la ruelle qu'elle le libère et renverse la tête, se léchant les lèvres.

Maintenant ! C'est maintenant ! William s'avance, sortant de son pantalon sa virilité érigée.

« Maintenant moi ! » ordonne-t-il d'une voix rauque, tout le corps couvert d'une sueur d'angoisse, car il sent que déjà la rigidité de son organe commence à perdre sa charge de sang. Heureusement, en moins de temps qu'il n'en faut pour le dire, la prostituée l'a pris dans sa bouche et a plaqué les paumes sur ses fesses. William vacille, perdant momentanément l'équilibre ; oh Dieu, ce serait la fin s'il devait tomber cul par terre en cet instant ! Mais tout va bien, elle le tient, ses doigts sont plantés dans sa chair, sa bouche et sa langue sont expertes.

« Allez monsieur, mettez-la-moi, dit une autre voix féminine derrière lui, s'adressant à Ashwell. Vous pouvez vous le payer, monsieur, et vous ne le regretterez pas.

– Je n'ai pas de préservatif.

– Je me soigne bien, monsieur. J'ai été au docteur la semaine dernière, et il dit que je suis propre comme un sou neuf.

– Quand même…, dit Ashwell en haletant, je préfère…

– C'est un joli petit con soyeux que j'ai, monsieur. Un con pour connaisseur.

– Quand même… »

William, étourdi par l'excitation qui monte, ne comprend pas les appréhensions d'Ashwell. Qu'il baise la fille et en finisse ! Qu'on baise toutes les femmes du monde tant qu'on peut le faire. Il a l'impression qu'il peut jouir comme un geyser, remplir une femme, puis la suivante, dans la bouche, le con, le cul, et les abandonner, empilées en un tas confus, alanguies et froissées… Ah !

Quelques secondes plus tard, William Rackham est allongé sur le sol, inconscient, avec cinq personnes au-dessus de lui.

« Laisse-le respirer, dit Ashwell.

– Qu'est-ce qu'il a ? demande l'une des putains d'un air inquiet.

– Il a trop bu, dit Bodley, mais il ne semble pas si sûr de lui.

– Il a été très sévèrement tabassé par des entomologistes dernièrement, dit Ashwell. Ils lui ont fracturé le crâne, je crois.

– Oh, pauvre chou, roucoule la femme aux grosses lèvres. Il va toujours rester comme ça ?

– Allez, Bodley, aide-moi. »

Les deux hommes prennent leur ami sous les aisselles et le soulèvent de quelques centimètres. Vexée d'avoir été ignorée, la putain en chef les tire par la manche, tâchant de gagner l'attention de ces messieurs avant qu'ils n'aient trop de soucis en tête.

« Je n'ai été payée que pour un, leur rappelle-t-elle.

– Et moi j'ai pas été payée du tout », bêle la fille qui a fait le guet, comme si elle avait été la plus maltraitée des trois. La troisième fronce les sourcils, ne trouvant pas quoi ajouter aux doléances, attendu qu'Ashwell a été interrompu avant d'avoir atteint le plaisir pour lequel il a payé.

« Voilà... voilà... » Ashwell tire une poignée de pièces de sa poche, des shillings pour la plupart, qu'il lui met dans les mains, tandis que les deux autres tordent le cou pour voir. « Vous vous débrouillerez entre vous, d'accord ? » Il n'a pas envie de marchander. Dieu tout-puissant : d'abord Henry, puis Agnes... S'il y a une mort de plus dans cette malheureuse famille... ! Et quel terrible coup du sort, si ces éminents gandins Philip Bodley et Edward Ashwell devaient inaugurer leur nouvelle carrière d'éditeurs en portant un cadavre dans les rues de Soho à la recherche du commissariat le plus proche !

« Bill ! Bill ! Tu es là ? aboie Ashwell en donnant de lourdes tapes sur la joue de William.

– Je... je suis là », répond Rackham, sur quoi, de la bouche des cinq témoins – oui, même des putains, car elles n'ont pas eu le cœur de décamper – s'échappe un profond soupir de soulagement.

« Eh bien..., dit la plus âgée, ajustant son bonnet et jetant un œil sur les éclats lumineux de la rue. Bonne nuit à tous. » Et elle conduit ses sœurs hors de l'obscurité.

Pendant quelques secondes de plus, Bodley et Ashwell demeurent dans le cul-de-sac, occupés à se rajuster, se peigner en s'utilisant l'un l'autre comme miroir. Vous ne les reverrez plus, donc regardez-les bien maintenant.

« Ramenez-moi à la maison, gémit une voix quelque part non loin des revers de leurs pantalons. Je veux aller me coucher. »

# 33

Envoyée dans sa chambre, Sugar se laisse enfin aller à piquer une colère. Une colère solitaire et silencieuse, dans le secret de sa morne chambrette, mais qui n'en est pas moins une colère.

Comment William ose-t-il lui dire que l'heure à laquelle il rentre ne la regarde pas ! Comment ose-t-il lui dire que la boue sur ses vêtements est son affaire, et qu'il ne lui doit aucune explication ! Comment ose-t-il lui dire qu'il est parfaitement capable de s'occuper de son courrier et qu'il n'a plus besoin de ses flatteries et de ses faux ! Comment ose-t-il lui dire qu'au lieu d'épier son retour d'une innocente visite à des amis, elle ferait bien mieux de dormir, parce que ses yeux sont toujours injectés de sang et enlaidis par des cernes sombres !

Sugar s'agenouille à son chevet dans la lueur de la chandelle avec le cadeau de Noël de William, les tragédies de Shakespeare, dans son giron, et elle arrache les pages par poignées, illustrations et le reste, griffant le fragile papier de ses ongles cassants et ébréchés. Comme les pages sont fines et souples, comme celles d'une bible ou d'un dictionnaire, on les croirait faites d'amidon glacé ou de cette matière dont on enveloppe les cigarettes. Elle les écrase dans son poing, *Macbeth, Lear, Hamlet, Roméo et Juliette, Antoine et Cléopâtre*, toutes sont déchirées sous ses ongles, inutiles bavardages à propos de vieilles aristocraties. Elle avait cru que William les avait achetées pour elle en reconnaissance – en *l'honneur* – de son intellect, que c'était un message codé devant les domestiques pour lui dire qu'il savait que son âme était d'autre qualité que les leurs. Foutaises ! C'est un parvenu vide, un mufle grossier qui aurait pu tout aussi bien lui acheter un pied d'éléphant doré ou un pot de chambre orné de verroteries si son œil n'avait pas été distrait par cette collection de volumes « reliés à la main ». Maudit soit-il ! *Voilà* ce qu'elle pense de ses tentatives mielleuses pour acheter sa gratitude !

Tandis qu'elle lacère et déchiquette, son corps est convulsé de sanglots infantiles, suite incessante de spasmes rapides, et les larmes coulent sur ses joues. Croit-il qu'elle est aveugle et sans odorat ? Il puait plus que la boue quand il est rentré en titubant, supporté de chaque côté par Ashwell et Bodley ; il puait le parfum bon marché, du genre que portent les putains. Il sentait la relation sexuelle, une relation, dirait-il sans doute (selon sa formule favorite depuis quelque temps), qui n'avait « rien à voir » avec elle ! Maudit soit-il, alors qu'il est en train de cuver sa débauche dans sa chambre où elle n'a jamais été invitée ! Elle devrait y débouler, armée d'un couteau, lui ouvrir le ventre et regarder son contenu se répandre en torrent sur le sol !

Au bout d'un moment, ses sanglots se calment et ses mains se fatiguent de déchirer les pages. Elle s'affaisse contre sa commode, entourée de bouchons de papier froissé, ses pieds nus perdus en dessous. Et si William la trouvait ainsi ? À genoux, elle se met à ramasser les boules de papier pour les jeter au feu. Elles se consument immédiatement, s'embrasant un bref instant avant de se racornir en cendres.

Elle ferait mieux de brûler les journaux d'Agnes plutôt que ses cadeaux de Noël. Les volumes de Shakespeare sont inoffensifs, alors que les journaux pourraient la trahir à tout moment. Quel intérêt de continuer à les cacher sous le lit, alors qu'elle a glané tout ce qu'elle pouvait, et qu'ils ne peuvent que lui attirer des ennuis ? Agnes ne reviendra pas les réclamer, voilà qui est certain.

Sugar sort un cahier à la lumière. Depuis le temps, la boue séchée s'est décollée de sorte que le délicat volume, au lieu de paraître tout juste sauvé de la tombe, a seulement l'air vieux, comme la relique d'un siècle passé. Sugar l'ouvre, et les fragments ruinés de son cadenas, absurdement délicat avec sa serrure et sa chaîne d'argent, se balancent comme des bijoux sur ses articulations.

*Cher Journal,*
*J'espère que nous serons bons amis.*

Sugar tourne les pages, assistant encore une fois à la lutte menée par Agnes Pigott pour se faire à son nouveau nom.

*Ce n'est que ce que ma gouvernante nomme une appellation, après tout, destinée au monde. Je suis idiote de m'en faire autant. DIEU connaît mon vrai nom, n'est-ce pas ?*

Sugar pose le journal de côté ; elle a décidé de les détruire tous sauf celui-ci, le premier, qui est assez petit pour être facilement caché. Elle ne peut s'empêcher de penser qu'il y aurait quelque chose de… *mal* à détruire les premiers mots qu'Agnes a confiés à la postérité. Ce serait comme de prétendre qu'elle n'a jamais existé ; ou non : qu'elle n'a commencé d'exister que quand sa mort a donné matière à une notice nécrologique.

Sugar sort un second journal de sous le lit. Il se trouve que c'est la dernière chronique d'Abbots Langley, écrite par une

Agnes de quinze ans se préparant à rentrer chez elle pour soigner sa mère. Des pétales de fleurs séchées tombent en voletant des pages, rouges et blancs, impondérables. Après avoir lu le poème d'adieu d'Agnes Unwin

*Les Bonheurs de la Camaraderie sont envolés*
*Le Soleil apparaît à travers les Cieux rougissants*
*Les jours d'étude sont terminés*
*Car nul ne peut retenir l'Avenir bondissant!*

en serrant les mâchoires, Sugar confie le journal aux flammes. Il se calcine en sifflant doucement. Elle détourne les yeux.

Elle sort un autre journal de sa cachette. Sa première entrée relate le fait qu'il n'y a pas eu de réponse de la « poste suisse » à la question de savoir où envoyer l'album de chatons de Miss Eugenie bientôt Schleswig. Ce volume, lui aussi, peut aller au feu, une fois le premier consumé.

Sugar saisit un troisième volume. *Liebes Tagebuch*... annonce-t-il sur la première page. Encore un pour le feu.

Elle en prend un quatrième. Il date des premières années de mariage d'Agnes avec William, et commence par la description illisible d'une attaque de démons, décorée en marge par des yeux hiéroglyphiques dessinés au sang menstruel.

Quelques pages après, une Agnes convalescente note:

*J'avais pensé, pendant que j'étais à l'école, que mon ancienne Vie était gardée au chaud pour moi, comme un plat préféré mijotant sous le couvercle en argent, attendant mon retour à la Maison. Je sais maintenant que c'était une illusion tragique. Mon beau-père a toujours eu l'intention de tuer ma chère Mère à petit feu par sa cruauté, et de vendre ma pauvre Personne au*

*premier homme qui voudra le débarrasser de moi. Il a choisi William exprès. Je le comprends aujourd'hui ! S'il avait choisi un prétendant d'une classe plus élevée, il n'aurait pas cessé de tomber sur moi là où les Dix Mille se rencontrent. Mais il savait que William me ferait descendre des hauteurs, et qu'une fois que j'aurais coulé aussi bas qu'aujourd'hui, il ne me verrait plus jamais !*
*Eh bien, j'en suis heureuse ! Oui, heureuse ! Ce n'était pas mon père de toute façon. Être admise aux bals les plus élégants ne suffirait pas à contrebalancer la révulsion que j'éprouve dans sa compagnie.*
*Toujours il en a été ainsi : les Femmes ont été les pions de la traîtrise des hommes. Mais un jour, la Vérité sera dite.*

L'odeur de papier parfumé virant au fumeron commence à emplir la chambre. Sugar regarde l'âtre. La forme du journal est toujours intacte, mais brille d'un orange livide sur les côtés. Elle en sort un autre de sous le lit et l'ouvre au hasard. C'est une entrée qu'elle n'a jamais lue, sans date, mais son encre est d'un bleu profond qui semble récent.

*Chère Sainte Sœur,*
*Je sais que vous m'avez protégée, et je vous supplie de ne pas penser que je suis ingrate. Dans mon sommeil Vous m'assurez que Tout ira bien, et je suis réconfortée et je repose en paix sur votre poitrine ; pourtant quand je me réveille je suis de nouveau effrayée, et tous Vos mots fondent comme des flocons de neige tombés dans la nuit. J'ai hâte que nous nous rencontrions, en chair et en os dans le monde hors des rêves. Sera-ce bientôt ? Sera-ce bientôt ? Faites une marque sur cette*

*page – du bout des lèvres, du bout des doigts, n'importe quel signe de Votre présence – et je n'abandonnerai pas tout espoir.*

Avec un soupir de tristesse, Sugar jette le journal qui en tombant soulève une gerbe d'étincelles avant de s'immobiliser, debout, bien que de manière précaire, au sommet de la carcasse fumante, en parfaite position pour s'enflammer immédiatement.

Elle fouille de nouveau sous le lit et ce qui en émerge n'est pas un nouveau journal, mais son propre roman. Comme elle a le cœur gros à sa vue ! Cette chose en lambeaux qui fait gonfler sa couverture de carton rigide est l'incarnation de l'inutilité. Tous ses titres biffés – *Scènes des rues, Un cri venu des rues, Un cri de colère issu d'une tombe anonyme, Les Femmes contre les hommes, La Mort dans la maison de passe, Qui est le maître maintenant ? Le Phénix, Les Serres du Phénix, L'Étreinte du Phénix, Tous ceux qui entrent Ici, La Rétribution du péché, Venez embrasser l'Enfer sur la bouche*, et, enfin, *La Chute et l'Ascension de Sugar* – portent la marque de ses illusions juvéniles.

Elle pose la liasse de papiers sur sa tranche craquelée et effilée et la laisse s'ouvrir toute seule.

« *Mais je suis père !* plaide un des mâles condamnés du roman tout en faisant d'impuissants efforts pour se libérer des liens dont l'héroïne a enserré ses poignets et ses chevilles. *J'ai un fils et une fille, qui m'attendent à la maison !*

*– Il fallait y penser avant », dis-je, tout en découpant sa chemise avec mes ciseaux de couture tranchants comme un rasoir. J'étais très concentrée sur mon travail, promenant les ciseaux sur son ventre poilu.*

*« Tu vois ? dis-je en lui montrant un bout de coton en forme de papillon dont les deux moitiés étaient jointes ensemble par un bouton de chemise. Ça n'est pas joli ?*

*– Par pitié, pensez à mes enfants !»*

*Je me penchai sur sa poitrine, enfonçant les coudes aussi pesamment que possible dans sa chair, tout en lui parlant au visage, si près que mon haleine chaude lui faisait cligner des yeux. « Il n'y a pas d'espoir pour les enfants dans ce monde, l'informai-je, d'une voix sifflante de fureur. Si ce sont des garçons, ils deviendront d'horribles porcs comme toi. Si ce sont des filles, elles seront souillées par des porcs tels que toi. Il vaut mieux, pour les enfants, ne pas naître ; et s'ils ne peuvent pas éviter de naître, alors qu'ils meurent tant qu'ils sont innocents. »*

Sugar gémit de honte à la lecture des élucubrations de son ancien moi. Elle devrait les jeter dans les flammes, mais elle en est incapable. Et les deux journaux d'Agnes sacrifiés brûlent encore, oh si lentement, dégageant une odeur âcre et couvrant les charbons d'un voile de carde noire. Il y a simplement un volume trop important de documents illicites ici ; il faudrait des heures, des jours, pour les brûler tous, et la fumée et l'odeur attireraient l'attention. Avec un soupir résigné, Sugar refourre son roman, et la poignée de journaux qu'elle a condamnée à l'extinction, sous le lit.

Au milieu de la nuit, dans l'obscurité profonde, une main se pose sur la cuisse de Sugar et la tire de son sommeil en la secouant doucement. Elle geint de peur, s'attendant à entendre sa mère dire : « Tu n'as plus besoin de frissonner... » mais sa mère se tait. C'est une voix d'homme qui murmure dans le noir.

« Je suis désolé Sugar, dit-il. Je te prie de me pardonner. »

Elle ouvre les yeux pour découvrir qu'elle est totalement enfouie sous les couvertures, les draps étreignant sa tête, ses bras étreignant son abdomen. Suffoquant, elle émerge à l'air, aveuglée par la lueur d'une lampe à huile.

« Quoi ? Quoi ? marmonne-t-elle.

– Excuse-moi de m'être si mal conduit, répète William. Je n'étais pas moi-même. »

Sugar s'assied, passant une main dans sa chevelure en désordre. Sa paume est chaude et moite, la peau de son ventre est soudain rafraîchie par l'absence de ses mains. William pose la lampe sur la commode puis vient s'asseoir au pied du lit, son front et son nez projetant des ombres noires sur ses yeux et sa bouche tandis qu'il parle.

« Je me suis évanoui en ville. J'avais trop bu. Il faut que tu me pardonnes. »

Sa voix, quelque impératif que soit le message, est monocorde et morbide, comme s'il était en train de plaider pour les morts.

« Oui, oui bien sûr mon amour, dit-elle en se penchant pour prendre sa main.

– J'ai pensé à ce que tu m'as dit, poursuit-il d'un ton monotone, que ce serait bien pour Sophie si… elle sortait plus souvent… en notre compagnie.

– Ah oui ? » dit Sugar. Elle voit à la pendule au-dessus de la tête de William qu'il est deux heures et demie. Qu'est-ce qu'il peut bien avoir en tête à une heure pareille ? Une balade en voiture, tous les trois en chemise de nuit pour admirer les rues éclairées au gaz pendant que Cheesman les régale d'une chanson de corps de garde ?

« Alors, j'ai organisé…, dit William, extrayant sa main de la sienne et jouant avec sa barbe tandis que son bégaiement refait surface. J-j'ai organisé une visite de m-m-mon usine de savon. Pour toi et Sophie. De-demain après-midi. »

Pendant un instant, Sugar est prise d'une vague d'optimisme qui lui fait tourner la tête, qu'elle pourrait presque confondre avec l'une de ses nausées matinales. Tout se met en place ! Il a enfin vu la lumière ! Il s'est rendu compte que la seule façon d'arracher le bonheur aux mâchoires du malheur est de rester soudés et au diable ce que pense le monde ! C'est maintenant qu'il faut qu'elle se jette dans ses bras, qu'elle guide sa paume vers la courbe de son ventre et lui apprenne que l'immortalité du nom des Rackham – son immortalité à lui – est assurée. *Tu crois que nous ne sommes que deux dans cette pièce*, pourrait-elle dire. *Mais nous sommes trois !*

Hésitant à sauter le pas, les mots au bout de la langue, elle cherche ses yeux dans les ombres noires de son front, dont elle ne voit qu'une lueur fugitive. Puis ses dernières paroles commencent à lui trotter dans la tête.

« Demain après-midi… répète-t-elle. Tu veux dire… aujourd'hui ?

– Oui. »

Elle cligne des yeux à plusieurs reprises. Elle a l'impression que ses paupières sont en papier émeri. « Ça ne peut pas être un autre jour ? suggère-t-elle, très bas, pour empêcher sa voix de durcir. Une grasse matinée ne te ferait pas de mal, tu ne crois pas, après… eh bien, après la soirée que tu as passée ?

– Oui, concède-t-il, mais c'était p-p-prévu depuis longtemps. »

Sugar, qui cligne toujours des yeux, tâche de comprendre. « Mais ça n'est pas à toi de décider ?

– Il y a que-quelqu'un d'autre qui vient. Qu-quelqu'un que je ne peux pas reporter.

– Oh ?

– Oui. » Il ne parvient pas à la regarder dans les yeux.

« Je vois.

– J'… je n'en attendais pas moins de toi. »

Il tend la main pour la toucher. L'odeur d'alcool continue d'exsuder de ses pores, et une bouffée se dégage de ses aisselles tandis qu'il se penche pour poser une paume sur son épaule.

Ses gros doigts sentent le sperme et le parfum des péripatéticiennes.

« Je ne t'ai pas dit assez souvent, prononce-t-il d'une voix rauque, quel trésor tu es. »

Elle soupire, et serre brièvement sa main, la lâchant avant qu'il puisse glisser les doigts entre les siens.

« On ferait bien de dormir alors, dit-elle, détournant le visage et posant la joue sur l'oreiller. Mes yeux, comme tu me l'as fait remarquer, sont injectés et vilains à regarder. »

Elle ne bouge pas, feignant l'épuisement, fixant son ombre sur le mur. Elle voit la forme agrandie de sa main qui hésite au-dessus d'elle, tremblant dans son impulsion arrêtée de calmer sa colère par des caresses. L'air vicié de sa petite chambre, déjà alourdi par l'odeur du papier calciné, du fil à relier brûlé et par les relents de la trahison, devient irrespirable sous la tension de son désir de se faire pardonner. Si elle pouvait se forcer à s'asseoir juste une seconde, lui ébouriffer les cheveux et l'embrasser sur le front, l'affaire serait probablement réglée. Elle enfonce sa joue encore plus profond dans l'oreiller et serre son poing dessous.

« Bonne nuit », dit William en se levant. Elle ne répond pas. Il saisit la lampe et emporte sa lumière hors de la chambre, fermant doucement la porte derrière lui.

Le lendemain, peu après le déjeuner, Sophie émerge de la salle d'étude, prête à accompagner son père et Miss Sugar à l'usine où on fait le savon. Son visage a été lavé avec ce savon le matin même, par Rose (car Miss Sugar est légèrement trop handicapée pour laver ou habiller quiconque en ce moment). Rose a une manière différente de peigner et d'épingler les cheveux de Sophie et quand Miss Sugar voit le résultat on dirait qu'elle va enlever les épingles et tout refaire depuis le commencement. Mais elle ne peut pas parce que Rose est là et que Père attend et Miss Sugar se débat avec sa béquille, essayant de marcher pour donner l'impression qu'elle en a à peine besoin et qu'elle ne la prend qu'au cas où elle serait fatiguée.

Sophie a beaucoup pensé à Miss Sugar dernièrement. Elle en est venue à la conclusion que Miss Sugar a une autre vie après ses devoirs de gouvernante et de secrétaire de son père, et que cette autre vie est assez compliquée et malheureuse. Cette conclusion lui est venue très soudainement, il y a quelques jours, quand Sophie a passé le nez dans l'entrebâillement de la porte de la salle d'étude et a vu sa gouvernante portée dans l'escalier par Papa et Rose. Il y a longtemps, un jour qu'elle avait désobéi à sa nurse et regardé par la porte de la nursery, elle avait vu sa maman qu'on portait dans l'escalier, et qui avait un air tout à fait semblable à celui de Miss Sugar : pas du tout dame, les jupes froissées, les membres pendants, avec juste le blanc des yeux visible. Il y a deux Miss Sugar, a décidé Sophie : la gardienne du savoir pleine de componction, et une petite fille trop vite poussée pleine de problèmes.

Quand vient le moment de descendre l'escalier, Miss Sugar essaie deux ou trois marches avec la béquille, puis tend la béquille à Sophie et elle s'appuie lourdement à la rampe pour descendre. Son visage est dénué d'expression excepté peut-être un demi ou un quart de sourire (Sophie vient d'aborder les fractions) et elle arrive en bas sans effort semble-t-il, bien que son front soit scintillant de sueur.

« Non, je vais très bien », dit-elle à Père quand il la regarde des pieds à la tête. Il acquiesce et laisse Letty lui passer son manteau, puis il franchit la porte sans un regard en arrière.

Père est installé dans la voiture avant qu'on ait pu dire ouf. Sophie et Miss Sugar approchent plus lentement, la gouvernante boitant avec ce même quart de sourire sur son visage de plus en plus rouge. Cheesman la regarde avec sa grosse tête penchée d'un côté, les mains dans les poches de son manteau. Ses yeux et ceux de Miss Sugar se croisent, et Sophie comprend immédiatement que Sugar le déteste.

« Venez là, Miss Sophie », dit Cheesman alors que Sophie arrive à longueur de bras et que, se baissant, il l'arrache au sol, la transporte dans la voiture et la pose sur son siège d'un seul mouvement de ses bras puissants.

« Permettez-moi, Miss Sugar », fait-il avec un grand sourire, comme s'il voulait elle aussi la faire décoller dans les airs, mais il se contente de lui donner la main pendant que Sugar monte sur le marchepied. Elle est *presque* en lieu sûr, quand elle vacille un peu en arrière – et instantanément les mains de Cheesman sont sur sa taille, puis elles disparaissent plus bas. La tournure en crin de Miss Sugar émet un bruit de froufroutement tandis que le cocher la pousse à l'intérieur.

« Faites attention, Cheesman, siffle Miss Sugar, tandis qu'elle agrippe un accoudoir pour se tirer dans la voiture.

– Oh, je fais toujours attention, Miss Sugar », répond-il, en se penchant afin de cacher son sourire narquois derrière le col remonté de son manteau.

Et les voici en route, avec les harnais des chevaux qui tintent et le sol qui fait trembler le châssis. Ils vont jusqu'à un endroit appelé Lambeth ! Miss Sugar lui a montré sur la carte (pas une carte très bonne ni très claire, il faut le reconnaître ; il semble que les gens qui font les manuels scolaires soient plus intéressés par les dessins de la Mésopotamie à l'époque d'Asurbanipal que par le Londres d'aujourd'hui). Quoi qu'il en soit, Lambeth est de *l'autre* côté de la Tamise, le côté où il n'y a pas la maison Rackham ni l'église ni le parc ni la fontaine ni le studio de photographie de messieurs Scofield & Tophie ni Lockheart, le chocolatier où elle a mangé le gâteau qui l'a rendue malade, et tout le reste du monde connu.

« Tu es très élégante, Sophie », dit son père. Elle sourit de plaisir, même si Miss Sugar fronce les sourcils et regarde ses chaussures. Une de ces chaussures est très serrée, gonflée par le pied enflé. Le cuir est tendu et brillant, comme un jambon. Miss Sugar a besoin de chaussures, ou du moins d'une. Sophie a besoin de chaussures, elle aussi ; ses pieds sont très à l'étroit, même si elle n'est pas tombée dans l'escalier ni rien de ce genre : ils sont seulement devenus plus grands, à cause de l'âge. Ne serait-il pas bon que Miss Sugar suggère une visite chez le bottier, après la visite de la fabrique de savon de Papa ? Si le temps presse, ce serait plus intelligent d'aller là que chez un chocolatier, parce que la nourriture cesse d'exister à l'instant où on l'avale, tandis qu'une bonne paire de chaussures est une bénédiction durable pour les pieds.

« Et après que tu auras vu mon usine, nous irons chez Lockhart, dit Père en hochant la tête, les yeux exagérément ouverts. Ça te plaira, non ?

– Oui, Papa », dit Sophie. Le simple fait qu'il lui adresse la parole est un privilège qui vaut toutes les déceptions.

« J'ai dit à cet idiot de Paltock de vider les lieux pour le 31 du mois, poursuit-il. Il était grand temps, vous ne trouvez pas ? »

Sophie réfléchit un moment, puis se rend compte que son rôle dans la conversation a pris fin.

Miss Sugar pousse un grand soupir et regarde par la vitre.

« Vous savez ce que vous faites, j'en suis sûre, dit-elle.

– Quand je dis "cet idiot", ce ne sont pas les termes que j'ai employés dans la lettre, bien sûr.

– Non, je l'espère. » Sugar se tait, mâchant une petite peau morte sur ses lèvres. Puis : « Il va passer à vos concurrents sans le moindre scrupule, j'en suis sûre, et à un moment où cela ne peut pas être plus gênant.

– Raison de plus pour le virer maintenant, avant la Saison. »

Sophie tourne la tête vers la vitre. Si son père éprouve de nouveau le besoin de lui parler, nul doute qu'il attirera son attention.

La traversée de la ville est merveilleusement intéressante. Mis à part Kensington Gardens et Hyde Park, dont elle reconnaît les arbres en passant, et la grande arche de marbre, tout est nouveau pour elle. Cheesman a reçu instruction de ne pas « nous coincer dans les encombrements » et c'est pourquoi il conduit la voiture par toutes sortes de rues inconnues, rejoignant Oxford Street seulement quand il ne peut faire autrement. Lorsqu'il arrive à l'endroit appelé cirque où, lors de sa première venue, Sophie avait été déçue de ne pas voir des lions ou des éléphants, il ne tourne pas à droite en direction de la cohue chamarrée, mais continue tout droit.

Bientôt les immeubles et les boutiques n'ont plus l'air ni somptueux ni gais – en réalité, ils sont plutôt pauvres, ainsi que les gens dans les rues. Tous les hommes ressemblent étrangement à Mr. Woburn le rémouleur qui vient à la maison, et toutes les femmes ressemblent à Letty sauf qu'elles ne sont pas aussi nettes et propres, et personne ne chante ou ne crie ou ne siffle ou ne déclare qu'il propose quelque chose qui ne coûte qu'un demi-penny et vaut une demi-couronne. Ils se déplacent comme de lugubres fantômes dans l'air glacial et gris, et quand ils lèvent leurs visages pour regarder la voiture qui passe, leurs yeux sont noirs comme des charbons.

Le pavé sous les roues devient de plus en plus inégal, et les rues de plus en plus étroites. Les maisons sont maintenant dans un état effrayant, toutes entassées les unes sur les autres et délabrées, avec de longues cordes à linge où sont suspendus des sous-vêtements et des draps à la vue de tous, comme si ici personne n'avait honte de mouiller son lit. Il y a une horrible odeur de choses sales, comme celles que Shears pourrait utiliser pour faire pousser les plantes ou les tuer, et les femmes et les enfants n'ont presque pas de vêtements.

Comme ils passent dans une rue des plus misérables, Sophie remarque une petite fille pieds nus debout à côté d'un grand seau en fer. L'enfant, vêtue d'une chemise sans boutons si grande qu'elle lui descend jusqu'aux chevilles, frappe le seau à coups de bâton. Pourtant, bien que par certains aspects la petite fille soit aussi différente de Sophie que les trolls dans le livre de conte de fées d'Oncle Henry, leurs visages ont une ressemblance si frappante que Sophie est surprise et penche la tête au-dehors pour la regarder.

La petite, se voyant l'objet d'une attention indésirable, s'empare dans le seau de quelque chose que d'un seul mouvement dépourvu d'hésitation elle lance. Sophie ne retire pas la tête; elle ne peut pas vraiment croire que la chose noire qui traverse les airs existe dans le même monde que son corps et la voiture dans laquelle elle est assise; elle est plutôt fascinée par l'expression de malveillance butée sur le visage de sa jumelle... fascinée seulement pour un instant. Puis le projectile la frappe entre les deux yeux.

« Qu'est-ce que... ! glapit William, tandis que sa fille s'effondre sur la banquette.

– Sophie ! » s'écrie Sugar, se précipitant sur elle tandis que Cheesman arrête la voiture. Elle prend l'enfant dans ses bras, soulagée de ne voir que de l'étonnement, et pas de sang. Il n'y a pas grand mal, Dieu merci : Sophie a une tache brune sur le front et dans ses mouvements désordonnés elle a (avec la malchance inévitable qui accompagne toujours de telles mésaventures) écrasé la crotte de chien entre sa paume et le bout de la chaussure gauche de Père.

Instinctivement, Sugar attrape le tissu le plus proche – l'appuie-tête brodé du siège jouxtant celui de William – et se met à en essuyer le visage de Sophie.

« Vous n'avez pas de mouchoir ? » aboie William, furieux. Ses poings sont fermés, sa poitrine se soulève, il passe son visage courroucé à la portière, mais la petite a disparu tel un rat. Puis, remarquant que la main de Sophie est encore souillée, il se recroqueville contre la paroi, tâchant de s'éloigner le plus possible d'une telle horreur.

« Arrête de t'agiter, idiote ! hurle-t-il. Sugar, enlevez d'abord son gant ! Dieu tout-puissant, vous ne voyez pas que... ! » Les deux femmes, effrayées, s'empressent d'obéir. « Et qu'est-ce que tu avais besoin, morigène-t-il Sophie, de glisser ta tête au-dehors comme ça, comme une imbécile ! Tu n'as donc pas de cervelle ? »

Il tremble, et Sugar sait que sa colère est autant due à l'inquiétude qu'à autre chose ; ses nerfs ne se sont jamais vraiment remis de son agression. Elle nettoie Sophie du mieux qu'elle peut, tandis que William sort laver sa chaussure à l'aide d'un chiffon fourni par Cheesman.

« Un coup de bière c'est ce qu'il y a de mieux pour ça, déclare le cocher. J'en ai toujours un peu au cas. »

Tandis que les hommes sont occupés, Sugar examine le visage de Sophie. L'enfant sanglote de manière quasi imperceptible, le souffle court et rapide, mais il n'y a pas de larmes, et pas plus qu'un geignement.

« Tu as mal, Sophie ? » murmure Sugar, léchant le bout de son pouce pour effacer un vestige de saleté de la peau pâle de l'enfant.

Sophie avance la mâchoire et ses yeux clignent fort.

« Non, miss. »

Le reste du trajet, Sophie demeure immobile comme une poupée de cire ou un paquet, ne réagissant qu'aux secousses imprimées à la voiture par les cahots. William, une fois passée sa colère, prend conscience de sa conduite, et fait acte de contrition avec des déclarations telles que : « Eh bien, tu l'as échappé belle, n-n'est-ce pas Sophie ? » et « I-il va f-falloir qu-qu'on t'achète des gants maintenant, n-non ? », le tout sur un ton jovial qui est autant pitoyable qu'irritant.

« Oui Papa », dit tout bas Sophie, faisant preuve de bonne éducation mais sans plus. Son regard demeure vague ; ou plutôt il est fixé sur une couche du cosmos qui est invisible aux créatures grossières appelées William Rackham. Jamais sa ressemblance avec Agnes n'a été aussi frappante.

« Regarde, Sophie, dit William. Nous allons traverser Waterloo Bridge ! »

Obéissante, Sophie regarde par la vitre, la tête soigneusement éloignée de l'ouverture. Après une ou deux minutes pourtant – au soulagement évident de William –, la magie d'une vaste étendue d'eau vue d'une grande hauteur fait son effet, et Sophie se penche en avant, les coudes posés sur le rebord de la vitre.

« Qu'est-ce que tu vois, hmm ? demande William, ridiculement attentif. Des péniches, je présume ?

– Oui, Papa », dit Sophie, fixant l'immensité gris-vert agitée de remous. Il est difficile d'y reconnaître le ruban bleu soigneusement tracé sur la carte que Miss Sugar lui a montrée ce matin, mais si ce pont qu'ils sont en train de traverser est Waterloo Bridge alors ils ne doivent pas être loin de Waterloo Station, la gare où sa maman s'est perdue en cherchant l'école de musique. Sophie regarde l'eau et se demande exactement où sa mère a coulé sous les vagues et bu plus d'eau que n'en peut contenir un corps vivant.

Devant les grilles en fer de la savonnerie Rackham à Lambeth, une voiture attend, attelée de deux chevaux placides. Dans cette voiture, qui voilà ? Lady Bridgelow. Confortablement installée comme une perle dans une coquille à quatre roues, elle attire tous les regards sur elle avant même qu'elle ne descende.

« Dieu, quelle fumée... », fait William en sortant de sa voiture et jetant un regard réprobateur au ciel souillé par les effluves boueux de Doulton & Co., Stiff & Sons, et autres poteries, fabriques de verre, brasseries et savonneries du voisinage. Il examine d'un œil coupable ses propres cheminées, et se rassure de voir que la fumée qui s'en échappe est un mince filet clair.

« Oh William, vous voilà enfin ! » Dans la voiture, frétille une pâle étoile de mer de doigts en peau de porc.

S'approchant de lady Bridgelow après avoir fait signe au gardien d'ouvrir les grilles, William s'excuse profusément pour tout désagrément qu'elle aurait pu subir, à quoi elle répond en disant que c'est sa faute à elle si elle est arrivée plus tôt que prévu.

« J'étais tellement impatiente, voyez-vous, roucoule-t-elle, acceptant sa main pour descendre sur le trottoir.

– C'est difficile à croire..., dit William avec un geste vague en direction du bâtiment de la fabrique, d'une laideur utilitaire, si éloignée des magnifiques jardins d'agrément qu'il imagine être l'habitat naturel de lady Bridgelow.

« Alors vous ne me croyez pas ! le taquine-t-elle, feignant la vexation d'une minuscule main mollement posée sur sa poitrine bleue satinée. Non, mais vraiment, William, il ne faut pas me prendre pour une vieille relique. Je n'ai aucune envie de passer le restant de mes jours à désirer des choses qui sont sur le point d'entrer dans la postérité. Sincèrement, pouvez-vous m'imaginer en train de suivre un troupeau d'aristocrates croulants à la campagne pendant qu'ils tirent des faisans et se lamentent sur les tares de la société moderne ? Un sort pire que la mort !

– Eh bien, dit William, s'inclinant en signe d'obéissance, si je peux vous arracher à ce sort, en vous montrant mon humble fabrique…

– Rien ne pourrait m'amuser plus ! »

Ainsi passent-ils les grilles.

(Et Sugar, vous demandez-vous ? Oh, eh bien, oui, elle entre aussi, vacillant sur sa béquille, avec Sophie près d'elle. Comme il est étrange que lady Bridgelow, qui semble tant mépriser le snobisme des hautes classes, ne paraisse pas avoir remarqué l'existence de la gouvernante – ou peut-être sa grâce et son tact innés ne lui ont-ils pas permis de remarquer son handicap. Oui, ce doit être la raison : elle ne veut pas gêner la malheureuse en lui demandant comment elle a attrapé ce vilain boitement.)

Sugar regarde, consternée, William et lady Bridgelow marcher côte à côte, se frayer un chemin à travers flagorneurs et lèche-bottes qui se font tout petits et leur ouvrent la voie. En contraste, ces mêmes employés reviennent dans leur sillage juste après le passage de Mr. Rackham et de son invitée, comme s'ils désiraient éjecter du lieu tous ceux qui oseraient y traîner. Sugar fait de son mieux pour marcher droit et garder la tête haute en mettant le moins de poids possible sur sa béquille, mais elle doit en plus supporter la douleur de l'indigestion, et elle est à deux doigts de se tenir le ventre en gémissant.

La savonnerie elle-même, quand le petit groupe entre dans sa violente lumière, n'est pas du tout telle que Sugar se l'imaginait. Elle avait vu un bâtiment de proportions grandioses, une structure caverneuse et pleine d'échos pareille à une gare ou une église, remplie de machines monstrueuses, bourdonnantes et rutilantes. Elle avait imaginé la fabrication se faisant de manière invisible à l'intérieur de tubes alimentant des récipients, tandis que de minuscules esclaves humains huilaient les parties mobiles. Mais la Savonnerie Rackham est bien loin de ce genre d'endroit; c'est une affaire intime, qui se passe sous des plafonds bas comme ceux des tavernes, avec tant de bois ciré qu'on se croirait presque au Fireside.

Des filles chétives au visage émacié et aux mains rouges – une douzaine, répliques manufacturées de Janey la fille de cuisine – travaillent dans une atmosphère lourde d'effluves de lavande, d'œillet, de rose et d'amande. Elles portent des sabots en bois rustiques à semelles rugueuses, car les pierres du sol sont recouvertes d'une patine de savon cireuse et transparente.

« Attention où vous posez les pieds ! » dit William tandis qu'il escorte ses visiteuses dans son domaine odorant. Sous les lumières puissantes, son visage est à peine reconnaissable ; sa peau est dorée, ses lèvres argentées. Très à l'aise dans le rôle de maître de cérémonies, oubliant sa réticence, libéré de son bégaiement, il montre du doigt ceci et cela et explique tout.

« Bien sûr, ce que vous voyez ici n'est pas à strictement parler une *manufacture* de savon – qui est une affaire salissante et indigne d'un parfumeur. Le terme correct pour nos activités beaucoup plus fragrantes est la *re-fonte.* » Il articule avec une clarté exagérée, comme s'il s'attendait à ce que ses invitées le notent sur un calepin. Lady Bridgelow hoche plusieurs fois la tête pour suggérer poliment l'étonnement, le regard de Sophie va de son papa à lady Bridgelow pour retourner à son papa, se demandant quelle est la chimie secrète qui imprègne l'atmosphère entre eux.

Les pains de savon, dont Sugar imaginait qu'ils tombaient tout formés d'une glissière ou d'un bec à l'extrémité d'un complexe processus automatique, n'existent qu'en flaques d'une vase gélatineuse qui scintillent dans des moules en bois. Des cadres en fil de fer sont suspendus au-dessus de cette matière visqueuse et aromatique afin de la guillotiner en rectangles une fois qu'elle aura durci. Chaque moule contient une couleur différente de mucus, avec un parfum différent.

« Ce jaune-là est – ou sera – le Chèvrefeuille Rackham, dit William. Il calme les démangeaisons et la demande a quintuplé cette année. » Il plonge un doigt dans l'émulsion brillante et en révèle deux niveaux distincts. « Cette mousse qui remonte à la surface, nous l'écrémons. C'est de l'alcali pur, qui n'était pas retiré à l'époque de mon père, ce qui faisait que le savon irritait certaines peaux sensibles. »

Il vient se placer devant un autre moule au contenu bleuâtre et parfumé.

« Et ici nous avons ce qui deviendra la Puressence de Rackham, un mélange de sauge, de lavande et d'huile de santal. Et ici (se déplaçant de nouveau) se trouve l'Éternelle Jeunesse de Rackham. La couleur verte est produite par le concombre, et le citron et la camomille agissent comme astringents, rendant ainsi sa douceur à la peau du visage. »

Puis il les emmène dans la salle de séchage où des centaines de pains de savon sont étendus sur des lits de métal et de chêne.

« Ils vont rester ici vingt et un jours entiers, et pas un de moins », déclare Rackham, comme si de mauvaises langues prétendaient le contraire.

Dans la salle d'emballage, vingt filles en blouse lavande sont assises à une table massive, surveillées par un type à tête de renard qui marche lentement autour d'elles, ses mains aux poils roux accrochées par les pouces aux poches de son gilet. Les filles sont toutes penchées en avant, leurs fronts se touchant presque tandis qu'elles emballent le savon dans des paquets en papier ciré. Chacun des paquets est imprimé d'une gravure représentant le bienveillant visage de William Rackham, ainsi que d'un texte minuscule pondu par Sugar aux petites heures d'une nuit de mai, alors qu'elle et William étaient assis côte à côte au lit.

« Bonjour les filles ! déclare William, et elles répondent en chœur :

– Bonjour Mr. Rackham.

– Souvent elles chantent, dit William à lady Bridgelow et ses autres invitées, avec un clin d'œil. Mais nous les intimidons, vous voyez. »

Il s'approche de la table et gratifie d'un sourire les ouvrières vêtues de bleu lavande. « Chantez-nous quelque chose, mesdemoiselles. C'est ma petite fille qui est venue vous voir, et une très grande dame aussi. Ne soyez pas timides ; nous allons dans la salle de mise en caisses maintenant et nous ne vous regarderons pas, mais si nous pouvions seulement entendre vos douces voix, eh bien, ce serait formidable. » Puis, plus bas, d'un air de conspirateur, il murmure : « Faites de votre mieux pour moi », tandis qu'il jette un regard significatif en direction de Sophie, faisant appel à leur nature maternelle collective.

William et ses visiteuses se dirigent vers un grand vestibule au bout de la fabrique, où des hommes musclés en bras de chemise empilent les savons dans des caisses en bois. Comme il fallait s'y attendre, à peine lady Bridgelow, Sugar et Sophie ont-elles passé le seuil qu'un chant mélodieux s'élève dans la salle qu'elles viennent juste de quitter : d'abord une voix timide, puis trois, puis une douzaine.

*« La lavande est bleue, diddle diddle,*
*Le romarin vert, diddle diddle,*
*Quand je serai roi, diddle diddle,*
*Tu seras ma reine... »*

« Et c'est ici, dit William en désignant deux portes massives au-delà desquelles, à travers une fissure, ils aperçoivent l'extérieur, que prend fin la fabrique – et que le reste de l'histoire commence. »

Sugar, qui a dû relever le triple défi qui consistait à boiter aussi discrètement que possible, s'empêcher de gémir de ses douleurs d'estomac et résister à la tentation de frapper le visage minaudier de lady Bridgelow, sent qu'on la tire discrètement par les jupes.

« Oui, qu'est-ce qu'il y a, Sophie ? murmure-t-elle, se penchant maladroitement pour permettre à l'enfant de lui parler tout bas à l'oreille.

– J'ai besoin de faire pipi, miss », dit l'enfant.

*Tu n'es pas capable de te retenir ?* pense Sugar, mais elle prend alors conscience qu'elle aussi a grande envie.

« Excusez-moi, Mr. Rackham, dit-elle. Y a-t-il un endroit où on peut... se laver les mains ici ? »

William cligne des yeux, l'air incrédule : est-ce là une sorte de question stupide touchant la production de savons, une maladroite tentative pour répéter sa prestation dans ses champs de lavande, ou veut-elle faire la visite des toilettes de la fabrique ? Puis, heureusement, il comprend, et donne l'ordre à une employée de montrer à Miss Sugar et Miss Sophie le chemin des toilettes, tandis que lady Bridgelow affecte un intérêt brûlant pour la liste des destinations lointaines écrites à la craie sur l'ardoise des livraisons.

*(« J'ai entendu dire, diddle diddle*
*depuis que je suis ici*
*que toi et moi, diddle diddle*
*devions partager le même lit... »)*

Lady Bridgelow ignore le manque de discrétion de l'enfant avec la grâce de celle à qui sa naissance épargne de si grossières faiblesses. Elle prend un savon pour lire le curieux texte imprimé sur l'emballage.

Les toilettes des employés ont une apparence beaucoup plus moderne et rationnelle, aux yeux de Sophie et de Sugar, que le reste de la fabrique. Une rangée de piédestaux identiques émaillés de blanc, reliés chacun à une citerne en métal brillant fixée au plafond, s'exhibent telle une phalange de mécanismes futuristes, tous fièrement gravés du nom de leur fabricant. Les sièges sont d'une belle couleur brune, luisants de laque, tout neufs apparemment ; mais il faut dire que, d'après l'adresse inscrite sur toutes les citernes, l'usine Doulton n'est qu'à une centaine de mètres de là.

Les piédestaux sont si hauts que les pieds de Sophie se balancent à plusieurs centimètres du sol recouvert de céramique bleu mat. Sugar s'éloigne de quelques pas et affecte de regarder les carreaux du mur tandis que le filet d'urine de Sophie s'écoule dans la cuvette. La douleur qui lui tenaille les entrailles est si vive qu'elle lui coupe le souffle et la fait frissonner. Elle brûle de se soulager mais la perspective d'avoir à le faire devant l'enfant l'inquiète et elle se demande si, par un effort de volonté surhumain, elle pourra remettre sa délivrance à plus tard.

Faire pipi en présence de Sophie ne serait pas terrible ; cette intimité partagée pourrait compenser, dans une certaine mesure, ce qu'elle perdrait en dignité. Mais les élancements lui font craindre le pire et elle répugne à libérer dans la pièce un bruyant flux de puanteur qui ruinerait sans retour son image d'impavide gardienne du savoir et imprimerait dans l'esprit (et le souvenir olfactif !) de Sophie la grossière réalité de… de Miss Sugar l'animal malade.

Se tenant le ventre et se mordant la lèvre pour tenter de réprimer les crampes, elle fixe le mur. Un employé mécontent a tâché de graver un message dans la céramique :

W.R. EST

Mais la dureté de la surface s'est montrée trop résistante.

Soudain elle doit – elle *doit* absolument – s'asseoir. Son ventre est transpercé par la douleur, et chaque centimètre de sa peau est couvert de sueur froide; la peau de ses fesses, dénudée en grande hâte tandis qu'elle remonte des poignées de sa robe sur son dos courbé et baisse d'un coup son pantalon, est humide et glissante comme une poire pelée. Elle se laisse lourdement tomber sur le siège et, avec un cri de douleur réprimé, elle se penche en avant, son bonnet tombant sur le sol carrelé, ses cheveux le suivant en cascade. Du sang et une autre matière, gluante et chaude, sort brutalement et glisse entre ses cuisses.

« Oh mon Dieu, s'écrie-t-elle. Dieu aide-moi… ! » et un accès de vertige semble la retourner tête en bas avant qu'elle ne perde complètement conscience.

Un instant plus tard – *sûrement* un instant plus tard ? – elle se réveille sur le sol, étalée sur les carreaux humides et glacés, les cuisses gluantes, ses battements de cœur secouant son corps, sa cheville l'élançant comme si elle était prise dans un piège en acier. Tordant le cou, elle voit Sophie recroquevillée dans un coin, le visage blanc comme la porcelaine, les yeux énormes et terrifiés.

« Aide-moi, Sophie », jette-t-elle en un sifflement plein d'angoisse.

L'enfant fait un pas mécanique en avant, comme une poupée tirée par une corde, mais son expression est déformée par l'impuissance. « Je-je vais aller chercher quelqu'un, miss », bégaie-t-elle, désignant du doigt la porte derrière laquelle attendent tous les hommes forts et les dames serviables dont la fabrique de son papa est si bien pourvue.

« Non ! Non ! Sophie, *je t'en prie*, supplie Sugar en un murmure frénétique, jetant les mains en avant tout en pataugeant dans le fouillis de ses jupes. Essaie, *toi.* »

Pendant un instant de plus, Sophie semble chercher secours à l'extérieur. Puis elle se précipite, saisit sa gouvernante par les poignets, et la soulève de toute sa force.

« Eh bien, dit William, une fois les adieux faits et lady Bridgelow partie, est-ce que ça t'a plu, Sophie ?

– C'était extraordinaire, Papa », répond l'enfant d'une voix sans entrain.

Ils sont assis dans la voiture, leurs vêtements exhalant la bonne odeur de savon, leurs genoux se touchant presque, tandis que Cheesman les emporte loin de Lambeth. La visite a été un grand succès, du moins selon lady Bridgelow, qui a confié à William qu'elle n'avait jamais vécu une expérience qui avait ravi autant de ses sens à la fois, et elle imaginait aisément combien cela pouvait être éprouvant pour une personne en mauvaise santé. Maintenant il se retrouve avec Sugar qui a effectivement l'air bien pâlot, et Sophie, qui semble plutôt avoir subi une épreuve que d'avoir passé un après-midi de rêve.

William se cale dans son siège, se frottant les jointures avec tristesse. Comme sa fille est perverse ! Un mot de travers et elle boude pour le restant de la journée. Quelque décourageant que soit le fait de l'admettre, il est très probable que l'enfant a hérité l'incapacité à pardonner de sa mère.

Quant à Sugar, elle sommeille – vraiment ! Sa tête dodeline en arrière, sa bouche est relâchée, c'est franchement désagréable à voir. Sa robe est froissée, ses cheveux sont auréolés de mèches folles, son bonnet est légèrement de travers. Sugar ferait bien de prendre exemple sur lady Bridgelow qui, à partir du moment où elle est descendue de voiture jusqu'à celui où elle lui a fait au revoir de la main, a été immaculée et vive comme un sou neuf. Quelle personne exceptionnelle que cette Constance ! Un modèle de dignité et de tenue, et pourtant si pleine d'entrain ! Une femme comme il n'y en a pas une sur un million…

« Le pont de Waterloo, de nouveau, Sophie », dit William,

offrant à sa fille les merveilles du plus grand fleuve de la terre une seconde fois dans la journée.

Sophie regarde par la vitre. À nouveau elle pose le menton sur ses avant-bras et examine ces eaux turbulentes dans lesquelles même les grands bateaux n'ont pas l'air complètement en sûreté.

Puis, levant les yeux, elle voit quelque chose de véritablement miraculeux : un éléphant qui flotte dans le ciel, un éléphant immobile comme une statue. SALMON'S TEA est le message blasonné sur son flanc bulbeux, et il flâne au-dessus des toits et des cheminées en chemin vers cette partie de la ville où tout le monde habite.

« Qu'est-ce que tu en penses, Sophie ? demande William, les yeux fixés sur le ballon. Tu crois que Rackham devrait en avoir un aussi ? »

Ce soir-là, tandis que William s'attelle au courrier accumulé pendant la journée, le reste de sa maisonnée fait de son mieux pour retourner à la normale.

Quelques portes plus loin, Sugar a refusé, aussi gracieusement que possible, l'offre de Rose de mettre Sophie au lit. En revanche elle a demandé à ce qu'on apporte dans sa chambre un baquet d'eau chaude, requête que Rose comprend aisément, ayant remarqué que Miss Sugar a l'air plutôt mal en point.

La journée a été longue, longue, longue. Oh Dieu, comment un homme peut-il être si aveugle à autrui ? Cruellement indifférent au besoin qu'éprouvaient Sugar et Sophie de rentrer, William a fait durer interminablement la sortie. D'abord : déjeuner dans un restaurant sur le Strand, où Sugar a failli s'évanouir dans la chaleur confinée et a été obligée de manger des côtelettes d'agneau vantées par William ; puis visite à un gantier, puis visite à un *autre* gantier, le premier ayant été incapable de fournir à Sophie une peau de porc suffisamment souple ; puis une visite à un bottier, où William fut enfin récompensé par un sourire de sa fille, quand elle se mit debout, chaussée de bottines neuves et fit trois pas en direction du miroir. Si seulement il s'en était tenu là ! Mais non, encouragé par ce sourire, il l'avait emmenée chez Berry & Rudd, les négociants en vin de James Street, pour la faire peser sur leurs grandes balances. « Six générations de familles royales, anglaise et française, ont été pesées sur ces balances, Sophie ! Elles sont réservées aux gens importants ! » lui avait-il déclaré. Puis, en bouquet final, l'apothéose de l'après-midi, comme promis : une visite au chocolatier Lockhart.

« Quel trio nous faisons aujourd'hui ! » avait-il déclaré, à l'image de son propre père, dangereusement gonflé de bonhomie le soir de Noël. Puis, alors que Sophie était plongée dans l'étude d'un menu grand comme la moitié d'elle, il s'était approché de Sugar pour lui murmurer : « Tu crois qu'elle est contente maintenant ?

– Très contente, je suis sûre », avait répondu Sugar. Ce n'est qu'en se penchant en avant sur son siège qu'elle avait été informée, par une douleur cuisante, que ses poils pubiens étaient collés par le sang séché à ses pantalons. « Mais je crois qu'elle en a eu assez.

– Assez de quoi ?

– Assez de plaisir pour la journée. »

Et même après leur retour à la maison, l'épreuve n'était pas tout à fait terminée. En une réplique virtuelle des suites de sa *première* visite en ville plusieurs semaines auparavant, Sophie avait été violemment malade, vomissant le même mélange de cacao, gâteau et déjeuner, après quoi il y avait eu les inévitables larmes.

« Êtes-vous sûre, Miss Sugar, que vous ne voulez pas que je

vous aide, avait demandé Rose, hésitant à la porte de Miss Rackham à l'heure du coucher.

– Non merci, Rose», avait-elle répondu.

Sur quoi – *finalement* – sept heures et quarante minutes après la chute de Sugar sur le sol des toilettes de la Savonnerie Rackham – elle et Sophie eurent le droit d'aller au lit.

Il n'y a rien que Sugar puisse faire pour aider Sophie, sinon tenir sa chemise de nuit et la lui tendre; elle s'appuie lourdement contre le lit tandis que l'enfant se déshabille et y monte.

«Je te suis très reconnaissante, Sophie, dit-elle d'une voix rauque. Tu es ma petite sauveuse.» À peine les mots ont-ils quitté ses lèvres qu'elle se méprise d'avoir traité le courage de l'enfant à la légère. C'est le genre de remarque condescendante que pourrait faire William, traitant Sophie comme si c'était un petit chien intelligent qui accomplit un tour amusant.

Sophie renverse la tête contre l'oreiller. Ses joues sont marbrées de fatigue, son nez rouge vif. Elle n'a même pas dit ses prières. Ses lèvres se contractent pour poser une question.

«C'est quoi une imbécile, miss?»

Sugar caresse les cheveux de Sophie, dégageant son front moite.

«C'est une personne qui est très stupide», répond-elle. Brûlant de poser deux questions à son tour: *Est-ce que tu as regardé dans la cuvette avant de tirer la chasse? Et qu'as-tu vu?*, elle parvient à résister. «Ton père ne pensait pas ce qu'il disait, la rassure-t-elle. Il était en colère et il n'a pas été bien.»

Sophie ferme les yeux. Elle ne veut plus entendre parler d'adultes qui ne sont pas bien. Il est grand temps que l'univers retourne à la normale.

«Il ne faut pas que tu t'inquiètes, mon petit, dit Sugar, chassant les larmes de ses cils d'un battement de paupières. Tout va bien se passer maintenant.»

Sophie détourne la tête, enfouissant sa joue profondément dans l'oreiller.

« Vous n'allez plus tomber, n'est-ce pas, Miss Sugar ? demande-t-elle d'une voix étrange, entre la bouderie et le roucoulement.

– Je vais faire très attention, Sophie, je te jure. »

Elle touche Sophie légèrement à l'épaule, geste de tristesse avant l'adieu pour la nuit, mais soudain l'enfant se dresse et jette les bras autour du cou de Sugar.

« Ne mourez pas, Miss Sugar ! Ne mourez pas ! gémit-elle, tandis que Sugar, déséquilibrée, manque de basculer tête la première sur le lit de l'enfant.

– Je ne mourrai pas, jure-t-elle tout en vacillant et embrassant les cheveux de Sophie. Je ne mourrai pas, je te promets ! »

Moins de dix minutes plus tard, une fois Sophie profondément endormie, Sugar est assise dans un grand tub d'eau fumante placé devant le feu. La chambre ne sent plus le papier et la colle brûlés, mais le savon à la lavande et la terre mouillée : Rose, Dieu la bénisse, a finalement réussi à ouvrir la fenêtre en brisant le sceau de peinture récalcitrant.

Sugar se lave soigneusement, répétitivement, obstinément. Elle presse des éponges d'eau apaisante sur son dos et sa poitrine, presse le squelette poreux de la créature marine jusqu'à ce qu'il ressemble à une houppette humide, puis s'en tamponne les yeux. Les bords sont douloureux d'avoir pleuré : il faut vraiment qu'elle arrête.

De temps à autre elle baisse les yeux, craignant ce qu'elle pourrait voir, mais une pellicule rassurante de savon cache la teinte rosâtre de l'eau, et les caillots de sang ont soit coulé au fond soit sont cachés dans la mousse. Son pied blessé est très gonflé, elle le sait, mais il lui est invisible, et elle a l'impression qu'il lui fait moins mal qu'il ne devrait. Ses côtes fêlées (qu'elle caresse d'une paume savonneuse) sont presque guéries, seuls les bleus sont sensibles. La crise est passée, le pire est derrière.

Elle s'allonge dans le tub autant que le permet sa circonférence, se remet à pleurnicher. Elle se mord la lèvre inférieure jusqu'à ce que la chair l'élance, et elle parvient enfin à contrôler sa peine; l'eau s'immobilise – pour autant que le puisse un liquide contenant un corps vivant. Dans la douve opaque qui chatoie entre ses cuisses, chaque battement de cœur fait trembler l'eau comme le clapotis de la marée.

À quelques portes de là, en même temps que Sugar se met au lit, William ouvre une lettre du docteur Curlew qui commence ainsi:

*Cher Rackham,*

*J'ai longuement réfléchi pour savoir si je devais vous écrire ou conserver le silence. Je ne doute pas que vous en ayez plus qu'assez de mes ingérences. Cependant il y a quelque chose que j'aurais eu du mal à ne pas remarquer quand j'ai ausculté la gouvernante de votre fille après sa mésaventure, et ma résolution de tenir ma langue à ce propos m'a été cause de bien des soucis depuis...*

Ce préambule est plus long que l'histoire elle-même, qui tient en une seule phrase.

Au lit avec Sugar, dans l'obscurité, il y a beaucoup de gens sous les draps, qui lui parlent dans son sommeil.

*Raconte-nous une histoire, Shush, avec ta voix chic.*

*Quel genre d'histoire?* demande-t-elle, cherchant à voir sous la surface diaprée des eaux de son rêve, à mettre des noms sur les visages indistincts qu'elle recouvre.

*Quelque chose avec de la vengeance,* gloussent les voix, incorrigiblement grossières, condamnées à vivre leurs vies en Enfer. *Et des vilains mots. Les vilains mots sont marrants quand c'est toi qui les dis, Sugar.*

Les rires se répercutent, s'accumulant les uns sur les autres jusqu'à donner une cacophonie. Sugar s'en éloigne à la nage par les rues d'une cité engloutie, et même dans son rêve elle pense que c'est étrange parce qu'elle n'a jamais su nager. Pourtant il semble que ce soit une chose qui vient naturellement, et elle peut le faire sans enlever sa chemise de nuit, propulsant son corps à travers des ruelles aux allures d'égouts et de belles rues larges et transparentes. Si c'est Londres, sa population a été emportée par le flot comme des débris et a fini quelque part loin au-dessus, écume d'épaves humaines ternissant le ciel. Il semble que seuls les gens qui ont de l'importance pour Sugar soient demeurés au-dessous.

*Clara ?* appelle une voix proche, la plus jolie et la plus musicale que Sugar ait jamais entendue.

*Non, Agnes*, répond-elle, apparaissant au détour d'une rue. *Je ne suis pas Clara.*

*Qui êtes-vous alors ?*

*Ne me regardez pas. Je vais vous aider, mais ne me regardez pas.*

Agnes est allongée sur le dos sur les pavés d'une étroite ruelle, nue, la peau blanche comme marbre. Un bras fin barre sa poitrine, l'autre plonge en biais, cachant son triangle sous une main enfantine.

*Tenez*, dit Sugar, partageant sa chemise de nuit pour en cacher Agnes. *Que ceci soit notre secret.*

*Dieu vous bénisse, Dieu vous bénisse*, dit Agnes, et soudain le monde aquatique de Londres disparaît, et toutes deux se retrouvent au lit, bien au chaud et au sec, bordées comme deux sœurs, se regardant dans les yeux.

*William dit que vous êtes un fantasme*, murmure Agnes,

avançant la main pour toucher la peau de Sugar, pour balayer le doute. *Une invention de mon imagination.*

*Qu'importe ce que dit William.*

*Je vous prie, ma chère Sœur, dites-moi votre nom.*

Sugar sent une main entre ses cuisses qui flatte doucement la partie douloureuse.

*Je m'appelle Sugar*, dit-elle.

# 34

Il n'y a pas de nom écrit sur les deux enveloppes que Sugar trouve sous sa porte le lendemain; l'une est vierge, l'autre marquée: «À qui de droit».

Il est midi et demi. Elle quitte la salle d'étude après les leçons de la matinée; Sophie lui a fait savoir dès le début que l'on ne devait tolérer d'interruption, de distraction ou de paresse qui viendraient gâter la sérieuse affaire qu'est l'apprentissage du savoir. Hier était très intéressant, mais aujourd'hui doit être différent – ou plutôt, aujourd'hui doit être pareil à n'importe quel jour.

«Au quinzième siècle, récite Sophie, de l'air de qui a reçu la responsabilité de sauver l'époque d'une coupable négligence, il s'est passé principalement cinq choses: l'invention de l'imprimerie; la prise de Constantinople par les Turcs; la reconquête de l'Espagne sur les Maures; et la découverte de l'Amérique par Christophe... Christophe...» C'est alors qu'elle regarde Sugar, pour lui demander ni plus ni moins que le nom de l'explorateur italien.

«Colomb, Sophie.»

Toute la matinée, bien qu'elle ait été tentée une douzaine de fois d'éclater en sanglots, et malgré l'écoulement régulier de sang dans la serviette épinglée à ses pantalons, Sugar a été une gouvernante parfaite, jouant le rôle exactement ainsi que désiré par son élève. Et, pour conclure comme il est de rigueur, elle et Sophie viennent de partager un déjeuner de purée de légumes et de gâteau de riz au lait, le repas le plus léger qu'on leur ait jamais servi, preuve que quelqu'un devait avoir informé la cuisine que Miss Rackham avait eu des ennuis de digestion. Le regard déçu que Sugar et Sophie ont échangé quand Rose a déposé devant elles la bouillie fumante était de loin le moment le plus intime qu'elles aient partagé depuis le début de la journée.

Maintenant Sugar retourne à sa chambre, jouissant d'avance du soulagement d'ôter la serviette tachée de sang d'entre ses cuisses et de la remplacer par une propre. Le tub de la nuit dernière, malheureusement, a été emporté, bien qu'elle ait difficilement pu s'attendre à ce que Rose laisse là un récipient d'eau froide avec un sédiment rouge et visqueux au fond.

Retardant son réconfort d'une minute, elle se baisse maladroitement pour ramasser les enveloppes. Elle pense que celle qui est vierge doit être un mot de Rose pour l'informer qu'au cas où elle ne l'aurait pas remarqué la fenêtre est débloquée. Sugar ouvre l'enveloppe et trouve un billet de dix livres et un message non signé griffonné sur du papier simple. En lettres majuscules et enfantines qui ont dû être tracées de la main gauche, il est écrit :

*J'ai appris que vous étiez enceinte. Il vous est donc impossible de continuer à être la gouvernante de ma fille. Vous trouverez ci-joint vos gages ; veuillez être prête à quitter votre chambre, avec toutes vos possessions et effets, le 1er mars de cette année (1/3/76). J'espère que la lettre d'introduction (voyez l'autre enveloppe) pourra vous être utile dans l'avenir ; vous remarquerez que j'ai pris une liberté touchant votre identité. Le fait est qu'à mon avis, si vous voulez réussir dans la vie, il est nécessaire d'avoir un nom convenable. Je vous en ai donc donné un.*

*Il est hors de question d'aborder de nouveau le sujet. N'essayez pas de venir me voir. Soyez aimable de rester dans votre chambre quand il y a des visiteurs.*

Sugar replie la feuille de papier telle qu'elle l'a trouvée et, avec quelque difficulté, car ses doigts sont devenus froids et gourds, elle la remet dans son enveloppe. Puis elle ouvre l'enveloppe couleur lavande marquée « À qui de droit » en faisant glisser son doigt le long du rabat pour éviter de déchirer son intégrité officielle. Le bord tranchant du papier la coupe mais elle ne le sent pas ; elle craint seulement de tacher l'enveloppe ou son contenu. En équilibre sur sa béquille, se léchant le pouce toutes les deux secondes pour éviter que la coulée de sang fine comme un cheveu ne se forme en gouttelettes, elle sort la lettre et la lit. Elle est écrite, avec soin, sur un papier à en-tête Rackham, et signée du nom de William, aussi nettement que n'importe lequel des faux de Sugar.

*À qui de droit,*

*Je soussigné, William Rackham, suis heureux de recommander Miss Elizabeth Sugar, qui a été à mon service pendant cinq mois du 3 novembre 1875 au 1^er^ mars 1876, en tant que gouvernante de ma fille âgée de six ans. Je ne doute pas que Miss Sugar s'est acquittée de ses fonctions avec compétence, sensibilité et enthousiasme. Sous sa direction, ma fille s'est épanouie pour devenir une jeune dame.*

*La décision de Miss Sugar de quitter mon service est due, d'après ce que j'ai pu comprendre, à la maladie d'un proche et n'enlève en rien à ma satisfaction. De fait, je ne saurais la recommander plus chaudement.*

*Salutations,*

*William Rackham*

Cette lettre, elle aussi, Sugar la replie telle qu'elle était et la remet dans son enveloppe. Elle suce son pouce une dernière fois, mais la coupure est déjà fermée. Elle place les deux lettres sur le dessus de sa commode, et boitille jusqu'à la fenêtre où elle transfère son poids de la béquille à l'appui. Dans le jardin, Shears s'affaire gaiement autour des jeunes arbres qui ont survécu à l'hiver. D'un coup de cisailles il coupe le lien qui retenait un mince tronc à un piquet : il n'a plus besoin d'être materné. Visiblement fier, il fait quelques pas en arrière, les mains sur ses hanches couvertes d'un tablier de cuir.

Sugar, après avoir réfléchi un moment, décide que passer son poing à travers la vitre lui attirerait de terribles ennuis et ne la soulagerait que momentanément de son angoisse. Elle préfère aller chercher plume et papier et, toujours debout, avec l'appui de la fenêtre en guise d'écritoire, elle se force à être raisonnable.

*Cher William,*

*Pardonne-moi mais tu te trompes. J'ai brièvement souffert d'un douloureux gonflement, qui a disparu, et j'ai maintenant mes règles, ainsi que tu pourras le découvrir à ta satisfaction si tu viens me voir.*

*Ta Sugar affectionnée*

Elle lit et relit cette missive, écoutant son ton se répercuter dans sa tête. William la prendra-t-elle comme il faut ? Dans l'état d'inquiétude où il se trouve, interprétera-t-il « ainsi que tu pourras le découvrir à ta satisfaction » comme péremptoire, ou peut-elle lui faire confiance pour percevoir la suggestion grivoise qui se cache derrière ? Elle respire profondément, se disant que de tout ce qu'elle a écrit, *cela* ne doit pas manquer son but. L'humour salace serait-il plus clair si elle insérait « parfaite » entre « ta » et « satisfaction » ? D'un autre côté, la grivoiserie est-elle ici de mise, ou devrait-elle adopter un ton plus apaisant et conciliant ?

En quelques secondes, elle prend conscience qu'elle est bien trop agitée pour rédiger un autre message, et qu'elle ferait mieux de délivrer celui-là avant de faire une bêtise. Elle plie donc le papier en deux, sort dans le couloir, se dirige droit à la porte de William et glisse la lettre en dessous.

Dans l'après-midi, gouvernante et élève font de l'arithmétique, vérifient que les événements du quinzième siècle ne sont pas entièrement oubliés, et se lancent dans la minéralogie. Les aiguilles de la pendule avancent par fractions, tandis que le soleil, progressant dans le ciel, projette peu à peu ses rayons sur la carte du monde. Une tache de lumière en forme de fenêtre luit sur les mers pastel des continents automnaux, illuminant certains, en obscurcissant d'autres.

Sugar a choisi la minéralogie au hasard dans les *Questions* de Mangnall, jugeant que c'était un sujet sans problèmes, propre à satisfaire le besoin de choses tangibles et ordonnées de Sophie. Elle récite les métaux principaux et les fait répéter à Sophie : l'or, l'argent, le platine, le mercure, le cuivre, le fer, le plomb, l'étain, l'aluminium. L'or le plus lourd, l'étain le plus léger, le fer le plus utile.

Alors qu'elle regarde la question suivante : *Quelles sont les propriétés principales des métaux ?* Sugar regrette déjà de ne s'être pas préparée comme d'habitude pour la leçon, et laisse échapper un petit grognement d'exaspération.

« Il va me falloir un peu de temps pour traduire ces mots dans un langage que tu comprennes, ma chérie », explique-t-elle, se détournant du visage de Sophie sur lequel se lit l'attente.

« Ils ne sont pas en anglais, miss ?

– Si, mais je dois les simplifier pour toi. »

Un éclair de vexation traverse le visage de Sophie. « Laissez-moi essayer de les comprendre, miss. »

Sugar sait qu'elle devrait opposer à cette demande une réponse pleine de tact et de douceur mais elle est incapable de la trouver sur-le-champ et elle se contente de lire d'une voix sèche et oratoire :

« Brillance, opacité, poids, malléabilité, ductilité, porosité, solubilité. »

Un silence.

« Le poids c'est comme les choses sont lourdes, miss, dit Sophie.

– Oui, Sophie, répond Sugar, déjà contrite et prête à fournir les explications qui lui échappaient auparavant. La brillance signifie qu'elles brillent ; opacité qu'on ne peut pas voir au travers ; la malléabilité qu'on peut leur donner la forme qu'on veut ; la ductilité... je ne sais pas moi-même ce que cela signifie, il faudra que je regarde dans un dictionnaire. La porosité signifie qu'il y a des petits trous dedans, bien que ça paraisse bizarre, non, pour du métal ? La solubilité... »

Sugar ferme la bouche, comprenant immédiatement que ce genre d'instruction à tâtons n'est pas du tout du goût de Sophie. Elle préfère donc aller directement au passage où Mrs. Mangnall parle de la découverte d'une inépuisable quantité d'or en Australie, ce qui permet à Sugar d'improviser la description d'un pauvre chercheur d'or, piochant le sol dur sous le regard désespéré de sa femme et de ses enfants affamés, jusqu'au jour où... !

« Pourquoi est-ce qu'il existe des mots aussi longs, miss ? demande Sophie, une fois terminée la leçon de minéralogie.

– Un mot long et difficile est pareil à une phrase entière pleine de petits mots faciles, Sophie, dit Sugar. Cela économise du temps et du papier. » Voyant que l'enfant n'est pas convaincue, elle ajoute : « Si les livres étaient écrits de façon à ce que tout le monde, même les plus jeunes, puisse comprendre tout ce qu'il y a dedans, ce seraient des livres énormément longs. Est-ce que toi tu voudrais lire un livre long de mille pages, Sophie ? »

Sophie répond sans hésitation.

« Je lirais mille millions de pages, miss, si tous les mots étaient des mots que je peux comprendre. »

De retour dans sa chambre durant l'intervalle entre la fin des leçons de la journée et le dîner, Sugar est choquée de ne pas trouver de réponse à son message. Comment est-ce possible ? La seule explication qu'elle puisse imaginer est que William est rassuré mais que, dans son égoïsme, il ne voit pas d'urgence à le lui faire savoir. Elle prend de nouveau la plume et écrit :

*Cher William,*

*Je t'en prie – chaque heure qui passe sans réponse de toi est une torture – je t'en prie dis-moi que notre maisonnée peut fonctionner comme par le passé. La stabilité est ce dont nous avons tous besoin maintenant – les Parfumeries Rackham pas moins que Sophie et moi-même. Je te supplie de te rappeler que je suis dévouée à t'aider et t'épargner les soucis.*

*Ta Sugar affectionnée*

En relisant ce communiqué, elle fronce les sourcils. Un « je t'en prie » de trop, sans doute. Et William ne prendra peut-être pas bien le fait qu'elle suggère qu'il la torture. Mais elle n'a pas le cœur à composer une autre version. Comme auparavant, elle se hâte d'aller glisser la lettre sous la porte de son bureau.

Le dîner pour Sugar et Sophie consiste en une soupe de rhubarbe impitoyablement tamisée, un filet de saumon poché et une gelée plutôt aqueuse. La cuisinière craint à l'évidence que la digestion de la petite Miss Rackham n'ait pas encore totalement retrouvé son équilibre.

Ensuite, Rose apporte une tasse de thé pour faire passer le dîner – bien fort pour Miss Sugar, avec deux tiers de lait pour Miss Rackham – et Sugar, après avoir bu une gorgée, s'excuse un instant. Tandis que le thé brûlant refroidit, elle peut en profiter pour aller voir dans sa chambre si William a finalement réussi à s'extraire de ses pensées.

Elle quitte la salle d'étude, se hâte dans le couloir et ouvre la porte de sa chambre. Il n'y a là rien qui n'y était avant.

Elle retourne à la salle d'étude et reprend sa tasse de thé. Ses mains tremblent très légèrement. Elle est convaincue que William est, ou était, sur le point de répondre, mais qu'il a été retardé par des obligations inattendues, ou par son propre dîner. Si elle peut seulement faire en sorte que la prochaine heure s'écoule rapidement, elle s'épargnera des inquiétudes inutiles.

Sophie, bien qu'elle soit plus calme qu'au début de la journée, n'est pas très sociable maintenant que les leçons sont terminées ; elle s'est installée dans le coin le plus éloigné de la pièce et joue avec sa poupée, tâchant, en insérant des boules de papier sous ses jupes, de faire une tournure de la crinoline démodée. Sugar voit, à l'expression de concentration sur son visage, que Sophie désire rester seule jusqu'au moment du coucher. Comment faire passer le temps ? Se tourner les pouces dans sa chambre ? Lire ce qui reste de Shakespeare ? Se préparer pour les leçons de demain ?

Soudain inspirée, Sugar saisit assiettes, couverts et tasses à thé, en forme une pile aussi stable que possible, et quitte la pièce en clopinant, laissant sa béquille posée contre le chambranle de la porte. Elle a tout son temps ; personne n'observera la lenteur avec laquelle elle descend l'escalier.

Elle agrippe la rampe d'une main, posant tout son avant-bras sur le bois ciré ; son autre main tient la vaisselle, pressant le bord acéré des assiettes sous sa poitrine. Puis, une marche à la fois, elle escorte son corps en direction de l'étage inférieur, alternant un douloureux pivotement du pied blessé avec un pas lourd et indolore du pied indemne. À chaque dénivelée, la vaisselle s'entrechoque un peu, mais elle maintient l'équilibre de la pile.

Une fois arrivée au rez-de-chaussée, elle traverse l'entrée avec précaution, satisfaite du rythme régulier, sinon élégant, de sa progression. Sans encombre, elle franchit une succession de portes jusqu'à ce que, enfin, elle passe le seuil de la cuisine.

« Miss Sugar ! » dit Rose, grandement surprise. Elle a été prise la main dans le sac en train de manger un reste de toast beurré, son dîner légitime ne devant pas avoir lieu avant encore quelques heures. Ses manches sont relevées, et elle est accoudée à la grande table au centre de la pièce. Harriet, la fille de cuisine, est plus loin, préparant des langues de bœuf au glaçage. Par la porte de l'arrière-cuisine on peut apercevoir le jupon grossier, les chaussures mouillées et les chevilles gonflées de Janey qui récure l'évier.

« J'ai pensé rapporter ça, dit Sugar, soulevant légèrement les assiettes sales. Pour vous épargner le dérangement. »

Rose a l'air sidéré, comme si elle venait de voir exécuter un magnifique saut périlleux par un acrobate tout nu qui attendrait maintenant d'être applaudi.

« Très obligée, Miss Sugar, dit-elle en avalant le pain à moitié mâché.

– S'il vous plaît appelez-moi Sugar, répond-elle en lui tendant les assiettes. Nous avons travaillé ensemble sur bon nombre de choses depuis le temps, n'est-ce pas, Rose ? » Elle songe à rappeler à Rose comment elles étaient poudrées de farine jusqu'à mi-bras à Noël, mais juge que cela pourrait paraître un peu flagorneur.

« Oui, Miss Sugar. »

Harriet et Rose échangent des regards nerveux. La fille de cuisine ne sait pas si elle doit se tenir au garde-à-vous, les mains croisées sur son tablier ou continuer à mouler et ficeler les langues de bœuf, dont l'une s'est déroulée et menace de durcir dans une mauvaise position.

« Comme vous travaillez dur, toutes ! remarque Sugar, décidée à briser la glace. Je – je suis sûre que Mr. Rackham peut à peine imaginer à quel point vos efforts sont constants. »

Rose observe d'un œil de plus en plus rond la gouvernante qui traverse la cuisine en boitant avant de s'asseoir lourdement sur une chaise. Rose et Harriet ne sont que trop conscientes que leurs efforts ont été loin d'être « constants » depuis la mort de Mrs. Rackham et la cessation totale des dîners ; de fait, à moins que le maître ne se marie dans un proche avenir, il devra bientôt constater qu'il emploie plus de domestiques que nécessaire.

« On n'a pas à se plaindre, Miss Sugar. »

Il y a un silence. Sugar jette un regard circulaire à la cuisine éclairée d'une violente lumière mortuaire. Harriet a croisé les mains, laissant la langue de bœuf faire à sa guise. Rose baisse ses manches de chemise, les lèvres pincées par un demi-sourire inquiet. Le derrière de Janey exécute des rotations tandis qu'elle frotte ses assiettes, balançant de droite à gauche les plis de sa jupe.

« Dites-moi, reprend Sugar, d'un air aussi sociable que possible, qu'est-ce que vous allez manger pour le dîner ? Et où est la cuisinière ? Et vous mangez toutes ici à la table ? Je présume que vous devez être interrompues par la sonnette au pire moment. »

La vision de Rose se brouille tandis qu'elle avale ces quatre cuillerées indigestes de questions.

« La cuisinière est en haut et… et nous allons manger de la

gelée, miss. Et il y a du rôti de bœuf d'hier, et… Et vous voulez un peu de tarte aux prunes, Miss Sugar ?

– Oh, volontiers, dit Sugar. Si vous en avez suffisamment. »

On va chercher la tarte aux prunes, et les domestiques regardent la gouvernante manger. Janey, qui a fini de ranger les assiettes, vient sur le seuil voir ce qui se passe dans le monde.

« Bonjour, Janey, dit Sugar, entre deux bouchées de tarte. Nous ne nous sommes pas rencontrées depuis Noël, n'est-ce pas ? Quel dommage, vous ne trouvez pas, que les deux moitiés de la maisonnée ne se voient jamais ? »

Janey rougit si fort que ses joues sont presque de la teinte homard de ses mains et de ses avant-bras. Elle fait une demi-révérence, les yeux exorbités, sans rien dire. Ayant eu par deux fois des ennuis pour être entrée en contact avec des membres de la maisonnée de qui elle aurait dû se tenir éloignée – d'abord Miss Sophie, le jour où elle a saigné du nez, puis la pauvre Mrs. Rackham le jour où elle est entrée dans l'arrière-cuisine pour lui proposer de l'aider –, elle est bien décidée à ne pas s'attirer d'embêtements cette fois-ci.

« Eh bien, dit gaiement Sugar, une fois avalé le dernier morceau de tarte aux prunes sous le regard méfiant et effaré des domestiques, je suppose qu'il faut que j'y aille. C'est bientôt l'heure de mettre Sophie au lit. Au revoir, Rose ; au revoir, Harriet ; au revoir, Janey. »

Et elle se hisse sur ses pieds, regrettant de ne pouvoir être aspirée dans les airs, sans douleur et sur l'instant, comme un esprit ravi à la scène de sa propre mort corporelle ; ou que le sol en pierre de la cuisine ne puisse s'ouvrir pour l'engloutir dans un oubli miséricordieux.

À son retour dans sa chambre, il y a enfin une lettre de William. Si « lettre » s'applique à une note annonçant simplement :

*Inutile de discuter.*

Sugar froisse cette note dans son poing et se trouve de nouveau tentée de briser les vitres, hurler jusqu'à s'enrouer, tambouriner à la porte de William. Mais elle sait que ce n'est pas ainsi qu'on pourra le faire céder. Ses espoirs vont plutôt du côté de Sophie : William a compté sans sa fille. Il n'a qu'une très vague idée du lien qui s'est développé entre gouvernante et enfant, et il le découvrira bientôt. Sophie lui fera changer d'avis : les hommes ne supportent pas d'être la cause des larmes féminines !

À l'heure du coucher, Sugar borde Sophie comme d'habitude et lisse ses beaux cheveux blonds sur l'oreiller jusqu'à ce qu'ils irradient comme les rayons du soleil dans une illustration pour enfants.

« Sophie ? » dit-elle, la voix enrouée par l'hésitation.

L'enfant lève les yeux, sentant immédiatement qu'il s'agit de quelque chose de plus important que la fabrication de vêtements de poupée.

« Oui, miss ?

– Sophie, ton père... Ton père va avoir une nouvelle à t'annoncer. Très bientôt, je pense.

– Oui, miss », dit Sophie, clignant fort des paupières pour empêcher le sommeil de la prendre avant que Miss Sugar n'en soit arrivée au fait.

Sugar se lèche les lèvres, qui sont sèches et rêches comme du jute. Elle répugne à répéter l'ultimatum de William, craignant que cela ne lui confère une réalité indélébile, comme d'écrire à l'encre sur du crayon.

« Il est très probable, bredouille-t-elle, qu'il te fera appeler... Et ensuite il te dira quelque chose.

– Oui, miss, dit Sophie, intriguée.

– Eh bien..., poursuit Sugar, se donnant du courage en

saisissant les mains de Sophie. Eh bien, quand il t'aura parlé, je voudrais que tu lui répondes quelque chose.

– Oui, miss, promet Sophie.

– Je veux que tu lui dises, prononce Sugar d'une voix rauque, battant des cils pour refouler les larmes. Je veux que tu lui dises… ce que tu ressens pour moi ! »

Pour toute réponse, Sophie prend Sugar dans ses bras exactement comme le jour précédent, sauf que cette fois-ci, au grand étonnement de Sugar, elle caresse et flatte les cheveux de sa gouvernante en une version enfantine de la tendresse maternelle.

« Bonne nuit, miss, dit-elle d'une voix endormie. Et demain : l'Amérique. »

Comme elle ne peut rien faire d'autre qu'attendre, Sugar attend. William est déjà revenu sur une décision ferme – de nombreuses fois. Il a menacé de dire à Swan & Edgar d'aller se faire pendre ; il a menacé de se rendre sur les quais de l'East India pour saisir un certain marchand au collet et le secouer comme un prunier ; il a menacé de dire à Grover Pankey d'utiliser un meilleur ivoire pour fabriquer ses pots. Du vent. Si elle le laisse tranquille, sa résolution tumescente sera bientôt réduite à néant. Il lui faut seulement faire preuve… d'une patience surhumaine.

La matinée du jour suivant se déroule sans incident. Tout est exactement comme d'habitude. Les Pèlerins ont débarqué sur le sol américain et fait la paix avec les sauvages. On construit des fermes en abattant des arbres. Le déjeuner est moins régime qu'hier : pilaf de haddock fumé et encore de la tarte aux prunes.

À son retour dans sa chambre à midi, Sugar trouve un paquet : un long paquet étroit, emballé dans du papier brun retenu par de la ficelle. Un cadeau de réconciliation de

William ? Non. Une petite carte de visite est fixée au bout de la ficelle, elle l'approche de ses yeux pour lire ce qu'elle a à dire :

*Chère Miss Sugar,*
*Mon père m'a parlé de votre accident. Je vous prie d'accepter ce témoignage de mes meilleurs vœux. Il ne sera pas nécessaire de la rendre ; je n'en ai plus besoin, et j'espère que vous serez bientôt dans la même position.*
*Votre*
*Emmeline Fox*

Sugar défait le paquet et découvre une canne robuste et bien cirée.

À son retour en salle d'étude, impatiente de montrer à Sophie son nouvel instrument qui lui permet de marcher d'une allure bien plus digne qu'avec la béquille, Sugar trouve l'enfant penchée sur sa table, sanglotant et pleurant de manière incontrôlable.

« Qu'est-ce qu'il y a ? Qu'est-ce qu'il y a ? demande-t-elle, sa canne frappant le parquet tandis qu'elle traverse la pièce en claudiquant.

– On va vous renvoyer-er-er-er, pleurniche Sophie d'un ton presque accusateur.

– Est-ce que William – ton père… était ici à l'instant ? » Sugar ne peut s'empêcher de poser la question, bien qu'elle sente le parfum de son huile capillaire.

Sophie acquiesce, de brillantes larmes gouttant de son menton trempé.

« Je lui ai dit pourtant, miss, plaide-t-elle d'un ton perçant. Je lui ai bien dit que je vous aimais-ais-ais.

– Oui ? Oui ? l'encourage Sugar, passant en vain les paumes

sur les joues de Sophie jusqu'à ce que le sel pique ses craquelures. Qu'est-ce qu'il a dit ?

– Il n'a ri-ri-ien dit, sanglote l'enfant, les épaules convulsées. Mais il a eu l-l-l'air très fâché con-con-contre moi-oi. »

Avec un cri de rage, Sugar attire Sophie contre sa poitrine et la couvre de baisers, murmurant des paroles de réconfort incompréhensibles.

*Comment ose-t-il faire cela*, pense-t-elle, *à* mon *enfant.*

Toute l'histoire, une fois Sophie assez calme pour la raconter, est la suivante : Miss Sugar est une excellente gouvernante, mais il y a beaucoup de choses qu'une dame doit savoir et que Miss Sugar ne sait pas, comme la danse, le piano, l'allemand, l'aquarelle et autres talents que Sophie ne se rappelle plus. Si Sophie doit être une dame comme il faut, elle a besoin d'une autre gouvernante, et très bientôt. Lady Bridgelow, une dame qui sait tout sur ces choses, a confirmé que c'était nécessaire.

Le restant de l'après-midi, Sugar et Sophie travaillent sous un nuage suffocant de douleur. Elles poursuivent les leçons – arithmétique, les Pères pèlerins, les propriétés de l'or – avec la conscience navrée qu'aucun de ces sujets ne convient à l'éducation d'une jeune dame. Et à l'heure du coucher, ni l'une ni l'autre ne peuvent se regarder dans les yeux.

« Mr. Rackham m'a demandé de vous dire, miss, dit Rose, debout dans l'encadrement de la porte de Sugar à l'heure du dîner, que vous n'aurez pas besoin de vous lever demain matin. »

Sugar serre fort sa tasse de cacao pour empêcher le liquide de déborder.

« Pas besoin de me lever ? répète-t-elle bêtement.

– Vous n'avez pas besoin de sortir avant l'après-midi, il a dit. Miss Sophie n'aura pas de leçons demain matin.

– Pas de leçons ? répète de nouveau Sugar. Il a dit pourquoi ?

– Oui, miss, dit Rose, impatiente d'être libérée. Miss Sophie va avoir de la visite, dans la salle d'étude ; je ne sais pas qui, ni quand exactement, miss.

– Je vois. Merci, Rose. » Et Sugar laisse partir la domestique.

Quelques minutes plus tard, elle est devant la porte du bureau de William, respirant fort dans le silence ténébreux du couloir. Un peu de lumière est visible par le trou de la serrure ; un bruit d'activité (ou l'imagine-t-elle ?) est audible à travers le bois épais de la porte, lorsqu'elle y presse son oreille.

Elle frappe.

« Qui est-ce ? » La voix de William.

« Sugar », dit-elle, tâchant d'emplir ce mot unique de toute l'affection, la familiarité, la complicité, toutes les promesses de satisfaction érotique qu'un unique mot murmuré peut possiblement incarner : mille et une nuits de félicité charnelle qui le mèneront jusqu'à un âge très, très avancé.

Il n'y a pas de réponse. Silence. Elle tremble, s'encourageant à frapper de nouveau, pour tenter de l'amadouer de manière plus persuasive, plus intelligente, plus insistante. Si elle crie, il sera obligé de lui ouvrir, pour ne pas faire de scandale. Elle ouvre la bouche et sa langue se rétracte comme celle d'une muette imbécile qui vend de la vaisselle cassée dans la rue. Puis elle rentre, pieds nus, dans sa chambre, claquant des dents, suffoquant.

Dans son sommeil, quatre heures plus tard, elle est de nouveau chez Mrs. Castaway, à l'âge de quinze ans mais avec, écrit en elle, de quoi remplir tout un livre de savoir charnel. Dans le silence de minuit, une fois le dernier client rentré chez lui, Mrs. Castaway parcourt le paquet de brochures religieuses tout juste arrivé de Providence, Rhode Island. Avant que sa mère ne soit trop absorbée par son découpage, Sugar s'enhardit jusqu'à lui poser une question.

« Mère... ? Est-ce que nous sommes *très* pauvres maintenant ?

– Oh non, dit Mrs. Castaway avec un petit sourire satisfait. Nous sommes *très* à l'aise maintenant.

– On ne va pas nous jeter à la rue ni rien de ce genre ?

– Non, non, non.

– Alors pourquoi est-ce que je dois... Pourquoi est-ce que je dois... » Sugar est incapable de finir sa phrase. Dans le rêve pas moins que dans la vie, son courage lui fait défaut face au sarcasme achevé de Mrs. Castaway.

« Enfin, mon petit, je ne pouvais pas te laisser grandir sans rien faire quand même ? Cela t'aurait laissée exposée à la tentation du Vice.

– Mère, *s'il te plaît*. Je ne plaisante pas ! Si nous ne sommes pas dans une situation désespérée, alors pourquoi... ? »

Mrs. Castaway lève les yeux de ses brochures, et fixe Sugar d'un regard de pure malveillance ; on dirait que ses globes oculaires pétillent de rancune.

« Mon enfant, sois raisonnable, dit-elle en souriant. Pourquoi *ma* chute devrait-elle être *ton* ascension ? Pourquoi devrais-je moi brûler en Enfer tandis que toi tu voletterais au Ciel ? En bref, pourquoi le monde devrait-il être un endroit meilleur pour *toi* qu'il n'est pour *moi* ? » Et, avec un grand geste, elle plonge son pinceau dans le pot de colle, le tourne et dépose une perle de bave translucide sur une page déjà pleine de Madeleine.

Le lendemain matin, Sugar essaie d'ouvrir une porte qu'elle n'a jamais touchée auparavant et, Dieu merci, elle s'ouvre. Elle se glisse à l'intérieur.

C'est la pièce que Sophie a mentionnée en ces termes : « La

pièce qui n'a personne de vivant dedans, miss, que des choses. » Un débarras, en d'autres termes, immédiatement adjacent à la salle d'étude, et bourré d'objets poussiéreux.

La machine à coudre d'Agnes est là, son éclat cuivré terni par la poudre subtile de l'abandon. Derrière, il y a d'étranges appareils que Sugar reconnaît pour être, après examen, photographiques. Des boîtes de produits chimiques aussi ; autre indice de l'ancienne passion pour les arts naguère nourrie par William. Un chevalet est appuyé contre un mur. Celui de William ? Ou celui d'Agnes ? Sugar n'est pas sûre. Un arc pend par sa corde à l'un des écrous du chevalet : une lubie d'Agnes qu'elle s'est découverte trop faible pour exercer. Un aviron marqué *Downing Boat Club 1864* est tombé sur le tapis. Empilés par terre, devant des rayonnages qui sont trop pleins pour en contenir plus, se trouvent des livres : des livres sur la photographie, des livres sur l'art, sur la philosophie. La religion, aussi : beaucoup traitant de la religion. Surprise, Sugar en prélève un de la pile – *L'Hiver qui précède la récolte, ou comment l'âme croît en grâce*, par J. C. Philpot – et lit sur sa page de garde :

*Cher Frère, je suis sûr que ceci va t'intéresser,*

*Henry*

Sur l'appui de la fenêtre, couvert de toiles d'araignées, encore une autre pile de livres : *La Sagesse des Anciens entièrement expliquée*, par Melampus Blyton, *Les Miracles et leurs mécanismes*, par Mrs. Tanner, *Chrétienté primitive et spiritualisme*, par le docteur Crowell, plusieurs romans de Florence Marryat, et un grand nombre de volumes beaucoup moins épais, parmi lesquels *Le Manuel de la toilette féminine*, *L'Élixir de beauté*, *Comment rester belle*, et *Santé, beauté et la toilette : lettres adressées aux dames par une dame médecin.* Sugar ouvre ce dernier et découvre dans les marges des remarques d'Agnes telles que : *Parfaitement inutile ! Aucun effet d'aucune sorte !* et *Supercherie !*

*Je suis désolée, Agnes,* pense Sugar en replaçant le livre sur la pile. *J'ai essayé.*

Une grande construction en bois, pareille à une penderie géante sans dos et directement vissée au mur, fait office de mausolée pour les robes les moins fréquemment portées d'Agnes. Quand Sugar ouvre la porte, il s'échappe une odeur d'antimites à la lavande. Cette garde-robe, Sugar en est certaine, est ce qu'il y a de plus proche du mur de la salle d'étude qui se trouve de l'autre côté. Elle respire un grand coup, et entre.

Le splendide appareil des robes d'Agnes pend, immobile et odorant. Nulle mite ne peut espérer survivre dans ce pays des merveilles de coûteux tissus, ce mille-feuille effervescent de manches, corsages et jupes à tournure, et de fait, des insectes gisent à quelques centimètres d'une barre translucide d'un poison en forme de savon frappé, il fallait s'y attendre, du « R » Rackham.

Toutes les Agnes que Sugar se rappelle sont ici. Elle a suivi ces costumes – quand ils tenaient le petit corps compact dans leurs embrassements soyeux – à travers des foyers de théâtre bondés, des jardins ensoleillés et des pavillons éclairés aux lanternes. Maintenant les voici ; nets, intacts et vides. Dans un geste impulsif, Sugar enfouit son nez dans le corsage le plus proche, pour échapper à l'émanation dominante de poison et chercher un vague reste du parfum personnel d'Agnes, mais il est impossible d'échapper à l'odeur entêtante du préservateur. Libérée de l'étreinte de Sugar, la parure se balance sur son crochet avec un grincement.

Sugar s'enfonce plus profond dans la niche ténébreuse, et ses pieds se prennent dans un tissu doux et chuchotant. Elle se penche, ramasse un volumineux fouillis de velours rouge, et constate avec surprise que ses doigts rencontrent des trous dans le tissu. La robe a été mutilée en dix, vingt, trente endroits à coups de ciseaux; cannibalisée comme pour fournir des animaux à un tableau d'arche de Noé en velours. Les autres robes derrière sont également massacrées. Pourquoi? Elle ne saisit pas. Il est trop tard pour comprendre Agnes maintenant. Trop tard pour comprendre quoi que ce soit.

Tout au fond de la penderie, Sugar s'assied, son pied douloureux étendu devant elle, adossée à l'oreiller d'une robe ruinée, la joue et l'oreille contre le mur. Elle ferme les yeux, et attend.

Une demi-heure plus tard, alors qu'elle commence à s'assoupir, presque malade de l'odeur de lavande empoisonnée, elle entend ce qu'elle est venue entendre: la voix d'une inconnue parvenant de la salle d'étude, émaillée de celle de William.

« Tiens-toi droite, Sophie, lui ordonne-t-il, avec une certaine douceur. Tu n'es pas une... » Une quoi? Inaudible, ce dernier mot. Sugar presse l'oreille plus fort contre le mur, si fort qu'elle lui fait mal.

« Dis-moi, mon enfant, et ne sois pas timide, insiste la voix inconnue. Qu'as-tu appris tout ce temps? »

La réponse de Sophie est faite à voix trop basse pour que Sugar en entende rien, mais (Dieu la bénisse!) elle est très longue.

« Et tu parles un peu le français? »

Silence pendant quelques secondes, puis William intervient:

« Le français ne faisait pas partie des talents de Miss Sugar.

– Et le piano, Sophie? Tu sais où mettre tes doigts sur le piano? » Sugar se représente un visage pour accompagner la voix: un visage au nez pointu, avec des yeux noir corbeau et une bouche avide. L'image est si vivante qu'elle visualise son propre poing entrant en collision avec ce nez pointu, le réduisant en purée sanglante d'os fracassé. « Et sais-tu danser, mon enfant? »

De nouveau William prend la parole pour mentionner l'incompétence de Miss Sugar en la matière. Qu'il soit damné! Comme elle aimerait faire entrer un couteau dans son – mais qu'est-ce qu'elle entend? Il prend sa défense en fin de compte. Il s'aventure à demander si Sophie n'est pas un peu *jeune* pour être initiée à des activités telles que le piano et la danse. Ne sont-elles pas inutiles, après tout, jusqu'à ce qu'elle soit plus proche de l'âge d'être courtisée?

« C'est peut-être vrai, monsieur, admet avec douceur la nouvelle gouvernante, mais je pense qu'elles ont une vertu en elles-mêmes. Certains professeurs sous-estiment la capacité d'apprentissage des enfants, ainsi que leur précocité. Je crois que si cette petite fille peut être encouragée à fleurir quelques années plus tôt que les autres… Eh bien, ce sera tant mieux! »

Sugar se mord la lèvre et se calme en imaginant qu'elle hache cette femme en menus morceaux sanguinolents.

« Tu aimerais jouer un air au piano, Sophie? C'est vraiment plus simple que tu ne le penses. Je peux t'en apprendre un en cinq minutes. Cela te plairait, Sophie? »

Elle se vend, cette femme: elle étale tout ce qu'elle a à offrir dans l'espoir d'être choisie. La réponse de Sophie est inaudible, mais que peut-elle répondre, sinon oui? William, Sophie et la nouvelle gouvernante quittent la salle d'étude et descendent l'escalier. Le pacte a été passé; impossible de revenir dessus maintenant; c'est comme le moment où le client prend la putain par la main.

Une minute plus tard, Sugar est à la porte du débarras, tendant l'oreille. Elle n'a pas longtemps à attendre: un bruit inhabituel monte du salon, une simple mélodie à deux doigts. Elle est d'abord jouée de manière confiante et décidée, deux ou trois fois, puis copiée, avec hésitation et imprécision, par des mains qui doivent être celles de Sophie.

L'air ? Eh bien, ce n'est pas « Cœurs de chênes », mais ce pourrait l'être tout aussi bien. Aussi sûrement que Sugar savait qu'il était temps de quitter le Fireside quand on chantait « Cœurs de chênes », elle sait que la mélodie que Sophie joue au piano est le signe qu'elle doit quitter la maison Rackham pour toujours.

Sugar retourne à sa chambre et se met immédiatement à faire sa valise. Pourquoi attendre le 1er mars que le marteau tombe, quand les minuscules marteaux du piano ont déjà frappé ? Chaque heure de plus qu'elle passe ici offre à William soixante occasions de l'humilier et de la tourmenter ; chaque minute où elle doit enseigner à Sophie sous l'ombre que projette l'imminence de leur séparation est insoutenable.

Elle survivra, elle trouvera un moyen de ne pas retourner sur le trottoir. Les dix livres que William lui a données hier étaient une insulte, une manière de railler ce qu'elle avait fait pour sa fille, mais caché dans sa penderie il y a plein d'argent. Plein ! Fourrées parmi le fouillis de bas et de sous-vêtements se trouvent les enveloppes froissées qu'elle a accumulées durant son séjour à Priory Close. William était alors si généreux, et elle si peu encline à gâcher de l'argent pour acquérir autre chose que son amour, qu'elle n'a dépensé qu'une partie des sommes que sa banque, régulière comme une horloge, lui envoyait par la poste. La plupart de ces enveloppes, révélées à la lumière tandis qu'elle les exhume d'entre des dessous frivoles qu'elle n'a pas portés depuis des mois, sont encore fermées, et gonflées d'une fortune au-delà de ce que peuvent imaginer les domestiques. Même les pièces de petite monnaie qu'elle a négligemment jetées dans ces culottes dépassent de beaucoup ce que les pareilles de Janey gagnent en une année.

Tout en mettant son trésor en lieu sûr – sa bourse pour les pièces, une poche de manteau pour les billets – elle se rend compte qu'elle a dépensé moins depuis qu'elle est ici qu'elle n'a dépensé durant les premières vingt-quatre heures à Priory Close. Pour la prostituée qu'elle était alors, ces sommes ne semblaient pas une grande fortune, mais plutôt un flot de largesse qui pouvait être avalé n'importe quand par l'achat d'une robe particulièrement somptueuse ou quelques repas de trop au restaurant. Maintenant, alors qu'elle considère tout cet argent du regard d'une femme respectable, elle se rend compte qu'elle est assez riche pour se lancer dans l'avenir qu'elle voudra, si seulement elle est frugale et trouve du travail. C'est assez pour la mener à l'autre bout de la Terre.

Tandis que Sugar fait sa valise, elle se bat avec sa conscience. Devrait-elle, *peut*-elle dire la vérité à Sophie ? Est-il miséricordieux, ou est-il cruel de ne pas expliquer les circonstances de son départ ? Sophie souffrira-t-elle terriblement d'être privée de l'occasion de lui dire adieu ? Sugar se ronge les sangs, à moitié convaincue qu'elle songe sincèrement à changer d'avis, mais au fond d'elle, elle sait qu'elle n'a pas l'intention de dire la vérité. Elle préfère continuer à faire sa valise, comme par instinct brut, et la voix de la raison se perd tel le pépiement du moineau dans la tempête.

Elle n'a besoin que d'une valise. Les caisses de vêtements que William avait fait emporter de Chez Mrs. Castaway sont encore stockées quelque part, dans un endroit dont il ne lui a jamais rien dit. Non que cela ait quelque importance : elle n'en a plus besoin maintenant. Ce sont des oripeaux de pute, le plumage éclatant d'une demi-mondaine. La robe qu'elle porte (la vert foncé, sa préférée), et une ou deux autres : voilà tout ce qu'il lui faut. Deux chemises, des pantalons propres, des bas, une seconde paire de chaussures : une valise est bientôt pleine. Elle fourre son maudit roman et les journaux d'Agnes dans un sac en tissu écossais.

Elle soulève la valise d'une main – son bon côté – et hisse le sac sur l'épaule du bras qui s'appuie à la canne. Elle fait trois ou quatre pas, vacillant comme un animal de cirque obligé d'avancer sur les pattes de derrière sous la menace du fouet. Puis elle baisse la tête, dépose son fardeau ingérable, et se met à pleurer.

« Allons prendre nos leçons de l'après-midi dehors aujourd'hui, suggère-t-elle à Sophie, peu après. La maison sent le renfermé et l'air est frais. »

Sophie bondit de sa table, visiblement ravie à cette idée. Elle se hâte de s'habiller pour sortir, l'éducation *en plein air** est ce qu'elle préfère, particulièrement si cela signifie une visite à la fontaine, ou l'occasion d'apercevoir canards, corneilles, chiens, chats ou, en réalité, n'importe quel genre de créature qui ne soit pas un humain.

« Je suis prête, miss, déclare-t-elle bientôt, et elle l'est en effet, n'ayant besoin que d'ajuster l'inclinaison et le nœud de son bonnet.

– Descends, mon petit ; je te suis. »

Sophie s'exécute, et Sugar reste encore un moment dans la salle d'étude pour rassembler les éléments nécessaires à la leçon et quelques autres choses, qu'elle fourre dans une sacoche en cuir. Puis elle descend l'escalier, sa canne claquant contre la balustrade.

Il fait un temps sinistre, venteux, mais pas glacial. Le ciel est sombre, gris acier, imprégné de cette sorte de lumière qui teinte tout, que ce soit une pelouse, une rue pavée, une grille ou la peau, de la même couleur.

Sugar aurait préféré sortir directement par la grande grille, mais un malheureux hasard a placé Shears sur son chemin, occupé à transplanter un buisson de roses afin que les passants ne puissent plus voler les fleurs de son labeur à travers les barreaux. Il est dos à Sugar et Sophie mais, étant de nature sociable, il ne fait pas de doute qu'il va se retourner pour leur parler si elles passent devant lui, et Sugar ne le veut pas. Donc, tirant légèrement Sophie par le poignet, elle fait volte-face et elles contournent la maison.

« On va avec Cheesman, miss ? » demande Sophie ; question logique puisqu'elles abordent l'allée carrossable. Le cocher et le cheval sont invisibles, mais la voiture détachée se tient devant sa petite maison, rutilante d'eau savonneuse, prête pour une nouvelle expédition dans le monde sale et fumeux qui se tient au-delà des confins Rackham.

« Non ma chérie, répond Sugar sans la regarder, les yeux fixés sur le portail à la droite de l'écurie. C'est plus joli par ici, c'est tout. »

Le portail est fermé au loquet, mais pas verrouillé ; le cadenas pend à son anse, Dieu merci. Jonglant maladroitement avec sa canne et la main de Sophie, Sugar retire le cadenas et fait glisser la longue barre en fer hors de son fourreau.

« Bon après-midi à vous, Miss Sugar. »

Avec un violent sursaut, Sugar vire sur son bon talon, manquant de chavirer sous le poids de ses sacs – le Gladstone en tissu écossais sur une épaule, la sacoche à l'autre bras. Cheesman est tout près, le visage impassible, excepté une lueur d'impudence dans son regard. Dans la lumière sinistre, et sans les accessoires professionnels que sont son manteau et son chapeau, il a l'air minable et maigre ; la brise a déplacé plusieurs boucles de ses cheveux, raides d'huile rance, sur son front brillant, et il y a des taches circulaires laissées par le fond de chopes de bière sur les cuisses de son pantalon.

« Bon après-midi à *vous,* Cheesman, fait Sugar d'une voix aigre, avec un signe de la tête pour le congédier.

– Je vais ouvrir le portail, miss, propose le cocher, tendant une main et un avant-bras poilus, si vous et Miss Rackham voulez bien prendre place dans la voiture. »

Pendant un instant Sugar songe à accepter son offre. Il serait plus facile d'aller en voiture qu'à pied, et maintenant que Cheesman les a accostées, elle pourrait tout aussi bien se servir de lui. Il pourrait les emmener au parc le plus proche, et de là elles pourraient continuer leur chemin… Oui, pendant un instant Sugar hésite, mais quand elle reporte le regard sur l'homme, elle voit la crasse sous les ongles de la main qu'il tend dans sa direction, et se rappelle comment il a enfoncé ces doigts dans sa taille et sa tournure il n'y a pas si longtemps.

« Je n'aurai pas besoin de vous, Cheesman, dit-elle avec fermeté, attirant Sophie contre sa hanche. Nous n'allons pas loin. »

Cheesman retire son bras et, posant sa paume sur sa nuque poilue en un geste caricatural de stupéfaction, il toise Sugar des pieds à la tête.

« Des gros sacs lourds que vous avez là, miss, si vous permettez, remarque-t-il, regardant, les yeux mi-clos, son sac Gladstone déformé. Plein de trucs là-dedans pour une petite promenade.

– Je vous ai dit, Cheesman, insiste Sugar, l'anxiété faisant légèrement trembler sa voix. Nous avons juste décidé de nous dégourdir un peu les jambes. »

Cheesman pose un regard concupiscent sur les jupes de Sugar. « J'ai pas l'impression que vos jambes ont besoin de se dégourdir, Miss Sugar. »

La colère donne courage à Sugar. « Vous êtes impertinent, Cheesman, dit-elle d'un ton cassant. Je parlerai de vous à Mr. Rackham dès mon retour. »

Mais, à la grande déception de Sugar, Cheesman reste impassible, ses sourcils exceptés.

« Parler à Mr. Rackham vous dites ? À votre retour ? Et ça sera quand ça, exactement, Miss Sugar ? »

Cheesman s'approche, si près qu'elle sent l'alcool dans son haleine, et bloque le portail par lequel elle aimerait tant passer.

« Il me semble, Miss Sugar, dit-il d'un ton songeur, croisant les bras sur sa poitrine et levant le regard au ciel, sauf votre respect… qu'il va pleuvoir d'une minute à l'autre je pense. Ces nuages… » Il secoue la tête avec défiance. « Ne m'ont pas l'air bons, vous êtes d'accord ?

– Qu'est-ce que vous voulez, Cheesman ? demande Sugar, retirant la main de l'épaule de Sophie de crainte de la presser trop fort dans sa terreur. Laissez-nous passer !

– Allons allons miss, fait Cheesman d'un ton conciliant. Qu'est-ce que dirait Mr. Rackham si *Miss* Rackham – il indique Sophie d'un aimable signe de tête – devait rentrer avec un rhume ? Ou est-ce que vous pensez qu'elle ne risque pas d'en attraper un ?

– Pour la dernière fois, Cheesman : poussez-vous, ordonne Sugar, sachant que s'il ne cède pas maintenant, elle n'aura pas la force de prendre de nouveau ce ton impérieux. Le bien-être de Sophie est *mon* domaine. »

Mais Cheesman se suce les dents, songeur, les yeux fixés sur la voiture.

« Eh bien, Miss Sugar, dit-il, je pense que *l'autre* gouvernante, qui était ici ce matin, ne serait peut-être pas d'accord avec vous sur ce point. »

Il savoure une seconde l'effet de son affirmation, puis tourne les paumes vers le ciel et demande avec emphase : « C'était pas une goutte de pluie ? » Il examine chaque paume, front plissé. « Je me demande vraiment si Mr. Rackham voudrait qu'on sorte sa fille sous la pluie ? Et pourquoi une gouvernante qui doit être remplacée pour raisons de mauvaise santé a si envie de le faire ? »

Le voyant planté là, les paumes ouvertes à tout ce qui y pourrait tomber, Sugar croit savoir ce qu'il cherche.

« Parlons de cela en privé », dit-elle, tâchant de masquer la défaite dans sa voix. Peut-être que si Sophie ne voit pas l'argent changer de main elle ne s'apercevra de rien. « Je suis sûre que nous pouvons parvenir à un accord dont nous bénéficierons tous les deux.

– Je n'en ai jamais douté, miss, acquiesce joyeusement le cocher, quittant sa position devant le portail. Est-ce que derrière la voiture vous semble assez privé ?

– Reste ici un instant, Sophie », dit Sugar, posant ses sacs mais évitant le regard de l'enfant.

Une fois cachée derrière la voiture, Sugar fouille hâtivement la poche de son manteau dont elle tire un billet froissé.

« Il semble qu'on commence à se comprendre, maintenant, Miss Sugar, murmure Cheesman, les yeux brillants d'approbation.

– Tenez, Cheesman, dit Sugar en pressant le billet dans sa paume tendue. Dix livres ; une petite fortune pour vous. »

Cheesman froisse le billet dans son poing et le fourre dans son pantalon.

« Oh oui, dit-il. Ça me paiera une bière ou deux. Ou trois...

– Bien, soupire Sugar, se détournant pour s'en aller. J'espère que cela vous...

– ... mais en fait, Miss Sugar, poursuit-il, la retenant d'un doigt posé sur son épaule, l'argent m'est pas très utile. Je veux dire, Mr. Rackham sait ce qu'il me paie, et il sait ce qu'on achète avec ça et ce qu'on ne peut pas acheter. Je peux pas me ramener habillé en rupin, ou avec une chaîne en or à ma montre ? Alors, pour moi, dix livres c'est... eh bien... c'est qu'un sacré nombre de bières, vous comprenez ? »

Sugar le fixe, chancelant de dégoût. S'il y a un homme

qu'elle voudrait voir menotté au lit de son héroïne, la suppliant d'épargner sa vie pendant qu'elle l'ouvre en deux comme un poisson, c'est lui.

« Vous ne voulez pas nous laisser partir, alors ? » dit-elle d'une voix rauque.

Avec un grand sourire, Cheesman agite l'index comme un gentil professeur grondant une mauvaise élève.

« Je n'ai pas dit ça. »

Ignorant ses tremblements de peur, il saisit ses bras, l'attire contre lui de sorte que sa joue heurte sa puissante mâchoire.

« Tout ce que je veux, dit-il, parlant bas et en articulant les mots de façon exagérée, c'est un petit quelque chose *en plus* de l'argent. Un souvenir de vous. »

L'estomac de Sugar rétrécit comme si elle avait avalé de l'eau glacée ; sa bouche est sèche comme de la cendre. *Pour qui me prenez-vous ?* veut-elle lui dire. *Je suis une dame : une dame !* Mais la première chose qui sort de sa gorge est : « On n'a pas le temps. »

Cheesman rit et, la poussant contre la roue de sa voiture, rassemble ses jupes dans ses mains.

Une fois le portail refermé derrière elles, Sugar et Sophie s'éloignent sans être remarquées ni observées.

« Où est-ce qu'on va, miss ? dit Sophie alors qu'elles se hâtent sur l'étroit passage qui relie les écuries à la rue.

– Dans un bel endroit », dit Sugar, haletant tout en clopinant, son sac Gladstone et sa sacoche se balançant d'avant en arrière, sa canne frappant les pavés avec une telle force que l'extrémité commence à se fendiller.

– Vous voulez que je porte un sac, miss ?

– Ils sont trop lourds pour toi. »

Sophie fronce les sourcils, semble inquiète, regarde en direction de la maison, mais elle est déjà hors de vue. Le ciel s'est assombri considérablement, et de grosses gouttes dégringolent des nuages, frappant le sol – et le bonnet de Sophie – comme de petits cailloux. Sophie examine l'univers à la recherche d'autres signes concernant la sagesse ou la folie de cette petite sortie. Bien qu'elle n'ait pas les mots pour s'exprimer, elle se sent dotée d'un instinct pour détecter les messages cosmologiques que d'autres ne voient pas.

Dans le jardin d'un voisin (peut-on parler d'un voisin quand on ne le connaît pas ?) un homme creuse un trou ; il s'arrête un instant pour faire signe à Sophie, le visage éclairé par un sourire. Un peu plus loin, le bâtard qui généralement leur aboie dessus les regarde s'approcher avec sérénité. Ce sont de bons signes. Un de plus, et qui sait ? Le ciel peut s'éclaircir.

Un omnibus arrive, avançant le long de Kensington Park Road en direction de la ville.

« Plus vite, Sophie, dit Sugar, hors d'haleine. Prenons… prenons l'omnibus. »

Sophie, obéissante, accélère le pas, bien qu'il soit douteux que Miss Sugar puisse le faire elle-même. Les sacs déformés sur ses épaules tressautent et pendent de manière très inélégante tandis que Miss Sugar avance en claudiquant, le poing tremblant sur la poignée de sa canne.

« Cours devant, Sophie, que le receveur voie qu'on veut monter ! »

Sophie part en éclaireuse et, un instant plus tard, Sugar trébuche sur un pavé disjoint et manque de s'étaler les quatre fers en l'air. Le sac Gladstone tombe, dégorgeant son contenu sur le trottoir : les journaux d'Agnes, s'éparpillant en plus de directions qu'il semble scientifiquement possible, ouvrant leurs pages comme l'écume du lait qui déborde, une profusion de papier soufflé par le vent libérant des confettis de pétales de fleurs séchées et de cartes de prière décolorées. Et le roman de Sugar, éjecté de sa chemise en carton, disséminé sur la longueur de trois corps au moins dans la rue, la brise emportant ses pages densément noircies avec une incroyable rapidité.

Pendant un instant, Sugar tend les mains vers ce chaos volettant, puis elle fait volte-face et se lance à la poursuite de Sophie.

Sugar et Sophie sont assises dans l'omnibus bondé, sans parler, se contentant de respirer. C'est à peine si Sugar peut se retenir de ahaner. Elle éponge furtivement son visage cramoisi et suant à l'aide d'un mouchoir en soie blanche. Les autres passagers – le mélange habituel de vieilles femmes mal fagotées, de messieurs en chapeau haut de forme à l'air de bons maîtres d'école, de jeunes femmes élégantes accompagnées de petits chiens à pedigree, d'artisans à la barbe en broussaille, de matrones somnolentes à moitié enterrées sous des paniers en paille, des parapluies, des chapeaux compliqués, des bouquets, des bébés endormis – se comportent comme si Sugar et Sophie n'existaient pas, comme si personne n'existait, comme si l'omnibus était un véhicule vide qui se dirigeait vers Londres pour son propre amusement. Ils fixent des yeux leur journal, ou leurs mains gantées posées sur leurs cuisses ou, à défaut, la publicité qui se trouve au-dessus de la tête des passagers face à eux.

Sugar lève le menton, craignant de regarder Sophie. Pardessus le sommet emplumé du chapeau d'une douairière, imprimé en deux couleurs sur une affichette, se trouve le visage de William Rackham, encadré parmi d'autres affichettes vantant les mérites d'un thé et de pastilles pour la toux.

La pluie commence à tambouriner contre les vitres, faisant virer le ciel à un gris crépusculaire. Sugar cherche un intervalle vide entre deux têtes pour regarder au-dehors. Dans la rue, des gens se pressent à travers l'obscurité argentée en direction de l'omnibus.

« High Street Corr-*nerrr*! crie le receveur, mais personne ne sort. Encore une place! » Et il aide un pèlerin à moitié noyé à monter.

Tout le long de Bayswater Road, Sugar garde l'œil sur les piétons qui font mine d'approcher l'omnibus. Pas de policier, Dieu merci. Étrange, pourtant, à quel point elle est convaincue – le temps d'un instant – de reconnaître presque chacun des visages qu'elle aperçoit! N'est-ce pas Emmeline Fox, qui trottine sous un parapluie? Non, bien sûr que non... Mais là: c'est le docteur Curlew? De nouveau, non. Et ces deux gandins, qui se donnent des coups de poing dans l'épaule comme des voyous – ne serait-ce pas Ashley et Bodwell – ou quels que soient leurs noms? Non, ceux-ci sont plus jeunes, à peine sortis de l'école. Mais là! La main de Sugar se crispe de peur alors qu'elle aperçoit un homme à l'air furieux qui court vers elle sous la pluie, ses cheveux décoiffés et laineux tressautant de manière absurde sur son crâne dépourvu de chapeau. Mais non: voilà longtemps que les cheveux de William ont été tondus ras, et cet homme est en train de traverser la rue.

Plus loin, entre les allées cavalières de Hyde Park et le cimetière St. George, une femme se dépêche d'attraper l'omnibus, glissant le long du trottoir comme si elle était montée sur roues. Sa tête est cachée par son parapluie, mais malgré cela, il semble à Sugar qu'elle est l'incarnation même d'Agnes. Sa robe est rose – peut-être est-ce la raison –, rose comme le Savon à l'Œillet Rackham – bien que la pluie battante ait imprimé sur les jupes des ruisselets plus sombres, octroyant au tissu un simulacre de rayures.

« Vous montez, madame? » crie le receveur, mais cette invite faite à la dame de rejoindre la foule semble offenser sa sensibilité délicate, et elle ralentit le pas, s'arrête, et pirouette dans la direction opposée.

« Où est-ce qu'on va faire la leçon, miss ? demande Sophie à voix basse.

– Je n'ai pas encore décidé », dit Sugar. Elle continue à regarder au-dehors, évitant le visage de Sophie aussi soigneusement qu'elle éviterait le bord d'un précipice.

À Marble Arch, un homme monte, trempé jusqu'aux os. Il prend place entre deux dames, mortifié d'imposer sa forme humide à deux personnes sèches, se voûtant dans le vain espoir de contracter sa haute taille et ses larges épaules dans un espace physique plus petit.

« Pardonnez-moi », marmonne-t-il, son beau visage rougissant d'un éclat pareil à celui d'une lampe.

*C'est Henry Rackham*, pense Sugar.

Jusqu'au centre de la ville, l'homme trempé regarde droit devant lui, sa rougeur diminuant à peine, ses mains tapotant maladroitement ses genoux. Lorsque l'omnibus atteint Oxford Circus, il n'y tient plus : ses épaules ont commencé à exsuder un léger halo de vapeur, et il le sait. Marmonnant une nouvelle excuse, il se lève et retourne dans la pluie. Sugar le regarde disparaître dans le déluge et, en dépit de son propre état d'inquiétude, trouve dans son cœur de quoi lui souhaiter une prompte arrivée à sa destination, quelle qu'elle soit.

« Il faut qu'on descende ici, Sophie », dit-elle une minute plus tard en se levant. L'enfant l'imite, tenant à la main un pli de sa jupe tandis que Sugar sort de l'omnibus dans un grand nuage de pluie tourbillonnante.

Est-ce un parc qu'elles voient devant elles ? Non, ce n'est pas un parc. Presque à l'instant où leurs pieds ont touché le sol, Miss Sugar a hélé un fiacre, dit quelque chose au cocher, et poussé rapidement Sophie à l'intérieur dans l'odeur de fumée de cigare. Le cocher, bien qu'il soit trempé jusqu'aux os, est un homme jovial, et il fouette du bout de sa mèche le cul fumant de son cheval peu enclin à démarrer.

« Choisis, vieille carne, plaisante-t-il. Ou l'équarrisseur ou la gare de King's Cross !

– Est-ce qu'on sera rentrées pour le dîner, miss ? demande Sophie tandis que la voiture se met en branle.

– Tu as faim, ma chérie ? répond Sugar.

– Non, miss. »

Sentant qu'elle ne peut plus se retenir, Sugar s'autorise à regarder un instant le visage de Sophie. L'enfant a les yeux écarquillés, l'air légèrement étonnée, indubitablement inquiète – mais pas, pour autant que Sugar puisse en juger, prête à s'enfuir.

« Tiens, je vais te donner ta lunette d'approche », dit Sugar en hissant la sacoche sur ses genoux. Elle se penche en avant pour s'assurer que Sophie ne puisse en voir le contenu : un livre d'histoire, un atlas, des sous-vêtements, la photographie encadrée de Miss Sophie Rackham signée *Tovey & Scholefield*, un fatras de peignes et de brosses, de crayons noirs et de couleur, *Alice au pays des merveilles*, les poèmes de Mr. Lear, un châle froissé, un pot de talc, une enveloppe en manille pleine des cartes de Noël faites par Sophie, le livre des contes de fées offert, avec ses meilleurs vœux, par un « barbon d'oncle » et, nichée tout au fond, la lunette d'approche.

« Tiens, dit-elle, tendant le cylindre de métal à Sophie qui accepte l'objet sans hésitation, mais le pose dans son giron sans le regarder.

– Où est-ce qu'on va, miss ?

– Dans un endroit très intéressant, je te promets, répond Sugar.

– Est-ce que je serai rentrée à temps pour me coucher ? »

Sugar passe un bras autour du petit corps de Sophie, sa main épousant la courbe de sa hanche.

« Nous avons un très, très long voyage devant nous, Sophie, déclare-t-elle, et la tête lui tourne de soulagement quand elle sent que Sophie se détend, se colle contre elle et pose la main sur son ventre. Mais quand nous serons arrivées, je m'assurerai que tu aies un lit. Le lit le plus chaud, le plus propre, le plus doux, le plus beau de toute la terre. »

# 35

William Rackham, directeur des Parfumeries Rackham, légèrement éméché par les cognacs purs qu'il a bus après le départ de la police, regarde la pluie tomber par la fenêtre de son salon, se demandant combien de bouts de papier il reste : combien voletant encore dans l'air du soir, ou collés aux vitres de ses voisins de Notting Hill, ou lus par des passants abasourdis qui les ont ramassés sur les haies et les grilles.

« On n'a trouvé que ça, monsieur », dit Letty, forçant un peu la voix pour se faire entendre par-dessus le hurlement du vent et le vacarme chuintant du déluge. Elle ajoute une poignée de pages boueuses au tas trempé qui s'élève au milieu du tapis du salon, puis se redresse, se demandant si son maître a vraiment l'intention de sécher toutes ces feuilles mouillées pour les lire, ou s'il ne se soucie que de la propreté des rues de son voisinage.

William la congédie d'un geste, à la fois de renvoi et de remerciement, donné à contrecœur. Ces dernières pages sauvées des écrits que Sugar a semés au vent de manière si méprisante ne peuvent rien ajouter à ce qu'il a déjà lu.

Derrière la porte du salon, un murmure musical d'excuses féminines suggère que Letty s'est heurtée, ou presque heurtée, en sortant, à Rose. Quelle maisonnée ! Une armée entière de femmes allant et venant de haut en bas et de bas en haut, et personne à servir que William Rackham, un homme occupé à tracer des cercles autour d'une montagne de papiers boueux d'un air inconsolable. Un homme qui, en l'espace d'une année, a gagné quantité d'importantes responsabilités, mais perdu sa femme, son frère, sa maîtresse et maintenant – Dieu veuille que cela ne soit pas vrai! – sa fille unique. Y a-t-il rien qu'il puisse faire de plus efficace en ces circonstances que de courir les rues à la recherche de pages d'un conte dans lequel les hommes sont torturés à mort?

Peut-être a-t-il fait preuve de négligence en ne montrant pas à la police les élucubrations de Sugar, mais cela semblait une perte de temps, dans un tel état d'urgence, de retarder la recherche ne fût-ce que d'une minute. L'absurdité de la pensée: garder des policiers quasiment illettrés assis dans son salon à se creuser les méninges sur les fictions enfiévrées d'une folle, quand ils pourraient être là-bas, dans les rues de Londres, occupés à la pourchasser en chair et en os!

William s'affale dans un fauteuil, et le déplacement d'air chasse du bras l'un des carrés de tissu soigneusement brodés par Agnes. Il le ramasse et le replace sur le fauteuil, quelque inutile qu'il soit. Puis il prend une page des écrits de Sugar, la page qu'il a lue en premier, quand la première brassée de ces étranges épaves a été apportée à la maison. Elle était alors molle et fragile, dégouttant d'eau, et prête à se déchirer entre ses mains, mais la chaleur du salon l'a séchée depuis, de sorte qu'elle fait entendre dans ses doigts le craquèlement d'une feuille d'automne.

*Tous les hommes se valent,* déclare la fine écriture à l'air mauvais. *S'il y a une chose que j'ai apprise au cours de mon passage sur cette terre, c'est cela. Tous les hommes se valent.*

*Comment puis-je faire preuve d'une telle conviction? Je n'ai quand même pas connu tous les hommes qu'on puisse connaître? Au contraire, cher lecteur, il est possible que tel soit le cas!*

De nouveau William fait une moue de dégoût devant l'aveu d'un tel dévergondage. De nouveau il fronce les sourcils devant l'accusation qui suit, où il est dénoncé comme *Vil homme, éternel Adam.* Pourtant, fasciné par le charme frelaté de la calomnie, il poursuit sa lecture.

*Comme vous êtes confortablement installé, lecteur, si vous êtes un membre du sexe qui s'enorgueillit d'avoir une cerise et deux noyaux dans son pantalon ! Vous imaginez que ce livre va vous amuser, vous exciter, vous sauver de l'horreur de l'ennui (l'horreur la plus profonde que votre sexe privilégié ait à endurer) et que, après l'avoir consommé comme un bonbon, vous aurez la possibilité de poursuivre votre vie exactement comme avant ! Exactement comme vous avez fait depuis qu'Ève a été trahie dans le jardin ! Mais ce livre est différent, cher lecteur. Ce livre est un COUTEAU. Gardez toute votre tête, vous allez en avoir besoin.*

Oh Dieu, oh Dieu : comment est-il possible que sa fille soit tombée entre les serres d'une telle vipère ? Aurait-il dû s'en douter avant ? Un autre homme aurait-il été plus prompt ? Il est si évident maintenant, si effroyablement patent, que Sugar est folle : son intelligence anormale, sa sexualité dépravée, son goût masculin pour les affaires, sa peau de reptile… Oh Dieu, et le jour où elle a rampé, comme un crabe, à sa poursuite, en faisant jaillir de l'eau de sa chatte ! Où avait-il la tête ! Prendre cela pour une jonglerie excitante, un jeu de société érotique, alors que le premier imbécile venu aurait reconnu les cabrioles bestiales d'un monstre !

Mais comment est-il possible que Dieu ait trouvé bon d'installer *deux* folles dans le sein de sa maisonnée, alors que d'autres hommes n'en ont aucune ? Qu'a-t-il fait pour mériter… ? Mais non, de telles questions ne sont qu'apitoiement sur soi-même, et échouent à résoudre le problème actuel. Sa fille a été enlevée et se trouve entraînée, très probablement, vers un sort pitoyable. Même si Sophie parvient à échapper aux mains de sa ravisseuse, combien de temps une enfant sans défense peut-elle survivre dans l'abominable labyrinthe de Londres ? Il y a des prédateurs à chaque coin de rue… Il ne se passe pas une semaine sans que le *Times* rapporte qu'un enfant bien vêtu a été entraîné dans une ruelle par une gentille dame pour être « déplumé » – dépouillé de ses bottines et de ses vêtements – et laissé pour mort. Il vaudrait bien mieux que Sugar demande une rançon ; quel que soit le prix, il sera ravi de payer, à condition qu'elle ne le ruine pas complètement !

William presse ses pouces contre ses yeux. Le souvenir de sa fille pleurant, le visage déformé par la douleur tandis qu'elle le supplie de ne pas renvoyer Miss Sugar hante son esprit comme une affreuse plaque de lanterne magique. Ses petites mains, n'osant pas s'agripper à lui, s'agrippant aux bords de son écritoire, comme si c'était un léger esquif tanguant sur la mer déchaînée. Est-ce *cela* l'image qu'il doit emporter dans sa tombe ? La photographie de Sophie prise chez Tovey & Schofield, qu'il voulait que la police utilise pour imprimer ses affiches de recherche, est introuvable – volée par Sugar, évidemment. Il lui a donc fallu découper aux ciseaux le visage de Sophie dans le portrait de « famille », tout en sachant, d'après sa propre expérience dans le domaine photographique, qu'une image de pareille dimension, une fois agrandie et retouchée par des inconnus, a peu de chances de ressembler beaucoup à sa fille…

Mais ce ne sont que des considérations secondaires, de simples détails et des distractions, qui tournent autour de l'horreur centrale de la situation. Hier sa fille était présente, en sécurité, occupée à jouer timidement du piano, faisant ses premiers pas hésitants vers le pardon, comprenant qu'au fond il avait son intérêt à cœur ; aujourd'hui, elle a disparu, et sa boîte crânienne résonne du souvenir de ses pleurs.

C'est incroyable, la facilité avec laquelle Sugar a commis ce crime ! N'y avait-il vraiment *personne* pour l'arrêter ? Il a interrogé toute la maisonnée, pas moins soigneusement que la police, il le parierait. Les femmes ne savent rien, n'ont rien vu, rien entendu, jurent qu'elles étaient trop occupées pour remarquer l'enlèvement. Comment peuvent-elles avoir la témérité, le front d'affirmer chose pareille ? La maison est virtuellement inhabitée et elle fourmille de domestiques – qu'est-ce qu'elles peuvent fabriquer toute la journée, sinon paresser dans des fauteuils et lire des livres à deux pence devant le feu de la cuisine ? N'aurait-il pas été possible d'épargner à une seule d'entre elles ces pénibles activités afin qu'elle s'assure que la dernière des Rackham ne soit pas enlevée par une folle ?

Les hommes n'ont pas été beaucoup plus utiles. Shears a confirmé que Miss Sugar n'est pas sortie par la grande grille : mille mercis, Mr. Shears, pour cette information de première importance ! Cheesman a dit qu'il a vu, de loin, Miss Sugar et Miss Sophie sortir se promener, mais n'a pas trouvé cela extraordinaire, attendu qu'elles le faisaient souvent l'après-midi. En entendant cela, William a été rudement tenté de réprimander le bonhomme pour son manque d'imagination, d'autant que Cheesman savait foutrement que cette gouvernante n'était pas du tout une gouvernante. Ah, mais voilà le hic : Cheesman n'est pas censé le savoir. Étant le seul employé à connaître les origines de Sugar, Cheesman pourrait lui rendre les choses foutrement compliquées maintenant que la police est sur l'affaire. Donc, plutôt que de suggérer que n'importe quel homme doué d'un gramme de bon sens aurait posé à Sugar quelques questions pénétrantes, William s'est contenté de demander si Cheesman avait par hasard remarqué comment était vêtue la gouvernante et si elle portait une valise.

« C'est pas trop mon genre de remarquer les vêtements sur une femme, monsieur, avait dit Cheesman en grattant son menton mal rasé. Et pour la valise... j'ai rien vu non plus. »

La fouille de la chambre de Sugar avait confirmé les impressions du cocher : une valise pleine avait été trouvée abandonnée près de la porte. Son contenu, une fois qu'un William hors de lui l'avait retournée, rassemblait tout ce dont une femme a besoin quand elle part en voyage : ustensiles de beauté, chemise de nuit, sous-vêtements, articles de toilette (de chez Rackham), la robe verte qu'elle portait quand il l'avait rencontrée. Mais aucun indice de là où elle aurait pu aller.

La main de William s'est mise à trembler et il entend le bruissement du papier sur ses genoux – la première page du manuscrit de Sugar qu'il tient encore serrée entre ses doigts. Il la jette et renverse de nouveau la tête sur le dossier de son fauteuil. Un autre ouvrage de broderie d'Agnes – un appuie-tête décoré de rouges-gorges et de « R » en l'honneur de son nouveau mari – est délogé de son perchoir et lui tombe sur l'épaule. D'un geste irrité, il le balance sur le couvercle du piano d'où il glisse. C'était une jolie musique, qui sortait de ce piano hier – et aujourd'hui le corps qui était assis sur ce tabouret a été happé dans un vide terrifiant.

Il grince des dents, refoulant le désespoir. Sugar et Sophie sont là-bas, *quelque part.* Si seulement il pouvait, juste une heure, avoir une perspective aérienne au-dessus des toits de la ville, mais sans les nuages ; et si seulement Sugar pouvait porter sur elle, sans le savoir, un halo de culpabilité, une marque incandescente de criminalité qui la ferait luire comme un phare, pour qu'il puisse la désigner depuis le ciel en criant : *Là ! La voilà !*

Mais non, de tels fantasmes n'ont rien à voir avec la réalité. Un nombre inconnu de policiers traînent dans les rues, sans voir plus loin que le prochain coin, distraits par des colporteurs qui braillent et des voleurs qui détalent, gardant l'œil à demi ouvert à la recherche d'une dame avec une enfant qui, à la différence des centaines de dames avec des enfants qui parcourent la métropole, doit être arrêtée. Est-ce la meilleure façon de faire, quand la fille de William Rackham est en danger de mort ?

Il bondit sur ses pieds, allume une cigarette et aspire bouffée sur bouffée, en faisant les cent pas. Sa fureur et son agitation sont aggravées par la conscience que rien ne le distingue de n'importe quel autre homme dans sa situation : il se comporte exactement comme eux, à faire les cent pas en fumant, attendant que d'autres lui apportent une nouvelle qui a peu de chances d'être bonne, et se reprochant d'avoir bu trop de cognac.

Le tas de papiers mouillés sur le tapis commence à fumer légèrement. Avec un grognement de dégoût, il en saisit une page, voit que la pluie l'a rendue illisible, en prend une autre.

« *Mais je suis père* est ce sur quoi tombe son regard. *J'ai un fils et une fille qui m'attendent à la maison !*

*– Il fallait y penser avant », dis-je, tout en découpant sa chemise avec mes ciseaux de couture tranchants comme un rasoir. J'étais très concentrée sur mon travail, promenant les ciseaux sur son ventre poilu.*

L'estomac qui se trouve dans le ventre poilu de William se contracte d'horreur et il ne peut poursuivre sa lecture. Dans son esprit il revoit Sugar le soir de leur rencontre, vantant avec un doux sourire les vengeances les plus sanglantes. « *Titus Andronicus*, voilà *une pièce* », lui roucoulait-elle au Fireside, et il n'avait pas entendu la sonnette d'alarme, croyant qu'elle se contentait de faire la conversation. Ensorcelé par la précocité de son intelligence, il pensait qu'elle était plus que cela – il la prenait pour une âme tendre, souffrant de solitude, sincèrement avide de lui plaire. A-t-il eu tort de bout en bout? Dieu fasse qu'il ne se soit pas complètement abusé; Dieu fasse qu'elle ait en elle une once de bonté, sinon Sophie est perdue!

Laissant tomber la page, William fixe les portes-fenêtres dont les vitres sont secouées et inondées de pluie. Un filet d'eau est entré par le joint, et tremble à la périphérie du parquet. Le menuisier lui a solennellement juré que cela n'arriverait plus jamais! Il a dit que ces fenêtres étaient «aussi étanches qu'un médaillon», maudit soit-il! William a toujours la carte de ce vaurien; il va le faire revenir pour qu'il refasse le travail comme il faut.

«S'il vous plaît, monsieur, dit Letty, l'arrachant de sa colère impuissante avec un sursaut de surprise. Est-ce que vous voulez dîner?»

Dîner? *Dîner?* Comment cette idiote peut-elle imaginer qu'il a l'estomac de dîner un soir pareil? Il ouvre la bouche pour la réprimander, pour lui faire savoir que c'est précisément l'incapacité où elle est de comprendre qu'il existe autre chose au monde que la tarte aux prunes et le cacao qui est la cause de cette calamité. Mais alors il voit la peur sur le visage de Letty et le désir sincère, canin, de le satisfaire. Pauvre femme: c'est peut-être une attardée, mais elle est pleine de bonne volonté, et elle n'est pas responsable de la vilenie de filles comme Sugar.

«Merci, Letty, soupire-t-il en se frottant le visage de ses paumes. Du café peut-être. Et du pain beurré. Ou… ou des asperges sur toasts, si vous pouvez.

– Pas de problème, Mr. Rackham», gazouille Letty, rose du plaisir de constater qu'il y a enfin quelque chose qu'elle peut faire.

Le lendemain matin, Rose apporte à William le plateau d'argent du courrier, et il parcourt avidement les enveloppes, à la recherche d'une lettre de rançon. Parmi la correspondance d'affaires, il n'y a que trois lettres sans adresse au dos. Trop impatient pour user du coupe-papier, il les ouvre avec les ongles.

La première demande de l'aide pour les lépreux d'Inde qui, d'après une certaine Mrs. Eccles de Peckham Rye, seraient tous guéris si chaque homme d'affaires en Angleterre gagnant un excédent de mille livres par an donnait juste une de ces livres à l'adresse ci-jointe. Une autre, provenant du magasin William Whiteley à Bayswater, annonce avec plaisir que chacun des habitants de Notting Hill saura dorénavant que Whiteley compte également un département quincaillerie et que les dames qui font leurs achats sans être accompagnées par un monsieur, si elles veulent déjeuner, peuvent certainement se rendre dans la salle à manger refaite de neuf. La troisième provient d'un monsieur qui vit à quelques centaines de mètres de Pembridge Villas, et contient une feuille de papier salie décorée de dessins de roses trémières et d'un en-tête trop abîmé par les semelles boueuses pour être déchiffré. La liste suivante s'y trouve, calligraphiée en faux gothique :

*Menuet : 10*
*Gavotte : 9 1/2*
*Cachucha : 8 1/2*
*Mazurka : 10*
*Tarentelle : 10*
*Maintien en début et fin : 10*
*Maintien pendant les pauses : 9 1/2*
*Bravo, Agnes !*

À quoi le monsieur de Pembridge Villas ajoute, sur une feuille à part :

*Ma femme pense que ceci peut vous avoir appartenu.*

Rose, quand elle apporte à son maître le deuxième courrier, est bouleversée de le voir penché sur son bureau, sanglotant dans ses mains.

« Où est-elle, Rose ? demande-t-il d'une voix rauque. Où se cache-t-elle ? »

La domestique, qui n'a pas l'habitude d'être traitée par son maître avec une telle familiarité, est prise de court.

« Elle est peut-être rentrée chez elle, monsieur ? suggère-t-elle, tripotant nerveusement le plateau vide.

– Chez elle ? répète-t-il, enlevant les mains de son visage.

– Chez sa mère, monsieur. »

Il la regarde, bouche bée.

Tout suant et essoufflé d'avoir couru depuis l'endroit où il a laissé la voiture de Cheesman coincée dans la circulation de Regent Street, William Rackham frappe à la porte de la maison de Silver Street – la maison qui ne fut jamais, en dépit de ce qu'en disent *Les Plaisirs de Londres*, réellement dans Silver Street.

Après un long moment, durant lequel il respire fort et tente de calmer les battements de son cœur, la porte s'entrouvre de quelques centimètres. Un bel œil brun le regarde, point de convergence d'une longue et mince vignette de peau albâtre, d'une chemise d'un blanc éclatant, et d'un costume couleur café.

La voix soyeuse d'une femme demande : « Vous avez rendez-vous ?

– Je-je désire voir Mrs. Castaway. »

L'œil se ferme à demi, révélant des cils fournis. « Tout dépend, répond la voix adoucie par l'insolence, si vous avez été sage.

– Quoi ! s'écrie William. Ouvrez la porte, madame ! »

L'inconnue agrandit l'interstice jusqu'à ce que la chaîne de sécurité soit tendue. Ses cheveux plaqués sur le crâne, son costume d'homme – on ne peut plus élégant –, son col de chemise et sa cravate font frissonner William de dégoût.

« Je-je veux d-dire quelques mots à Mrs. Castaway, répète-t-il.

– Vous avez du retard, monsieur, dit la lesbienne, portant un fume-cigarette à sa bouche et tirant une bouffée, rapide comme un baiser. Mrs. Castaway est morte. C'est Miss Jennifer Pearce qui est aujourd'hui propriétaire.

– En… en fait je voudrais des nouvelles de Sugar.

– Sugar est partie, de même que les autres filles de l'année dernière, réplique la femme, de la fumée s'échappant de ses narines. Place à la nouveauté, telle est notre philosophie. » Et certes ce que Rackham peut voir de l'intérieur est méconnaissable. Un visage inconnu apparaît à la porte du salon, suivi d'un corps : une apparition merveilleusement vêtue d'une robe en algérienne bleu et or.

« Je dois absolument trouver Sugar, insiste-t-il. Si vous avez la moindre idée de là où elle p-p-peut être, je vous su-supplie de me le dire. Je vous pai-paierai tou-tout ce que vous vou-voudrez. »

La mère maquerelle s'approche, balançant nonchalamment un éventail fermé comme si c'était un fouet.

« J'ai deux choses à vous dire, déclare-t-elle, pour lesquelles vous n'aurez pas à payer. La première c'est que la fille que vous appelez Sugar a renoncé à la vie dissolue, pour autant que nous sachions : vous pourrez peut-être la trouver dans un des repaires de la Société de Secours. Deuxièmement, selon nous, vos savons et onguents ne gagnent pas à porter votre image. Que Dieu nous accorde au moins quelques endroits où nous n'ayons pas à voir un visage d'homme. Ferme la porte, Amelia. »

Et la porte se ferme.

Durant les quelques secondes suivant cette insulte, William songe à frapper de nouveau et cette fois-ci à exiger satisfaction, sous la menace de se faire escorter par la police. Mais alors il considère que ces viles créatures disent peut-être la vérité quant à Sugar. Elle n'est pas dans cette maison-là, c'est clair ; et si elle n'est pas là, où est-elle ? Est-il vraiment concevable que Sugar s'en remette à la merci de la Société de Secours ? Comment expliquer autrement qu'Emmeline Fox ait envoyé un paquet à Sugar il y a seulement quelques jours ? Ceci est-il un nouvel exemple de collusion entre deux femmes tragiquement malavisées ? Décidé à ne pas laisser la colère obscurcir sa raison, il s'éloigne de Chez Mrs. Castaway et retourne au tohu-bohu de Silver Street.

« Vot' dame joue du piano, monsieur ? »

Après un épouvantable voyage en omnibus, qu'il a passé assis en face d'une douairière à l'air affecté – elle avec une publicité pour les Bonbons à la Rose de Damas Rackham au-dessus de la tête, lui avec une publicité pour l'Eau de Benjoin Rimmel –, William descend à Bayswater et se dirige droit vers la longue rangée de petites maisons modestes qui constituent Caroline Place. Là il s'arme de courage en vue de la prochaine lutte contre les nœuds de la tragédie qui vont se resserrant.

N'ayant pas obtenu de réponse à sa première tentative, William frappe des coups plus forts et insistants à la porte de Mrs. Emmeline Fox. La fenêtre sur rue est voilée par des rideaux mais il a vu deux auras – aurores ? – diffusées par des lampes à travers les couches de dentelle fanée. Le chat d'Henry, réveillé par le bruit, a bondi sur l'appui de la fenêtre et frotte son museau contre la croisée pleine de toiles d'araignées. Il a l'air deux fois plus grand qu'il n'était lorsque Mrs. Fox l'a emporté de la maison Rackham.

« Qui est là ? » Derrière la porte la voix de Mrs. Fox semble ensommeillée, bien qu'il soit deux heures de l'après-midi.

« C'est William Rackham. Puis-je vous parler ? »

Un silence. William, frigorifié par le vent glacé, livré aux regards des passants, frémit d'impatience ; il a bien conscience que la visite d'un homme non accompagné à une femme seule est contraire aux convenances, mais Mrs. Fox, plus que toute autre, doit être prête à faire une entorse à la règle.

« Je ne suis pas visible », dit-elle enfin.

William fixe le numéro en cuivre vissé à la porte, ébahi. Au coin de la rue, un chien jappe joyeusement à un compagnon bâtard qui se trouve sur l'autre trottoir, et un garçon en manches de chemise jette un regard soupçonneux au gros barbu en colère.

« Je ne pourrais pas venir vous voir, plutôt, poursuit Mrs. Fox, un peu plus tard ce matin ? Ou dans l'après-midi ?

– C'est très urgent ! » proteste William.

Un nouveau silence, tandis que le chat d'Henry s'étire de toute sa longueur contre les vitres, révélant une circonférence avantageuse et deux petites boules duveteuses.

« Attendez une minute, je vous prie », dit Mrs. Fox.

William attend. Que diable fabrique-t-elle ? Elle fait sortir Sugar et Sophie par la porte de derrière ? Les fourre dans une armoire ? Maintenant qu'il a fait l'effort de venir, son soupçon initial selon lequel Mrs. Fox pourrait savoir quelque chose sur l'endroit où se trouve Sugar est devenu la conviction maniaque qu'elle abrite les fugitives.

Après ce qui lui semble un siècle, Mrs. Fox lui ouvre, et il s'introduit dans son vestibule avant qu'elle ait pu s'y opposer.

« En quoi puis-je vous être utile, Mr. Rackham ? »

D'un coup d'œil il estime l'état de la maison – l'odeur de renfermé, la subtile patine de poussière, le fer de lit posé contre le mur, les piles de livres sur les marches de l'escalier, le sac d'emballage marqué GANTS POUR L'IRLANDE bloquant l'accès au placard à balais. Mrs. Fox le regarde d'un air tolérant, juste un peu honteuse de son intérieur, attendant qu'il lui donne une explication pour sa grossière intrusion. Elle est vêtue d'un manteau d'hiver à col et poignets de fourrure noire qui lui descend aux mollets, boutonné jusqu'au sternum. Là-dessous, au lieu d'une blouse ou d'un corsage, elle porte une chemise d'homme qui n'est pas très propre et beaucoup trop grande pour elle. Ses bottines sont lacées juste pour éviter qu'elles ne retombent comme des peaux de banane noires sur ses chevilles nues.

« Ma fille a été enlevée, déclare William, par Miss Sugar. »

Les yeux de Mrs. Fox s'agrandissent, mais pas autant qu'une telle nouvelle ne *devrait* les agrandir. En fait, elle a l'air à moitié endormie.

« Comme c'est… extraordinaire, souffle-t-elle.

– Extraordinaire », répète-t-il, ahuri par son sang-froid. Pourquoi diable ne s'évanouit-elle pas, ou ne tombe-t-elle pas à genoux, les mains pressées contre sa poitrine, ou ne porte-t-elle pas son faible poing à son front en s'écriant : « Oh ! » ?

« Elle m'a fait l'impression d'être une fille gentille et bien intentionnée. »

Sa placidité et son indulgence le mettent en rage. « Vous avez été trompée. C'est une folle, une folle vicieuse, et elle a ma fille.

– Elles m'ont paru avoir de l'affection l'une pour l'autre…

– Mrs. Fox, je ne veux pas discuter avec vous. Je – je… » Il avale sa salive, se demandant s'il y aurait moyen de signifier ses intentions sans avoir l'air d'une brute. Il n'y en a pas. « Mrs. Fox, je désire m'assurer que Sugar – que Miss Sugar et ma fille ne sont pas dans cette maison. »

Mrs. Fox reste bouche bée de surprise.

« Je ne peux pas consentir à cela, murmure-t-elle.

– Pardonnez-moi, Mrs. Fox, réplique-t-il d'une voix rauque, mais il le faut. » Et, avant que le regard furieux qu'elle lui jette ait pu le décourager, il se dirige d'un pas lourd vers la cuisine, où il entre immédiatement en collision avec une pile enchevêtrée de chaises appartenant à Henry. La pièce, déjà petite, est bizarrement encombrée de tout en double : deux cuisinières, deux vaisseliers, deux seaux à glace, deux bouilloires, et ainsi de suite. Il y a une miche de pain avec un couteau planté dedans, et quinze, vingt boîtes de saumon et de bœuf en conserve, alignées comme des soldats sur un banc qui a été lavé mais garde des traces de sang jaune rosé. On peut à peine s'y tenir, et encore moins y cacher une femme de grande taille et une enfant corpulente. Le jardin, clairement visible derrière les fenêtres lavées de pluie, est une jungle de verdure luxuriante et impropre à la consommation.

Déjà sûr de s'être trompé, mais incapable de s'arrêter, William quitte la cuisine et inspecte les autres pièces. Le chat d'Henry le suit, excité par une telle activité dans une maison dont le rythme est généralement si calme. William évite les entassements de meubles poussiéreux et s'efforce de ne pas heurter du pied caisses, amoncellements de livres, paquets soigneusement adressés n'attendant que leurs timbres, sacs volumineux. Le salon de Mrs. Fox montre des signes de journées fort industrieuses, avec des douzaines d'enveloppes prêtes à être envoyées, une carte de la métropole déployée sur le bureau, et de nombreux réceptacles contenant colle, encre, eau, thé et une substance d'un brun sombre couverte d'une écume laiteuse.

Il monte les escaliers quatre à quatre, rougissant tant de honte que d'effort. À la porte de la chambre, une boîte en carton est pleine de crottes de chat. Le lit de Mrs. Fox est défait, et un pantalon d'homme, couvert de poils de chat, est étalé sur la couverture. Accrochée à un portemanteau se trouve une tenue immaculée et soigneusement repassée, composée d'un corsage, d'une veste et d'une robe des couleurs sobres qui conviennent à Mrs. Fox.

William n'y tient plus, la certitude où il était d'ouvrir une penderie pour en démasquer, avec un cri de soulagement triomphal, Sugar et sa fille terrifiée, s'est totalement évanouie. Il redescend au rez-de-chaussée, où l'attend Mrs. Fox, le visage tourné vers lui, les yeux jetant des éclats courroucés de reproche.

« Mrs. Fox, dit-il, se sentant plus sale que le contenu de la boîte en carton au premier, je – je… Comment… Cette violation de votre intimité. Comment pourrez-vous jamais me pardonner ? »

Elle croise les bras sur sa poitrine et lève le menton.

« Ce n'est pas à moi de vous pardonner, Mr. Rackham, déclare-t-elle d'un ton froid, comme si elle ne faisait que lui rappeler que la foi qu'ils partagent officiellement n'est pas du genre catholique.

– J'ai perdu l'esprit, plaide William, se dirigeant vers la porte en traînant les pieds, de peur, pour comble, de marcher sur le chat d'Henry qui cabriole autour de ses chevilles en mordant son pantalon. Y a-t-il quelque chose que je puisse faire pour retrouver votre estime ? »

Mrs. Fox cligne lentement des yeux, serrant plus fort sa poitrine. Son long visage possède, ainsi que William le remarque tardivement, une étrange beauté, et – Dieu du ciel, est-ce possible – est-ce un *sourire* qui taquine le coin de ses lèvres ?

« Merci, Mr. Rackham, dit-elle avec suavité. Je songerai sérieusement à votre proposition. Après tout, un homme de vos ressources est idéalement placé pour accomplir les nombreuses tâches qui doivent être accomplies en ce monde. » D'un geste elle désigne le fouillis philanthropique qui encombre sa demeure. « J'ai entrepris plus que je ne suis en mesure de faire, ainsi que vous n'avez pu manquer de le remarquer. Alors... Oui, Mr. Rackham, je compte sur votre assistance dans l'avenir. »

Et, peu orthodoxe jusqu'au bout, c'est elle qui ouvre la porte, et lui souhaite le bonjour.

« Miaou ! » renchérit le chat d'Henry, se prosternant avec bonheur aux pieds de sa maîtresse.

Humilié au point de souhaiter que la foudre le réduise en cendres, William rentre chez lui. La police est-elle venue ? Non, la police n'est pas venue. Veut-il qu'on lui réchauffe son déjeuner ? Non, il ne veut pas qu'on lui réchauffe son déjeuner. Du café, apportez-lui du café.

Quelque insupportable que soit la tension, il n'a pas d'autre choix que de la supporter, et de s'occuper comme d'habitude de ses affaires. Il est encore arrivé des lettres, dont aucune ne concerne Sugar ou sa fille. Il y en a une de Grover Pankey qui le traite de malotru et ne veut plus avoir de relations avec lui. L'esprit de William est si bouleversé qu'il songe à provoquer Pankey en duel : le vieux rustre est probablement un tireur d'élite et délivrerait William de ses ennuis d'un seul coup de pistolet. Mais non, il doit garder toute sa tête, et faire des propositions à ce Cheadle de Glamorgan. Les pots d'ivoire de Cheadle sont aussi légers que des coquillages mais assez résistants pour supporter la pression d'un poing. William le sait : il a essayé.

Il ouvre une lettre qui porte au dos un nom et une adresse inconnus : Mrs. F. de Lusignan, 2, Fir-Street, Sydenham.

*Cher Mr. Rackham*, le salue la brave dame,

*Les soucis et la maladie ont rendu mes cheveux gris, mais une seule bouteille de votre Huile Rackham leur a redonné un magnifique noir, aussi beau que celui de mes jeunes années. Toutes mes amies m'en font la remarque. Faites de cette lettre l'usage que vous voudrez.*

William cligne des yeux d'un air stupide, ne sachant s'il doit rire ou pleurer. C'est le genre de témoignage que lui et Sugar ont inventé pour les publicités Rackham et le voilà : cent pour cent authentique. Mrs. F. de Lusignan, admirant ses cheveux teints dans un miroir à Sydenham, Dieu la bénisse ! Elle mérite une boîte entière d'Huile de Corbeau – ou peut-être est-ce cela qu'elle avait en tête.

Le reste du courrier ne concerne que les affaires, pourtant il se force à le lire, chaque lettre le fatigant davantage comme une cuillerée de cendre avalée avec la plus grande difficulté. Mais, alors qu'il est occupé à répondre à Miss Baynton du rayon parfumerie de Harrod's, il comprend soudain, en un éclair, où a dû aller Sugar et où, à ce moment même, sa fille attend son destin en tremblant.

Lorsque William atteint finalement la maison de Mrs. Leek dans Church Lane, le soleil est bas dans le ciel, dorant d'un or incongru les vieilles bâtisses branlantes. Les exosquelettes compliqués des tuyaux en fer brillent comme des colliers monstrueux, les cataplasmes de stuc sont jaune beurre sur les murs, les cordes à linge font claquer leurs guenilles comme de glorieux étendards. Même les fenêtres du grenier, fendues et de guingois sous les toits, resplendissent des reflets d'une lumière condamnée à s'éteindre bientôt.

Mais William n'a pas le cœur à admirer la vue. Il se soucie plutôt de savoir si l'adresse où un cocher, jadis, a été envoyé prendre un vieillard en chaise roulante pour l'emmener à la lavanderaie Rackham à Mitcham, est bien celle devant la porte de laquelle il se tient maintenant, frappant le bois cloqué de son poing. Il n'a que la parole de Sugar, après tout, que le vieillard habitait vraiment ici, et ce n'est pas le genre de rue où un homme bien habillé peut demander son chemin en toute sécurité.

Après une éternité, la porte s'ouvre, et là, clignant des yeux derrière un pince-nez embrumé, le colonel Leek se tient assis dans l'obscurité.

« Oublié quelque chose ? » dit-il de sa voix sifflante, prenant William pour un client récent. Puis : « Oh, c'est vous.

– Puis-je entrer ? demande William, craignant qu'à l'instant même Sugar soit en train de guider Sophie dans les méandres crasseux de la maison en direction d'une porte donnant sur l'arrière.

– Mais absolument, *absolument*, déclare le vieillard avec une politesse exagérée. Nous serions honorés. Un homme de votre importance, monsieur. Monsieur vingt hectares ! Merveilleux, merveilleux... » Et il pivote sur ses essieux, puis roule sur la piste rance d'un tapis soupirant d'humidité. « 1819 : une année exceptionnelle pour la culture ! 1814, 1815, 1816 : des gelées comme on n'en avait jamais vu, récoltes perdues d'une côte à l'autre, des banqueroutes à la pelle ! Adam Tipton, de Caroline du Sud, qu'on appelait le Roi du Coton en 1863 ! En 1864, après le passage des charançons, retrouvé avec une balle dans la tête !

– Je suis venu voir Sugar », lâche William. Peut-être que s'il formulait directement son souhait, comme une demande impérative, forcerait-il le vieux gredin à révéler plus qu'il ne devrait.

« Elle n'est jamais revenue me chercher, la catin, déclare le colonel Leek d'un ton méprisant. La promesse d'une femme ça ne vaut pas tripette. Je n'ai jamais eu mon tabac à priser, jamais revu votre *magnifique* lavanderaie, monsieur.

– Je croyais que l'excursion ne vous avait pas plu, remarque William, jetant un coup d'œil dans l'escalier sombre avant de franchir le seuil du salon. Il me semble me rappeler qu'on aurait dit que vous aviez été... *enlevé.*

– Ooh, ça m'a fait un changement agréable », bêle le vieillard, ne trahissant ni trouble ni envie de mordre à l'hameçon. Il s'est arrêté dans un coin de la pièce, ajoutant sa masse miteuse au fouillis de vieilles poteries et d'accessoires guerriers. « Ma toute première lavanderaie ! Puissamment instructif. » Il découvre des dents noires de ruminant en un rictus mielleux.

Une femme a descendu l'escalier aux marches grinçantes et passe maintenant la tête à la porte du salon. C'est une jolie petite chose, pas un perdreau de l'année mais bien conservée, avec un gentil visage bienveillant et un corps avenant, vêtu des couleurs à la mode deux Saisons auparavant.

« Vous me cherchiez monsieur ? demande-t-elle à l'inconnu, quelque peu surprise de voir le chaland venir à elle plutôt qu'elle à lui.

– Je cherche Sugar, dit William. Qui vient souvent ici, je crois. »

La femme hausse les épaules d'un air triste. « C'était il y a longtemps, monsieur. Sugar a trouvé un homme riche pour s'occuper d'elle. »

William Rackham se redresse de toute sa taille et serre les poings. « Elle m'a volé ma fille. »

Caroline réfléchit un instant, se demandant si cet homme dit vraiment ce qu'il veut dire, ou si « voler ma fille » est l'un de ces tours de phrase élégants que les gens instruits utilisent pour signifier quelque chose de plus élevé.

« Votre fille, monsieur ?

– Ma fille a été enlevée. Par votre amie Sugar.

– Saviez-vous, lance le colonel Leek avec un enthousiasme lugubre, que sur dix personnes noyées en Angleterre et au pays de Galles, six sont des enfants de dix ans et moins ? »

Caroline observe les yeux de l'inconnu élégamment vêtu s'écarquiller d'indignation, et juste comme elle constate à quel point il lui rappelle quelqu'un qu'elle a connu, elle pige que ce type est Rackham le parfumeur, le frère de son gentil curé. Au souvenir de cet homme si doux son estomac se serre, car elle est surprise, et les souvenirs peuvent être cruels quand ils vous prennent par surprise. Elle tressaille et porte une main à sa poitrine, incapable de soutenir le regard accusateur de l'homme qui se tient en face d'elle.

« Je ne me laisserai pas berner ! hurle Rackham. Vous en savez plus que vous ne dites, je le vois bien !

– Je vous en prie, monsieur... », dit-elle, détournant la tête.

Aussi sûrement que si le couvercle d'une cuve avait été soulevé, William détecte la forte puanteur d'un secret qui ne peut plus être caché. Enfin il est sur la bonne voie ! Enfin cette affaire se dirige vers le dénouement explosif qu'il recherche – la révélation, la tension que l'on relâche, qui secoue l'univers d'une convulsion féroce, pour tout laisser retomber en place, revenu à la normale ! Avec un grognement résolu, il pousse la femme, sort du salon et se précipite dans l'escalier.

« Hé là ! Sept pence ! crie le colonel Leek, griffant l'air après lui.

– Attention, monsieur ! crie Caroline. Il y a des marches... »

Mais il est déjà trop tard.

La nuit est tombée sur St. Giles, sur Londres, sur une bonne partie du monde. Les allumeurs de réverbères arpentent les rues, éclairant solennellement, telle une armée de fidèles, d'innombrables cierges hauts de cinq mètres. C'est un spectacle magique, pour quiconque y assisterait depuis le ciel, ce qui, malheureusement, n'est le cas de personne.

Oui, la nuit est tombée, et seules les créatures sans importance sont encore au travail. Dans les gargotes qui s'animent, on sert joues de bœuf et pommes de terre aux fripiers. Tavernes, débits de bière, palais du gin bourdonnent d'activité. Les boutiquiers respectables sont en train de fermer, cadenassant les étais et verrouillant les loquets ; ils éteignent les lumières, condamnant leur marchandise invendue à la peine d'une nouvelle nuit d'autocontemplation. Dans les couches inférieures de la société, des créatures plus pauvres, plus misérables triment à demeure, collant des boîtes d'allumettes, cousant des pantalons, fabriquant des jouets en fer-blanc à la lueur des chandelles, fourrant le linge sale des voisins dans les essoreuses, s'accroupissant au-dessus de bassines avec leurs jupes relevées jusqu'aux épaules. Laissez-les s'escrimer, laissez-les becqueter, laissez-les disparaître dans l'obscurité, vous n'avez plus le temps de regarder.

La société raffinée se prélasse dans une chaude atmosphère de gaz et de paraffine, et les domestiques préparent des feux pour le confort de ceux qui passent maintenant le temps qui les sépare du coucher en brodant, dînant, confectionnant des albums d'images, écrivant des lettres, des romans, jouant à des jeux de société, priant. Les visites de nature intime ont pris fin au son d'une cloche, et les conversations ainsi interrompues, quelque intéressantes qu'elles se soient révélées, ne peuvent être reprises avant l'heure convenue du lendemain. Les enfants bien élevés sont conduits par leurs nurses à leurs mères afin d'être choyés une heure ou deux avant d'être renvoyés à l'étage aux lits qui les attendent. Les célibataires comme Bodley et Ashwell, pas le moins du monde désavantagés par le fait de n'avoir pas d'épouses, étalent des serviettes sur leurs genoux au Café Royal, ou se renversent dans les fauteuils de leurs clubs, un verre de sherry à la main. Dans les meilleures maisons, les cuisinières, les filles de cuisine et les valets de pied se préparent à relever le défi qui consiste à parcourir de longs couloirs pleins de courants d'air pour apporter juste à temps dans les salles à manger des plats brûlants. Dans les maisons plus humbles, de petites familles acceptent ce qui est posé devant elles, et en rendent grâce à Dieu.

Dans Church Lane, St. Giles, où on ne remercie nul Dieu et on ne baigne nul enfant, et où les réverbères sont rares et très espacés, William Rackham est conduit dans l'obscurité quasi totale, trébuchant et boitant sur des pavés humides et gras de saleté. Il a un bras passé sur l'épaule d'une femme, et à chaque pas, il gémit de douleur et de mortification. Une jambe de son pantalon est déchirée et pleine de sang.

« Ça va ! s'écrie-t-il, s'éloignant de la femme, pour la saisir de nouveau quand sa jambe blessée refuse de le porter.

– Encore un effort, monsieur, halète Caroline. Nous y sommes presque.

– Appelez-moi un fiacre, dit William, avançant dans le brouillard de son haleine. Je n'ai besoin que d'un fiacre.

– Les fiacres viennent pas ici, monsieur, dit Caroline. Encore un peu plus loin. »

Une soudaine bourrasque, porteuse de neige fondue, pique William aux joues. Ses oreilles l'élancent, tuméfiées comme s'il avait reçu une correction.

« Lâchez-moi ! gémit-il, mais c'est lui qui s'accroche.

– Il vous faut un médecin, monsieur, souligne Caroline, ne relevant pas sa mauvaise humeur. Vous allez voir un médecin, n'est-ce pas ?

– Oui, oui, oui », gémit-il, abasourdi de l'état auquel une simple marche pourrie a été capable de le réduire.

Les lumières de New Oxford Street brillent au loin. Des voix étouffées tourbillonnent dans le vent, ce sont celles, fatiguées, des ouvriers de la brasserie Horsehoe qui sortent du travail. Leurs silhouettes d'épouvantail s'élèvent dans la bruine tandis qu'ils traversent la limite marquant l'entrée dans Bloomsbury, leur quartier.

« Hé, pasteur ! » crie quelqu'un, et sa plaisanterie est saluée de rires rauques.

Caroline escorte William Rackham jusqu'au bord de la grande artère, sous un réverbère, puis le tire en arrière afin qu'il ne s'effondre pas dans le caniveau.

« Je vais rester avec vous, monsieur, dit-elle tranquillement, jusqu'à ce qu'un fiacre arrive. Sinon vous allez vous faire tuer. »

À la lumière, William peut examiner les lambeaux affreusement sanglants de sa jambe de pantalon, puis la femme près de lui. Son visage est impassible, un masque ; elle a toutes les raisons de le mépriser ; et pourtant elle lui témoigne de la charité.

« Tenez – prenez ça », dit-il, tirant maladroitement de sa poche une poignée de pièces – shillings, souverains, petite monnaie – qu'il lui fourre dans la main. Elle accepte sans un mot et fait disparaître l'argent dans une fente de ses jupes, mais elle demeure à ses côtés.

Honteux, il essaie de se tenir sur ses deux pieds, et la douleur irradie sa jambe, comme si un fantôme vengeur tapi sous terre lui avait tiré une balle à travers le talon en direction du cœur. Il tangue, et sent le bras de la femme qui se resserre autour de sa taille.

Des larmes lui montent aux yeux ; les lumières d'Oxford Street se brouillent et vacillent. Son corps vacille lui aussi, à l'idée de ses blessures : en quel état sera-t-il quand tout sera fini ? Est-il voué à être un infirme, objet de raillerie se traînant de fauteuil en fauteuil, écrivant comme un enfant et bégayant comme un idiot ? Qu'est-il advenu de l'homme qu'il était jadis ? Une ombre spectrale glisse sur le trottoir opposé, rapide et résolue, noire comme le deuil.

Il ferme fort les yeux, mais les apparitions affluent toujours : une femme grande et mince vêtue de soie verte, se hâtant sous la pluie, sans bonnet ni parapluie. Pendant un instant, comme elle passe sous un réverbère, ses cheveux luxuriants jettent une lueur de feu ; et il s'imagine que son odeur, pareille à nulle autre sur terre, est charriée jusqu'à lui par le vent. Alors qu'elle passe, elle tend la main derrière elle, agitant les doigts comme si elle l'invitait à les saisir. *Fais-moi confiance*, semble-t-elle lui dire, et Dieu, comme il brûle de lui faire de nouveau confiance, de presser son visage enfiévré entre ses seins. Mais non : c'est Sophie à qui elle fait signe – sa fille, méconnaissable, vêtue de haillons crasseux, gamine des rues aux pieds nus sortie tout droit d'une illustration. Du calme, du calme : ce n'est qu'une hallucination, un tour que lui joue son imagination : il la ramènera en sûreté au sein de la famille.

Puis vient une macabre vision : le cadavre d'une femme à la peau blanche, défigurée par des entailles pourpres et des ecchymoses couleur lavande. Sa poitrine est ouverte, révélant un cœur palpitant entre deux seins généreux, et elle danse gracieusement sur les pavés noircis. Bien qu'il ait toujours les yeux fermés, William détourne la tête et l'enfouit dans l'épaule douce proche de sa joue.

« Ne vous endormez pas, monsieur », lui dit gentiment Caroline, se redressant, le serrant fort pour le réveiller. Il regarde de nouveau son visage ; il n'est plus aussi impassible maintenant ; il détecte un demi-sourire las. Son châle a glissé, et la sueur de l'effort scintille dans le creux de ses clavicules ; sa peau, bien qu'elle soit ferme, révèle quelques rides au cou. Son sein gauche pigeonnant porte la cicatrice rouge vif d'une brûlure en forme de pointe de flèche. Il y a une histoire derrière cette cicatrice, c'est sûr, pour peu qu'elle ait envie de la lui raconter.

Ah, comme elle est chaude, et comme sa main presse fermement ses reins ! Comme sa chevelure est épaisse et chatoyante, pour une femme qui n'est plus jeune ! Maintenant qu'ils sont demeurés immobiles un certain temps, il sent son corps qui respire contre le sien – comme elle respire divinement ! Désespérément, il ajuste le rythme de son souffle au sien. Pressés l'un contre l'autre sous le réverbère, voilés sous un dais de lumière qui tourbillonne doucement, leurs ombres courtes indistinctement mêlées, ils forment une étrange chimère noire projetée sur les pavés, femme du côté gauche, homme du côté droit.

« Vous êtes vraiment t-t-très bonne, lui dit-il, brûlant d'être allongé dans un lit confortable. Je ne sais pas comment...

– Voilà votre fiacre, monsieur ! » déclare gaiement Caroline, lui tapotant le derrière alors qu'enfin le secours arrive en vue. Et avant qu'il puisse lui compliquer la vie, elle se dégage adroitement de son étreinte et se hâte de rejoindre Church Lane, hors de sa portée, hors de la vôtre.

« Adieu ! » chante sa voix, car son corps a déjà disparu, une silhouette qui se fond dans l'obscurité indéchiffrable.

Et à vous aussi : adieu.

Une séparation brusque, je sais, mais il en est toujours ainsi, n'est-ce pas ? Vous pensez que cela durera toujours, et soudain c'est fini. Je suis content que vous m'ayez choisi, cependant ; j'espère que j'ai satisfait tous vos désirs, ou au moins que je vous ai fait passer un bon moment. Nous avons été si longtemps ensemble, et nous avons vécu tant de choses, et pourtant je ne connais même pas votre nom !

Mais maintenant il est temps de me laisser partir.

## REMERCIEMENTS

J'étais bien trop jeune dans les années 1870 pour noter en détail tout ce qu'il aurait fallu et ce récit est sans doute truffé d'inexactitudes. En fait, *La Rose pourpre et le Lys* eût été une œuvre totalement fictive si je n'avais pas été aidé dans mes recherches par un grand nombre de personnes. Je les remercie d'avoir partagé leurs souvenirs avec moi, et j'endosse la responsabilité de toute infidélité à la réalité qui pourrait demeurer dans le texte. Certaines, comme la reprogrammation du désastre ferroviaire d'Abbots Ripton et le détournement éhonté de ce qui appartient en propre au Pétomane, sont volontaires ; d'autres sont dues à l'ignorance, dont n'ont pas su me garder les érudits que sont :

Chris Baggs, Clare Bainbridge, Paul Barlow, Francis Barnard, Lucinda Becker, Cynthia Behrman, Gemma Bentley, Alex Bernson, Marjorie Bloy, Nancy Booth, Nicola Bown, Trev Broughton, Arthur Burns, Janmie Byng, Rosemary Campbell, Roger Cline, Ken Collins, Betty Cortus, Eileen M. Curran, Frederick Denny, Patrizia di Bello, Jonathan Dore, Gail Edwards, K. Eldron, Marguerite Finnigan, Holly Forsythe, Judy Geater, Grayson Gerrard, Sheldon Goldfarb, Kerryn Goldworthy, Valerie Gorman, Jill Grey, Lesley Hall, Beth Harris, Kay Heath, Sarah J. Heidt, Toni Johnson-Woods, Ellen Jordan, Iveta Jusova, Katie Karrick, Gillian Kemp, Andrew King, Ivo Klaver, Patrick Leary, Paul Lewis, Janet Loengard, Margot Louis, Michael Martin, Chris Ann Matteo, Liz McCausland, Hugh MacDougall, Kirsten

MacLeod, Deborah McMillion, Terry L. Meyers, Sally Mitchell, Ellen Moody, Barbara Mortimer, Jess Nevins, Rosemary Oakeshott, Judy Oberhausen, Jeanne Peterson, Siân Preece, Angela Richardson, Cynthia Rogerson, Mario Rups, Herb Schlossberg, Barbara Schulz, Malcolm Shifrin, Helen Simpson, Carolyn Smith, Rebecca Steinitz, Matthew Sweet, Ruth Symes, Carol L. Thomas, George H. Thomson, Maria Torres, Audrey Verdin, Trina Wallace, Robert Ward, Stephen Wildman, Peter Wilkins, Perry Willett, Chris Willis, Michael Wolff et Karen Wolven.

Je dois à Patrick Leary d'avoir fondé sur Internet l'excellent groupe de discussion VICTORIA, et à Cathy Edgar de me l'avoir fait connaître.

Dans le souci de conserver sa minceur à ce volume, j'éviterai de citer toutes les publications que j'ai consultées, bien qu'il me faille mentionner tout spécialement *The Victorian Kitchen* de Jennifer Davies. Merci à tous ceux qui ont écrit sur la période, et particulièrement à ceux qui l'ont photographiée et peinte.

Plusieurs bonnes âmes se sont portées volontaires pour lire le manuscrit. Les conseils éclairés de Kenneth Fielden m'ont permis, lorsque j'ai commencé à écrire, d'éviter impasses et pièges et m'ont poussé dans la bonne voie. Mary Ellen Kappler a lu le texte en livraisons hebdomadaires aéroportées, et y a travaillé avec une minutie que je n'étais pas en droit d'espérer. Son érudition et sa perspicacité, qu'il est rare de voir ainsi alliées, plus que de m'être utiles, ont été pour moi source d'inspiration.

Merci aussi à mon éditrice Judy Moir qui a passé le manuscrit au peigne fin avec le même soin, le même dévouement et la même bonne humeur que pour mes livres précédents.

Je voudrais surtout remercier ma femme Eva pour les critiques pénétrantes qu'elle a faites de *La Rose pourpre et le Lys* dans ses différentes versions au cours des années. Son ambition pour le livre et la manière dont elle a su me la communiquer l'ont enrichi infiniment.

Michel Faber
*Avril 2002*

Dans la collection « Boréal compact »

Gilles Archambault
*La Fleur aux dents*
*La Fuite immobile*
*L'Obsédante Obèse et autres agressions*
*Parlons de moi*
*Les Pins parasols*
*Tu ne me dis jamais que je suis belle et autres nouvelles*
*Un après-midi de septembre*
*La Vie à trois*
*Le Voyageur distrait*

Pierre Billon
*L'Enfant du cinquième Nord*
*L'Ogre de Barbarie*

Nadine Bismuth
*Les gens fidèles ne font pas les nouvelles*
*Scrapbook*

Marie-Claire Blais
*La Belle Bête*
*David Sterne*
*Le jour est noir* suivi de *L'Insoumise*
*Le Loup*
*Manuscrits de Pauline Archange, Vivre ! Vivre !* et *Les Apparences*
*Les Nuits de l'Underground*
*Œuvre poétique 1957-1996*
*Pierre*
*Soifs*
*Le Sourd dans la ville*
*Tête blanche*
*Textes radiophoniques*
*Théâtre*
*Une liaison parisienne*
*Une saison dans la vie d'Emmanuel*
*Un Joualonais sa Joualonie*
*Visions d'Anna*

Jacques Brault
*Agonie*

Louis Caron
*Le Canard de bois*
*La Corne de brume*
*Le Coup de poing*
*L'Emmitouflé*

Ying Chen
*Immobile*

Gil Courtemanche
*Un dimanche à la piscine à Kigali*

France Daigle
*Pas pire*

Francine D'Amour
*Les dimanches sont mortels*
*Les Jardins de l'enfer*

Christiane Frenette
*Celle qui marche sur du verre*
*La Nuit rouge*
*La Terre ferme*

Jacques Godbout
*L'Aquarium*
*Le Couteau sur la table*
*L'Isle au dragon*
*Opération Rimbaud*
*Le Temps des Galarneau*
*Les Têtes à Papineau*

François Gravel
*Benito*

Louis Hamelin
*Le Joueur de flûte*

Anne Hébert
*Les Enfants du sabbat*
*Œuvre poétique*
*Le Premier Jardin*

Bruno Hébert
*Alice court avec René*
*C'est pas moi, je le jure !*

Suzanne Jacob
*Laura Laur*
*L'Obéissance*
*Rouge, mère et fils*

Marie Laberge
*Annabelle*
*La Cérémonie des anges*
*Juillet*
*Le Poids des ombres*
*Quelques Adieux*

Marie-Sissi Labrèche
*Borderline*

Robert Lalonde
*Le Diable en personne*
*Le Monde sur le flanc de la truite*
*L'Ogre de Grand Remous*
*Le Petit Aigle à tête blanche*
*Sept lacs plus au nord*
*Une belle journée d'avance*

Monique LaRue
*Copies conformes*
*La Gloire de Cassiodore*

Louis Lefebvre
*Le Collier d'Hurracan*

Françoise Loranger
*Mathieu*

André Major
*La Folle d'Elvis*
*L'Hiver au cœur*
*Le Vent du diable*

Yann Martel
*Paul en Finlande*

Marco Micone
*Le Figuier enchanté*

Christian Mistral
*Vacuum*
*Valium*
*Vamp*
*Vautour*

Hélène Monette
*Crimes et Chatouillements*
*Le Goudron et les Plumes*
*Unless*

Pierre Monette
*Dernier automne*

Daniel Poliquin
*L'Écureuil noir*

Monique Proulx
*Les Aurores montréales*
*Le cœur est un muscle involontaire*
*Homme invisible à la fenêtre*

Yvon Rivard
*Le Milieu du jour*
*L'Ombre et le Double*
*Les Silences du corbeau*

Louis-Bernard Robitaille
*Maisonneuve, le Testament du Gouverneur*

Gabrielle Roy
*Alexandre Chenevert*
*Bonheur d'occasion*
*Ces enfants de ma vie*
*Cet été qui chantait*
*De quoi t'ennuies-tu, Éveline ?* suivi de *Ély ! Ély ! Ély !*
*La Détresse et l'Enchantement*
*Fragiles lumières de la terre*
*La Montagne secrète*
*La Petite Poule d'Eau*
*La Rivière sans repos*

*La Route d'Altamont*
*Rue Deschambault*
*Le temps qui m'a manqué*
*Un jardin au bout du monde*

Jacques Savoie
*Les Portes tournantes*
*Le Récif du Prince*
*Une histoire de cœur*

Mauricio Segura
*Côte-des-Nègres*

Gaétan Soucy
*L'Acquittement*
*L'Immaculée Conception*
*La petite fille qui aimait trop les allumettes*

Marie José Thériault
*L'Envoleur de chevaux*

Marie Uguay
*Poèmes*

Guillaume Vigneault
*Carnets de naufrage*
*Chercher le vent*